Grundrisse zum Alten Testament

4/2

V&R

Grundrisse zum Alten Testament

Das Alte Testament Deutsch · Ergänzungsreihe

Herausgegeben von Walter Beyerlin

Band 4/2

Geschichte des Volkes Israel und seiner Nachbarn in Grundzügen

Teil 2

Vandenhoeck & Ruprecht
in Göttingen

Geschichte des Volkes Israel und seiner Nachbarn in Grundzügen

Teil 2:
Von der Königszeit bis zu Alexander dem Großen

Mit einem Ausblick auf die Geschichte des Judentums bis Bar Kochba

von

Herbert Donner

Mit vier Karten im Text und Zeittafeln

Vandenhoeck & Ruprecht
in Göttingen

CIP-Kurztitelaufnahme der Deutschen Bibliothek

Donner, Herbert:
Geschichte des Volkes Israel und seiner Nachbarn in Grundzügen / von Herbert Donner. – Göttingen : Vandenhoeck und Ruprecht (Grundrisse zum Alten Testament ; Bd. 4) NE: GT
Teil 2. Von der Königszeit bis zu Alexander dem Großen : mit e. Ausblick auf d. Geschichte d. Judentums bis Bar Kochba. – 1986.
ISBN 3-525-51666-5

Gesetzt aus Garamond auf Digiset 200 T 2
Gesamtherstellung: Hubert & Co., Göttingen.

Vorwort

Der zweite Teil dieser Geschichte des Volkes Israel folgt den Grundsätzen, die im Vorwort zum ersten Teile und in Kapitel I,1 erläutert worden sind. Er führt von der sog. „Reichsteilung" bis zum Eintritt des Judentums in die hellenistische Welt zur Zeit Alexanders des Großen. In einem Ausblick werden die dominanten Züge des Geschichtsverlaufes bis zum zweiten jüdischen Aufstand (135 n.Chr.) dargestellt. Die Quellenlage ist für viele – nicht alle – Phasen der Geschichte Israels und des beginnenden Judentums im Gesamtzeitraum des zweiten Teiles sehr viel besser als für die Vor- und Frühgeschichte vor und nach der Landnahme bis zum Zeitalter der Staatenbildungen unter Saul und David und der kurzen Phase des davidisch-salomonischen Gesamtreiches. Dennoch gilt unvermindert weiter, was Leser des ersten Teiles – gelegentlich nicht ohne Befremden – bemerkt haben: die außerordentliche Häufigkeit von Sätzen wie „das wissen wir nicht", „darüber ist nichts Sicheres in Erfahrung zu bringen", „darauf hat niemand eine Antwort" u. ä. Es ist dies aber nichts anderes als die einfache Wahrheit, die zu wiederholen besonders dort angezeigt erscheint, wo die Fülle des Quellenmaterials darüber hinwegtäuschen könnte, daß wir tatsächlich zu wenig wissen. Genau genommen sind die literarischen und archäologischen Quellen auch dieses zweiten Teiles nicht mehr als Streiflichter von unterschiedlicher Helligkeit, die dem Historiker die Arbeit nicht ersparen, auf dem Wege der Theorie und Hypothesenbildung so weit wie möglich ins Dunkel einzudringen. Ich habe mich bemüht, bei diesem Geschäfte das *Ne quid nimis* des Terenz (Andria I, 1, 34) nicht aus den Augen zu verlieren.

Kiel, im Juli 1985 — Herbert Donner

Inhalt

TEIL IV

Juda und Israel als Glieder des syrisch-palästinischen Kleinstaatensystems

KAPITEL 1

Der Zerfall des Reiches Davids und die Auflösung der Personalunion zwischen Juda und Israel

„Und siehe, hier ist mehr denn Salomo!" (Mt 12,42; Lk 11,31). Dieser Satz, mit dem das Salomo-Kapitel des ersten Teiles schloß[1], spricht von einem Rangunterschied, den der Historiker nur ruhig verehren, zu dessen Begründung und Erklärung er aber nichts beitragen kann. Die Versuchung ist groß, von sozusagen einfachen Rangunterschieden im Hinblick auf David und Salomo und ihre Nachfolger zu sprechen. Waren die Nachfolger, gemessen am Beispiele der Vorgänger, nicht fast alle schwach und unbedeutend? Wer so urteilt, macht es sich zu einfach und vergißt, daß die Aufgabe des Historikers nicht darin bestehen kann, zu wiegen und gegebenenfalls zu leicht zu finden. Er vergißt vor allem, daß die geschichtlichen Bedingungen so sorgsam wie möglich in Betracht gezogen werden müssen. Diese Bedingungen, die Zeit und die Umstände, waren Salomos Nachfolgern nicht günstig. Salomo war noch nicht lange – wenn man in Abwandlung einer geläufigen atl Formel so sagen darf – zu seinem Vater versammelt, da zerfiel das von David begründete Gesamtreich.

Das atl Quellenmaterial für die Ereignisse nach dem Tode Salomos wird unterschiedlich beurteilt, auch der dtr Anteil an seiner Aufbereitung und Komposition ist strittig. M. Noth[2] glaubte, eine Prophetenerzählung beträchtlichen Umfangs unter dem Thema „Jerobeam und der Prophet Ahia von Silo" annehmen zu sollen (1. Kön 11,29 aβb–31. 36 a b α. 37; 12,1–20. 26–31; 14,1–18), die der Dtr vorfand, bearbeitete und in seine Gesamtdarstellung einfügte. Diese Erzählung berichtet zunächst von der noch zu Lebzeiten Salomos erfolgten Designation Jerobeams durch den Propheten Ahia von Silo und von der Zusage, Jerobeam werde die Herr-

---

[1] S. Teil 1, S. 229.

[2] M. Noth, Überlieferungsgeschichtliche Studien (1957²) 79 f.

schaft über zehn Stämme Israels erlangen: eine arithmetisch ungenaue und überhaupt problematische Rechnung, die vielleicht so zustandekommt, daß Juda als Herrschaftsgebiet der Davididen nicht beachtet und Levi wie Simeon nicht mitgezählt werden[3]. Darauf folgt dann der Bericht über die Erfüllung dieser Zusage durch die Nichterneuerung der Personalunion zwischen Juda und Israel. Jerobeam, nun König des Nordstaates Israel geworden, weicht jedoch alsbald durch die Aufstellung der „goldenen Kälber" zu Bethel und Dan vom rechten Wege ab und empfängt durch den Propheten Ahia eine Drohweissagung Jahwes, die ihm nicht nur den Tod seines erkrankten Sohnes, sondern auch seinen eigenen und seines Hauses Untergang ankündigt. Man wird jedoch gegen Noths eindrucksvolle Analyse Bedenken anmelden müssen. Sie entzünden sich hauptsächlich an 1. Kön 12, 1–20: einem Bericht, in dem nicht nur Ahia von Silo nicht die mindeste Rolle spielt, sondern in dem nicht einmal Jerobeam ursprünglich vorkam. Jerobeam taucht nur ganz am Anfang (V. 2 f.) streiflichtartig auf[4], um dann völlig von der Bildfläche zu verschwinden und erst am Ende (V. 20) anläßlich seiner Akklamation zu erscheinen. In 12, 1–19 handeln Rehabeam und die Abgeordneten der Nordstämme allein, und der Bericht schließt mit den Worten: „So fiel Israel ab vom Hause Davids bis auf den heutigen Tag." Das ist sicherlich keine „Prophetenerzählung", sondern ein selbständiges kleines Geschichtswerk mit dem Thema der Auflösung der Personalunion: ein Geschichtswerk, das nicht in erster Linie an den handelnden Personen und überhaupt nicht an Ahia und Jerobeam interessiert ist, sondern an dem historischen Sachverhalt, den der Schlußsatz bezeichnet[5]. Die nächstgelegene Gattungsparallele ist das Geschichtswerk von der Thronnachfolge Davids[6], und was früher dazu gesagt wurde[7], könnte hier wiederholt werden. Die einzige sachliche Verbindung zwischen 12, 1–19 und dem Vorausgegangenen besteht darin, daß die Designationszusage an Jerobeam sich nicht erfüllen konnte, ehe Nordisrael nicht frei von der Herrschaft der davidischen Dynastie geworden war: 12, 1–19 schafft also die Voraussetzung für die Erfüllung des Jahwewortes von 11, 31. Das Schema „Weissagung und Erfüllung" aber ist ein geläufiges geschichtstheologisches Deutemittel der Dtr, und nicht umsonst trägt V. 15 b β, der die Verbindung zur Designation Jerobeams herstellt, unverkennbar Züge dtr Stils. Ähnlich liegen die Dinge in 12, 26–31: einem stark dtr überarbeiteten, wenn nicht überhaupt dtr formulierten Abschnitt über kultuspoliti-

[3] Vgl. K.-D. Schunck, Benjamin. BZAW 86 (1963) 139–153; M. Noth, Könige. BK XI, 4 (1968) 259 f.

[4] V. 2 und der Name Jerobeam in V. 3 sind vermutlich redaktionelle Verknüpfungen mit dem vorausgegangenen Erzählungsgut.

[5] Vgl. I. Willi-Plein, Erwägungen zur Überlieferung von 1. Reg. 11, 26–14, 20. ZAW 78 (1966) 8–24. Auch M. Noth selbst hat sich im Könige-Kommentar (BK XI, 4, S. 244–246 und 268–270) zurückhaltender geäußert und die ursprüngliche Selbständigkeit der Einzelüberlieferungen – bes. 12, 1–19 – anerkannt.

[6] Vgl. bes. 1. Kön 12, 15 a b α mit 2. Sam 17, 14!

[7] Teil 1, S. 207 f.

sche Regierungsmaßnahmen Jerobeams, dessen Stoff aus den Annalen der Könige von Israel stammen mag. Es bleiben 11,29–40[8] und 14,1–18: zwei Erzählungszusammenhänge, die nun allerdings das Thema „Jerobeam und Ahia von Silo" behandeln und untereinander in Verbindung stehen. Beide sind so nachhaltig dtr bearbeitet, daß ihre ursprüngliche Gestalt kaum mehr zuverlässig rekonstruiert werden kann. Insgesamt ist in Betracht zu ziehen, daß die Zusammenstellung und Bearbeitung der Materialien kaum von einem einzigen dtr Geschichtsschreiber geleistet worden ist, sondern auf mehrere, einander folgende dtr Redaktionen verteilt werden muß[9].

Nach alledem stehen für die Zeit unmittelbar nach Salomos Tod folgende Quellen verschiedenen Wertes und Gewichtes zur Verfügung: 1. ein novellistisches Geschichtswerk über die Auflösung der Personalunion zwischen Juda und Israel (1. Kön 12,1–19); 2. z.T. aus den Regierungsannalen stammende, dtr verarbeitete Mitteilungen über Politik und Religion zur Zeit Jerobeams und Rehabeams (1. Kön 12,25–32; 14,19–31); 3. dtr überarbeitete Prophetenerzählungen (1. Kön 11,29–40; 12,21–24; 14, 1–18)[10]. Aus diesen Quellen kann, mit kritischer Distanz, ein in den Hauptlinien zuverlässiges, wenn auch keineswegs vollständiges Bild der Ereignisse gewonnen werden.

Der Kronprinz, der nach dem Tode Salomos den Thron bestieg, war Rehabeam, der Sohn einer Ammoniterin namens Naama aus dem königlichen Harem. Vermutlich war er der älteste Sohn Salomos. Sein Regierungsantritt vollzog sich in Jerusalem und Juda anscheinend ohne Schwierigkeiten. Woher hätten solche auch kommen sollen? Jerusalem und Juda waren dem dynastischen Gedanken geneigt und betrachteten die Thronfolge des Davidsenkels als legitim, wenn nicht als selbstverständlich. Es ist denkbar, daß Salomo aus den Thronfolgewirren gegen Lebensende seines Vaters David Lehren gezogen und Rehabeam rechtzeitig und mit Bestimmtheit als Kronprinzen proklamiert hatte.

Unter den Stämmen des Nordens freilich, im alten Reiche Sauls, lagen die Dinge nicht so einfach. Daß das Nordreich keineswegs bereit war, das dynastische Königtum der Familie Davids ohne weiteres zu akzeptieren, hatte sich schon zu Lebzeiten des Dynastiegründers beim Aufstande des Benjaminiten Scheba gezeigt (2. Sam 20)[11]. Im Norden lebte das alte charismatische Ideal, das es geradezu verbot, die Könige von Jerusalem und Juda stillschweigend auch als Könige von Nordisrael anzuerkennen. Zumindest durfte erwartet werden, daß sich der davidische Thronfolger den

---

[8] Vgl. H. Weippert, Die Ätiologie des Nordreiches und seines Königshauses (I Reg 11,29–40). ZAW 95 (1983) 344–375.

[9] Zu in den Grundzügen ähnlichen Ergebnissen gelangte bereits A. Jepsen, Die Quellen des Königsbuches (1956²) 5f. Vgl. auch J. Debus, Die Sünde Jerobeams. FRLANT 93 (1967).

[10] 1. Kön 13 kommt als Geschichtsquelle nicht in Betracht; vgl. zuletzt Th. B. Dozeman, The Way of the Man of God from Judah: True and False Prophecy in the Pre-Deuteronomic Legend of I Kings 13. CBQ 44 (1982) 379–393.

[11] S. Teil 1, S. 213f.

Abgeordneten der Nordstämme stellte, um von ihnen eigens und besonders die Akklamation zu empfangen und damit die Personalunion zu erneuern, aufgrund derer David über Juda und Israel geherrscht hatte. Wir wissen nicht, ob Salomo das getan hat, möchten es ihm aber zutrauen, obgleich die Überlieferung nichts dergleichen berichtet – es sei denn, man könnte der Geschichte von Salomos Traum im Tempel von Gibeon (1. Kön 3,4–15), die durch die „Krönungsbitte" (V. 5. 9) mit dem Ritual der Thronbesteigung zusammenhängt, einen versteckten Hinweis darauf entnehmen. Rehabeam jedenfalls scheint sich darüber im klaren gewesen zu sein, daß er mit seinem Regierungsantritt in Jerusalem und Juda nicht sozusagen automatisch auch König über Nordisrael geworden war. So begab er sich denn eines Tages nach Sichem, um dort an traditionsreicher Stätte durch Akklamation die Königswürde über Israel zu erlangen. Das aber war sehr viel schwieriger, als er erwartet hatte. Wir wissen zwar nicht, ob die Abgeordneten der Nordstämme einer Erneuerung der Personalunion grundsätzlich positiv gegenüberstanden oder ob sie die Anerkennung des Salomosohnes gar nicht ernsthaft erwogen. Aber soviel wissen wir, daß sie ihm ihre *Gravamina* vortrugen: entweder, um ihn zu einer Art Wahlkapitulation zu zwingen, oder aber mit dem Ziele, ihn sozusagen schon im Vorfeld abzuschmettern. Das Haupt*gravamen* war der harte Frondienst, den Salomo Israel auferlegt hatte (1. Kön 5,27–32; 9,15–23; 11,28)[12]. Darüber hinaus mag man an die Abgabepflichten im Zusammenhang der salomonischen Provinzeinteilung denken, die zweifellos als drükkend empfunden wurden (1. Kön 4,7)[13]. Sollte Salomo tatsächlich den innenpolitischen Mißgriff getan haben, den judäischen Süden aus dem Abgabesystem auszugliedern, dann wäre die Verbitterung der Nordstämme um so verständlicher. Was dachten sich die Davididen eigentlich, so mit den freien Männern des Reiches Israel umzugehen? Bereits Davids Herrschaft über Israel hatte sich in seinen letzten Lebensjahren der Despotie genähert, und daß es unter Salomo besser geworden wäre, ist nicht anzunehmen. Jetzt aber, beim Regierungswechsel, sahen die Nordstämme die Gelegenheit gekommen, ihren politischen Willen zur Geltung zu bringen und der Tyrannei des Hauses Davids ein Ende zu machen.

Die Ältesten Israels sprachen also zu Rehabeam: „Dein Vater hat uns ein hartes Joch auferlegt; so mache du jetzt deines Vaters harten Dienst und das schwere Joch leichter, das er uns auferlegt hat, so wollen wir dir untertan sein" (1. Kön 12,4). Sie sprachen gewiß nicht wörtlich so zu ihm, sondern nur dem Sinne nach. Denn die Sache bedurfte der Konkretion und ausführlicher Begründung. Auch ist fraglich, ob man sie gleich zu Anfang als Bedingung für künftige Unterwerfung formulierte, und schließlich war der Verfasser des Geschichtswerkes wohl kaum persönlich zugegen. Jedenfalls erbat und erhielt Rehabeam eine Bedenkzeit von drei Tagen. Während dieser Zeit berief er den Kronrat ein, dessen Mitglieder ent-

---

[12] S. Teil 1, S. 223 f.

[13] S. Teil 1, S. 226 f.

weder mit nach Sichem gekommen waren oder eilends von Jerusalem herbeigerufen wurden. Damit aber begann sein Unglück. Denn der Kronrat war anscheinend kein einheitliches Gremium, sondern bestand einerseits aus alten, im Dienste Salomos ergrauten Räten und andererseits aus jungen Leuten, die Rehabeam selbst berufen hatte[14]. Von dieser gemischten Gesellschaft konnte schwerlich ein gemeinsames Urteil erwartet werden. So wiederholte sich die Ratstragödie, die schon Absalom erlebt hatte (2. Sam 17)[15], jetzt noch bereichert um das Generationenproblem[16]. Die alten Räte empfahlen Rehabeam, nachzugeben und die Forderungen der Ältesten Israels zu erfüllen; gewiß stand im Hintergrunde die Erwägung, man könne später – nach der Akklamation – die Zügel allemal wieder straffer anziehen. Die jungen Räte dagegen rieten, sich unter gar keinen Umständen auf Verhandlungen einzulassen, sondern von Anfang an den starken Mann herauszukehren: „So mußt du diesem Volk da antworten, das zu dir gesagt hat: ‚Dein Vater hat uns ein schweres Joch auferlegt, du aber mache es uns leichter!' – so mußt du zu ihm sprechen: Mein kleiner Finger ist dicker als meines Vaters Lenden! Wohlan denn, hat mein Vater euch ein schweres Joch aufgeladen, so will ich euer Joch noch härter machen; hat euch mein Vater mit Peitschen gezüchtigt, so will ich euch mit Skorpionenstacheln züchtigen!" (1. Kön 12, 10 f.). Natürlich meinten sie nicht im Ernste, er solle wörtlich so zu ihnen reden. Die zugespitzte, plakative Formulierung gibt gewissermaßen den Generalnenner an, auf den Rehabeam seine Antwort nach Meinung der jungen Räte bringen sollte. Dahinter steht nun freilich ein verhängnisvolles politisches Fehlurteil: das Urteil nämlich, hier handle es sich um eine Autoritäts- und Prestigefrage. Vielleicht waren die jungen Räte vorzugsweise Jerusalemer und als solche sich nicht klar darüber, daß von Autorität und Prestige Rehabeams im Norden noch gar keine Rede sein konnte. Sie waren wohl nicht in der Lage, zwischen den Verhältnissen in Juda/Jerusalem und denen im alten Nordreich zu unterscheiden. Es war Rehabeams Torheit und Unglück, daß er dem Rat seiner Altersgenossen folgte. Es war aber nach der Überzeugung des Geschichtsschreibers noch mehr als das: es war Jahwes Fügung, daß es so kommen mußte. Jahwe hatte eine Wendung, eine Peripetie

---

[14] A. Malamat, Kingship and Council in Israel and Sumer: A Parallel. JNES 22 (1963) 247 ff., hat versucht, dieses Nebeneinander im Sinne eines Zweikammersystems zu deuten; aber dazu ist die Textbasis wohl doch zu schmal. Vgl. auch A. Malamat, Organs of Statecraft in the Israelite Monarchy. BA 28 (1965) 34–65; D. G. Evans, Rehoboam's Advises at Shechem and Political Institutions in Israel and Sumer. JNES 25 (1966) 273 ff.; E. Lipiński, Le récit de 1 Rois XII 1–19 à la lumière de l'ancien usage de l'Hébreu et de nouveaux textes de Mari. VT 24 (1974) 430–437; M. Weinfeld, The Counsel of the „Elders" to Rehoboam and its Implications. Maarav 3 (1982) 27–53.

[15] S. Teil 1, S. 212 f.

[16] Vgl. J. Conrad, Die junge Generation im AT (1970); J. Macdonald, The Status and Role of the Naʿar in Israelite Society. JNES 35 (1976) 147–170; H.-P. Stähli, Knabe – Jüngling – Knecht. Untersuchungen zum Begriff *naʿar* im AT. Beiträge z. bibl. Exegese und Theologie 7 (1978).

eintreten lassen, damit das Verhängnis seinen Lauf nähme (1. Kön 12, 15). Nach der Peripetie aber folgt im klassischen Drama die Katastrophe. Die Ältesten Israels präsentierten Rehabeam die Quittung und sagten sich ein für allemale von der davidischen Dynastie los:

> „Was haben wir für Teil an David? Kein Erbe am Sohne Isais!
> Zu deinen Zelten Israel! Sieh nach deinem eigenen Hause, David!"

(1. Kön 12, 16)[17]. Rehabeam verschlimmerte die Sache in unbegreiflicher Verblendung noch dadurch, daß er ein letztes Verhandlungsangebot machte und als Unterhändler ausgerechnet den Frondienstminister Adoniram entsandte, der schon seinem Großvater David gedient hatte[18]. Der alte Mann wurde zu Tode gesteinigt, und Rehabeam selbst hatte gerade noch Zeit, auf seinen Wagen zu springen und nach Jerusalem zu fliehen.

Das Ergebnis dieses Vorgangs ist mit dem geläufigen Begriff „Reichsteilung" ungenau und mißverständlich bezeichnet. Denn es handelte sich ja nicht um die Teilung eines in sich einheitlichen Reichsgebildes, sondern um die Nichterneuerung der Personalunion zwischen Juda und Israel, wie sie unter David und Salomo bestanden hatte. Es handelte sich um die Verfestigung und Versteifung des alten Dualismus von Nord und Süd, der durch die Personalunion nur vorübergehend verdeckt, aber keineswegs beseitigt gewesen war. Man hat das in Jerusalem und Juda nicht verstehen wollen und hat von einem frevelhaften Abfall Israels von Juda gesprochen (1. Kön 12, 19), auch noch in späterer Zeit (Jes 7, 17). Die Hoffnung auf Wiedervereinigung ist im Süden stets lebendig geblieben und gepflegt worden[19]. Nordisrael dagegen strebte keineswegs nach der Wiederherstellung jener ohnehin brüchigen Einheit. Es freute sich vielmehr seiner Freiheit und darüber, daß es ihm gelungen war, die Empfindungen der Fremdheit gegenüber der davidischen Dynastie in politische Münze umzusetzen. Endlich hatte Jahwe wieder freie Hand, einen neuen Mann auf den Königsthron zu bringen, wie er es dereinst mit Saul getan hatte.

Die Personalfrage machte dabei nicht die geringsten Schwierigkeiten; denn ein geeigneter Mann stand längst zur Verfügung und hielt sich bereit. Es war der Ephraimit Jerobeam ben Nebat, der es dank seiner Tüchtigkeit bereits unter Salomo bis zum „Aufseher über die Fronarbeit des Hauses Joseph" (*sẹbel bẹ̄t Yōsẹ̄f* 1. Kön 11, 28) gebracht hatte. Er war also eine Art Territorialfrondienstbeamter unter der Oberaufsicht des Frondienstministers Adoniram gewesen. 1. Kön 11, 29 ff. berichtet nun, daß Jahwe diesen Jerobeam schon zu Lebzeiten Salomos durch den Propheten Ahia von Silo zum König über Israel hatte designieren lassen[20]. Das kann

---

[17] Es ist fast wörtlich dieselbe Formel wie in 2. Sam 20, 1!

[18] S. Teil 1, S. 204 f. 228.

[19] Vgl. Jes 8, 23 b–9, 6; Ez 37, 15–28; Hos 2, 1–3 u. ö.

[20] Vgl. A. Caquot, Aḥiyya de Silo et Jéroboam Ier. Semitica 11 (1961) 17–27; H. Seebass, Zur Königserhebung Jerobeams I. VT 17 (1967) 325–333.

natürlich ein Widerschein der späteren Überzeugung sein, die Sache müsse sich so zugetragen haben, wie man ja auch von David erzählte, der Seher Samuel habe ihn noch zu Lebzeiten Sauls zum König gesalbt (1. Sam 16)[21]. Aber ebensogut ist denkbar, daß hinter dieser Sagenüberlieferung eine im Kern zuverlässige geschichtliche Erinnerung steht. Denn es kam in der Tat alsbald zum Zerwürfnis zwischen Salomo und Jerobeam. Der hoffnungsvolle und ehrgeizige junge Mann floh rechtzeitig nach Ägypten, das klassische Zufluchtsland aller in Palästina politisch Verfolgten, und erhielt dort von Pharao Schoschenk I., dem Begründer der 22. libyschen Dynastie[22], politisches Asyl. Nach Salomos Tode sah er seine Stunde gekommen. Wann er in die Heimat zurückkehrte, ob vor oder nach den Ereignissen von Sichem, ist nicht mehr sicher auszumachen[23]. Jedenfalls war er zur Stelle, als man seiner bedurfte, und die Ältesten Nordisraels zögerten nicht, ihn durch Akklamation zum König über Israel zu machen (1. Kön 12, 20).

So ist kurz nach dem Tode Salomos das Kerngebiet des von David errichteten Großreiches zerbrochen. Es war nur noch eine Frage der Zeit, bis jene Außengebiete ihre Selbständigkeit wiedergewannen, die unter Salomo noch nicht abgefallen waren. Im Falle des Königreiches der Ammoniter dürfte das ziemlich rasch gegangen sein. Denn das Verhältnis der Davididen zu Ammon war duch Personalunion bestimmt[24], und es ist schwer vorstellbar, daß Rehabeam die ammonitische Krone halten konnte, zumal ihm seit der Unabhängigkeitserklärung Israels der direkte Zugang zum Ostjordanland durch den Jordangraben abgeschnitten war. Und sollte sich Jerobeam als „Erbe" der ammonitischen Krone betrachtet haben, dann dauerte es vielleicht etwas länger, aber kaum allzu lange. Leider erfährt man aus der Überlieferung darüber nichts, und die in den letzten beiden Jahrzehnten aufgefundenen Schriftdenkmäler der Ammoniter sind etwas jünger und äußern sich nicht über das Verhältnis zu Israel[25]. Mit ei-

---

[21] S. Teil 1, S. 192.

[22] S. u. S. 291.

[23] Die Jerobeam-Geschichte hat im Cod. Vaticanus der LXX eine ausführliche griechische Parallelrezension zum MT (1. Kön 12, 24 a–z LXX^B), über deren historischen Wert die Akten noch nicht geschlossen sind. Vgl. J. Debus, Die Sünde Jerobeams. FRLANT 93 (1967) 55–92; D. W. Gooding, The Septuagint's Rival Versions of Jeroboam's Rise to Power. VT 17 (1967) 173–189; M. Aberbach–L. Smolar, Jeroboam's Rise to Power. JBL 88 (1969) 69–72; R. W. Klein, Jeroboam's Rise to Power. JBL 89 (1970) 217 f.; R. P. Gordon, The Second LXX Account of Jeroboam: History or Midrash? VT 25 (1975) 368–393.

[24] S. Teil 1, S. 200 f.

[25] Zur Inschrift von der Zitadelle von Amman *(Ǧebel el-Qalʿa)*: S. H. Horn, BASOR 193 (1969) 2–13; E. Puech–A. Rofé, RB 80 (1973) 531–546; A. van Selms, BiOr 32 (1975) 5–8; P.-E. Dion, RB 82 (1975) 24–33; W. H. Shea, PEQ 111 (1979) 17–25; V. Sasson, ebenda 117–125; W. H. Shea, PEQ 113 (1981) 105–110. Zur Flaschen-Inschrift von *Tell Sīrān*: H. O. Thompson–F. Zayadine, BASOR 212 (1973) 5–11; F. M. Cross, ebenda 12–15; H. O. Thompson–F. Zayadine, BA 37 (1974) 13–19; H. O. Thompson, AJBA 2/3 (1974/5) 125–136; Ch. Krahmalkow, BASOR 223 (1976) 55–57; O. Loretz, UF 9 (1977) 169–171; M. Shea, PEQ 110 (1978) 107–112; R. B. Coote, BASOR 240 (1980) 93; F. Israel, BeO 20 (1980) 283–287; M.

nem Wort: ein genaues Datum der Selbständigkeitserklärung des Staates Ammon ist nicht anzugeben[26]. Was die Philister anlangt, so werden sie ihren Vasallitätsstatus[27] alsbald verloren und ihre Unabhängigkeit wiedergewonnen haben. Zwar liegt auch darüber keine Nachricht vor, aber vielleicht darf man den Tatbestand auf dem Umweg über Rehabeams Festungsbauprogramm erschließen[28]. Merkwürdigerweise blieb Moab bis zur Mitte des 9. Jh. v. Chr. Vasall des Nordstaates Israel; erst nach dem Tode des Königs Ahab (852) wurde es frei[29]. Ähnliches gilt von Edom, das sich nach ersten Unabhängigkeitsbestrebungen noch zu Lebzeiten Salomos oder kurz nach seinem Tode[30] erst unter dem judäischen König Jehoram (852/47–845) endgültig von Juda löste[31].

Nach alledem war die Nichterneuerung der Personalunion die Geburtsstunde eines neuen Staatensystems auf dem Boden Palästinas und Mittelsyriens, genauer: die Stunde der Wiedergeburt eines Systems kleiner, selbständiger Staatsgebilde, wie sie vor David bestanden hatten. Das Pendel der Geschichte war unter David weit ausgeschwungen; jetzt kehrte es in die Ruhelage zurück. Die beiden israelitischen Staaten standen nun vor der Aufgabe, ihren Bestand nach außen und innen je für sich zu konsolidieren und sich als Glieder des palästinisch-syrischen Kleinstaatensystems einzurichten. Die Lösung dieser Aufgabe war im israelitischen Norden sehr viel schwieriger als im judäischen Süden. Denn während in Juda die davidische Dynastie dem Staate ein Zentrum und festen Halt gab, war in Israel die Kontinuität des Königtums durch die Personalunion mit Juda und Jerusalem sozusagen unterbrochen gewesen. Man hätte eigentlich an das Reich Sauls anknüpfen müssen, von dem jedoch so gut wie nichts übriggeblieben war. Hinzu kam die geographische Lage: Nordisrael mit seinem uneinheitlichen Territorium, seinen Gebirgen und Ebenen, seinem

---

Baldacci, VT 31 (1981) 363–368; B. E. J. H. Becking, BiOr 38 (1981) 273–276; G. W. Ahlström, The Tell Siran Bottle Inscription, PEQ 116 (1984) 12–15. Vgl. ferner G. M. Landes, The Material Civilization of the Ammonites. BA 24 (1961) 66–86; G. Garbini, La lingua degli Ammoniti. AION 20 (1970) 249–258; P. Bordreuil, Inscriptions sigillaires ouest-sémitiques I. Épigraphie ammonite. Syria 50 (1973) 181–195; G. Garbini, Ammonite Inscriptions. JSS 19 (1974) 159–168; A. Abou Assaf, Untersuchungen zur ammonitischen Rundbildkunst. UF 12 (1980) 7–102; D. Siran, On the Grammar and Orthography of the Ammonite Findings. UF 14 (1982) 219–234; M. M. Ibrahim, Siegel und Siegelabdrücke aus *Saḥāb*. ZDPV 99 (1983) 43–53; K. P. Jackson, The Ammonite Language of the Iron Age. Harvard Semitic Monographs 27 (1983); W. E. Aufrecht, A Bibliography of Ammonite Inscriptions. Newsletter for Targumic and Cognate Studies, Suppl. 1 (o. J.) 1–36.

[26] Man pflegte früher anzunehmen, der erste selbständige Ammoniterkönig sei für das Jahr 853 v. Chr. in der sog. Monolithinschrift Salmanassars III., Kol. II, Z. 95 bezeugt: „*Ba'sa, Sohn des Ruḫubi, von* ^{KUR}*A-ma-na-a-a.*" Doch Ammon heißt in Keilschrifttexten sonst stets $^{KUR\ (URU)}$*Bīt-Am-ma-na* o. ä., einmal auch ^{KUR}*ba-an-Am-ma-na-a-a* (vgl. hebr. *b^{e}nẹ̄ ʿAmmōn*) im Nimrud-Brief Nr. 16, Z. 36. Außerdem deutet Ruḫubi auf *(Bẹ̄t) R^{e}ḥōb*, d. h. die Gegend um den nördl. Antilibanos. Vgl. richtig TGI², 50 (wo allerdings, kaum zutreffend, an das Amanusgebirge gedacht ist).

[27] S. Teil 1, S. 198.

[28] S. u. S. 244 f.

[29] S. u. S. 273 f.

[30] S. Teil 1, S. 224.

[31] S. u. S. 251.

Anschluß an die großen Verbindungsstraßen zwischen Asien und Afrika, dem Mittelmeer und den Regionen der arabischen Halbinsel, war gefährdet, verwundbar und dem Zugriff auswärtiger Feinde viel eher ausgesetzt als Juda in seiner relativen Abgeschlossenheit und Abgelegenheit. Die Quellen fließen nicht gerade sehr reichlich, gestatten aber immerhin die Rekonstruktion zumindest einiger Hauptzüge des folgenden Geschichtsverlaufes.

1. Jerobeam I. ben Nebat (927–907)

Der neue König von Israel stand zunächst vor der Frage, wo er residieren sollte. Gibea *(Tell el-Fūl)*, die Residenz Sauls, kam wegen der geographischen Nähe zum Südstaat Juda nicht ernsthaft in Frage: es lag ca. 5 km nördl. von Jerusalem an der Hauptstraße und mitten im Grenzgebiet, das alsbald Gegenstand militärischer Auseinandersetzungen werden sollte[32]. Nach 1. Kön 12, 25 baute Jerobeam I. die Ortschaften Sichem *(Tell Balāṭa)* auf dem samarischen Gebirge und Pnuel *(Tilāl eḏ-Ḏahab)* im Ostjordanlande am Jabbok als Residenzen aus. Nach 1. Kön 14, 17 benutzte er aber auch Thirza *(Tell el-Fār'a)* als Hauptstadt. Man hat diese merkwürdige Pluralität der Residenzen zumeist im Sinne eines historischen Nacheinander interpretiert: etwa so, daß Jerobeam unter dem Eindruck des Palästinafeldzuges des libyschen Pharao Schoschenk I.[33] Sichem verließ und nach dem ostjordanischen Pnuel entwich, um später aus freilich unbekannten Gründen nicht nach Sichem zurückzukehren, sondern Thirza als Residenz zu wählen. Das ist nicht auszuschließen, aber am Ende doch nicht sehr wahrscheinlich. Die Mehrzahl der Städte erklärt sich ungezwungen durch die Annahme, daß Jerobeam sein Königtum zumindest in den Anfangsjahren im Umherziehen ausübte, d. h. daß er die genannten Residenzen nebeneinander benutzte. Man mag sich im Sinne einer entfernten Parallele an die deutschen Kaiserpfalzen des Mittelalters erinnern[34].

Vor allem aber sah sich Jerobeam I. vor der Notwendigkeit, religions- und kultuspolitisch tätig werden zu müssen. Denn man hatte sich nicht nur in Juda, sondern auch unter den Stämmen des Nordens inzwischen schon daran gewöhnt, den von Salomo erbauten Jahwetempel zu Jerusalem als ein überregional bedeutsames Heiligtum zu betrachten. Dort stand die Lade Jahwes, die fromme Wallfahrer vor allem aus Mittelpalästina, aber wohl auch aus entfernteren israelitischen Gegenden anzog. Davids Kultuspolitik hatte Früchte getragen[35]. Jerobeam I. erkannte nun, daß damit unabsehbare politische Gefahren gegeben waren. Denn wenn Jahr für Jahr Pilgerscharen aus Nordisrael nach Jerusalem kamen, dann konnte es

---

[32] S. u. S. 247 f.

[33] S. u. S. 245 f.

[34] Vor unkritischem Gebrauch des Begriffes „Hauptstadt" warnt J. P. J. Olivier, In Search of a Capital for the Northern Kingdom. JNSL 11 (1984) 117–132.

[35] S. Teil 1, S. 197 f.

kaum ausbleiben, daß die Pilger unter den Einfluß prodavidischer Propaganda gerieten, vielleicht gar zu Werkzeugen solcher Propaganda wurden und den Bestand des Staates Israel von innen her gefährdeten. Jerobeam scheint entschlossen gewesen zu sein, religionspolitisch nicht ebenso zu scheitern wie sein Vorgänger Saul[36], sondern die Dinge in den Griff zu bekommen und die Pilgerfahrten vom Norden nach dem Süden zu unterbinden oder doch einzuschränken. Das hatte freilich nur dann Aussicht auf Erfolg, wenn im Staate Israel Ersatz für den Jerusalemer Tempel geschaffen wurde. Deshalb errichtete Jerobeam I. auf dem Territorium seines Staates zwei Reichsheiligtümer, sozusagen nach dem Muster des davidischen Reichstempels in Jerusalem. Der dtr gestaltete Bericht darüber (1. Kön 12,26–29) reproduziert die Gründe und Ergebnisse zwar etwas naiv, aber im wesentlichen korrekt. Die Standorte seiner Heiligtümer wählte Jerobeam mit beachtlichem Geschick. Das eine installierte er in dem ohnehin seit grauer Vorzeit heiligen Bethel *(Bētīn)*, das überdies den Vorzug hatte, an der Straße nach Jerusalem zu liegen. Von Norden kommende Pilgergruppen konnten hier leicht „abgefangen" und mit mehr oder weniger Nachhilfe zum Bleiben bewogen werden. Das zweite Reichsheiligtum kam in den hohen Norden, nach Dan *(Tell el-Qāḍī)*, über dessen religiöse Vorgeschichte so gut wie nichts bekannt ist und das einen Vergleich mit Bethel wohl kaum aushalten konnte. Vielleicht hoffte Jerobeam, daß die Bewohner des galiläischen Nordens die Existenz des Reichsheiligtums zu Dan zum Anlaß nehmen würden, gar nicht erst nach dem Süden aufzubrechen. Allerdings besaß keines der beiden Reichsheiligtümer ein der Lade Jahwes vergleichbares zentrales Kultobjekt. Deshalb ließ Jerobeam in Bethel und Dan je ein goldenes Stierbild aufstellen, die berühmten „goldenen Kälber": natürlich nicht als Götzenbilder, sondern wahrscheinlich als tiergestaltige Postamente für den unsichtbar darauf stehend gedachten Jahwe[37]. Daß die Volksfrömmigkeit durch diese „goldenen Kälber" an die Stiersymbole kanaanäischer Fruchtbarkeitsgottheiten erinnert werden würde und alsbald begann, die Objekte als Götter zu verehren, lag gewiß nicht in den Absichten des Königs. Er hat es aber nicht verhindern können und vielleicht nicht einmal zu verhindern versucht[38]. Jedenfalls läßt der dtr Bericht erkennen, daß die Stierbilder tatsächlich Gegenstände eines volkstümlichen götzendienerischen Kultes wurden[39]. Das

---

[36] S. Teil 1, S. 182–184.

[37] Vgl. zusammenfassend J. Hahn, Das „Goldene Kalb". Die Jahweverehrung bei Stierbildern in der Geschichte Israels. EH XXIII, 154 (1981) bes. 338–352 (Lit.); ergänzend auch G. Garbini, Troni, sfingi e sirene. AION 41 (1981) 301–307.

[38] Es könnte geradezu in Jerobeams Absichten gelegen haben, der kanaanäischen Bevölkerung seines Staates durch die Wahl gerade dieser Objekte religionspolitisch eine Brücke zu bauen und auf diese Art einen Beitrag zur Lösung des Kanaanäerproblems zu leisten; vgl. S. Herrmann, Geschichte S. 245 f. Aber wir wissen das nicht.

[39] Das ist aus dem Tenor der Darstellung zu erkennen, nicht jedoch aus der Jerobeam in den Mund gelegten Deuteformel von 1. Kön 12,28; vgl. dazu H. Donner, „Hier sind deine Götter, Israel!" Wort und Geschichte, Fs K. Elliger, AOAT 18 (1973) 45–50. Der Umstand

Heiligtum von Dan hat wahrscheinlich rasch an Bedeutung verloren; es begegnet später nicht mehr in der Überlieferung. Bethel aber erlebte einen glanzvollen Aufstieg und hat bis zum Ende des Staates Israel als Reichsheiligtum in Blüte gestanden[40]. So rechtfertigte wenigstens eines der beiden Reichsheiligtümer die Erwartungen, die Jerobeam I. mit ihrer Einrichtung verbunden hatte. Ob und inwieweit sein Versuch, eine Art Festordnung für den Staatskultus zu begründen (1. Kön 12,32 f.), Erfolg und Zukunft hatte, ist nicht zu erkennen. – Daneben besitzen wir eine einigermaßen rätselhafte Notiz in 1. Kön 12,31 (vgl. 13,33), nach der Jerobeam I. die sicherlich stark kanaanisierten Höhenheiligtümer für Jahwe im Lande förderte und dabei eine nicht ganz klare Personalpolitik betrieb. Er besetzte diese Heiligtümer mit Priestern aus dem Volke, die keine Leviten waren, verletzte also das damals bereits ausgebildete oder doch in Ausbildung begriffene priesterliche Privileg des Stammes Levi – es sei denn, es handelte sich um die Theorie eines Späteren, der dem „sündigen" Jerobeam auch noch die Nichtachtung des historisch noch gar nicht vorhandenen Levitenprivilegs anlasten wollte.

Daß Jerobeam I. als exemplarischer König des Abfalls von Jahwe in das Bewußtsein der Nachwelt eingegangen ist, hat er sich gewiß nicht träumen lassen. Er verdankt diesen zweifelhaften Leumund den dtr Geschichtsschreibern, die ihm die Einrichtung und Pflege der beiden Reichsheiligtümer zum Vorwurf gemacht und allen seinen Nachfolgern beständig vorgehalten haben, sie seien gewandelt „in der Sünde Jerobeams, mit der er Israel zur Sünde verleitete, um Jahwe zum Zorne zu reizen"[41]. Warum urteilten sie so? Weil die Reichsheiligtümer nicht mit der Kultuszentralisationsforderung von Dtn 12 in Einklang standen, die König Josia von Juda 622 v. Chr. auf Jerusalem bezogen hatte[42]. Davon konnte Jerobeam jedoch schlechterdings nichts wissen. Denn das Dtn ist erst Jahrhunderte später entstanden, was wiederum die Dtr nicht wissen konnten, die es für mosaisch hielten. Angesichts dieser komplizierten Sachlage wird man sagen müssen, daß Jerobeam I. mit seiner Kultuspolitik letzten Endes doch gescheitert ist: Jerusalem, gegen das er seine Reichsheiligtümer errichtete, hat den Sieg davongetragen.

2. *Rehabeam (926–910)*

Auch der König auf dem Throne Davids hat es nicht leicht gehabt, obwohl die Verhältnisse in Jerusalem und Juda stabiler waren als im israeliti-

---

übrigens, daß diese Formel in Ex 32,4 nahezu wörtlich wiederkehrt, läßt erkennen, daß die Sage vom Goldenen Kalb eine polemische Ätiologie ist, mit der das als Götzenbild gedeutete Stierbild – natürlich singularisch – in die Mosezeit zurückprojiziert wurde; s. Teil 1, S. 104. Es kam dadurch in den Geruch des exemplarisch Abscheulichen, wie denn für Israels Bewußtsein alles Exemplarische seine Wurzeln in der klassischen Heilszeit hatte.

[40] Vgl. Am 7,10–17; 2. Kön 17,24–28.

[41] Vgl. 1. Kön 15,26. 34; 16,19. 26 u. ö. in leicht variablen Formulierungen.

[42] S. u. S. 349 f.

schen Norden. Zwar stand Rehabeam außenpolitisch vor einem Trümmerhaufen, im Inneren aber erleichterte die Kontinuität des dynastischen Königtums das Anknüpfen an das bereits Vorhandene. Immerhin gab es auch hier Probleme. Zunächst einmal war Jerusalem nach der Nichterneuerung der Personalunion zwischen Juda und Israel keineswegs mehr eine günstig gelegene Hauptstadt. Das Prinip des davidischen Thronens über dem Dualismus von Nord und Süd[43] war gegenstandslos geworden, und überdies lag Jerusalem nun exzentrisch und nahe der Grenze zu Nordisrael. Aber diese Nachteile haben Rehabeam und alle seine Nachfolger in Kauf genommen. Schließlich war in Jerusalem ungeheures Kapital investiert worden; man konnte es nicht einfach aufgeben. Und außerdem hätte die Stadt leicht zum Zankapfel werden können; denn wer konnte mit Bestimmtheit sagen, daß der großenteils zu Nordisrael gehörige Stamm Benjamin seinen theoretischen Besitzanspruch auf die Stadt (Ri 1,21) nicht erneuern würde? Also blieb Rehabeam in Jerusalem und heizte nach vorübergehender Ruhepause von dort aus den Bruderkrieg zwischen Juda und Israel an, gewiß auch deshalb, um seiner Hauptstadt ein freies Vorfeld zu verschaffen (1. Kön 12,21–24; 14,30).

Wenn wir der nur in 2. Chron 11,5–12 aufbehaltenen Liste Glauben schenken dürfen, dann spiegelt sich der Rückgang der Macht des judäischen Südens am deutlichsten im Festungsbauprogramm, dem sich Rehabeam nach dem Vorbild seines Vaters mit Energie und Eifer widmete[44]. Nach dieser Liste zog der König einen Kordon von Festungen um das judäische Kernland und igelte es nach allen Seiten ein. Die Reihenfolge der Festungsorte ist freilich nur bei den ersten vier Namen geographisch vernünftig; des weiteren ist sie erheblich durcheinandergeraten und muß kritisch wiederhergestellt werden. Man geht dabei am besten von den ersten vier Namen aus und verfolgt dann die Linie auf dem Gebirge weiter nach Süden, läßt sie südlich von Hebron nach Westen um- und dann nach Norden zurückbiegen. So ergibt sich folgende Reihe: 1. Bethlehem *(Bēt Laḥm)*, 2. Etam *(Ḫirbet el-Ḫōḫ)*, 3. Thekoa *(Ḫirbet Teqūʿa)*, 4. Bethsur *(Ḫirbet eṭ-Ṭubēqa)*, 5. Hebron *(el-Ḫalīl)*, 6. Ziph *(Tell Zīf)*, 7. Adoraim *(Dūra)*, 8. Marescha *(Tell Sandaḥanne)*, 9. Lachisch (*Tell ed-Duwēr* oder *Tell ʿEṭūn*?), 10. Adullam *(Ḫirbet eš-Šēḫ Madkūr)*, 11. Socho *(eš-Šuwēke)*, 12. Aseka *(Tell Zakarīye)*, 13. Gath (*Tell eṣ-Ṣāfī*?), 14. Zorea *(Ṣarʿa)*, 15. Ajjalon *(Yālō)*. Die einzelnen Stationen dieses Systems sind kaum mehr als 5 km voneinander entfernt. Das untere Beth-Horon *(Bēt ʿŪr et-taḥta)*, das Salomo befestigt hatte[45], ist nicht genannt; vielleicht gehörte es zum Territorium des Nordstaates. Vor allem aber fällt auf, daß die Küstenebene und die Bucht von Beerseba von diesem Festungskranze nicht eingeschlossen

---

[43] S. Teil 1, S. 196.

[44] Vgl. grundlegend G. Beyer, Das Festungssystem Rehabeams. ZDPV 54 (1931) 113–134; ferner auch P. Welten, Geschichte und Geschichtsdarstellung in den Chronikbüchern. WMANT 42 (1973) 11–15.

[45] S. Teil 1, S. 225.

sind. Das könnte bedeuten, daß die Philister – mit Ausnahme der ihren Besitzer öfter wechselnden Stadt Gath – ihre Selbständigkeit wiedergewonnen hatten und daß das ehemals simeonitische Südgebiet jetzt nicht mehr zum Staate Juda gehörte. Jetzt, das heißt wann? Die chronistische Liste ließe sich gut aus der Zeit Rehabeams verstehen – wenn es nicht beachtliche Gründe gäbe, sie erst in der Zeit des Königs Josia, also in der 2. Hälfte des 7. Jh. v. Chr., entstanden zu denken[46]. Wie die Dinge liegen, muß die Frage vorläufig offenbleiben. Aber auch ohne die Festungsliste bleibt richtig, daß der Südstaat Juda im Vergleich zum Nordstaat Israel verkehrsgeographisch abseits lag. Er befand sich von nun an in einer sozusagen windstillen Situation, die seinen Konservativismus und das zähe Festhalten an der davidischen Monarchie begünstigte.

Ein außenpolitisches Ereignis darf schließlich nicht unerwähnt bleiben, obwohl es wenig bedeutete und Juda kaum nennenswert betraf. Im 5. Regierungsjahre Rehabeams (922) unternahm Pharao Schoschenk I. einen Feldzug nach Palästina[47]. Er stand in der Tradition der Pharaonen des ägyptischen Neuen Reiches. Die Gründe für seinen militärischen Vorstoß sind unbekannt; vielleicht war er der Meinung, die alte ägyptische Hegemonie über Palästina sei noch keineswegs erloschen und müsse wieder einmal zur Geltung gebracht werden. Schoschenk hat eine umfangreiche Liste der eroberten, manchmal vielleicht auch nur berührten Ortschaften auf einer der südlichen Außenwände des großen Amun-Tempels in Theben-Karnak – am sog Bubastiden-Portal – anbringen lassen[48]. In dieser Liste fehlen judäische Orte völlig, und das entspricht 1. Kön 14,25–28, wonach Rehabeam den Jerusalemer Tempel- und Palastschatz aufbot, um sich und sein Herrschaftsgebiet freizukaufen[49]. Schoschenk stieß bis auf das Territorium des Staates Israel vor, erreichte die Ebene von Megiddo und schickte von dort aus anscheinend Abteilungen seiner Truppen in verschiedenen Richtungen ins Land, auch ins Ostjordanland. In Megiddo hat er sogar eine fragmentarisch erhaltene Stele mit seinem Namen hinterlas-

---

[46] So zuerst E. Junge, Der Wiederaufbau des Heerwesens des Reiches Juda unter Josia (1937) 37 ff. Vgl. ferner A. Alt, Festungen und Levitenorte im Lande Juda [1952]. KS 2, 306–315; V. Fritz, The „List of Rehoboam's Fortresses" in 2 Chr. 11: 5–12 – a Document from the Time of Josiah. Eretz-Israel 15 (1981) 46–53.

[47] Zur Sache und zum ungelösten chronologischen Problem s. u. S. 291 mit Anm. 13.

[48] Publikation: Reliefs and Inscriptions at Karnak, Vol. III: The Bubastide Portal. Oriental Institute Publications 74 (1954). Vgl. J. Simons, Handbook for the Study of Egyptian Topographical Lists relating to Western Asia (1937) 89–101. 178–186; M. Noth, Die Schoschenkliste [1937/8]. ABLAK 2, 73–93; B. Mazar, The Campaign of Pharao Shishak to Palestine. SVT 4 (1957) 57–66; S. Herrmann, Operationen Pharao Schoschenks I. im östlichen Ephraim. ZDPV 80 (1964) 55–79; D. B. Redford, Studies in the Relations between Palestine and Egypt during the 1st Millennium B. C. II: The 22nd Dynasty. JAOS 93 (1973) 3–14.

[49] Nicht alle Namen der ägyptischen Schoschenk-Liste sind identifizierbar. Daß aber die chronistische Parallelfassung 2. Chron 12,2–12 auch eine Reihe judäischer Ortschaften nennt, dürfte das Ergebnis geographisch-exegetischer Spekulationen sein.

sen[50]. Freilich, dieser Feldzug war kaum mehr als eine Machtdemonstration, die zeigen sollte, daß es mit Ägypten nach langer Pause wieder aufwärts ging. Schoschenk I. war nicht in der Lage, die Oberhoheit über Palästina praktisch auszuüben. Jerobeam I. allerdings muß in arge Bedrängnis geraten sein, über deren Auswirkungen wir leider nichts erfahren[51].

KAPITEL 2

Der Staat Juda bis zu König Asarja

Was aus den reichlich anderthalb Jahrhunderten der Geschichte des Staates Juda bis zum Beginn des assyrischen Zeitalters bekannt ist, verdanken wir überwiegend den kommentierten Auszügen der dtr Geschichtsschreiber und Redaktoren aus den Annalen der Könige von Juda[1]. Das ist mißlich; denn es reduziert die Stoffe auf das, was den Dtr wichtig und mitteilenswert erschien, und zwingt den Historiker, Geschichte anhand unkritisch ausgewählter, wenn auch in vielen Fällen zuverlässiger Nachrichten zu schreiben. Dabei kann nicht viel mehr als ein Gerüst herauskommen, dessen Armseligkeit um so mehr zu beklagen ist, als außeralttestamentliche Quellen für diesen Zeitraum so gut wie gar nicht zur Verfügung stehen. Immerhin gibt es wenigstens eine Ausnahme: für die Ereignisse im Zusammenhang der Revolte des Königs Jehu von Israel[2], die auch für Juda nicht ohne Folgen blieben, haben die Dtr zwei kleine Geschichtswerke (2. Kön 9,1–10,27; 11,1–20) getreu und ohne wesentliche Änderungen in ihre Darstellung aufgenommen. Hinzu kommen vielfältige Einzelstücke und Berichte des Chronisten (2. Chron 13–26), deren Herkunft in der Regel ganz dunkel ist – wenn sie nicht überhaupt aus der Vorlage der

---

[50] Cl. S. Fisher, The Excavation of Armaggedon. Oriental Institute Communications 4 (1929) fig. 7 A/B. 9.

[51] Zum Residenzwechsel s. o. S. 241.

[1] Ausgewählte Literatur zu den Annalen und zum dtr Rahmenwerk: S. R. Bin-Nun, Formulas from Royal Records of Israel and Judah. VT 18 (1968) 414–432; W. Dietrich, Prophetie und Geschichte. Eine redaktionsgeschichtliche Untersuchung zum dtr Geschichtswerk. FRLANT 108 (1972); H. Weippert, Die „dtr" Beurteilungen der Könige von Israel und Juda und das Problem der Redaktion der Königsbücher. Biblica 53 (1972) 301–339; E. Cortese, Lo schema deuteronomistico per i re di Giuda e d'Israele. Biblica 56 (1975) 37–52; A. Soggin, Der Entstehungsort des dtr Geschichtswerkes. ThLZ 100 (1975) 3–8; T. Veijola, Das Königtum in der Beurteilung der dtr Historiographie. Annales Academiae Scientiarum Fennicae B 198 (1977); J. van Seters, Histories and Historians of the Ancient Near East: The Israelites. Or 50 (1981) 137–185. Die Auffassung von G. Garbini, Le fonti citate nel „Libro dei Re". Henoch 3 (1981) 26–46, die „Annalen" seien nichts als eine dtr Erfindung, hat m. E. keinerlei historische Wahrscheinlichkeit für sich.

[2] S. u. S. 275–279.

Königsbücher exegetisch entwickelt sind – und die sich historischer Kontrolle völlig entziehen.

Es versteht sich von selbst, daß die Geschichte der beiden israelitischen Staaten nicht getrennt und unabhängig voneinander verlief. Vielmehr waren die Ereignisse und Entwicklungen in Süd und Nord auf verschiedene Weise und in unterschiedlichem Grade miteinander verbunden. Aber die Selbständigkeit beider Staaten ist nicht wieder verlorengegangen, und trotz gemeinsamer Schicksale hat jeder von ihnen seinen eigenen Weg genommen. Das ist die Ursache für die getrennte Darstellung der Geschichte Judas und Israels in diesem Zeitraum – sofern man das, was hier möglich ist, überhaupt Geschichtsdarstellung nennen will. Die Trennung bietet überdies einen nicht zu unterschätzenden Vorteil: den Vorteil des doppelten Gesichtswinkels. Ereignisse und Gestalten, die Juda und Israel gleichermaßen betrafen, können jeweils von zwei Seiten her betrachtet und beurteilt werden.

Zu Lebzeiten Rehabeams und Jerobeams I. ist es nicht gelungen, das Problem des Grenzverlaufes zwischen Juda und Israel befriedigend zu lösen. An einer möglichst günstigen Lösung dieses Problems mußte vor allem dem Staate Juda gelegen sein; denn die Südgrenze Israels verlief nur wenige Kilometer nördlich von Jerusalem quer über die Wasserscheide des Gebirges. Diese Grenznähe bedeutete eine beständige Gefährdung der Sicherheit Jerusalems – und zwar um so mehr, als die einzige Himmelsrichtung, aus der Jerusalem mit Aussicht auf Erfolg angegriffen werden konnte, der Norden war. Im Norden ist dem Stadtgelände ein verhältnismäßig ebenes und ziemlich hoch gelegenes Glacis vorgelagert, auf dem sich Truppenverbände möglicher Gegner zum Angriff formieren konnten, ohne durch die tief eingeschnittenen Täler im Osten, Westen und Süden Jerusalems behindert zu werden. Dieses Glacis reicht vom Scopus *(Rās el-Mušārif)* etwa 14 km weit nach Norden bis zum Höhenzuge von *el-Bīre* und *Rāmallā*. Der General und nachmalige römische Kaiser T. Flavius Vespasianus und sein Sohn Titus handelten strategisch richtig, als sie den Angriff der Legionen im Jahre 70 n. Chr. vom Scopus aus vortragen ließen. Ihre Vorgänger unter den Eroberern Jerusalems werden es nicht anders gehalten haben. So kann es nicht wundernehmen, daß die judäischen Könige stark daran interessiert waren, die Nordgrenze ihres Gebietes so weit wie möglich nach Norden vorzuschieben, um Jerusalem ein freies Vorfeld zu verschaffen. Das gelang zunächst weder Rehabeam noch seinem Sohne und Nachfolger Abia (910–908). Beide Seiten erschöpften ihre Kräfte in Grenzplänkeleien, die zu keiner klaren Lösung führten (1. Kön 14,30; 15,7)[3]. Die Entscheidung fiel erst unter Abias Nachfolger Asa (908–868).

---

[3] Die chronistische Erzählung von einem gewaltigen Sieg Abias über Jerobeam I. (2. Chron 13,3–20) ist „eine Komposition des Chronisten ohne Verwendung älterer Quellen" (P. Welten), „another of the Chronicler's favorite historical romances ad majorem Dei gloriam" (W. F. Albright, AASOR 4, 1924, S. 124 f.). Vgl. P. Welten, Geschichte und Geschichts-

Während seiner Regierung gedieh der Bruderkrieg zwischen Juda und Israel zur vollen Höhe und wurde mit vorher nicht gekannter Erbitterung geführt (1. Kön 15, 16–22). Zunächst war Israel im Vorteil, dessen König Baësa seine Truppen bis nach Rama *(er-Rām)* vorschieben konnte. Er nahm die Ortschaft ein, begann sogleich mit Befestigungsarbeiten und beherrschte nun nicht nur die Hauptstraße auf der Wasserscheide des Gebirges, an der Rama gelegen war, sondern auch die meisten anderen Zufahrtswege nach Jerusalem, abgesehen von einer schwer gangbaren östlichen Route. Dadurch geriet Asa in eine äußerst bedrängte Lage, aus der er sich nicht anders als durch einen allerdings raffinierten politischen Schachzug zu retten vermochte. Er nahm diplomatische Fühlung mit den Aramäern von Damaskus auf und bewog den Aramäerkönig Benhadad durch Geschenke, seinen Pakt mit Israel zu brechen[4] und im hohen Norden einzufallen. Plötzlich tauchten, für Baësa völlig unerwartet, aramäische Verbände am Nordrande Galiläas auf und bedrohten die Ortschaften Abel-Beth-Maacha *(Tell Ābil el-Qamḥ)*, Ijjon (*Tell Dibbīn* im *Merǧ ʿAyūn*), Dan *(Tell el-Qāḍī)* und das alte Stammesgebiet von Naphtali. Diese Gefahr zwang Baësa, seine Streitkräfte aus dem Süden abzuziehen und Rama aufzugeben. Asa stieß sofort nach, vollendete aber seinerseits die begonnene Befestigung von Rama nicht, sondern schob die Grenze noch etwa 4 km nach Norden vor, bis zu jener Stelle, an der die Hauptstraße durch den Engpaß des *Wādī Ǧilyān* führt. Mit Hilfe des Baumaterials, das Baësa in Rama hatte liegenlassen müssen, errichtete er sodann zwei Grenzbefestigungen gegen den Staat Israel: Mizpa *(Tell en-Naṣbe)* unmittelbar am *Wādī Ǧilyān* und Geba *(Ǧebaʿ)* auf der Südseite des *Wādī eṣ-Ṣuwēnīt* gegenüber Michmas *(Muḫmās)*. Die Ausgrabungen auf dem *Tell en-Naṣbe* haben nicht nur die früher umstrittene Gleichung mit Mizpa so gut wie gesichert, sondern darüber hinaus ergeben, daß der Ort ursprünglich eine Bastion des Staates Israel gegen Juda gewesen sein muß. Asa hat diese vielleicht schon unter Jerobeam I. angelegte Grenzbefestigung einfach übernommen und durch notdürftige Umbauten nach Norden umorientiert[5]. Damit waren – soweit wir es wissen – die Grenzkämpfe beendet. Die Grenzlinie auf dem Gebirge scheint sich danach nicht mehr geändert zu haben.

Wie König Asa mit dem gewonnenen Gebiet verfuhr, ist nicht sicher zu erkennen. Sollte ein Rückschluß aus späterer Zeit erlaubt sein, dann schlugen er und seine Nachfolger es nicht zu Juda, sondern zum Territorium des Stadtstaates Jerusalem (*meṣibbē Yerūšālayim* „Weichbild Jerusalems" 2. Kön 23, 5). Das wäre politisch klug gewesen; denn so bedurfte es nicht

---

darstellung in den Chronikbüchern. WMANT 42 (1973) 116–129; Th. Willi, Die Chronik als Auslegung. FRLANT 106 (1972) 175. 188.

[4] Vgl. W. Thiel, *Hēfēr berît.* Zum Bundbrechen im AT. VT 20 (1970) 214–229.

[5] Vgl. C. C. McCown – J. C. Wampler, Tell en-Nasbeh excavated under the Direction of the Late W. F. Badè I/II (1957).

der Zustimmung des Stammes Benjamin, dessen vorher zum Reiche Sauls gehöriges Gebiet von nun an zweigeteilt war. Der größere Teil gehörte zum Süden. Im Jordangraben ist es nicht zu Grenzverschiebungen gekommen: das Territorium von Jericho war und blieb israelitisch (1. Kön 16, 34). Aber im Hügellande konnte Juda schon vor Asa einen geringen Geländegewinn gegenüber Israel erzielen: Ajjalon *(Yālō)*, das unter Salomo zur 2. Provinz des Staates Israel gehört hatte[6] – dies freilich nur unter der Voraussetzung, daß die Festungsliste Rehabeams, in der Ajjalon erscheint (2. Chron 11, 10), tatsächlich in die Zeit Rehabeams gehört[7]. Nach 1. Kön 15, 13 entfernte Asa seine Mutter Maacha aus dem Amt der Königinmutter *(gᵉbīrā)*, anscheinend wegen religiöser oder religionspolitischer Verfehlungen. Man kann daraus immerhin lernen, daß die Königinmutter nicht nur die Mutter des Königs, sondern Inhaberin eines regelrechten Amtes mit nicht mehr genau zu definierenden Rechten und Pflichten gewesen ist[8]. – Im ganzen ist die Dürftigkeit der dtr Berichterstattung über die doch immerhin einundvierzigjährige Regierungszeit des Asa sehr zu beklagen[9]. Denn die Annalen müssen Nachrichten über die Konsolidierung des judäischen Staates nach dem Ende der Grenzkämpfe enthalten haben. Nichts davon wird mitgeteilt. Es tröstet den Leser kaum, wenn er erfährt, Asa habe im Alter an kranken Füßen gelitten (1. Kön 15, 23). Oder sollte mit *raglayim* „Füße" euphemistisch die Genitalregion gemeint sein[10]? Litt Asa an der Prostata? In diesem Falle hätte wenigstens der Medizinhistoriker etwas davon.

Unter König Asa und seinen Nachfolgern gab es eine längere Periode des Friedens zwischen den Bruderstaaten[11]. Das Friedensangebot ging von Israel aus, wo zwischen 878 und 845 die Könige aus der Dynastie Omris die Herrschaft innehatten[12]. Diese Omriden sahen sich vor schwierige außen- und vor allem innenpolitische Probleme gestellt und hatten ein lebhaftes Interesse daran, die Belastungen des Bruderzwistes mit Juda aus der Welt zu schaffen. 1. Kön 22, 45 verlegt die Beendigung des Kriegszustandes in die Zeit Josaphats von Juda (868–847). Es ist aber zu bedenken, daß die Verbalwurzel *šlm* im Hif. sowohl „Frieden schließen" wie auch „Frieden halten" bedeuten kann[13], und so könnte denn auch ein Friedensschluß

---

[6] S. Teil 1, S. 226.

[7] S. o. S. 244 f.

[8] Vgl. H. Donner, Art und Herkunft des Amtes der Königinmutter im AT. Fs J. Friedrich (1959) 105–145; N.-E. A. Andreasen, The Role of the Queen Mother in Israelite Society. CBQ 45 (1983) 179–194.

[9] Der in 2. Chron 14, 8–14 gegebene Bericht über Kriegshandlungen des Asa gegen ein kuschitisches (!) Heer im Hügelland und in der südlichen Küstenebene ist ebenso wie 2. Chron 13, 3–20 (s. o. Anm. 3) eine Komposition des Chronisten ohne historischen Quellenwert, jedenfalls nicht für die Zeit Asas. Vgl. P. Welten, a. a. O., S. 129–140.

[10] Vgl. Ex 4, 25; Jes 6, 2; 7, 20.

[11] Vgl. H. L. Ginsberg, The Omrid Davidic Alliance and its Consequences. 4. World Congress of Jewish Studies, Papers I (1967) 91–93.

[12] S. u. S. 260 ff.

[13] Vgl. z. B. Dtn 20, 12.

zwischen Omri oder Ahab von Israel und Asa von Juda gemeint sein, den Josaphat nicht verletzte. Jedenfalls brachten es die bestehenden Machtverhältnisse mit sich, daß die davidischen Könige des abseits gelegenen Juda alsbald in das Fahrwasser der tatkräftigen Herrscher des Nordstaates gerieten – und zwar in solchem Grade, daß man versucht ist, von einem verschleierten Vasallitätsverhältnis Judas gegenüber Israel zu sprechen. Nach 1. Kön 22, 2–38 war Josaphat Bundesgenosse des Königs von Israel in den Aramäerkriegen des Nordstaates[14] bei Auseinandersetzungen um den Besitz der Festung Ramoth in Gilead *(Tell er-Rāmīṯ)*. Nach 2. Kön 3, 4–27 leistete derselbe Josaphat dem König von Israel Heeresfolge auf einem Feldzug gegen die Moabiter, die sich unter ihrem König Mešaʿ anschickten, die israelitischen Vasallitätsfesseln abzuwerfen[15]. In beiden Fällen handelt es sich allerdings nicht um dtr Auszüge aus den Annalen der Könige von Juda oder Israel; vielmehr ist 1. Kön 22 eine novellistische Geschichtserzählung und 2. Kön 3 eine Prophetenlegende aus dem Kranz der Elisa-Traditionen. Man muß damit rechnen, daß die Königsnamen Ahab, Joram und Josaphat in diesen Texten nicht ursprünglich sind. Möglicherweise hat ein Dtr Erzählungen, die von anonymen Königen des Nord- und Südstaates handelten, nach seinem Ermessen chronologisch festgelegt. Zuverlässiger ist die Annalennotiz von 2. Kön 8, 28: Ahasja von Juda (845) leistete dem Omriden Joram Waffenhilfe in den Aramäerkriegen bei Ramoth in Gilead[16]. Schließlich kam es sogar zu einer Verschwägerung der beiden Königshäuser: der Judäer Jehoram (852/47–845), der Vater des Ahasja, heiratete eine Tochter oder Schwester Ahabs von Israel mit Namen Athalja (2. Kön 8, 18. 26)[17]. Es versteht sich, daß diese Verbindung nicht ohne politische Erwägungen zustandekam: sie sollte den Frieden und die Freundschaft zwischen Israel und Juda befestigen helfen.

Über die außen- und innenpolitische Lage des Staates Juda unter Josaphat, Jehoram und Ahasja ist darüber hinaus nur ganz wenig bekannt. Eine Annalennotiz meldet, daß Edom zur Zeit Josaphats nach wie vor ein Untertanenland war, von einem judäischen Statthalter *(niṣṣāb)* geleitet (1. Kön 22, 48). Josaphat hat ferner den Versuch unternommen, die Handelsschiffahrt seines Ahnherrn Salomo auf dem Roten Meer wieder in Gang zu bringen (1. Kön 22, 49 f.). Aber der Versuch scheiterte. Von gewinnbringenden Fahrten in das Goldland Ophir konnte keine Rede sein, da sich die Schiffe schon im Hafen von Ezion-Geber *(Ǧezīret Firāʿūn)* als seeuntüchtig erwiesen. Vielleicht hatte sich Josaphat darauf beschränkt, die alten, inzwischen verrotteten Kauffahrteischiffe Salomos[18] renovieren zu lassen. Ein Beteiligungsangebot des Königs Ahasja von Israel lehnte er ab; vermutlich lag ihm daran, wenigstens wirtschaftlich so weit wie mög-

---

[14] S. u. S. 261.
[15] S. u. S. 273 f.
[16] Vgl. auch 2. Kön 9, 27.
[17] Vgl. H. T. Katzenstein, Who were the Parents of Athaliah? IEJ 5 (1955) 194–197.
[18] S. Teil 1, S. 219.

lich autark zu bleiben[19]. Unter der Regierung Jehorams von Juda erfolgte schließlich der endgültige Abfall der Edomiter und die Wiederaufrichtung des edomitischen Königtums (2. Kön 8,20–22). Jehoram errang zwar anscheinend einen militärischen Teilerfolg, konnte den Lauf der Dinge aber nicht aufhalten[20].

Im Jahre 845 v. Chr. trieb die politische und familiäre Verflechtung der Davididen mit ihren Vettern aus der Dynastie Omris einem tragischen Höhepunkt zu. Wie bereits mitgeteilt, leistete Ahasja von Juda dem letzten Omriden Joram Waffenhilfe in den Aramäerkämpfen um Ramoth in Gilead (2. Kön 8,28). Während dieser Auseinandersetzungen wurde Joram verwundet und begab sich nach Jesreel *(Zerʿīn)* zur Kur. Dort besaßen die Könige von Israel einen Palast; die Ortschaft galt als eine Art zweiter Residenz neben Samaria[21]. Auch Ahasja kam nach Jesreel, um Joram einen Krankenbesuch abzustatten. In diesem Augenblick begann die Revolte des israelitischen Heerbannoffiziers Jehu, die der Herrschaft der Omriden ein Ende bereitete und über deren Verlauf wir durch ein kleines Geschichtswerk in 2. Kön 9–10 recht gut unterrichtet sind[22]. Der Usurpator Jehu erschien in Jesreel und tötete König Joram. Der in diese Wirren unversehens hineingeratene Ahasja von Juda versuchte zwar eilends, auf seinem Streitwagen nach Jerusalem zu entkommen, aber die Flucht mißlang: Jehu setzte ihm nach, holte ihn auf der Höhe von Jibleam *(Ḫirbet Belʿame)* ein und brachte ihn um (2. Kön 9,27 f.). Damit war der davidische Thron vakant geworden, und es hätte, wie bisher stets, in Jerusalem der normale Erbfolgegang eintreten müssen. Aber das geschah nicht. Vielmehr sahen Jerusalem und Juda ein makabres omridisches Nachspiel, über dessen Verlauf und Ende wiederum ein kleines Geschichtswerk in 2. Kön 11 berichtet[23]. Als nämlich die Nachricht vom Tode Ahasjas in Jerusalem eintraf, zögerte die Königinmutter Athalja, eine zu allem entschlossene Frau, keinen Augenblick, die Zügel der Regierung in ihre eigenen Hände zu nehmen. Sie ging sogleich daran, zur Sicherung ihrer Autokratie alle noch lebenden

---

[19] Der außergewöhnlich umfangreiche chronistische Abschnitt über Josaphat (2. Chron 17,1–21,1) enthält Materialien unterschiedlicher Art, die als Quellen für die Formen und Ordnungen des Lebens der nachexilischen Gemeinde, nicht aber für das vorexilische Juda in Betracht kommen. Zu den Grundsätzen der „tertiären Geschichtsschreibung" vgl. stets Th. Willi, Die Chronik als Auslegung. FRLANT 106 (1972).

[20] Der interessante Versuch von J. Strange, Joram, King of Israel and Judah. VT 25 (1975) 191–201, die Könige Jehoram von Juda und Joram von Israel als ein und dieselbe Person zu erweisen, ist m. E. nicht überzeugend.

[21] S. u. S. 267.

[22] S. u. S. 275.

[23] Vgl. W. Rudolph, Die Einheitlichkeit der Erzählung vom Sturz der Athalja. Fs A. Bertholet (1950) 473–478. M. Liverani, L'histoire de Joas. VT 24 (1974) 438–453 hat anhand eines Vergleiches mit der Idrimi-Stele und der sog. Apologie des Hettiterkönigs Ḫattušili III. die Auffassung vertreten, 2. Kön 11 sei eine Propagandaschrift zur Legitimierung der Thronbesteigung des Prinzen Joas. Diese Bestimmung müßte der oben gegebenen Qualifikation „Geschichtswerk" nicht notwendig widersprechen.

männlichen Angehörigen der davidischen Dynastie ausrotten zu lassen. Damit unterbrach sie gewaltsam die davidische Sukzession und mißachtete das konstitutive Element des judäischen Königtums. Es war das, was wir heute einen Staatsstreich nennen würden. In der Tat hätte das Vorgehen der Athalja das Ende der Dynastie Davids bedeuten können, wenn es der Prinzessin Jehoseba nicht gelungen wäre, den kleinen Prinzen Joas ben Ahasja heimlich beiseitezuschaffen und vor seiner Großmutter zu retten. Der Davidide war noch ein Säugling vor Vollendung des ersten Lebensjahres. Jehoseba versteckte ihn zunächst in der Schlafkammer seiner Amme. Später wurde er in den Tempel Jahwes gebracht und wuchs dort auf. Es gelang, seine Existenz sechs Jahre lang (845–840) vor Athalja geheimzuhalten. Man muß versuchen, sich das vorzustellen! Der Tempel Jahwes war dem Königspalast unmittelbar benachbart; die Distanz betrug weniger als 200 m. Ließ Athalja keine Nachforschungen nach ihrem Enkel anstellen? Wußte sie am Ende gar nicht, daß es ihn gab? Und war es im Ernste möglich, ein kleines Kind gewissermaßen unter den Fenstern der blutdürstigen Großmutter aufwachsen zu lassen, ohne daß es auffiel? Man sieht: die Umstände müssen komplizierter gewesen sein als es das kleine Geschichtswerk in novellistischer Verkürzung darstellt. Aber eines ist jedenfalls ganz deutlich: daß dies alles – wie immer es sich mit den Einzelheiten verhalte – nicht hätte gelingen können, wenn Athaljas Staatsstreich in den Kreisen der Jerusalemer Priester und Notabeln auf Sympathie und Unterstützung gestoßen wäre.

Einzelheiten aus der immerhin sechsjährigen Alleinherschaft der Athalja erfährt man nicht. Wahrscheinlich hat sie jenes „Haus des Baal“ errichten lassen, von dessen Zerstörung später die Rede ist (2. Kön 11, 18). Es stand anscheinend unweit des Jahwetempels und könnte eine Art Privatkapelle der Athalja gewesen sein, die als Angehörige des omridischen Hauses, als Schwägerin oder Tochter der Isebel, Baalsverehrerin gewesen sein mag[24]. Versuchte sie, den Baalsdienst in Jerusalem und womöglich in Juda zu propagieren? Der Umstand, daß der Jahwepriester Jehojada als Haupt der Gegenrevolte auftrat und daß der Verschwörereid im Jahwetempel geschworen wurde, könnte darauf schließen lassen. Aber wir wissen es nicht und bedürfen einer solchen Annahme auch keineswegs, da die politischen Motive, die schließlich Athaljas Sturz herbeiführten, zur Erklärung vollkommen ausreichen. Es lag auf der Hand: eine akute Unterbrechung der davidischen Herrschaftsfolge, wie sie Athalja verursacht hatte, konnte auf die Dauer weder von der Priesterschaft noch vom judäischen Landadel toleriert werden. Den konservativen Kreisen mußte vielmehr alles daran gelegen sein, die alte Ordnung der Dinge wiederherzustellen. Vorab die vermögenden Grundbesitzer des Landes Juda – der sog. *ʿamm hāʾāreṣ* – galten zu allen Zeiten als Hort konservativer Gesinnung und als verläßliche

---

[24] S. u. S. 268.

Stütze der davidischen Dynastie[25]. Diesen Landadel mobilisierte der Priester Jehojada, als ihm die Zeit reif erschien und der Prinz Joas groß genug geworden war, um als Thronfolger präsentiert werden zu können. Außerdem versicherte sich Jehojada der Unterstützung der Söldnerschaft; nicht einmal auf diese konnte sich Athalja gegen Ende ihrer Herrschaft verlassen. Nach sorgfältigen Vorbereitungen wurde Joas an einem Sabbath im Tempel zum König ausgerufen und gesalbt[26]. Als Athalja davon hörte, erschien sie im Tempel, zeterte „Verschwörung, Verschwörung!", wurde aber sofort von Offizieren des Heerbannes festgenommen und wenig später im Vorhof des Palastes getötet. Im Tempel selbst folgte eine feierliche Bundesschlußzeremonie: „Und Jehojada schloß den Bund zwischen Jahwe und dem König und dem Volk, daß sie ein Volk Jahwes sein wollten, sowie zwischen dem König und dem Volk" (2. Kön 11, 17). Die Notwendigkeit dieses Bundesschlusses ist hinreichend erklärt, wenn man bedenkt, daß nach der Unterbrechung der normalen Herrschaftsfolge ein neuer Anfang gemacht werden mußte. Zwischen Jahwe und das Volk als die alten Bundespartner tritt der König. Fast hat es den Anschein, als werde der Sonderbund Jahwes mit der Dynastie Davids (2. Sam 7; Ps 132, 12) hier als Spezialfall des Bundes Jahwes mit seinem erwählten Volke verstanden: ein fortgeschrittenes Stadium der Bundestheologie, befördert durch längst eingewurzelte Gewöhnung an die davidische Dynastie[27]. Der judäische Landadel war nach alledem Herr der Lage in Jerusalem. Man spürt am Schluß der Geschichte etwas von der Atmosphäre und ahnt im nachhinein, welche Kreise es gewesen waren, auf die Athalja sich hatte stützen können: „Sie führten den König aus dem Jahwetempel hinab und gelangten durch das Trabantentor in den Königspalast, und er setzte sich auf den Königsthron. Da war der ganze *ʿamm hāʾāreṣ* fröhlich, die Stadt aber blieb ruhig. Die Athalja aber hatten sie im Königspalast mit dem Schwerte getötet" (2. Kön 11, 19b–20).

Aus der Folgezeit ist wiederum nicht viel bekannt. Der im Alter von sieben Jahren zur Regierung gelangte Joas (840–801) dürfte zunächst einen

---

[25] Vgl. 2. Kön 14, 21; 21, 24; 23, 30. Zu Gestalt, Geschichte und Funktionen des judäischen Landadels vgl. E. Würthwein, Der *ʿamm hāʾārez* im AT. BWANT 69 (1936); A. Soggin, Der judäische *ʿamm hāʾāreṣ* und das Königtum in Juda. VT 13 (1963) 187–195; R. de Vaux, Le sens de l'expression „peuple du pays" dans l'AT et le rôle politique du peuple en Israël. RA 58 (1964) 167–172; E. W. Nicholson, The Meaning of the Expression „ʿAm-haʾares" in the OT. JSS 10 (1965) 59–66; S. Talmon, Die Geschichte des *ʿamm hāʾāreṣ* im Königreich Juda. Beth Miqra 12, 3 (1966/7) 27–55 (hebr.); ders., The Judaean *ʿam haʾareṣ* in Historical Perspective. 4. World Congress of Jewish Studies, Papers I (1967) 71–76; A. H. J. Gunneweg, *ʿm hʾrṣ* – A Semantic Revolution. ZAW 95 (1983) 437–440.

[26] Vgl. J. Trebolle Barrera, La coronación de Joás (2 Re. 11). Texto, narración y historia. Estudios bíblicos 41 (1983) 5–16.

[27] S. Herrmann, Geschichte S. 280, hält die Notiz für dtr: es handle sich um eine dtr Interpretation der Vorgänge unter dem Gesichtswinkel der idealen Einheit von Gott, König und Volk gegen den Baalsdienst. Anders G. Fohrer, Der Vertrag zwischen König und Volk in Israel. BZAW 115 (1969) 330–351.

Vormund und Ratgeber gehabt haben. Man könnte sich den Priester Jehojada in der Funktion des Regenten sehr gut vorstellen – und eben dies hat der Chronist getan (2.Chron 24,2f. 15f. 22). Später widmete sich Joas dringend notwendigen Restaurationsarbeiten am salomonischen Tempel (2.Kön 12,5–17). Er erließ ein königliches Dekret, nach welchem die Einnahmen des Tempels für Ausbesserungsarbeiten verwendet werden sollten. Die Dinge kamen aber nicht recht in Fluß; denn die Priesterschaft wirtschaftete in die eigenen Taschen. Um Abhilfe zu schaffen, erfand der Priester Jehojada – *sit venia verbo* – den Opferstock. Ein Kasten mit Schlitz wurde am Eingang zum Tempel aufgestellt und von den Schwellenhütern bewacht. So gelangten die Kollektengelder nicht mehr unmittelbar in die Hände der Priester. Von Zeit zu Zeit, vermutlich in regelmäßigen Abständen, nahmen königliche Beamte unter der Leitung des Chefs der Zivilverwaltung *(sōfẹ̄r)* den Kassensturz vor. Die Gelder wurden dann den Obleuten der Bauarbeiterbrigaden gegeben und von diesen zweckentsprechend verwendet. Das alles sind Belanglosigkeiten, von denen wir nur deshalb etwas erfahren, weil sich eine stehende Einrichtung daraus entwikkelte, die zweihundert Jahre später einmal bedeutende Folgen haben sollte (2.Kön 22,3–7)[28]. Die dtr Historiographen haben das kaum den königlichen Annalen entnommen, sondern eher einer Tempelchronik, die sie auch sonst gelegentlich benutzten[29]. Aus derselben Quelle stammt vermutlich die Nachricht über einen merkwürdigen außenpolitischen Zwischenfall (2.Kön 12,18f.): es gelang dem Aramäerkönig Hasaël von Damaskus, in Palästina einzufallen und die Stadt Gath zu erobern. Als er sich zum Angriff auf Jerusalem rüstete, mobilisierte Joas den Tempel- und Palastschatz und kaufte sich frei. Über die Hintergründe und Folgen dieses Ereignisses wissen wir schlechterdings nichts. Handelte Hasaël vielleicht als Verbündeter der Philister? Aus den Annalen der Könige von Israel wird darüber nichts mitgeteilt, obwohl man doch annehmen muß, daß es dort vermerkt war; denn die Aramäer konnten nicht nach Gath gelangen, ohne israelitisches Gebiet zu durchziehen. Nach vierzigjähriger Regierung, über die wir sonst leider nichts erfahren[30], fiel Joas von Juda einer Palastrevolte zum Opfer und wurde von zweien seiner Diener umgebracht (2.Kön 12,21f.).

Eine Gefährdung der davidischen Sukzession trat dadurch allerdings nicht ein. Amasja ben Joas (801–773)[31] bestieg den Thron und ließ die Mörder seines Vaters hinrichten (2.Kön 14,5f.). 2.Kön 14,7 berichtet von ihm, er habe einen Sieg über die Edomiter in einem sonst unbekannten „Salztal" *(gẹ̄ hammelaḥ)* errungen und danach die Stadt *Selaʿ* „Fels" erobert, die er in Jokteel umbenannte. Die Identifikation dieses *Selaʿ* mit

[28] S.u. S.350.

[29] 1.Kön 14,25–28; 15,15; 2.Kön 12,18f.; 16,10–18.

[30] S. aber u. S.255.

[31] Die Chronologie Amasjas bereitet Schwierigkeiten; vgl. die Berechnungen bei A.Jepsen, BZAW 88 (1964) 38.

dem späteren Petra ist schon sehr alt[32], aber aus verschiedenen Gründen nicht zutreffend. Der Edomitersieg war nicht mehr als ein Teilerfolg; an eine Wiederherstellung der judäischen Hegemonie über Edom war nicht zu denken. Zur Zeit Amasjas scheint auch das Verhältnis zu Nordisrael vorübergehend gestört gewesen zu sein. 2. Kön 14, 8–14 berichtet von einem wunderlichen Krieg, der ausbrach, weil Amasja den Enkel Jehus, Joas von Israel, zu einer militärischen Kraftprobe herausgefordert hatte. Es kam zu einer Schlacht bei Bethschemesch (*er-Rumēle* bei *ʿĒn Šems*) im judäischen Hügelland, in deren Verlauf die Judäer geschlagen und Amasja gefangengenommen wurden. Man behielt ihn jedoch nicht, sondern schickte ihn nach Jerusalem zurück. Dort zerstörten die Nordisraeliten einen Teil der Stadtmauer und plünderten den Tempel- und Palastschatz[33]. Nachteilige Folgen scheint dieses Ereignis, dessen Hintergründe dunkel bleiben, für Juda nicht gehabt zu haben. Das ist, abgesehen von einigen rätselhaften und vermutlich ungeschichtlichen Notizen des Chronisten[34], alles, was wir aus Amasjas Regierungszeit erfahren. Schließlich traf den König dasselbe Schicksal wie seinen Vater Joas. Er konnte gerade noch rechtzeitig einer Jerusalemer Palastrevolte nach Lachisch entfliehen. Dort aber erreichten ihn die Verschwörer und brachten ihn um. Wiederum waren es die Grundbesitzer des Landes Juda, der *ʿamm hāʾāreṣ*[35], die eine Unterbrechung der davidischen Thronfolge verhinderten. Der sechzehnjährige Kronprinz Asarja wurde zum König ausgerufen und bestieg den Thron (2. Kön 14, 19–21).

Der Name des Sohnes und Nachfolgers des Amasja ist in doppelter Gestalt überliefert: in den Formen Asarja(hu)[36] und Ussia(hu)[37], die keineswegs dasselbe bedeuten. Asarja/Ussia (773–736?) war ein Zeitgenosse Jerobeams II. von Israel[38], unter dessen Regierung der Nordstaat eine späte Blütezeit erlebte. Das scheint auch auf Juda[39] nicht ohne Wirkung geblieben zu sein; auch dort herrschten Friede und Prosperität. Nach 2. Kön 14, 22 gewann Ussia Stadt und Hafen von Elath am Golf von *ʿAqaba* für Juda zurück, wahrscheinlich von den Edomitern, und befestigte es. Der Chronist weiß, wie üblich, noch mehr (2. Chron 26, 6–15). So soll der König gegen die Philister gekämpft und die Städte Gath, Jabne

---

[32] Vgl. die Peschitta *(Rqm = Reqem)*; ferner Josephus, Ant. IV, 7, 1 und Eusebius, Onomastikon der bibl. Ortsnamen, ed. E. Klostermann. GCS: Eusebius Werke III, 1 (1904, Nachdruck 1966) 142, 7 f. 144, 7–9.

[33] Diesem Ereignis verdanken wir die vermutlich aus einer Tempelchronik stammende Mitteilung.

[34] Z. B. der Angabe, Amasja habe für den Edomiterkrieg Söldner aus Nordisrael angeworben (2. Chron 25, 6–10. 13).

[35] S. o. S. 252 f.

[36] 2. Kön 14, 21; 15, 1. 6–8. 27.

[37] 2. Kön 15, 13. 30. 32. 34; Hos 1, 1; Am 1, 1; Jes 1, 1; 6, 1.

[38] S. u. S. 282 f.

[39] R. Feuillet, Les villes de Juda au temps d'Ozias. VT 11 (1961) 270–291.

und Asdod erobert haben[40]. Auch Kämpfe gegen arabische Gegner werden ihm nachgesagt. Ammon soll ihm tributpflichtig geworden sein – was niemand so recht glauben kann. Der Chronist erwähnt auch innenpolitische Aktivitäten Ussias: Befestigungsarbeiten in Jerusalem, Landwirtschaft und Kolonisation in der Südwüste, Aufrüstung des stehenden Heeres. Man weiß dabei zumeist nicht genau, ob solche Nachrichten auf ältere Quellen zurückgehen oder ob sie das Ergebnis chronistischer Exegese der Königsbücher-Vorlage sind. Das gilt auch für die späten Jahre Ussias, in denen er an einer ansteckenden Hautkrankheit[41] litt und isoliert werden mußte. Die Regierungsgeschäfte übernahm als Koregent der Kronprinz Jotham (2. Kön 15, 5)[42]. Der Chronist teilt mit (2. Chron 26, 23), man habe Ussia nicht in der davidischen Familiengruft, sondern „auf dem Felde bei der Gruft der Könige" begraben. Gewöhnlich führt man diese Angabe auf eine zuverlässige Jerusalemer Lokaltradition zurück, zumal es scheint, als seien die Gebeine dieses Königs noch sehr viel später – um Christi Geburt – umgebettet worden[43]. Aber die Möglichkeit ist nicht auszuschließen, daß der Chronist die Notiz exegetisch aus 2. Kön 15, 5 entwickelte, wobei er das geschichtlich Richtige durchaus getroffen haben könnte[44].

KAPITEL 3

Der Staat Israel bis zu König Jerobeam II.

Auch für die Geschichte des Nordstaates Israel zwischen Jerobeam I. und dem Beginn des assyrischen Zeitalters ist das dtr Geschichtswerk die literarische Hauptquelle. Der Überlieferungsbestand ist allerdings sehr viel reicher als im Falle des Südstaates Juda – wenn auch natürlich nicht in jeder erwünschten Hinsicht. Im einzelnen sind zu unterscheiden:

---

[40] Vgl. dazu P. Welten, a. a. O., S. 153–163.

[41] Es kann sich nicht um Lepra gehandelt haben, die erst im 1. Jh. v. Chr. in Palästina aufkam; vgl. E. V. Hulse, PEQ 107 (1975) 87–105. Die Angabe in Teil 1, S. 230, ist also zu korrigieren.

[42] Die Koregentschaft hat chronologische Verwirrung gestiftet; vgl. A. Soggin, Das Erdbeben von Am. 1, 1 und die Chronologie der Könige Ussia und Jotham von Juda. ZAW 82 (1970) 117–121.

[43] Vgl. E. Sukenik, An Epitaph of Uzziahu, King of Judah. Tarbiz 2 (1931) 288–292; ders., PEFQSt 1931, S. 217–221. Zur Aristokraten- und Beamtennekropole vgl. im übrigen D. Ussishkin, The Necropolis of the Kingdom of Judah at Silwan, Jerusalem. BA 33 (1970) 34–46.

[44] Vgl. Th. Willi, a. a. O., S. 122 f.

1. die dtr Auszüge aus den Annalen der Könige von Israel [1];
2. die Sagen vom Auftreten des Propheten Elia, die z.T. schon vordtr zu einem Sagenkranz vereinigt vorlagen (1.Kön 17,1–19,18; 21; 2.Kön 1,2–17) [2];
3. die Sagen vom Auftreten des Propheten Elisa, wahrscheinlich ebenfalls z.T. schon vordtr gesammelt und aufgezeichnet (1.Kön 19,19–21; 2.Kön 2,1–25; 3,4–8,15; 13,14–21) [3];
4. zwei novellistische Geschichtserzählungen über die Aramäerkriege Israels (1.Kön 20,1–43; 22,1–38) [4];
5. das Geschichtswerk von der Revolte des Jehu (2.Kön 9,1–10,27) [5].

Für die Regierungszeit Jerobeams II. (787–747) und für die Sozialverhältnisse im Israel des 8.Jh. v.Chr. überhaupt kommt das Amosbuch als Quelle in Betracht. Außerdem sind von nun an die annalistischen Inschriften der Könige des neuassyrischen Großreiches heranzuziehen [6], wie überhaupt die unmittelbaren außeralttestamentlichen Quellen etwas reicher zu fließen anfangen.

Ohne jeden Zweifel hat der Nordstaat Israel den ungleich schwierigeren Teil des Erbes am davidisch-salomonischen Großreich angetreten als der judäische Süden. Das hatte unterschiedliche Gründe, von denen die geographischen besondere Beachtung verdienen. Das Territorium Israels war allein schon physikalisch-geographisch vielgestaltiger als das des Südstaates Juda, vor allem aber war es verkehrsgeographisch günstiger gelegen und deshalb in höherem Grade gefährdet. Israel hatte Anschluß an die Küstenebene und ans Mittelmeer nördlich und südlich des Karmelgebirges. Seine Lage am Kreuzungspunkt großer Verkehrsstraßen von Nord nach Süd und von Ost nach West hatte zur Folge, daß es sein Gebiet ständig nach nahezu allen Seiten sichern und verteidigen mußte: die Küstenebene südlich des Karmel gegen die Philister, die Ebene von Akko gegen

---

[1] S.o. S.246 mit Anm.1

[2] Vgl. zur Analyse und Interpretation: H.Gunkel, Elias, Jahve und Baal. Religionsgeschichtl. Volksbücher 2,13/16 (1906); A.Jepsen, Nabi. Soziologische Studien zur atl Literatur und Religionsgeschichte (1934) 58–72; M.Noth, Überlieferungsgeschichtliche Studien (1957²) 72–87; G.Fohrer, Elia. AThANT 53 (1968²); L.Bronner, The Stories of Elijah and Elisha. Pretoria Oriental Series 6 (1968); O.H.Steck, Überlieferung und Zeitgeschichte in den Elia-Erzählungen. WMANT 26 (1968); G.Hentschel, Die Elijaerzählungen. Zum Verhältnis von historischem Geschehen und geschichtlicher Erfahrung. Erfurter Theol. Studien 33 (1977).

[3] Vgl. zur Analyse und Interpretation: A.Jepsen, Nabi (1934) 72–83; J.M.Miller, The Elisha-Cycle and the Accounts of the Omride Wars. JBL 85 (1966) 441–454; H.Chr.Schmitt, Elisa. Traditionsgeschichtliche Untersuchungen zur vorklassischen nordisraelitischen Prophetie (1972).

[4] Vgl. A.Jepsen, Nabi (1934) 89–92; J.M.Miller, The Rest of the Acts of Jehoahaz (1.Kings 20. 22). ZAW 80 (1968) 337–342.

[5] Zum Charakter s.u. S.275.

[6] Übersetzungen: D. D. Luckenbill, Ancient Records of Assyria and Babylonia 1/2 (1926/7); AOT²; ANET³; TGI³; A.Jepsen, Von Sinuhe bis Nebukadnezar (1975); TUAT I,4; s. im übrigen u. S.287.

mögliche Feinde aus dem Norden, die die phönikische Küste als Anmarschweg benutzen konnten, Obergaliläa und das nördliche Ostjordanland gegen die Aramäer von Damaskus, das südliche Ostjordanland gegen die Moabiter. Israel stand, sehr im Unterschied zum Bruderstaat Juda, gewissermaßen im Sog der Geschichte; es war passiver oder aktiver Teilhaber an den Geschicken der syropalästinischen Landbrücke insgesamt und damit des ganzen Vorderen Orients. Umso nötiger hätte es eine einheitliche, feste und kontinuierliche Führung gehabt. Aber gerade daran fehlte es oft, vor allem zu Anfang und gegen Ende der Geschichte des Nordstaates. Man wird nicht fehlgehen, wenn man dafür zumindest auch das alte charismatische Königsideal verantwortlich macht, das in Israel lebendiger blieb als in Juda und das das israelitische Königtum zuzeiten zu einer labilen, ungesicherten und bedrohten Größe hat werden lassen. Genau genommen ist das aber nur ein Symptom für die geschichtliche Bewegtheit des Staates Israel, der bis zu seinem Untergang im Jahre 722 v. Chr. nicht nur oft von außen bedroht, sondern auch im Inneren von Revolten und Usurpationen heimgesucht worden ist.

Dabei hat es an Ansätzen und Versuchen zur dynastischen Verfestigung des Königtums von Anfang an nicht gefehlt. Nach dem Tode Jerobeams I. bestieg sein Sohn Nadab (907–906) den israelitischen Thron (1. Kön 15,25–32). Wahrscheinlich war seine Kandidatur noch zu Lebzeiten Jerobeams vorbereitet und ins Werk gesetzt worden; gerade Jerobeam mag besser als andere gewußt haben, daß das charismatische Königtum Gefahr für den Bestand des Staates bedeutete. Nadab beging nun auch keineswegs den Fehler, mit dem dereinst der Saulide Eschbaal seine Chance vertan hatte[7]: er blieb nicht in seiner Residenz Thirza *(Tell el-Fārʿa)* sitzen und ließ die Dinge nicht an sich herankommen, sondern wurde aktiv und zog mit dem Heerbann ins Feld gegen die Philister. Vielleicht hoffte er auf militärische Bewährung, nachfolgende Akklamation des Heerbannes und die Möglichkeit des Wiederanknüpfens an das Heerkönigtum Sauls. Aber zu alledem kam es nicht. Denn im Heerlager von Gibbethon (*Tell el-Melāt*, etwa 5 km südwestl. von Gezer[8]) erhob sich der vielleicht designierte[9] Baësa aus Issachar gegen ihn und schlug ihn tot[10]. Damit waren freilich die Kampfhandlungen des Nordstaates gegen die Philister nicht beendet. Sie vollzogen sich überwiegend in der Gegend von Gezer *(Tell Ǧezer)*, also am westlichen Endpunkt des alten südlichen kanaanäischen Querriegels[11], von wo aus man leicht sowohl ins judäische wie auch ins ephraimitisch-samarische Bergland gelangen konnte. Ob die Philister dergleichen vorhat-

---

[7] S. Teil 1, S. 187f.

[8] So nach G. v. Rad, PJB 29 (1933) 30–42; anders K. Elliger, BHH 1, 566f. (Gibbethon = *ʿĀqir*; *Tell el-Melāt* = *Altaqū*, Eltheke).

[9] Vgl. 1. Kön 16,1f.

[10] Der Dtr gibt Nadabs Regierungszeit mit zwei Jahren an. Das bedeutet nicht mehr, als daß er über einen Herbstjahreswechsel hinweg regiert hat; s. Teil 1, S. 229–232.

[11] S. Teil 1, S. 121.

ten, wissen wir nicht, wie denn überhaupt die politischen Hintergründe der Philisterkriege dunkel bleiben. Strebten die Philister nach einer Wiederherstellung ihrer Hegemonie über Palästina, wie sie vor David bestanden hatte? Oder gingen die Feindseligkeiten von Israel aus? Eines freilich ist deutlich erkennbar: daß die Philister ihre politische Selbständigkeit längst zurückgewonnen hatten. Von Vasallität wie unter David und vielleicht noch unter Salomo konnte keine Rede mehr sein.

Nach seiner Thronbesteigung rottete der neue König Baësa (906–883) die männlichen Angehörigen der Familie Jerobeams I. vollständig aus. Das ist von nun an die Praxis aller Usurpatoren in Nordisrael, auch wenn es vielleicht nicht immer ganz gelang. Aus Baësas immerhin dreiundzwanzigjähriger Regierungszeit (1. Kön 15,33–16,7) erfährt man so gut wie nichts – abgesehen natürlich von seiner Niederlage im Grenzkrieg gegen Asa von Juda durch das Eingreifen der Aramäer (1. Kön 15,16–22)[12]. Auf Baësa folgte sein Sohn Ela (883–882): das war erneut ein Versuch zur Dynastiebildung, jedoch weit hoffnungsloser als im vorhergegangenen Falle. Denn während der Heerbann wieder einmal gegen die Philister im Felde stand, drängte es Ela keineswegs nach Schlachtenruhm. Er tat, was seinerzeit Eschbaal getan hatte: er blieb in Thirza und feierte ein schönes Leben. Aber die Freude war kurz. Bei einem Gelage im Hause des Domänenministers (*ʾᵃšer ʿal-habbayit*) erhob sich einer der Kommandeure des königlichen Streitwagenkorps, ein Mann namens Simri, gegen ihn und brachte ihn um (1. Kön 16,8–14). Es ist nicht auszuschließen, daß Simri ein Kanaanäer war. Auch er zog nicht etwa gegen die Philister, sondern machte sich erst einmal ans Werk, die Familie Baësas auszurotten. Dazu blieb ihm freilich nicht viel Zeit; denn seine Herrschaft dauerte nicht länger als sieben Tage (1. Kön 16,15–20). Es lag ja auch auf der Hand, daß der Heerbann bei Gibbethon, wo Blut und Schweiß vergossen wurden, die Palastrevolten und Usurpationen in der Residenz nicht einfach hinnehmen konnte. Die Verbände des Heerbannes riefen den General Omri zum König aus, der denn auch sogleich den Philisterkrieg ruhen ließ und gegen Thirza vorrückte. Simri, in der Stadt eingeschlossen und ohne Hoffnung, zündete den Palast über sich an und kam in den Flammen um. Auffallenderweise fand Omri nicht sogleich die uneingeschränkte Anerkennung als König von Israel. Ein Gegenkönig unbekannter Herkunft namens Tibni trat auf, dem es gelang, einen Teil der israelitischen Bevölkerung auf seine Seite zu ziehen (1. Kön 16,21 f.). Die Hintergründe sind unbekannt. Sollte Omri nicht designiert, Tibni aber ein *designatus* gewesen sein? Oder verbergen sich hinter dieser Rivalität Spannungen zwischen der Volksversammlung (Tibni) und dem Heere (Omri)[13]? Jedenfalls dauerte es ungefähr vier Jahre, bis Omri die Oberhand über den Gegenkönig gewann. Wir

---

[12] S. o. S. 248.

[13] Vgl. A. Soggin, Tibnî, King of Israel in the First Half of the 9th Century. OT and Oriental Studies, Biblica et Orientalia 29 (1975) 50–55.

wissen nicht, wie: wahrscheinlich nicht durch Krieg, vielleicht einfach, weil Tibni starb.

Mit dem Regierungsantritt des Omri (882/878–871) begann eine Phase der Konsolidierung des nordisraelitischen Königtums. Die Aufeinanderfolge von Revolten und Usurpationen, die Israel bis dahin in Atem gehalten hatten, war unterbrochen. Jetzt kam es nacheinander zur Bildung zweier Dynastien, die zusammen ungefähr 130 Jahre über Israel geherrscht haben – zwischen 878 und 747 v. Chr. – und deren jede vier Könige für den Thron des Nordreiches stellte. Der Übergang von der einen zur anderen Dynastie ist allerdings wieder durch eine Revolte großen Stils markiert, die ganz nach klassischer Weise mit Designation, Akklamation und allen Begleiterscheinungen ablief. Wie es zu dieser immerhin ziemlich dauerhaften dynastischen Bindung der Herrschaftsfolge kommen konnte, wird sich kaum je ganz aufklären lassen. Es ist verständlich, daß kritische Alttestamentler die Dinge zunehmend umgekehrt ansehen: das dynastische Königtum sei, wie in Juda so auch in Israel, das Normale gewesen, die Revolten und Usurpationen die Ausnahme. Der Streit darüber erschöpft sich in Deklamationen; historisch beweisbar ist weder die eine noch die andere Ansicht.

1. Israel unter der Dynastie Omris

Der Nordstaat Israel sah sich in der 1. Hälfte des 9. Jh. v. Chr. bedeutenden außen- und innenpolitischen Problemen gegenüber, wie sie sich in solcher Schärfe vorher noch nicht gestellt hatten. Die Aufgaben, vor denen die Könige aus der Dynastie Omris standen, verlangten ein hohes Maß von Klugheit und Staatskunst. Es ist vorab festzustellen, daß es den Omriden – vor allem dem Dynastiegründer Omri (882/878–871) und seinem Sohne Ahab (871–852) – daran nicht fehlte: sie zählen zu den begabtesten und tatkräftigsten Herrschern auf dem Throne Israels. Durch planvolles und konsequentes Handeln haben sie es verstanden, das Staatsschiff durch erhebliche außen- und innenpolitische Gefahren hindurchzusteuern. Wenn sich manche ihrer Lösungen – hauptsächlich auf dem Sektor der Innenpolitik – auf die Dauer dennoch als verfehlt und unhaltbar erwiesen, dann ist das auch dem Umstande zuzuschreiben, daß sich die wechselnden Bedingungen der politischen Lage nie ganz präzise kalkulieren ließen und gerade in jener Phase der Geschichte Israels leicht zu politischen Fehlurteilen führen konnten. Es ist nicht schwer, den Omriden rückschauend die Gründe ihres Scheiterns vorzurechnen. Der Historiker sollte aber über diesem Geschäft die Würdigung ihrer Leistung nicht vergessen[14].

---

[14] Vgl. zu allen Problemen dieser Periode die gründliche Monographie von St. Timm, Die Dynastie Omri. Quellen und Untersuchungen zur Geschichte Israels im 9. Jh. FRLANT 124 (1982); zur geographischen und topographischen Ergänzung ders., Die territoriale Ausdehnung des Staates Israel zur Zeit der Omriden. ZDPV 96 (1980) 20–40.

Die außenpolitische Hauptgefahr bildete das Aramäerreich von Damaskus[15], das sich zur Zeit Salomos selbständig gemacht hatte[16] und seitdem ständig an Macht und Einfluß gewachsen war. Leider ist die Überlieferung gerade in diesem Punkte sehr wortkarg und läßt nicht mit Sicherheit erkennen, ob bereits Omri und Ahab kriegerische Auseinandersetzungen mit den Aramäern hatten. Nur über den letzten Omriden Joram (851–845) existiert eine Annalennotiz (2. Kön 8, 28 f.), nach der es zu Kampfhandlungen bei Ramoth *(Tell er-Rāmīṯ)* im nördlichen Ostjordanland gekommen ist, in deren Verlauf Joram verwundet wurde. Gegner war der König Hasaël von Aram-Damaskus. Von Aramäerkriegen gegen dessen Vorgänger Benhadad (aram. Barhadad) berichten freilich auch die Geschichtserzählungen 1. Kön 20 und 22. Es ist jedoch keineswegs sicher, daß sie in die Regierungszeit Ahabs fielen, wie die vorliegende Endfassung glauben machen will. Vielmehr muß damit gerechnet werden, daß ein Dtr die ursprünglich anonymen Überlieferungen anachronistisch in die Zeit Ahabs von Israel setzte. Nicht anders steht es mit den Elisa-Sagen in 2. Kön 6, 8–7, 20: auch sie redeten ursprünglich anonym von einem „König von Israel" und sind sekundär in die dtr Darstellung der Regierungszeit Jorams eingestellt worden. Daß der aramäische Gegner hier wie dort Benhadad heißt, will nicht viel besagen; denn es hat mindestens drei Könige dieses Namens auf dem damaszenischen Thron gegeben[17], und überdies ist nicht auszuschließen, daß der Name Benhadad als sozusagen paradigmatischer Königsname der Aramäer in Israel galt. A. Jepsen[18] hat mit guten Gründen die Auffassung vertreten, daß die genannten Kriegsberichte erst in die Zeit der Dynastie Jehus gehören. Daß die Designation des Hasaël von Damaskus durch den Propheten Elisa (2. Kön 8, 7–15) nach dtr Anordnung früher erfolgte als die des Jehu (2. Kön 9), ist natürlich kein ernstzunehmendes Gegenargument.

Die Aramäergefahr war indessen nicht das einzige außenpolitische Problem, das den Königen aus der Dynastie Omris zu schaffen machte. Fern am Horizont erhob sich in der 1. Hälfte des 9. Jh. v. Chr. der Koloß des neuassyrischen Großreiches[19] und schickte sich an, auf die syrisch-palästinische Landbrücke überzugreifen. Das AT schweigt davon; denn die Assyrergefahr wurde für Israel noch nicht sofort akut und lag deshalb wohl außerhalb des Interesses der Historiographen. Nähere Einzelheiten über die assyrische Expansion nach Westen und Südwesten erfährt man aus den

---

[15] S. u. S. 280 f.

[16] S. Teil 1, S. 224.

[17] Vgl. R. de Vaux, La chronologie de Hazael et de Benhadad III, rois de Damas. RB 43 (1934) 512–518; J. A. Dearman – J. M. Miller, The Melqart Stele and the Ben Hadads of Damascus: Two Studies. PEQ 115 (1983) 95–101.

[18] A. Jepsen, Israel und Damaskus. AfO 14 (1941–44) 153–172; vgl. auch C. F. Whitley, The Deuteronomic Presentation of the House of Omri. VT 2 (1952) 137–152; O. H. Steck, a. a. O., S. 131–144; St. Timm, a. a. O., S. 241–245.

[19] S. u. S. 293 ff.

Inschriften der neuassyrischen Großkönige[20]. Danach war es zuerst Aššurnāṣirpal II. (884–858), der über die Grenzen des assyrischen Stammlandes zu beiden Seiten des oberen Tigris hinaus nach Nord- und Mittelsyrien vorstieß und die dortigen Kleinfürstentümer zu tributpflichtigen Vasallen machte. Sein Sohn und Nachfolger Salmanassar III. (858–824) setzte diese Expansionspolitik in noch größerem Stile fort[21]. In seinem 6. Regierungsjahr *(palû)* 853 v.Chr. traf er in Syrien auf eine antiassyrische Koalition unter der Führung von Damaskus, deren vereinigte Streitkräfte ihm bei Qarqar *(Ḫirbet Qerqūr)* am unteren Orontes entgegentraten. Salmanassar III. hat in mehreren Inschriften über die Schlacht bei Qarqar berichten lassen, am ausführlichsten auf dem sog. Monolithen, Kol. II, Z. 79–102[22]. Nach diesem Text gehörten zur Koalition nicht weniger als zwölf nord- und mittelsyrische Dynasten, an ihrer Spitze

^{Id}Adad-idri^{ri} [*ša* ^{KUR}]*Ša-imērišū* = Hadadezer von Aram (d.h. Damaskus)[23]

^{I}Ir-ḫu-le-ni ^{KUR}*A-mat-a-a* = Irḫulēni von Hamath *(Ḥama)* am Orontes

^{I}A-ḫa-ab-bu ^{KUR}*Sir-ʾi-la-a-a* = Ahab von Israel.

Die Streitmacht Ahabs wird mit 2000 Streitwagen und 10000 Soldaten angegeben[24]: das sind beachtliche Zahlen, bei denen man sich allerdings gegenwärtig halten muß, daß die assyrischen Könige und ihre Schreiber ein ebenso unbekümmertes Verhältnis zu hohen Zahlen hatten wie die atl Erzähler und Historiographen. Selbstverständlich endete die Schlacht bei Qarqar mit einem Siege Salmanassars III.: wäre es anders, dann wüßten wir nichts von ihr. Es hat aber den Anschein, als seien auch die assyrischen Truppenverbände erheblich zur Ader gelassen worden; denn unmittelbare militärische und politische Folgen hatte der assyrische Sieg für die Verbündeten offenbar nicht. Ahab von Israel kämpfte bei Qarqar an der Seite des Aramäerkönigs von Damaskus. Ob das nur ein vorübergehendes gemeinsames Vorgehen war, nach dessen Ende die Spannungen wieder in den Vordergrund traten, oder der Ausdruck allgemein freundlicher Beziehungen, ist nicht mehr zu erkennen. Salmanassar III. ist in den folgenden Jahren noch öfter in Syrien erschienen (849, 848, 845) und hat sich wieder

---

[20] Vgl. grundsätzlich W. Schramm, Einleitung in die assyrischen Königsinschriften, 2. Teil: 934–722 v.Chr. HdO I, Ergänzungsband 5,1 (1973). Zum Komplex auch St. Timm, a.a.O., S. 181–200.

[21] Vgl. G. Lambert, The Reigns of Aššurnaṣirpal II and Shalmaneser III: An Interpretation. Iraq 36 (1974) 103–109.

[22] Transkription bei Weippert, Edom 600f. Übersetzungen: AOT², 340f.; ANET³, 278f.; TGI³, 49f.; TUAT I,4, 360–362.

[23] Vgl. F.M. Tocci, Damasco e ša-imērišu. RSO 35 (1960) 129–133.

[24] Die 10000 Soldaten fehlen in M. Weipperts auf einer neuen Photographie beruhenden Transkription, finden sich aber in fast allen Übersetzungen. Wo der Fehler liegt, vermag ich nicht zu beurteilen.

und wieder mit der sehr zähen Koalition auseinandersetzen müssen. Israel wird allerdings nicht mehr genannt, nur noch Damaskus, Hamath und die Gesamtzahl „zwölf Könige", die sehr nach einer stereotypen Wendung aussieht, aus den Berichten über die Schlacht bei Qarqar in die Beschreibung späterer Kriege übernommen. Wir wissen also nicht genau, ob Israel in der Koalition verblieb oder aus ihr ausschied; das letztere ist aber am Ende doch wahrscheinlicher, zumal Ahab 852 starb und man sich seine Söhne Ahasja und Joram kaum als Protagonisten antiassyrischer Politik vorstellen kann[25].

Entschlossen und planvoll waren auch die Bemühungen der Omriden um die innenpolitische Konsolidierung ihres Staatswesens. Freilich muß man sich von vornherein darüber im klaren sein, daß die Streiflichter des AT zu verschiedenen und kontroversen Rekonstruktionsversuchen führen können und geführt haben. Soviel ist jedenfalls deutlich: der Historiker muß hier, wie so oft, rekonstruieren, will er sich nicht darauf beschränken, dürre und zusammenhanglose Fakten aneinanderzureihen, wie es z. B. im vorigen Kapitel unvermeidlich war. Dabei wird derjenigen Rekonstruktion der Vorzug zu geben sein, die es erlaubt, die Einzelnachrichten des AT am besten und einleuchtendsten zu einem Gesamtbilde von historischer Wahrscheinlichkeit zu vereinigen – ohne daß ein solches Gesamtbild dann freilich dogmatisiert werden darf. Denn ein auf Rekonstruktion beruhendes Gesamtbild, das der Kritik nicht zugänglich wäre, gibt es nicht und kann es nicht geben. Die schlechthin klassische Rekonstruktion der Grundsätze omridischer Innenpolitik verdanken wir A. Alt[26]. Sie ist von Anfang an nicht ohne Kritik geblieben und muß sich auch gegenwärtig vielfach berechtigten kritischen Anfragen stellen[27]. Durch ein neues und in jeder Hinsicht tragfähiges Konzept ist sie jedoch nicht ersetzt worden. Deshalb wird A. Alts Rekonstruktion der folgenden Darstellung zugrundegelegt und weiterentwickelt, und zwar so, daß die kritischen Stimmen nach Möglichkeit zu Gehör kommen.

A. Alt hat die Grundzüge der omridischen Innenpolitik auf den Generalnenner der Bereinigung des problematischen Verhältnisses von Israel und Kanaan gebracht. Schon hier melden sich erste Bedenken. Darf mit der Existenz von Kanaanäern als einer ethnisch bestimmbaren Größe in der 1. Hälfte des 9. Jh. v. Chr. überhaupt noch gerechnet werden? Um hier keinerlei Unklarheiten aufkommen zu lassen: wir wissen es nicht genau. Erinnern wir uns: in der davidisch-salomonischen Epoche war die politische Selbständigkeit der kanaanäischen Stadtstaaten liquidiert worden[28]. Damit ist zweifellos ein Integrationsprozeß in Gang gekommen, von dem

---

[25] Vgl. W. H. Hallo, From Qarqar to Qarchemish. Assyria and Israel in the Light of New Discoveries. BA 23 (1960) 34–61.

[26] A. Alt, Der Stadtstaat Samaria [1954]. KS 3, 258–302.

[27] Vgl. zusammenfassend St. Timm, a. a. O., S. 270–288 und sonst *passim*.

[28] S. Teil 1, S. 198 f.

nicht präzise zu sagen ist, wie weit er in der Omridenzeit gediehen war. Es ist zu vermuten, daß er ziemlich weit gediehen war, vielleicht so weit, daß man Israeliten und Kanaanäer ethnisch nicht mehr unterscheiden konnte, wenn das überhaupt je möglich gewesen war. Nun ist aber folgendes zu bedenken: die Kanaanäer hatten dereinst vorzugsweise in den alten befestigten Städten der Ebenen gewohnt, z. B. in denen des ehemaligen nördlichen kanaanäischen Querriegels[29], aber auch im Hügelland und auf dem samarischen Gebirge. Viele dieser Städte, wenn nicht alle, reichten weit in „vorisraelitische" Zeit zurück. Sie unterschieden sich in Lebensformen und Traditionen von den neuen, seit der 1. Eisenzeit entstandenen „israelitischen" Siedlungen, sicher nicht grundsätzlich, aber im Hinblick auf Urbanität, Lebensart, Denken und Religion. Auch im 9. Jahrhundert bedeutete es noch einen erheblichen Unterschied, ob man in Sichem *(Tell Balāṭa)* oder etwa in Lebona *(Lubbān)* zu Hause war. Das, was „Kanaan" einmal dargestellt hatte, war natürlich nicht einfach erloschen oder eingeschmolzen worden. Kanaanäisches Erbe, kanaanäische Kultur und Gesittung, lebten noch, eigentlich überall, besonders aber in den Städten. Das gilt auch für die Religion. Der Konflikt zwischen der kanaanäischen Baalsreligion und dem Ausschließlichkeitsanspruch Jahwes in Israel, wie er nach Ausweis der Elia-Überlieferungen gerade in der Omridenzeit zu voller Schärfe gedieh[30], bliebe unverständlich, wenn es nicht mehr oder minder „kanaanäische" oder „kanaanisierte" Kreise gegeben hätte, in denen Jahwe einer unter anderen Göttern war, und wieder andere „israelitische", deren Hauptgott, wenn nicht gar in monolatrischem Sinne einziger Gott Jahwe war. Mit einem Wort: der Begriff „Kanaanäer" ist im 9. Jh. v. Chr. nicht ethnisch und wohl auch nur eingeschränkt politisch, sondern soziologisch und religiös zu bestimmen. So bestimmt, hat er aber seinen guten Sinn, und so soll er im folgenden verwendet werden.

Nun ist es in der Tat so, daß der Nordstaat Israel auch im Hinblick auf das Kanaanäerproblem den schwierigeren Teil des davidisch-salomonischen Erbes angetreten hatte. Es hatte vor der Staatenbildung auf dem Territorium des Nordstaates wesentlich mehr Kanaanäerstädte gegeben als auf dem städtearmen Südteil des zentralpalästinischen Gebirges; auch die verkehrsgeographische Offenheit des Nordens mag noch einmal ins Gedächtnis gerufen werden. Die Omriden konnten die sich daraus ergebenden Probleme auf zweierlei Weise zu lösen versuchen:

1. Sie konnten versuchen, die „kanaanäischen" und „israelitischen" Bevölkerungsteile möglichst weitgehend zu integrieren, ihre Unterschiede – vor allem ihre religiösen Unterschiede – zu verwischen, wenn nicht aufzuheben und damit der ohnehin seit langem wirksamen Integrationstendenz nachzuhelfen. Diese Politik brachte freilich das Risiko mit sich, daß man nicht ohne weiteres voraussehen konnte, welche Kräfte und Reaktionen,

---

[29] S. Teil 1, S. 121.
[30] S. u. S. 269–271.

etwa von seiten streng jahwetreuer Kreise, dabei entbunden werden würden. Es gab keinerlei Garantie dafür, daß Nachhilfe beim Integrationsprozeß die Widerstände nicht geradezu verstärken oder gar erst produzieren würde.

2. Sie konnten ferner versuchen, beide Bevölkerungsteile so weit wie möglich getrennt zu halten, also der Integrationstendenz entgegenzuwirken und eine konsequent dualistische Innenpolitik zu betreiben. Auch diese Lösung war nicht ohne Gefahren; sie bedeutete Aktion gegen den seit langem wirksamen Verschmelzungsprozeß, ein Schwimmen gegen den Strom. Und ob diese Politik den besonders jahwetreuen Kreisen ausreichen würde, war ebenfalls nicht abzusehen.

Wollten die Omriden nicht auf innenpolitisches Handeln überhaupt verzichten, dann mußten sie Risiken in Kauf nehmen. Nun hatte anscheinend bereits Salomo einen Schritt in Richtung auf die zweite Möglichkeit getan: er hatte israelitische Stämmegaue und kanaanäische Städtegaue gleichberechtigt nebeneinandergestellt, aber wohl unabhängig voneinander behandelt[31]. Es sieht so aus, als seien die Omriden diesen Weg zu Ende gegangen und als hätten sie sich für die dualistische Lösung des Kanaanäerproblems entschieden.

Nach 1. Kön 16,24 kaufte Omri von einem Privatmann, dessen Name mit Semer (hebr. *Šemer*) angegeben wird, für zwei Talente, d.h. ungefähr 60 kg Silber in aller Form rechtens ein ausgedehntes Hügelgrundstück und begann, darauf eine Stadt zu bauen, der er den Namen *Šōm^{e}rōn* „Samaria“[32] gab. Nun hätte eine solche Grundstückstransaktion nach geltendem israelitischen Bodenrecht eigentlich gar nicht stattfinden dürfen. Denn soweit ersichtlich ist, galt Jahwe als Eigentümer alles Grundes und Bodens in Israel, so daß Grundstückskauf und -verkauf theoretisch ausgeschlossen waren[33]. Deshalb wird man vermuten dürfen, daß der Verkäufer ein Kanaanäer war und daß das Geschäft auf kanaanäische Weise abgewickelt wurde. Bei den Kanaanäern gehörte der Handel mit Grundstücken nachweislich zu den Rechtsgepflogenheiten des täglichen Lebens[34], wäh-

---

[31] S. Teil 1, S. 226 f.

[32] Aram. *Šām^{e}rīn*, griech. Σαμάρεια.

[33] Vgl. Lev 25,23.

[34] Vgl. zum Bodenrecht F. Horst, Das Eigentum nach dem AT [1949]. Gottes Recht (1961) 203–221. Gewiß hat St. Timm, a. a. O., S. 143–145 recht, wenn er – wie auch andere – einwendet, daß aus einem privatrechtlichen Kaufgeschäft nicht auf die Volkszugehörigkeit des Verkäufers zurückgeschlossen werden könne. Daß sich auch in Israel gegen alle Theorie privater Grundstückshandel entwickelte, ist in der Tat nicht auszuschließen. Es fällt jedoch auf, daß bei sämtlichen im AT bezeugten Grundstücksgeschäften der Verkäufer stets ein Kanaanäer ist: Abraham kauft Grundstück und Höhle Makpela von dem Hittiter Ephron (Gen 23); Jakob kauft ein Grundstück bei Sichem von den Söhnen Hamors (Gen 33,19); David kauft eine Tenne von dem Jebusiter Arawna (2. Sam 24,18 ff.). Das innerfamiliäre Vorkaufsrecht (Jer 32,6 ff.) und das Rückkaufsrecht (Ruth 4) sind Rechtsinstitute besonderer Art und mit privatem Grundstückshandel nicht einfach identisch. – Auf den in 1. Kön 16,24 überlieferten Namen des Verkäufers ist übrigens nicht viel zu geben. Er soll den Namen der Stadt Samaria durch eine etymologische Ätiologie erklären *(Šemer → Šōm^{e}rōn)*.

rend wir darüber, wie eine Grundstückskaufofferte von einem Israeliten beantwortet wurde, durch die Geschichte von Naboths Weinberg (1. Kön 21) lebhaft unterrichtet werden. Wie dem auch sei: jedenfalls erhob Omri Samaria zur Residenz und siedelte in seinem 6. Regierungsjahr dorthin über, nachdem er die erste Zeit wie seine Vorgänger in Thirza gewohnt hatte. Dieser Wechsel wird durch die Ergebnisse der Ausgrabungen in Thirza *(Tell el-Fār'a)*[35] und Samaria *(Sebasṭye)*[36] überraschend beleuchtet. In Thirza hat man in der 1. Hälfte des 9. Jh. v. Chr. einen Palastbau auf den durch eine Brandkatastrophe entstandenen Ruinen eines älteren Gebäudes – des Palastes Simris? – zu errichten begonnen. Aber eines Tages muß die Arbeit an dem Neubau plötzlich eingestellt worden sein: er blieb unvollendet, und nichts bezeugt den Abbruch der Arbeiten deutlicher als ein großer, bereits zubehauener Quaderstein, der nicht mehr verwendet wurde und einfach neben der Stelle liegenblieb, für die er bestimmt gewesen war. Andererseits ist der Hügel von Samaria vor dem 9. Jh. nicht nennenswert besiedelt gewesen, und wenn man auch nicht gerade von siedlungsgeschichtlich jungfräulichem Boden sprechen kann, so handelte es sich doch jedenfalls um die Gründung einer neuen Stadt. In diese Neugründung haben Omri und mehr noch sein Sohn Ahab erhebliches Kapital investiert; sie haben in wenigen Jahren eine respektable Residenzstadt buchstäblich aus dem Boden gestampft[37]. Davon geben die Ausgrabungen Zeugnis. Die literarische Überlieferung nennt nur wenige Einzelheiten: ein „Elfenbeinhaus" Ahabs (1. Kön 22, 39), d.h. ein Palastgebäude mit Elfenbeinzieraten[38], wie sie in vielfach ägyptisierendem Stil in Samaria tatsächlich gefunden worden sind[39], und einen Baalstempel (1. Kön 16, 32; 2. Kön 10, 18 ff.)[40], von dem aus später zu erörternden Gründen archäologisch keine Spuren mehr nachzuweisen sind[41].

Verfolgten die Omriden mit dem Bau ihrer neuen Residenz ein politisches Ziel, oder war die Gründung von Samaria nichts weiter als das Resultat der Ruhelosigkeit Omris und der Baulust Ahabs? Zur Beantwortung dieser Frage sind folgende Gesichtspunkte zusammenzustellen:

1. Omri hat das Gelände wahrscheinlich von einem Kanaanäer nach kanaanäischen Rechtsgrundsätzen gekauft; jedenfalls aber wurde es durch den Kauf sein und seiner Familie persönliches Eigentum.

---

[35] Vgl. zusammenfassend R. de Vaux, Thirza. Archaeology and OT Study (1967) 371 ff. (mit Lit.).

[36] Vgl. Reisner–Fisher–Lyon, Harvard Excavations at Samaria 1908–1910. I/II (1924); J. W. Crowfoot u. a., Samaria-Sebaste I–III (1938–1957); J. B. Hennessy, Excavations at Samaria-Sebaste, 1968. Levant 2 (1970) 1–21.

[37] Vgl. R. Dussaud, Samarie au temps d'Achab. Syria 6 (1925) 314–338; 7 (1926) 9–29.

[38] Vgl. für die Zeit Jerobeams II. Am 3, 15.

[39] Vgl. J. W. und G. M. Crowfoot, Samaria-Sebaste II: Early Ivories from Samaria (1938).

[40] So jedenfalls nach MT; zur Kritik vgl. St. Timm, a. a. O., S. 32 f.

[41] S. u. S. 279.

2. Omri oder Ahab haben der Stadt einen besonderen Rechtsstatus verliehen, der später noch von Jehu im Zusammenhang seiner Revolte respektiert worden ist (2. Kön 10, 1 ff.)[42].

3. Unter Ahab erhielt die Stadt durch den Bau eines Baalstempels ein sakrales Zentrum (1. Kön 16, 32).

4. Frühestens seit Omri, spätestens seit Ahab besaßen die Könige von Israel noch eine zweite Residenz: Jesreel *(Zerʿīn)* am Ostrande der gleichnamigen Ebene (1. Kön 21; 2. Kön 9–10)[43].

Nimmt man alle diese Gesichtspunkte zusammen, dann lassen sie darauf schließen, daß sich die Omriden von den Verhältnissen im Südstaat Juda haben inspirieren lassen. Die Parallele zu Jerusalem in seiner Sonderstellung gegenüber Juda liegt auf der Hand. Samaria war also wahrscheinlich ein selbständiger Stadtstaat, der dem Territorium des Nordstaates Israel gegenüberstand: sei es, daß er als Privateigentum der Omriden von Anfang an gar nicht erst in dieses einbezogen oder in einem zweiten Schritt sekundär aus ihm ausgegliedert worden war. Die Omriden herrschten in Samaria als kanaanäische Stadtkönige wie die Davididen in Jerusalem. Sie vereinigten die Herrschaft über Israel und Samaria in Personalunion[44]. Man kann aber noch einen Schritt weitergehen. Das Nebeneinander zweier Residenzen und die Pflege des Baalskultes in Samaria legen den Schluß nahe, daß Samaria als Zentrum des Staates Israel nach seiner „kanaanäischen" Komponente, Jesreel dagegen als Zentrum ebendieses Staates nach seiner „israelitischen" Komponente gelten sollte. Ist das richtig, dann handelt es sich um eine planvolle innenpolitische Maßnahme im Sinne der dualistischen Lösung des Kanaanäerproblems. Die Omriden waren in Samaria sozusagen „kanaanäische" und in Jesreel „israelitische" Könige. Sie verfuhren nach dem Grundsatz: den Kanaanäern ein Kanaanäer, und den Israeliten ein Israelit!

Die Problematik dieser Konzeption mußte spätestens in dem Augenblick offenbar werden, in dem sich religionspolitische Konsequenzen bemerkbar machten. Das ist alsbald geschehen. Es scheint, als habe schon Omri damit begonnen, freundliche Beziehungen zu den Handelsstädten der phönikischen Küste herzustellen, und zwar als politisches Gegengewicht gegen die latente Aramäergefahr und vielleicht auch als Mittel, die „Kanaanäer" seines Staates günstig zu stimmen. Diese Befreundungspoli-

---

[42] Vgl. zur Kritik St. Timm, a. a. O., S. 145–147.

[43] Vgl. B. D. Napier, The Omrides of Jezreel. VT 9 (1959) 366–378.

[44] Der beachtliche Einwand von G. Buccellati, Cities and Nations of Ancient Syria. Studi Semitici 26 (1967) 186 f., in diesem Falle müsse unwahrscheinlicherweise die Entstehung von Staatsrecht aus einem privaten Kaufvertrag angenommen werden, hält genauer Prüfung nicht stand. Denn diese in der Tat unwahrscheinliche Annahme muß man nicht machen. Es genügt der Hinweis auf das Privateigentum der Omriden an Samaria parallel zu dem durch Eroberung zustandegekommenen Privateigentum der Davididen an Jerusalem: entscheidend ist das Privateigentum, nicht die Art seines Zustandekommens.

tik mit den Phönikern erlebte dann unter Ahab ihre Blütezeit. Ahab entschloß sich, die phönikische Prinzessin „Isebel, die Tochter des Sidonierkönigs Ethbaal" zu heiraten (1. Kön 16,31). Spätere Geschlechter haben nicht gezögert, diese Heirat als eine Gipfelleistung der Ruchlosigkeit auf Ahabs Schuldkonto zu schreiben: nicht, weil er eine Ausländerin geehelicht hatte – das war schon mehrfach vorgekommen –, sondern weil er, anscheinend im Zusammenhang der Übersiedelung Isebels nach Samaria, einen Tempel für „den Baal" in der Hauptstadt errichten ließ (1. Kön 16,31–33).

Hier ist mancherlei Konfusion eingetreten. Der Name des „Königs der Sidonier" *(melek ṣīdōnīm)* ist von den Masoreten Ethbaal vokalisiert worden: ein leicht korrigierbarer Fehler, da die richtige Namensform *Ittō-Baʿal* „Mit ihm ist Baal" aus phönikischen, akkadischen und griechischen Texten bekannt ist[45]. Bei Josephus erscheint *Ittō-Baʿal* als Stadtkönig von Tyrus im 9. Jh. v. Chr.; die von ihm verarbeiteten Nachrichten zur phönikischen Geschichte stammen aus Menander von Ephesus und von einem sonst unbekannten Autor namens Dion. Die atl Wissenschaft hat sich nun von der Autorität des Josephus erdrücken lassen. Man hat 1. Kön 16,31 immer wieder gewissermaßen in josephinischem Lichte gelesen: Isebel war in Wirklichkeit eine tyrische Prinzessin; ihr Vater wurde nur deshalb „König der Sidonier" genannt, weil „Sidonier" ein Sammelname für „Phöniker" war, über die *Ittō-Baʿal* von Tyrus die Hegemonie hatte; der Baal, den Isebel mitbrachte und dessen Kultus Ahab in Samaria installierte und pflegte, war der Stadtgott Melqart von Tyrus; Ahabs Heirat brachte Israel sogar einen territorialen Gewinn, insofern als der Karmel, der z. Zt. Salomos vielleicht an Tyrus gefallen war, jetzt jedenfalls wieder israelitisch wurde u. a. m. Auf diese Annahmen sind eindrucksvolle Hypothesengebäude errichtet worden. Das Verdienst, sie kritisch aufgelöst zu haben, gebührt St. Timm[46]. Er hat überzeugend dargetan, daß die Menander-Überlieferungen bei Josephus für die Rekonstruktion der phönikischen Geschichte des 10.–8. Jh. v. Chr. nicht in Betracht kommen. Josephus hat diese Nachrichten, die – wenn überhaupt historisch brauchbar – einer viel späteren Zeit zugehören, seinerseits chronologisch fixiert, um seine dem AT entnommenen Angaben durch außerbiblische Autoren griechischer Zunge stützen zu lassen. Von Menander als historischer „Quelle" für die Omridenzeit ist Abschied zu nehmen, ebenso von allen daraus gezogenen Folgerungen. Isebel war eine phönikische Prinzessin aus Sidon.

Daß der Baalstempel von Samaria etwas mit Isebel zu tun gehabt habe, kann man höchstens vermuten. Sollte es zutreffen, dann genügt es freilich nicht, ihn für nichts anderes zu halten als für eine Pflegestätte der heimatlichen Religion Isebels und ihres phönikischen Anhangs[47]. Denn eine solche hätte schwerlich einen derartigen Sturm in Israel entfachen können, wie es tatsächlich geschah. Vielmehr legt sich der Gedanke nahe, daß es

---

[45] Zu griech. Ἰθώβαλος vgl. Fl. Josephus, c. Apion. I, 18 (§§ 112f. 116 Niese) und Ant. VIII, 13, 1 f. (§§ 144. 147 Niese); IX, 6, 6 (§ 283 Niese) u. ö.

[46] A. a. O., S. 200–231.

[47] Man weist in diesem Zusammenhang gern auf die Kapellen hin, die Salomo auf dem Ölberg hatte errichten lassen (1. Kön 11,7). S. dazu Teil 1, S. 218.

sich um eine Maßnahme im Kontext der omridischen Innenpolitik handelte, genauer: um einen Akt der Kultuspolitik, mit welchem Ahab der kanaanäischen Metropole seines Staates einen ähnlichen sakralen Nimbus geben wollte, wie ihn Jerusalem durch die Überführung der Lade Jahwes durch David erhalten hatte (2. Sam 6)[48] und wie er seit Jerobeam I. auch für die israelitischen Reichsheiligtümer Bethel und Dan bestand (1. Kön 12, 26–29)[49]. Der samarische Baalstempel war eine Art Zentralheiligtum für die „Kanaanäer" im Nordstaate Israel.

Die Religionspolitik der Omriden hat nun alsbald im israelitischen Lager des Nordstaates Gegenkräfte ans Licht gesetzt und Männer hervorgebracht, die für den Ausschließlichkeitsanspruch Jahwes auf den Plan traten und diesen Anspruch mit einer bisher nicht gekannten Schärfe verfochten. Das ist keineswegs selbstverständlich; denn die bloße Existenz des Baalskultes in Samaria konnte kaum schon zu einer Auseinandersetzung Jahwes mit dem Baal und zu einer Verschärfung des seit längerem in Gang befindlichen Kampfes Jahwes gegen den Baalismus überhaupt führen. Samaria war unter der Herrschaft der Omriden ein Reservat des Kanaanäertums, ein Staat im Staate. Seine kultische Verfassung konnte Jahwes Ausschließlichkeitsanspruch in Israel nicht ernstlich in Frage stellen. M. Noth[50] hat freilich die Ansicht vertreten, daß bereits „die Existenz jenes Fremdkultes mit dem zugehörigen Kultpersonal die Reaktion der alten strengen Traditionen der israelitischen Stämme wachrufen" mußte, „für die die strenge Ausschließlichkeit der Jahweverehrung in Israel eine unbedingte Forderung war". Dieses Urteil verkennt jedoch, daß es sich in Samaria nicht ohne weiteres um israelitische Belange handelte – ganz abgesehen davon, daß von der „strengen Ausschließlichkeit der Jahweverehrung" im Israel der frühen Königszeit wohl nicht die Rede sein konnte. Israels Reaktion hätte sich also nicht gegen die Existenz des samarischen Baalskultes überhaupt richten können, sondern allenfalls gegen das durch seine Protektion kompromittierte Königshaus. Ferner ist unwahrscheinlich, daß die Zentralgewalt darauf hingearbeitet haben sollte, den Israeliten im flachen Lande den Kultus des samarischen Baal aufzudrängen. Man denkt dabei gern an die Königsgemahlin Isebel und schiebt ihr die Schuld in die Schuhe[51]: Ahab selbst habe am Jahweglauben festgehalten und nur eben nicht die nötige Energie besessen, der Kultpropaganda der Isebel wirksam entgegenzutreten. Solche Urteile unterschätzen Ahab und überschätzen Isebel, deren Einfluß gewiß in Einzelfällen von Gewicht sein konnte, aber doch kaum in der Lage war, die Grundsätze der omridischen Innenpolitik zu durchkreuzen. Scheidet das alles aus, dann müssen Entwicklungen eingetreten sein, die von den Königen nicht ohne weiteres vor-

---

[48] S. Teil 1, S. 197 f.

[49] S. o. S. 242.

[50] M. Noth, Geschichte Israels (1981[9]) 221.

[51] Vgl. das schöne Kapitel „Alte und neue Urteile über Isebel" bei St. Timm, a. a. O., S. 288–303.

ausgesehen werden konnten und die die Problematik der dualistischen Konzeption auf unerwartete Weise offenbarten; mit einem Wort: den Omriden ist ihre Religionspolitik aus dem Ruder gelaufen. Wie das faktisch geschah, ist nur zu vermuten: z.B. dadurch, daß das Kanaanäertum aus seinem Zentrum Samaria heraus religiöse Kräfte ins flache Land setzte, etwa über die Beamtenschaft des Verwaltungsapparates, die ganz oder doch überwiegend aus städtischen Kanaanäern bestanden haben dürfte und die jedenfalls, obwohl im Lande tätig, mit der samarischen Residenz verbunden blieb. Auf der anderen Seite konnten sich jahwetreue Kreise in Israel prinzipiell gegen die kanaanäerfreundliche Politik ihres Königshauses auflehnen, indem sie den Dualismus des Konzepts gewissermaßen mißverstanden: und eben dies mußte eine Auseinandersetzung Jahwes zwar nicht direkt mit dem samarischen Baal, wohl aber mit der „dyotheistischen" Haltung der Könige provozieren.

Spuren in der atl Überlieferung lassen erkennen, daß sich dergleichen tatsächlich ereignet hat. Die Zentralfigur des israelitischen Widerstandes gegen die Religionspolitik der Omriden ist ein großer Einzelgänger gewesen: der Prophet Elia aus Thisbe im Ostjordanland[52]. Leider gestatten die Elia-Sagen (1.Kön 17–19; 21; 2.Kön 1) nur in sehr eingeschränktem Sinne eine Nachzeichnung des Verlaufes der von den Omriden heraufbeschworenen Krise der israelitischen Religion. Sie sind an der Person des Propheten interessiert und nicht in erster Linie an den Zuständen und Entwicklungen, die zu seinem Auftreten geführt haben. Aber immerhin: um eine Krise handelte es sich, und es ist nur die Frage, wie man sie interpretiert. Ältere Vorstellungsmodelle, die darauf hinauslaufen, die seit der Landnahme in Gang befindliche latente Kanaanisierung der Jahwereligion sei jetzt in ein akutes Stadium getreten und habe die Gegenkräfte entbunden, entsprechen nicht mehr dem, was wir über den Charakter der israelitischen Religion in der frühen Königszeit wissen oder mit Gründen vermuten können[53]. Die israelitische Religion ist nicht vom Baal infiziert worden, sondern sozusagen von Anfang an baalsgesättigt gewesen. Die Krise bestand darin, daß eben dies durch die auf Trennung bedachte omridische Innenpolitik anfing, ins Bewußtsein zu treten – oder vorsichtiger, daß das schon länger vorhandene Bewußtsein davon sich jetzt zu schärfen begann. Etwas zugespitzt könnte man sagen: Jahwe, den es natürlich für „Israel" schon immer gegeben hatte, fiel jetzt unter dem Scheidewasser der omridischen Politik als eine antikanaanäische religiöse Größe heraus. Daß er nichts mit Kanaan zu tun habe und in Israel mit strenger Ausschließlichkeit verehrt werden müsse, wurde auf dem Hintergrund der von den Omriden bewirkten allgemeinen Stärkung des Kanaanäertums sichtbar. Jahwe

---

[52] Der Ort ist bislang nicht befriedigend lokalisiert. Ein Vorschlag (*Ḫirbet el-Hedamūs* unweit *Listib*) bei S. Mittmann (s.u. Anm. 96), S. 222, Anm. 34.

[53] Vgl. H. Donner, Die Verwerfung des Königs Saul. Sitzungsberichte der Wiss. Gesellschaft a.d. Joh. Wolfg. Goethe-Universität Frankfurt a.M. XIX,5 (1983) 240f.

gewann Statur, Profil und Stil in der Krise – und so haben denn die Omriden sozusagen die Bedingungen für das Auftreten des Propheten Elia geschaffen, und ihr Verdienst um den Ausschließlichkeitsanspruch Jahwes in Israel ist nicht geringer als das seine.

Soviel zum Allgemeinen. Unsere Kenntnisse über den konkreten Verlauf der Krise sind eher dürftig. Wir wissen nicht genau, inwieweit die Könige das Erstarken des Kanaanäertums bewußt gefördert haben. Was Ahab selbst betrifft, so war er durch den Dualismus seiner Innenpolitik gebunden. Es könnte sein, daß er innerlich eher auf der kanaanäischen Seite gestanden hat. Darauf führt der Umstand, daß er beim Bau von Samaria und bei der Einrichtung des Baalskultes daselbst persönliche Initiative an den Tag legte, während er sich „israelitischen" Belangen gegenüber anscheinend mehr tolerativ verhielt. Lehrreich ist in diesem Zusammenhang die Geschichte vom Weinberg oder Obstgarten des Naboth (1. Kön 21), die erkennen läßt, daß Ahab Begriff und Verständnis für die Unverkäuflichkeit Jahwe gehörigen Grundes und Bodens (hebr. *naḥ*^{a}*lā*) verloren hatte. Indessen schickte er sich doch, wenn auch zähneknirschend, in die Ablehnung seiner Kaufofferte durch den Jesreeliter Naboth, und es blieb der durch komplizierte israelitische Bodenrechtstraditionen nicht vorbelasteten Isebel vorbehalten, das begehrte Grundstück durch eine flagrante Verletzung von Sitte und Recht am Ende doch noch dem Krongut zuzuschlagen[54]. Auf der anderen Seite darf nicht übersehen werden, daß Ahab sich Mühe gab, Religion und Recht Israels zu respektieren. Die Sage vom Gottesurteil auf dem Karmel (1. Kön 18, 17–40) zeigt, daß er als König von Israel auch ganz in israelitischem Sinne handeln konnte.

Das ist die großartigste aller Elia-Erzählungen. Sie wirft trotz aller Stilisierung und Idealisierung helles Licht auf die innen- und religionspolitischen Verhältnisse z. Zt. der Omriden. Zu ihrem Verständnis ist zu bedenken, daß der Karmel seit alters und bis in späte Zeiten ein Götterberg gewesen ist[55]. Wenn Elia dort nach 1. Kön 18, 30 einen umgestürzten Jahwealtar wiederherstellt, dann bedeutet das, daß der Karmel, vermutlich z. Zt. Davids und Salomos, seinen göttlichen Besitzer gewechselt hatte. In den Tagen Ahabs saß aber dort wieder der Baal. Mit dem Gottesurteil nimmt Jahwe durch Elia den Berg erneut in Besitz. Man hat die Vermutung geäußert, daß sich dahinter territoriale Auseinandersetzungen mit den phönikischen Küstenstädten verbergen könnten[56].

---

[54] Ausgewählte neuere Literatur: K. Baltzer, Naboths Weinberg (1. Kön 21). Der Konflikt zwischen israelitischem und kanaanäischem Bodenrecht. Wort und Dienst 8 (1965) 73–88; F. I. Andersen, The Socio-Juridical Background of the Naboth Incident. JBL 85 (1966) 46–57; P. Welten, Naboths Weinberg (1. Kön 21). EvTheol 33 (1973) 18–32; H. Seebass, Der Fall Naboth in 1. Reg XXI. VT 24 (1974) 474–488; E. Würthwein, Naboth-Novelle und Elia-Wort. ZThK 75 (1978) 375–397; R. Bohlen, Der Fall Nabot. Trierer Theol. Studien 35 (1978); Z. Ben-Baraq, The Confiscation of Land in Israel and the Ancient Near East. Shnaton 5–6 (1982) 101–117.

[55] Vgl. Tacitus, Hist. II, 78,3; Suetonius, Vita Caesarum VIII, 5.

[56] Literatur in Auswahl: A. Alt, Das Gottesurteil auf dem Karmel [1935]. KS 2, 135–149; O. Eißfeldt, Der Gott Karmel. Sitzungsberichte d. Deutschen Akad. d. Wiss. Berlin, Kl. Spra-

Ahab hat seinen beiden Söhnen Ahasja und Joram, die ihm auf dem Throne folgten, Namen mit Jahwe als theophorem Element gegeben. Unter diesen beiden Königen hat sich an den Grundsätzen der omridischen Innenpolitik anscheinend nichts geändert. Die Elia-Sage in 2. Kön 1, nach der der todkranke Ahasja ein Orakel des kanaanäischen *Baʿal Zᵉbūb*[57] von Ekron einholen ließ, darf kultuspolitisch nicht überbewertet werden; sie beleuchtet vor allem die persönliche Haltung des Königs in einer Notsituation. Und nach 2. Kön 3, 2 scheint es unter Joram geradezu zu einem „proisraelitischen" Eklat in der Religionspolitik gekommen zu sein. Allerdings bleibt die Notiz „er beseitigte die Massebe des Baal, die sein Vater hergestellt hatte", leider undurchsichtig. Der Dtr hat daraus geschlossen, daß Joram von der kultuspolitischen Linie seines Vaters abwich, und hat ihm deshalb eine bessere Note gegeben als seinen Vorgängern und Nachfolgern. Es ist aber ganz unerfindlich, welche Gründe Joram zur Beseitigung der Massebe des Baal bewogen haben könnten. War das eine Maßnahme im Sinne des Ausschließlichkeitsanspruches Jahwes? Oder nur eine Angelegenheit von begrenzter Bedeutung, die den Baalstempel in Samaria betraf?

Um so mehr ist damit zu rechnen, daß Ahabs Gemahlin Isebel das Kanaanäertum begünstigte. Sie wird als Königinmutter einen gewissen Einfluß auf die Regierung ihrer Söhne Ahasja und Joram gehabt haben[58]. Die atl Nachrichten sind freilich mit besonderer Behutsamkeit zu behandeln; es ist in Anbetracht ihres Charakters als Prophetensagen mit Einseitigkeiten und Übertreibungen zu rechnen. Gewiß ist wenig wahrscheinlich, daß Isebel sozusagen zu offener Aggression gegen „Israel" schritt. Ahab würde schwerlich geduldet haben, daß sie die Grundzüge seiner Religionspolitik in Frage stellte. Aber es bedarf ja der Annahme eines direkten Angriffes keineswegs, um die Streiflichter des AT verständlich zu machen. Denn die Störung des politischen und religiösen Gleichgewichts erfolgte in Gestalt einer langsamen, von kanaanäischen oder kanaanisierten Beamten vermittelten Stärkung des Kanaanäertums im Lande und mußte ins Stocken geraten, sobald in Israel Gegenkräfte aufstanden, die den Kampf für den Ausschließlichkeitsanspruch Jahwes und gegen Baal auf ihre Fahnen geschrieben hatten. Es ist begreiflich, daß das Kanaanäertum sich dagegen

---

chen, Literatur, Kunst 1, 8–10 (1953); K. Galling, Der Gott Karmel und die Ächtung der fremden Götter. Geschichte und AT, Fs A. Alt (1953) 105–125; D. R. Ap-Thomas, Elijah on Mount Carmel. PEQ 92 (1960) 146–155; H. H. Rowley, Elijah on Mount Carmel. Bulletin of the John Rylands Library Manchester 43 (1960/1) 190–219; E. Würthwein, Die Erzählung vom Gottesurteil auf dem Karmel. ZThK 59 (1962) 131–144; Y. Aharoni, Mount Carmel as Border. Archäologie und AT, Fs K. Galling (1970) 1–7; A. Jepsen, Elia und das Gottesurteil. Near Eastern Studies in Honor of W. F. Albright (1971) 291–306; H. Seebass, Elia und Ahab auf dem Karmel. ZThK 70 (1973) 121–136.

[57] D. h. „Fliegenbaal", ursprünglich aber wohl *Baʿal Zᵉbūl* „Fürst Baal"; vgl. M. Held, The Root zbl/sbl in Akkadian, Ugaritic and Biblical Hebrew. JAOS 88 (1968) 90–96. Vgl. ferner O. H. Steck, Die Erzählung von Jahwes Einschreiten gegen die Orakelbefragung Ahasjas (2. Kön 1, 2–8, 17). EvTheol 27 (1967) 546–566.

[58] S. o. S. 249, Anm. 8, und A. Brenner, Jezebel. Shnaton 5–6 (1982) 27–39.

durchzusetzen versuchte, und eben dazu wird Isebel das ihre beigetragen haben. Hierher gehören „die 450 Propheten des Baal, die vom Tisch der Isebel essen“ (1. Kön 18, 19). Hierher gehören ferner Spuren antiisraelitischer Maßnahmen: die Verfolgung von Jahwepropheten unter Isebels Protektion und die Zerstörung von Jahwealtären (1. Kön 18, 4. 10. 13; 19, 2. 10. 14)[59]. Die Überlieferung vermerkt die unentschlossene Haltung des Volkes, dem Elia „Hinken auf beiden Seiten“ (1. Kön 18, 21) vorwirft. Die Zahl der Standhaften, deren Knie sich nicht vor dem Baal gebeugt und die ihn nicht geküßt haben, wird mit nur 7000 in Israel angegeben (1. Kön 19, 18). Gewaltakte blieben nicht aus, und das Volk geriet in tiefe Verunsicherung.

Spätestens unter der Regierung des Ahasja (852–851) oder des Joram (851–845) wurde deutlich: die projahwistischen Kräfte hatten nur dann eine Chance, wenn sie den Kampf von der religiösen auf die politische Ebene verlagerten. Der dualistischen Innenpolitik der Könige aus dem Hause Omris mußte ein Ende gemacht werden. Das wiederum konnte nach Lage der Dinge nicht anders geschehen, als daß die Dynastie Omris beseitigt und der Stadtstaat Samaria, der Hort des Kanaanäertums, liquidiert wurden. Dieses Geschäft hat ein Offizier des israelitischen Heerbannes namens Jehu ben Nimsi mit einer Gründlichkeit besorgt, die nichts zu wünschen übrig ließ. Hinter ihm standen die Jahwetreuen in Israel, allen voran der Prophet Elisa und seine Prophetengenossen. Nicht umsonst hat die spätere Überlieferung Elisa zum Schüler und Nachfolger des großen Elia gemacht (1. Kön 19, 19–21; 2. Kön 2, 1–18).

Vor der Erörterung der Revolte des Jehu sind noch wenige innen- und außenpolitische Nachrichten nachzutragen. Von Ahab ist überliefert, daß er sich Ausbau und Befestigung israelitischer Städte hat angelegen sein lassen (1. Kön 22, 39); leider erfahren wir nicht, welche es waren. Der Wiederaufbau von Jericho freilich, den 1. Kön 16, 34 in die Zeit Ahabs verlegt, ist nicht historisch. Die Notiz gehört zum Fluch Josuas über Jericho (Jos 6, 26) und ist von einem dtr Bearbeiter zur Belastung Ahabs nach 1. Kön 16 gestellt worden[60]. Nicht lange nach Ahabs Tod hat dann auch Moab seine politische Selbständigkeit wiedergewonnen (2. Kön 1, 1). Die Elisa-Sage 2. Kön 3, 4–27 erzählt von einem erfolglosen Feldzug des Königs von Israel – nach der dtr Chronologie war es Joram – gegen den König Meša' von Moab[61].

---

[59] Wie sehr die Spannungen bis in die Umgebung des Königs reichten, zeigt der Umstand, daß sich der Domänenminister Obadja auf der Seite der Jahwetreuen engagierte. Er versteckte eben jene Jahwepropheten in Höhlen, die Isebel verfolgen ließ (1. Kön 18, 3). Vgl. im übrigen A. S. Peake, Elijah and Jezebel. Bulletin of the John Rylands Library Manchester 11 (1927) 296–321; H. Parzen, The Prophets and the Omri Dynasty. HThR 33 (1940) 69–96; R. Smend, Der biblische und der historische Elia. SVT 28 (1975) 167–184.

[60] Vgl. St. Timm, a. a. O., S. 48 f. und s. Teil 1, S. 158 mit Anm. 12.

[61] Vgl. K.-H. Bernhardt, Der Feldzug der drei Könige. Schalom, Fs A. Jepsen (1971) 11–22; J. R. Bartlett, The „United“ Campaign against Moab in 2 Kings 3:4–27. Midian, Moab and Edom, ed. by J. F. A. Sawyer and D. J. A. Clines (1983) 135–146.

Von diesem König besitzen wir zwei originale Inschriften: die 1868 in *Dībān* aufgefundene große Meša'-Stele (KAI 181) und eine 1960 in *el-Kerak* aufgetauchte fragmentarische Inschrift[62]. Die letztere hat außer dem Vatersnamen des Meša' – *Kmšyt* – so gut wie nichts zur Erhellung der historischen Situation beigetragen. Die große Meša'-Inschrift jedoch ist eine unschätzbare außerbiblische Quelle für die moabitische und israelitische Geschichte um die Mitte des 9. Jh. v. Chr.[63]. Sie läßt zunächst erkennen, daß Dibon *(Dībān)*, die Heimatstadt des Königs Meša', schon früher in moabitische Hände gefallen war. Der Angriff Moabs auf das Gebiet nördlich des Arnon *(Sēl el-Mōǧib)* hatte trotz des Vasallitätsstatus wohl schon vor der Omridenzeit begonnen; das AT schweigt darüber. Die Inschrift nennt ferner den Namen Omri und erwähnt seinen Sohn (Z. 4-6): unter beiden hatte die moabitische Vasallität unverändert fortbestanden. Die Regierungszeit Omris und die Hälfte der Regierungszeit seiner Söhne wird in Z. 8 mit 40 Jahren beziffert. Diese Zahl erscheint gegenüber der dtr Chronologie (33 Jahre für die Gesamtzeit der Omridendynastie) erheblich aufgerundet[64]. Jedenfalls gelang es Meša', die Vasallität Moabs gegenüber dem Nordstaat Israel nach Ahabs Tod endgültig abzuschütteln. Die Inschrift ist erst nach dem Tode Jorams und der Revolte des Jehu gesetzt worden; sie blickt auf die Ereignisse zurück und erklärt übertreibend, Israel sei „für immer zugrundegegangen" (Z. 7). Über die Wiedergewinnung der Unabhängigkeit hinaus hat Meša' das moabitische Territorium beträchtlich erweitern können: es umfaßte zuletzt die gesamte Hochebene nördlich des Arnon bis auf eine Linie auf der Höhe des Nordendes des Toten Meeres. Die Inschrift ist in manchen Einzelheiten, auch in den topographischen Angaben, nicht völlig verständlich; überdies ist ihr Text gegen Ende zunehmend schlecht erhalten. Sie spricht aber deutlich von der Eroberung und Befestigung ehemals gaditischer Ortschaften auf dem *mīšōr*, d.h. der südlichen *Belqā*: Medeba *(Mādebā)*, Baal-Meon *(Mā'īn)*, Atarot *('Aṭarūz)*, Qirjathaim *(Ḫirbet el-Qurēye)*, Nebo *(Ḫirbet el-Muḫayyiṭ)*, Jachas (*Ḫirbet Iskander* im *Wādī'l-Wāle*?) u.a.m. Mit einem Worte: eine bedeutende territoriale Ausdehnung, die erkennen läßt, daß die Omriden und die ihnen folgenden Nimsiden im Ostjordanland weder militärisch noch politisch eine glückliche Hand gehabt haben.

2. *Israel unter der Dynastie Jehus*

Der politische Umsturz, in dessen Verlauf die Dynastie Omris den nordisraelitischen Thron verlor, ist nach der Überzeugung des Geschichts-

---

[62] Veröffentlicht von W. L. Reed und F. V. Winnett, A Fragment of an Early Moabite Inscription from Kerak. BASOR 172 (1963) 1–9.

[63] Übersetzungen und Literatur: AOT², 440–442; ANET³, 320 f.; TGI³, 51–53; KAI II (1973³) 168–179; R. E. Murphy, Israel and Moab in the 9th Century B.C. CBQ 15 (1953) 409–417; J. Liver, The Wars of Mesha, King of Moab. PEQ 99 (1967) 14–31; J. C. L. Gibson, Syrian Semitic Inscriptions. Vol. 1: Hebrew and Moabite Inscriptions (1971) 71–83; E. Lipiński, in: W. Beyerlin (ed.), Religionsgeschichtliches Textbuch zum AT. ATD. E 1 (1975), 253–257; St. Timm, a.a.O., S. 158–171 (Lit.); S. H. Horn, The Discovery of the Moabite Stone. The Word of the Lord Shall Go Forth, Fs D. N. Freedman (1983) 497–505.

[64] Der Schwierigkeit wäre zu entgehen, wenn man mit G. Wallis, ZDPV 81 (1965) 180–186 das Wort *ḥṣy* mit „Abschnitt" statt numerisch mit „Hälfte" wiedergeben dürfte. Dann stimmt die Chronologie zwar noch immer nicht genau (s. auch S. Herrmann, Geschichte 271), aber doch wenigstens ungefähr mit der des AT überein.

schreibers von 2. Kön 9–10 durch einen Entschluß Jahwes in Gang gesetzt worden[65]. Jahwe hatte die Not seines Volkes in der kanaanäischen Krise gesehen und beschlossen, das abgewirtschaftete Königtum der Omriden zu beseitigen und einen neuen Mann durch Designation und Akklamation – wie einst bei Saul – auf den Thron gelangen zu lassen.

2. Kön 9, 1 – 10, 27 gehören sicher nicht zu den Elisa-Erzählungen, wie früher gern angenommen[66], sondern sind ein Geschichtswerk mit novellistischen Zügen, dem Geschichtswerk von der Thronfolge Davids[67] und dem von der Auflösung der Personalunion zwischen Juda und Israel[68] vergleichbar. Die mitgeteilten Tatbestände und Abläufe verdienen in der Hauptsache Vertrauen, auch wenn einzuräumen ist, daß der Verfasser stilisiert hat, die Kunstmittel dramatischer Darstellung nicht verschmähte und sich von handfesten Interessen leiten ließ[69]. Trotz dieser Einschränkungen, die zur Vorsicht leiten, ist das Werk eine ausgezeichnete und wohl auch ungefähr zeitgenössische Geschichtsquelle, zugleich eines der glänzendsten Stücke hebräischer Erzählkunst.

Der neue Mann war der Heerbannoffizier *(śar haḥayil)* Jehu ben Josaphat ben Nimsi. Er befand sich in der Festung Ramoth *(Tell er-Rāmīṯ)* im nördlichen Ostjordanland, wo die Streitkräfte Nordisraels den Aramäern von Damaskus in einem keineswegs zermürbenden, anscheinend eher langweiligen Stellungskrieg gegenüberlagen[70]. König Joram war bei den vorausgegangenen lebhafteren Kampfhandlungen verwundet worden und hatte sich nach Jesreel begeben, um sich dort auskurieren zu lassen. Die Truppen mußten eine Weile ohne Oberbefehlshaber auskommen, was kaum einen Nachteil bedeutete, da in den militärischen Auseinandersetzungen mit den Aramäern offenbar eine Pause eingetreten war.

Es wird berichtet, daß eines Tages – im Jahre 845 v. Chr. – ein Abgesandter des Propheten Elisa in Ramoth auftauchte, ein Angehöriger jener Gilde ekstatischer Propheten, deren Oberhaupt Elisa war. Der habe, so heißt es, Jehu beiseite genommen, ihn unter vier Augen im Namen Jahwes zum König von Israel designiert und gesalbt. Dann sei er so schnell verschwunden, wie er erschienen war. Als Jehu wieder zu seinen Offizierskameraden heraustrat, fragten sie ihn nicht ohne spürbare Spannung, was „dieser Verrückte" *(hammᵉšuggaʿ)* von ihm gewollt habe. Jehu zögerte zunächst, gab dann aber doch bekannt, was ihm soeben widerfahren war. Da nahmen die Offiziere ihre Gewänder, breiteten sie auf den Stufen aus und riefen: „Jehu ist König!" Damit war der Heerbannoffizier durch Designation und Akklamation rechtens *(de iure)* König von Israel geworden. Er

---

[65] Vgl. H. Gunkel, Der Aufstand des Jehu 2. Kön 9, 1 – 10, 27 [1913]. Geschichten von Elisa, Meisterwerke hebräischer Erzählkunst I (1922) 67–94; J. C. Trebolle-Barrera, Jehú y Joáz. Texto y composición literaria de 2 Reyes 9–11 (1984).

[66] Vgl. z. B. O. Eißfeldt, Einleitung in das AT (1964³) 396 und die vorige Anm.

[67] S. Teil 1, S. 207 f.

[68] S. o. S. 234.

[69] Zur Charakterisierung vgl. St. Timm, a. a. O., S. 136 - 142.

[70] S. o. S. 261.

war es jedoch noch nicht tatsächlich *(de facto)*; denn der Omride Joram war nach wie vor am Leben – wenn auch blessiert – und saß in der Residenz zu Jesreel. Diese Schwierigkeit zu beseitigen, hätte es vermutlich mehrere Möglichkeiten gegeben. Jehu wählte die blutige, die Ausrottung aller männlichen Angehörigen der Dynastie Omris, vorab des kranken Königs Joram.

So begann die Revolte (hebr. *qešer*). Zunächst nahm Jehu die Offiziere der israelitischen Streitkräfte in strenge Schweigepflicht, damit die Kunde vom geplanten Umsturz nicht vorzeitig nach Jesreel gelange und Joram Zeit hätte, Gegenmaßnahmen zu treffen. Darauf bestieg er seinen Streitwagen und jagte mit einer kleinen Schar Getreuer durch den Jordangraben und die Bucht von Bethschean, das Tal des Goliathsflusses *(Nahr Ǧālūd)* hinauf in die große Ebene, an deren Ostrande Jesreel lag. Der Wächter auf der Zinne erblickte wohl zuerst von ferne eine Staubwolke, die immer näher kam und nichts Gutes verhieß. Auf seine Meldung hin ließ Joram Boten aussenden, die sich jedoch den heraneilenden Verschwörern sofort anschlossen – man wird ihnen klargemacht haben, daß das ratsam sei. Der Verfasser des Geschichtswerkes hat die dramatischen Ereignisse mit den Kunstmitteln der Teichoskopie und des raschen Szenenwechsels glänzend geschildert. Das eine Mal steht der Leser mit dem Wächter auf dem Turm und ruft seine Beobachtungen in die Stadt hinunter, immer angstvoller, je näher die Staubwolke kommt; das andere Mal ist er mit den Boten draußen bei Jehu und seiner Schar und wird Zeuge des kurzen, herrischen Wortwechsels, den der Usurpator mit den Boten führt. Bald kann in der Stadt kein Zweifel mehr bestehen: „Das Jagen ist wie das Jagen Jehus, des Sohnes Nimsis, denn er jagt, als ob er rasend wäre!" (9,20). In dieser bedrohlichen Lage entschloß sich Joram, dem renitenten Heerbannoffizier selbst engegenzufahren. Inzwischen war Jehu soweit herangekommen, daß die Begegnung der beiden auf dem Grundstück des Jesreeliters Naboth nahe der Stadt stattfand, dort also, wo einst der Prophet Elia Ahab gestellt hatte (1.Kön 21). Das ist natürlich ein auffälliges und Verdacht erregendes Zusammentreffen, wie immer man es beurteilen will. Joram rief Jehu entgegen: „Ist alles in Ordnung, Jehu?" Der antwortete: „Was heißt hier in Ordnung, solange die Hurerei und die zahllosen Zaubereien deiner Mutter Isebel andauern!" (9,22). Da erkannte Joram, daß nichts mehr zu retten war und wandte sich zur Flucht. Jehu aber schoß ihn von hinten ins Herz, so daß er blutend in seinem Wagen zusammenbrach. Der unglückliche König Ahasja von Juda, der sich in Jorams Begleitung befand[71], jagte eilends davon in Richtung Jerusalem. Er kam ungefähr 15 km weit: bei Jibleam *(Ḫirbet Belʿame)* erreichten ihn die Verfolger und schossen ihn an. Wenig später erlag er in Megiddo seinen Verletzungen. Seine Leiche wurde nach Jerusalem gebracht und im Familiengrabe der Davididen beigesetzt. Man fragt sich vergeblich nach den Motiven, die Jehu zur Ermor-

---

[71] S.o. S.251.

dung des judäischen Königs bewogen haben könnten. Politische Gründe sind nicht zu erkennen; auch die Beseitigung eines prominenten Zeugen ist ohne Sinn, da die Sache längst aus dem Stadium der Geheimhaltung heraus war. So legt sich die Vermutung nahe, Jehus revolutionäre Leidenschaft habe diese Mordtat verursacht. Jedenfalls läßt das Ereignis erkennen, daß die Lage des Südstaates Juda in jener Zeit kläglich gewesen sein muß, wenn ein nordisraelitischer Usurpator seine Affekte nicht zu zügeln brauchte und einen Davididen straflos umbringen lassen konnte.

Nach der Beseitigung der beiden Könige zog Jehu als Sieger in Jesreel ein. Die Königinmutter Isebel machte noch einen letzten, verzweifelten Versuch, die Autorität des omridischen Hauses zur Geltung zu bringen. Sie trat geputzt und geschminkt an das Erscheinungsfenster des königlichen Palastes, nahm ihren Stolz zusammen und rief in den Hof hinab: „Geht es Simri, dem Mörder seines Herrn, gut?" (9,31)[72]. Der Vergleich mit diesem Dilettanten, der noch nicht einmal länger als eine Woche König gewesen war[73], muß Jehu erbittert haben; er traf ja auch, wenn überhaupt, nur teilweise zu und ließ erkennen, daß die phönikische Königstochter vom Wesen des charismatischen Königtums in Israel nicht das geringste begriffen hatte. Es kostete Jehu nicht mehr als einen Wink und einen Ruf, um zwei Eunuchen zu veranlassen, Isebel aus dem Fenster zu stürzen. Ihr Leib schlug hart auf das Pflaster des Hofes, und Jehus Pferde zerstampften sie. Jehu aber zog in den Palast ein und feierte ein Festmahl. Sein Staatsstreich war vollendet und er selbst *de facto* König von Israel.

Unerledigt war freilich noch das Problem der anderen omridischen Residenz, des Stadtstaates Samaria. Jehu ist sich anscheinend ganz im Sinne der dualistischen Konzeption der Omriden darüber im klaren gewesen, daß er mit der Erlangung der Königswürde über Israel nicht zugleich auch Stadtkönig von Samaria geworden war. Er respektierte den staatsrechtlichen Sonderstatus von Samaria und begann einen diplomatischen Briefwechsel mit der samarischen Stadtaristokratie, aus dem der Autor des Geschichtswerkes wahrscheinlich authentische oder doch ziemlich getreue Auszüge mitgeteilt hat[74]. Dieser Briefwechsel war allerdings, wie jede diplomatische Korrespondenz, nicht ganz harmlos, sondern von seiten Jehus

---

[72] Wenn sie das wirklich gesagt haben sollte, dann spricht es nicht gerade dafür, daß sie Jehu zu verführen versuchte, wie S. B. Parker, Jezebel's Reception of Jehu. Maarav 1 (1978/9) 67–78, vermutet.

[73] S. o. S. 259.

[74] Diese Korrespondenz ist eine starke Stütze der Theorie A. Alts. Wer sie beseitigen will, muß annehmen, es handle sich bei den Briefen um einen „literarischen Kunstgriff", aus dem historische Schlüsse nicht gezogen werden dürfen; vgl. z. B. St. Timm, a. a. O., S. 145 f. Das ist jedoch angesichts des Gesamtcharakters von 2. Kön 9–10 nicht wahrscheinlich. Und selbst wenn es zutreffen sollte, wenn also der Historiograph und nicht Jehu solche Briefe geschrieben hätte, müßte erklärt werden, wie er dazu kam und was er damit wollte. Die Kunstgrifftheorie verschiebt das Problem von Jehu auf den Verfasser von 2. Kön 9–10. – Zum Briefmaterial vgl. insgesamt D. Pardee, Handbook of Ancient Hebrew Letters. A Study Edition. Society of Biblical Literature: Sources for Biblical Study 15 (1982).

mit massiven und perfiden Drohungen gewürzt. In einem ersten Briefe forderte Jehu die Stadtältesten von Samaria unter Hinweis auf die Existenz noch zahlreicher Omriden auf, einen König an ihre Spitze zu stellen und die Stadt zu verteidigen. Gegen wen? Das wird nicht gesagt, war aber nicht schwer zu erraten. Die samarischen Aristokraten haben es erraten. Die Angst fuhr ihnen ins Gebein, und sie beeilten sich, Jehu ihre Ergebenheit bestellen zu lassen: nichts läge ihnen ferner, als einen König über sich zu setzen. Daraufhin schrieb Jehu einen zweiten Brief: er sei bereit, die Kapitulation anzunehmen, müsse aber eine Bedingung stellen. Das war zu erwarten, und so lautet der Auszug des Schreibens: „Wenn ihr es mit mir halten und auf meine Stimme hören wollt, dann nehmt die Häupter eurer Dynastie und kommt morgen um diese Zeit zu mir nach Jesreel!“ (10,6)[75]. Dabei handelte es sich um eine vertrackte Formulierung, die das eigentliche Anliegen Jehus doppelsinnig im unklaren ließ. Denn das hebr. Wort *rōš* bedeutet „Kopf“ als Körperteil und in übertragenem Sinne „Haupt, Oberhaupt“[76]. Das Schreiben ließ also offen, ob die Senioren der Omridenfamilie oder die Köpfe der Angehörigen des Königshauses gemeint waren. Die samarischen Aristokraten interpretierten nicht lange; sie nahmen die Aufforderung wörtlich und verstanden sie damit richtig. Denn selbstverständlich lag dem Usurpator an der Ausrottung der gesamten Omridenfamilie. So wurden denn die männlichen Angehörigen des Königshauses umgebracht, ihre Köpfe abgeschnitten und in Körben nach Jesreel transportiert. Jehu ließ sie in zwei Haufen an der Außenseite eines der Tore von Jesreel aufschütten: 70 Köpfe, 35 pro Haufen. Er hatte die Stirn, am nächsten Morgen vor das entsetzte Volk zu treten und zu sagen: „Ihr habt keine Schuld! Ich freilich habe gegen meinen Herrn revoltiert und ihn getötet. Doch wer hat diese alle erschlagen?“ (10,9).

Daraufhin begab sich Jehu nach Samaria. Unterwegs traf er 42 judäische Prinzen, die anscheinend noch nichts Genaues von dem gehört hatten, was in Israel geschehen war. Sie wurden kurzerhand umgebracht und in eine Zisterne geworfen. Das Motiv dieses Massenmordes ist ebenso unklar wie bei der voraufgegangenen Ermordung des Königs Ahasja von Juda. Außerdem sind die Hintergründe dunkel: ganz so einfach, wie es erzählt wird, kann es sich nicht zugetragen haben. Auf der Weiterfahrt hatte Jehu dann eine zweite Begegnung: er traf Jehonadab ben Rekab, das Oberhaupt der fanatisch jahwetreuen Rekabitersekte, und nahm ihn zu sich auf seinen Wagen. Die Rekabiter führten eine eigentümliche Sonderexistenz in Israel: obwohl im Kulturlande lebend, pflegten sie nomadische Sitten

---

[75] MT hat „die Häupter der Männer der Söhne eures Herrn“ (*rāšē ʾanšē bᵉnē ʾᵃdōnēkem*). Das ergibt keinen rechten Sinn. Das Wort *ʾanšē* „Männer“ fehlt in etlichen hebr. Handschriften und ist in der lukianischen Rezension der LXX, in Peschitta und Vulgata ohne Äquivalent. Es dürfte sich um einen interpretierenden Zusatz handeln, der die Sache zu früh eindeutig macht und sich mit dem folgenden „die Söhne eures Herrn“ stößt (oder ist mit wenigen hebr. Handschriften *bēt* „Haus“ statt *bᵉnē* „Söhne“ zu lesen?).

[76] Vgl. J. R. Bartlett, The Use of the Word *rōš* as a Title in the OT. VT 19 (1969) 1–10.

und übten strenge Kulturabstinenz[77]. Jehonadab war ein Exponent extrem jahwetreuer Kreise, in den Absichten, wenn auch wohl nicht in den Mitteln, den Propheten Elia und Elisa an die Seite zu stellen. Indem Jehu mit diesem Manne fraternisierte, identifizierte er seine Politik mit den Bestrebungen jener Gruppen in Israel, die den Ausschließlichkeitsanspruch Jahwes vertraten. Dadurch wurde der blutige Umsturz in den Augen Jehus selbst, eines Teiles der Zeitgenossen und des Geschichtsschreibers noch einmal religiös begründet und legitimiert.

In Samaria angekommen, rottete Jehu aus, was von der Omridenfamilie etwa noch übriggeblieben war. Dann arrangierte er ein großes Opferfest für den samarischen Baal und lud die kanaanäische Kultgemeinde aus Stadt und Land dazu ein. Er gab vor, den Kultus des Baal noch intensiver pflegen zu wollen, als die Omriden das getan hatten. An dieser Stelle hat der Autor wieder kräftig stilisiert. Aber immerhin: der bloße Tatbestand mußte den bedrängten Samariern wie ein Hoffnungsschimmer erscheinen. Denn es sah so aus, als wolle Jehu die Nachfolge der Omriden in Samaria ganz im Stile derselben antreten und sich die Weihe als Stadtkönig vom Baal geben lassen, wie er sie als König von Israel durch Jahwe empfangen hatte. Aber das Ganze war natürlich eine Täuschung – und das hätten die Eingeladenen spätestens dann merken müssen, als sie von der Kleiderkammer besondere Festgewänder erhielten und mit ihren eigenen Sachen auch die Waffen abgeben mußten. Aber vielleicht war das bei Opferfesten so üblich; sonst hätte Jehu wohl auch kaum Erfolg gehabt und das Mißtrauen der Geladenen geweckt. So gingen die Ereignisse ihrem Ende zu. Kaum hatte Jehu, priesterlich amtierend, das Brandopfer für den Baal hergerichtet, als auf seinen Wink Söldner eindrangen, alles Lebendige abschlachteten und ein grauenvolles Blutbad anrichteten. Sie profanierten den Baalstempel und warfen die Leichen der Erschlagenen bis ins Allerheiligste. Das Gebäude wurde niedergerissen, die Kultgegenstände zertrümmert und verbrannt; und als sei es damit noch nicht genug, ließ Jehu auf dem heiligen Gelände Abortgruben anlegen. Damit hatte Jehu der Stadt Samaria alles genommen, was bisher ihr Eigenleben ausgemacht hatte: die sakrale Würde und einen großen Teil der kanaanäischen oder kanaanisierten Einwohnerschaft[78]. Er ersetzte die dualistische Innenpolitik der Omriden durch eine einheitliche neue Ordnung und beendete auf dem Wege der Gewalt die kanaanäische Krise in Staat und Religion[79].

---

[77] Vgl. Jer 35. Zum Rekabiterproblem: S. Abramsky, The House of Rechab. Eretz-Israel 8 (1967) 255–264; F. S. Frick, The Rechabites Reconsidered. JBL 90 (1971) 279–287.

[78] Man muß damit rechnen, daß der Verfasser des Geschichtswerkes die Dinge übertreibend vereinfacht hat. Es dürfte Jehu kaum gelungen sein, die gesamte Baalsverehrung in Samaria und womöglich darüber hinaus mit einem Schlage auszurotten; vgl. auch die freilich kurze und rätselhafte Notiz von 2. Kön 13,6.

[79] Vgl. insgesamt J. M. Miller, The Fall of the House of Ahab. VT 17 (1967) 337–342, und zur religiösen Beurteilung H. Donner, Herrschergestalten in Israel. Verständliche Wissenschaft 103 (1970) 69–71.

Die Revolte des Jehu, das Blutbad, das er anrichtete, die dadurch bedingte Erschütterung des Staatsgefüges: das alles hat den Nordstaat an den Rand des Abgrundes gebracht. Das Israel der Dynastie Jehus ist ein kraftloses, gefährdetes, bedrängtes Israel gewesen[80]. Jehu selbst, von dem wir wenig weiteres erfahren (2. Kön 10, 32–36), war anscheinend nicht in der Lage, die Außenpolitik der Omriden fortzusetzen. Die freundlichen Beziehungen zu den phönikischen Küstenstädten hörten vermutlich auf, und ganz sicher endete das brüderliche Verhältnis zu Juda, das sich jetzt aus dem Schlepptau des Nordstaates löste. An antiassyrischen Unternehmungen – wie einst Ahab[81] – hat sich Jehu nicht beteiligt. Er ließ sich auch nicht in die ständigen Konflikte der Assyrer mit den Aramäern von Damaskus hineinziehen, sondern beeilte sich, auf assurfreundlichen Kurs einzuschwenken. Anläßlich eines Syrienfeldzuges Salmanassars III. im Jahre 841 brachte er dem Großkönig Tribut[82]. Auf dem sog. Schwarzen Obelisken Salmanassars[83] sieht man ihn auf dem Bauche vor dem Großherrn, hinter sich die Dienerschaft mit den Gaben, darüber in Keilschrift: *ᴵJa-ú-a mār ᴵḪu-um-ri-i* „Jehu, der Sohn Omris"[84]. Die Assyrer hatten den Thronwechsel in Israel anscheinend nicht einmal zur Kenntnis genommen oder doch nicht für wichtig gehalten. Sie nannten Jehu „Sohn Omris", wie wenn nichts geschehen wäre. Es blieb einfach bei der Bezeichnung, unter der zuerst ein israelitischer König in den Gesichtskreis Assurs getreten war. Man erkennt daran, welches Gewicht der Nordstaat in den Augen des assyrischen Großkönigs und seiner politischen Berater hatte.

Der Verzicht Jehus auf außenpolitische Aktivität ließ Israel in der Folgezeit eine leichte Beute des rasch erstarkenden Aramäerstaates von Damaskus werden. Etwa zur gleichen Zeit wie Jehu hatte in Damaskus ein Mann namens Hasaël den Thron bestiegen, auch er ein Usurpator (2. Kön 8,7–15)[85]. Die Überlieferung weiß zu berichten, er sei vom Propheten Elisa zum König bestimmt worden: ein Aramäerkönig durch einen Jahwepropheten! Auch die Elia-Tradition läßt erkennen, daß man Jehu

---

[80] Vgl. J. B. Knott, The Jehu Dynasty. An Assessment Based upon Ancient Near Eastern Literature and Archaeology (Diss. phil Emory University 1971).

[81] S. o. S. 262.

[82] Die Auffassung von M. C. Astour, 841 B. C.: The First Assyrian Invasion of Israel. JAOS 91 (1971) 383–389, die Assyrer seien 841 – dem Jahr der Revolte Jehus! – bis zum Karmel vorgedrungen, Joram sei im Kampfe gegen sie und nicht gegen die Aramäer verwundet worden, und Jehus Ausrottungsmaßnahmen hätten die Assyrer beruhigen und Repressalien zuvorkommen sollen, hat keinerlei historische Wahrscheinlichkeit für sich. Sie beruht auf einer problematischen Chronologie und operiert mit nicht vertretbaren Textinterpretationen.

[83] Abbildungen: ANEP², 351–355.

[84] P. K. McCarter, „Yaw, Son of ʿOmri": A Philological Note on Israelite Chronology. BASOR 216 (1974) 5–7, deutet den Namen auf Joram, nicht auf Jehu; vgl. auch E. R. Thiele, BASOR 222 (1976) 19–23. Dagegen jedoch M. Weippert, *Jau(a) mār Ḫumri* – Joram oder Jehu von Israel? VT 28 (1978) 113–118.

[85] Vgl. ferner die Inschrift auf einer Basaltstatue Salmanassars III. aus Assur KAH I, 30, 25–27 = E. Michel, WdO 1 (1947) 57–63; AOT², 344; ANET³, 280; TUAT I, 4, 365.

und Hasaël zusammensehen konnte (1. Kön 19,15–17). Zunächst freilich hatte Jehu ein paar Jahre lang Ruhe; denn Hasaëls Kräfte waren im Kampf gegen Salmanassar gebunden. 841 und 838 bedrängten die Assyrer Damaskus, vermochten es jedoch nicht zu erobern und mußten sich mit Plünderung und Verwüstung des Umlandes (der Oase *el-Ġūta*) begnügen. Nach 838 erschien Salmanassar III. nicht mehr in Syrien, und nun bekam Hasaël die Hände frei, um die Macht seines Aramäerstaates zu festigen, zu vergrößern und sich alsbald auch gegen Israel zu wenden. Die Folgen dieser aramäischen Bedrängung sind für Israel katastrophal gewesen. Es hatte den Aramäern nichts Nennenswertes entgegenzusetzen, und überdies scheint der Kampf mit besonderer Grausamkeit geführt worden zu sein. Hasaël hat im Bewußtsein Israels noch lange als ein besonders gefährlicher und gefürchteter Feind gestanden (2. Kön 8,11 f.). Naturgemäß richtete sich der aramäische Angriff zuerst gegen das Ostjordanland. Dabei hat der Nordstaat fast sein ganzes ostjordanisches Territorium verloren: nach 2. Kön 10,32 f. übertreibend bis Aroër *(Ḫirbet ʿArāʿir)* am Arnon, das doch wohl moabitisch war. Bald aber erschien Hasaël auch im Westjordanland. Hierher gehört eine Notiz aus den Annalen der judäischen Könige oder aus einer Tempelchronik (2. Kön 12,18 f.), nach welcher der Aramäer – vielleicht als Verbündeter der sich wieder einmal regenden Philister – die Stadt Gath eroberte[86]. Der Nordstaat war so schwach, daß dem Feinde der Durchzug nicht verwehrt werden konnte. Überhaupt müssen die Menschen- und Materialverluste Israels erheblich gewesen sein. 2. Kön 13,7 berichtet, unter Jehus Sohn Joahas (818–802) seien vom israelitischen Heer nur noch 10 000 Mann Fußvolk, 50 Reiter und 10 Streitwagen übrig gewesen. Doch hat sich das Kriegsglück zuzeiten auch Israel zugewandt. 2. Kön 13,4 f. 23–25 melden Erfolge der Könige Joahas und Joas (802–787) gegen die Aramäer, vielleicht mitbedingt durch einen Thronwechsel in Damaskus[87].

Die Aramäerkriege in der 2. Hälfte des 9. und im 1. Drittel des 8. Jh. v. Chr. sind lange im Gedächtnis der Nachgeborenen geblieben. Noch um die Mitte des 8. Jh. beschilt der Prophet Amos in seinem großen Völkergedicht die Grausamkeit, mit der die Aramäer im Ostjordanland wüteten (Am 1,3–5). Die Erfolge der Aramäer haben offensichtlich auch andere alte Gegner ermutigt und mobilisiert: die Philister (Am 1,6–8), die Ammoniter (Am 1,13–15) und die Moabiter (2. Kön 13,20). Später noch als Amos – um 730 – sagt der Prophet Jesaja im Zusammenhang eines historischen Rückblickes auf Jahwes Strafhandeln an Israel: „Da machte Jahwe seine Widersacher groß, und seine Feinde stachelte er auf: die Aramäer von Osten und die Philister von Westen, die fraßen mit vollem Maul!" (Jes 9,10 f.).

---

[86] S. o. S. 254.

[87] Ob in diesen Zusammenhang die in die Zeit Ahabs gesetzte Notiz von 1. Kön 20,34 gehört, nach der Samaria und Damaskus eine Art Handelsabkommen miteinander schlossen?

Unter der Regierung Jerobeams II. (787–747), des letzten nennenswerten Königs der Nimsidendynastie, erlebte Israel noch einmal eine Blüteperiode[88]. Voraussetzung dafür war der langsame Rückgang der Macht des Aramäerstaates von Damaskus, ausgelöst und gefördert durch die wiederauflebende Expansionspolitik der Assyrer. Um die Wende vom 9. zum 8. Jh. v. Chr. ist Adadnarāri III. nicht weniger als viermal nach Westen gezogen (805, 804, 802, 796). Auf einem dieser Feldzüge, wahrscheinlich dem des Jahres 802, belagerte er Damaskus und zwang den Aramäerkönig zur Unterwerfung und Tributzahlung. Darüber berichten mehrere Inschriften, von denen eine – 1967 auf *Tell er-Rimāḥ* im Iraq gefunden – den ältesten assyrischen Beleg für Samaria und den Namen des Königs Joas enthält. Es heißt dort, Adadnarāri habe Tribute von zahlreichen Vasallenfürsten entgegengenommen, darunter (Z. 8) *ma-da-tu šá ^{I}Ja-'a-su ^{KUR}Sa-me-ri-na-a-a* „den Tribut des Joas von Samaria"[89]. Dieses wie alle assyrischen Unternehmungen jener Zeit vorübergehende Ereignis wird den aramäisch-israelitischen Krieg kaum plötzlich beendet haben. Aber immerhin hatten die Aramäer von nun an wieder mit Assyrien zu rechnen und waren politisch und militärisch nicht mehr so beweglich wie vordem. Der assyrische Druck wuchs stetig, und so konnte denn Jerobeam II. nicht mehr nur militärische Augenblickserfolge erzielen; vielmehr scheint es ihm gelungen zu sein, den territorialen Bestand des Nordstaates wiederherzustellen. 2. Kön 14,25 teilt mit: „Der brachte das Gebiet Israels zurück von *L^{e}bō-Ḥamāt* bis zum Steppenmeer, nach dem Worte Jahwes, des Gottes Israels, das er durch Vermittlung seines Knechtes Jona ben Amittai, des Propheten aus Gath-hachefer, gesprochen hatte." Leider ist diese Notiz topographisch nicht völlig klar. Gemeint sind wahrscheinlich der nördliche und südliche Grenzpunkt des Territoriums, das Jerobeam II. zurückgewann. Das „Steppenmeer" *(yamm hā^{ʿa}rābā)* ist das Tote Meer, näher gekennzeichnet durch das Wort *ʿarābā*, das hier nicht die Senke südlich des Toten Meeres, sondern den südlichen Jordangraben in der Gegend von Jericho meint[90]. Eine Region im eigentlichen Ostjordanland ist das freilich nicht. Auf der anderen Seite ist bei *L^{e}bō-Ḥamāt* nicht einmal sicher, ob es sich um einen Ortsnamen oder um eine Landschaftsbezeichnung handelt.

---

[88] Vgl. M. Haran, The Rise and Decline of the Empire of Jeroboam ben Joash. VT 17 (1967) 266–297.

[89] Publikation: St. Page, A Stela of Adadnirari III and Nergal-ereš from Tell al Rimah. Iraq 30 (1968) 139–153, pl. XXXIX–XLI. Literatur: H. Donner, Adadnirari III. und die Vasallen des Westens. Archäologie und AT, Fs K. Galling (1970) 49–59; A. Malamat, On the Akkadian Transcription of the Name of King Joash. BASOR 204 (1971) 37–39; A. R. Millard, Adad-Nirari III, Aram and Arpad. PEQ 105 (1973) 161–164; A. R. Millard – H. Tadmor, Adad-Nirari III in Syria. Another Stela Fragment and the Dates of his Campaigns. Iraq 35 (1973) 57–64; H. Tadmor, The Historical Inscriptions of Adad-Nirari III. Ebenda 141–150; M. Elat, The Campaigns of Shalmaneser III against Aram and Israel. IEJ 25 (1975) 25–35.

[90] Vgl. Dtn 4,49; Jos 3,16; 5,10; 2. Kön 25,5; Am 6,14.

Gegenwärtig wird in der Regel ein Ortsname angenommen: ägypt. *Rꜣbꜣw* (= *L-b-w*), assyr. *URULab'u* oder *URULa-ba-'a-u* [91] = arab. *Lebwe* in der nördlichen *Biqāʿ* zwischen Libanon und Antilibanos[92]. Der Parallelismus zum „Steppenmeer" spricht freilich eher für eine Landschaftsbezeichnung. Doch welche Landschaft käme in Betracht? Aus dem nördlichen Ostjordanlande[93] gelangt man nicht nach Hamath (*Ḥama*) am mittleren Orontes, sondern nach Damaskus; auch die Gegend von Dan (*Tell el-Qāḍī*)[94] liegt zu weit im Süden. Sollte also doch der Nordausgang der *Biqāʿ* gemeint sein? Das würde eine gewaltige Ausdehnung des israelitischen Herrschaftsbereiches nach Norden andeuten, die historisch kaum vorstellbar ist und eher dem Ideal des davidischen Großreiches entspricht (Num 13, 21; 34, 8; 1. Kön 8,65)[95].

Geländegewinn im Ostjordanland muß aber jedenfalls erzielt worden sein: nach Am 6, 13 rühmten sich die Israeliten, Lodebar[96] und Karnaim (*Tell ʿAštara* bei *Šēḫ Saʿd*)[97] wiedergewonnen zu haben, das letztere nördlich des Yarmukflusses bereits auf mittelsyrischem Boden.

Jerobeam II. war König eines nach außen befriedeten Staates, in dessen Inneren Wohlstand und ein beachtliches Maß an wirtschaftlicher Prosperität herrschten (2. Kön 14, 23–29). Vielleicht ließen sich Einzelheiten darüber aus dem Corpus der Ostraka von Samaria[98] in Erfahrung bringen, wenn wir diese Texte besser verstünden und genauer datieren könnten. Es handelt sich um Lieferscheine über verschiedene Quantitäten von Wein und Öl aus Regionen, die nicht allzu weit von Samaria entfernt liegen: entweder Lieferungen von Gütern des königlichen Domänenbesitzes an den Hof zu Samaria (M. Noth) oder Abgaben für den Tribut an den assyrischen Großkönig (Y. Yadin). Die Datierung schwankt zwischen den beiden letzten Jahrzehnten des 9. Jh., der ersten Hälfte des 8. Jh. und der Regierungszeit der Könige Menachem (747–738) und Pekachja (Frühjahr

---

[91] Tiglatpileser III., Kl. Inschrift II, 50 und Inschrift ND 2437.

[92] Das Material und Warnungen vor Fehldeutung bei O. Eißfeldt, Der Zugang nach Hamath [1971]. KS 5, 205–211.

[93] So M. Noth, Geschichte S. 228.

[94] So R. North, Phoenicia-Canaan Frontier Lᵉbôʾ of Ḥama. MUSJ 46, 5 (1970) 71–103.

[95] In 2. Kön 14, 28 sind die Worte „und daß er Damaskus und Hamath für Israel (l. *lᵉyiśrāʾēl* statt *līhūdā bᵉyiśrāʾēl*) zurückbrachte", zweifellos übertreibender Zusatz eines Späteren.

[96] Vgl. 2. Sam 9, 4 f.; 17, 27; Jos 13, 26 (Lidbir). Die Ortschaft ist nicht lokalisiert. Ein Überblick über die Diskussion und ein neuer Vorschlag (*Ḫirbet Ḥamīd* am Oberlauf des *Wādī Kufrinǧi*) bei S. Mittmann, Beiträge zur Siedlungs- und Territorialgeschichte des nördlichen Ostjordanlandes. ADPV (1970) 242–246.

[97] Vgl. D. Kellermann, ZDPV 97 (1981) 45–61.

[98] Publikationen: G. A. Reisner, Israelite Ostraca from Samaria (o. J.); Reisner – Fisher – Lyon, Harvard Excavations at Samaria I/IV (1924) 227–246; D. Diringer, Le iscrizioni antico-ebraiche palestinesi (1934) 21–68. Auswahl mit Lit.: KAI 183–187; J. C. L. Gibson, a. a. O. (s. Anm. 63), S. 5–13. Vgl. bes. M. Noth, Das Krongut der israelitischen Könige und seine Verwaltung [1927]. ABLAK 1, 159–182; Y. Yadin, Ancient Judaean Weights and the Date of the Samaria Ostraca. ScrH 8 (1961) 9–25; A. F. Rainey, The Samaria Ostraca in the Light of Fresh Evidence. PEQ 99 (1967) 32–41; W. H. Shea, The Date and Significance of the Samaria Ostraca. IEJ 27 (1977) 16–27.

737–736) von Israel. Es ist bemerkenswert, daß Namen manassitischer Sippen, die aus Jos 17,2 bekannt sind, in den Texten vorkommen (Abieser, Helek, Semida): ein Zeichen für die Festigkeit und Dauerhaftigkeit der Sippengliederung. Reichtum und Ansehen im Staate wuchsen nun allerdings nicht gleichmäßig, sondern konzentrierten sich in den Städten, allen voran in Samaria[99]. Der Aufschwung förderte die schon länger in Gang befindliche soziale Zerklüftung des Volkskörpers in Reich und Arm, Herren und Sklaven, Großgrundbesitzer und landarme oder landlose Bauern[100]. Der Glanz der Regierungszeit Jerobeams II. hat die sozialen Mißstände, die Korruptionen in Verwaltung und Rechtsprechung, nur unvollkommen überdeckt. Sie lagen offen zutage, sie lagen vor allem für Jahwe zutage und sind in der Prophetie des Amos aus Thekoa zum Thema eines ganzen Verkündigungsbereiches geworden – jenes Amos, der am politischen Horizont seiner Tage die Assyrergefahr drohend heraufkommen sah, ohne sie mit Namen zu nennen: „Denn siehe, ich bin im Begriff, Haus Israel – Spruch Jahwes, des Gottes der Heerscharen – ein Volk gegen euch aufstehen zu lassen; das wird euch bedrängen von *L^{e}bō-Ḥamāt* bis ins Tal der *ʿArābā*!" (Am 6,14).

---

[99] Vgl. Am 3,9–15; 4,1–3; 6,1–7.
[100] Vgl. Am 2,6–8; 5,7. 10–12; 6,12; 8,4–7.

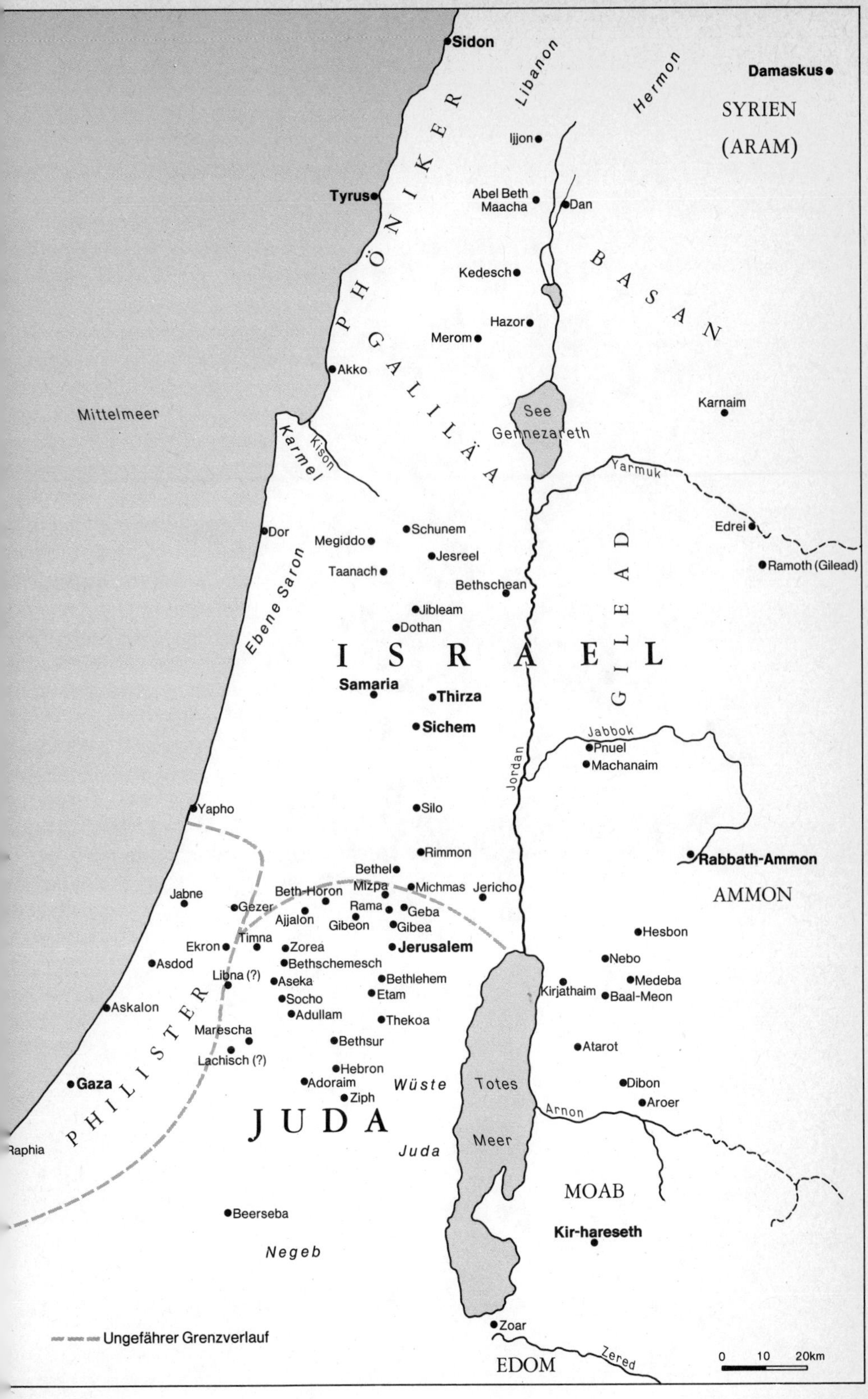

Karte 4: Juda und Israel in der Königszeit

TEIL V

Das assyrische Zeitalter

KAPITEL 1

Völker und Staaten des Alten Orients in der 1. Hälfte des 1. Jahrtausends v. Chr. bis zum Ende des neuassyrischen Großreiches

Gesamt- und Teildarstellungen: s. Teil 1, S. 29. E. Cassin – J. Bottéro – J. Vercoutter (ed.), Die altorientalischen Reiche III. Fischer Weltgeschichte 4 (1967); The Cambridge Ancient History [= CAH] II, 2, ch. XXXV. III, ch. I–VIII, XII–XV.

Ägypten: E. Meyer, Gottesstaat, Militärherrschaft und Ständewesen. Sitzungsberichte d. Preuß. Akad. d. Wiss., phil.-hist. Kl. (1928); H. v. Zeissl, Äthiopen und Assyrer in Ägypten. ÄF 14 (1944, 1955²); J. v. Beckerath, Tanis und Theben (1951); P. G. Elgood, Later Dynasties of Egypt (1951); K. A. Kitchen, The Third Intermediate Period in Egypt (1100–650 B. C.) (1973).

Mesopotamien: A. T. E. Olmstead, History of Assyria (1923, 1968³); S. Smith, Early History of Assyria (1928); W. v. Soden, Der Aufstieg des Assyrerreiches als geschichtliches Problem. AO 37 (1937); W. v. Soden, Herrscher im Alten Orient. Verständliche Wissenschaft 54 (1954); J. A. Brinkman, A Political History of Post-Kassite Babylonia (1158–722 B. C.). AnOr 43 (1968); A. L. Oppenheim, Ancient Mesopotamia (1968³); M. Cogan, Imperialism and Religion. Assyria, Judah and Israel in the 8th and 7th Centuries B. C. E. SBL, Monograph Series 19 (1974).

Randgebiete: W. Hinz, Das Reich Elam. Urban Bücher 82 (1964); M. Riemschneider, Das Reich am Ararat (1966); B. B. Piotrovskij, Il regno di Van-Urartu (1966).

Quellen: J. H. Breasted, Ancient Records of Egypt, 5 Bde. (1906/7, Nachdruck 1962); D. D. Luckenbill, Ancient Records of Assyria and Babylonia, 2 Bde. (1926/7); R. Borger, Einleitung in die assyrischen Königsinschriften, 1. Teil. HdO I, Erg.-Bd. 5 (1961); W. Schramm, Einleitung in die assyrischen Königsinschriften, 2. Teil: 934–722 v. Chr. HdO I, Erg.-Bd. 5 (1973); R. Borger, Handbuch der Keilschriftliteratur, 3 Bde. (1967–1975). – Die neueste deutsche Übersetzung der historischen Texte aus Babylonien und Assyrien: O. Kaiser u. a. (ed.), Texte aus der Umwelt des AT [= TUAT]. Bd. I, Lieferung 4: Historisch-chronologische Texte I (1984) 354–410.

Die Gliederung der Zeit in Jahrhunderte und Jahrtausende ist von großartiger und unbeirrter Künstlichkeit. Sie gliedert nicht zugleich auch die Geschichte. Das zweite vorchristliche Jahrtausend ist, historisch betrachtet, bereits um 1200 v. Chr. zu Ende gegangen, und die neuen Kräfte, die die Geschichte des Alten Orients in der ersten Hälfte des 1. Jahrtausends v. Chr. bestimmen sollten, haben sich schon um 1100 v. Chr. zu regen begonnen. Das Jahr 1000, in dessen Nähe sich die Bildung der beiden israelitischen Staaten auf dem Boden Palästinas vollzog, ist ein totes Jahr innerhalb der altorientalischen Gesamtgeschichte, jedenfalls soweit es die Hochkulturen und Großmächte am Nil und in Mesopotamien betrifft, an die der Historiker stets zuerst zu denken hat. Hier liegen die Ursachen dafür, daß in dieser Darstellung schon so lange kein Kapitel über „Völker und Staaten des Alten Orients" mehr vorkam [1]. Es empfahl sich angesichts der historischen Komplikation nicht, die Stoffe aufzuteilen und in die Darstellung der Staatenbildungszeit und der frühen und mittleren Königszeit Israels und Judas einzuschieben. Solcher zur Unübersichtlichkeit führenden Zerstückelung ist der Versuch eines Gesamtbildes vorzuziehen.

Die Seevölkerbewegung hatte um 1200 v. Chr. das in der zweiten Hälfte des 2. vorchristlichen Jahrtausends aufgebaute kunstvolle System des Gleichgewichts der Kräfte zwischen den Großmächten zerstört und die Großmächte selbst entweder ganz beseitigt, wie die kleinasiatischen Hettiter, oder auf ihre Stammländer zurückgeworfen, wie Ägypten und die mesopotamischen Staaten. Eben dadurch hatte die Geschichte Israels, aber auch die Geschichte der ostjordanischen Randstaaten und der Aramäerstaaten Syriens, sich so entwickeln und entfalten können, wie es bisher in den Grundzügen beschrieben wurde. Nun sind freilich die Strommächte nicht für Zeit und Ewigkeit im Zustande der Isolation und Schwäche verblieben. Sie haben sich erholt: ungleichmäßig, mit Schwankungen und Rückschlägen, über kürzere oder längere Dauer – aber doch so, daß sie eines Tages wieder über ihre Grenzen hinausgriffen, zueinander in freundliche oder feindliche Beziehungen traten und das Geschick der syropalästinischen Landbrücke wieder mitzugestalten begannen.

Ägypten allerdings hat diesmal nicht – wie in der Mitte des 2. Jahrtausends v. Chr. [2] – den Anfang gemacht. Denn das Nilland hatte sich in ganz besonders hohem Grade ausgegeben und war in einen Zustand der Erschöpfung, der Auflösung und der Destruktion gesunken, aus dem es sich nur sehr langsam, fürs erste auf Jahrhunderte hin kaum sichtbar, erholte. Das war keineswegs die Folge des Angriffs der Seevölker gewesen; diese hatten vielmehr nur die von langer Hand wirksame Niedergangstendenz im Innern verstärkt und nach außen sichtbar gemacht. Nach dem Tode Ramses III., des letzten bedeutenden Herrschers der 20. Dynastie, siechte das Neue Reich unaufhaltsam dahin. In rascher Folge lösten einander

[1] Das erste und bislang einzige in Teil 1, S. 29–43.

[2] S. Teil 1, S. 32.

nicht weniger als acht Könige ab, die alle Ramses hießen: Ramses IV. – XI. (1153–1070). Unter ihnen trieben die Verhältnisse auf die Katastrophe zu. Die Schwächung der Zentralgewalt, die weitgehende Verselbständigung der beiden Länder Ober- und Unterägypten, die Rivalität der zu außerordentlicher wirtschaftlicher Potenz aufgestiegenen Tempel untereinander und gegen das Königtum, die zunehmende Verelendung des städtischen Proletariats der kleinen Handwerker und Nekropolenarbeiter, durch Naturkatastrophen noch verstärkt: das alles und noch vieles weitere ließ den Zusammenbruch der Ramessidenherrschaft immer näher rücken. Unter Ramses XI. brachen in Theben, in der Thebais und in Mittelägypten Arbeiter- und Söldneraufstände aus; sie dauerten etwa sechs Monate an. Die sozial abhängigen Bevölkerungsschichten versuchten, ihr Geschick in die eigenen Hände zu nehmen, unterstützt von libyschen Söldnern, gegen die Krone und mehr noch gegen den Repräsentanten der stärksten Wirtschaftsmacht des Landes, den „Ersten Propheten des Amun, Königs der Götter", d.h. den thebanischen Hohenpriester, Amenophis. Ramses war nicht in der Lage, der Wirren Herr zu werden. Vorübergehend wurde die Ordnung durch das militärische Eingreifen des Vizekönigs von Kusch, Panehesi, wiederhergestellt. Aber schon hatte sich ein neuer Mann nichtköniglicher und überhaupt dunkler Herkunft langsam und zielstrebig emporgearbeitet: Herihor, nach seiner Titulatur wahrscheinlich aus dem Offiziersstande hervorgegangen und „Wedelträger zur Rechten des Königs". Er vereinigte noch zu Lebzeiten Ramses XI. nacheinander die höchsten Staatsämter auf sich: Vizekönig von Kusch, was ihn in den Besitz beträchtlicher militärischer Machtmittel brachte; Vezier von Oberägypten, das zweithöchste Zivilamt nach dem Pharao; Hoherpriester des Amun-Re von Theben. In seiner Person fielen die weltliche und die geistliche Gewalt zusammen. Es ist umstritten, ob noch vor oder erst nach dem Tode Ramses XI.: jedenfalls nahm er schließlich die volle Königstitulatur an. Ihr Wortlaut ist charakteristisch: „Horus: Starker Stier, Sohn des Amun; König von Ober- und Unterägypten, Herr der beiden Länder: Erster Prophet des Amun; leiblicher Sohn des Re: Sohn des Amun Herihor." Hier verbinden sich Elemente der alten pharaonischen Königstitulatur auf unklare und der Wirklichkeit nicht ganz kongruente Weise mit den Besonderheiten der Karriere Herihors. „Herr der beiden Länder" war Herihor nämlich keineswegs; die Doppelkrone trug er nicht. Vielmehr etablierte sich zur gleichen Zeit in Unterägypten ein selbständiges Herrscherhaus mit Sitz in Tanis *(Ṣān el-Ḥagar)*: Smendes (ägypt. *Nesibanebdjed*), der vielleicht Vezier von Unterägypten gewesen war und den Thron möglicherweise auf dem Wege über seine Frau Tentamun, eine ramessidische Prinzessin (?), erlangte. Das Gesamtreich war also praktisch geteilt, und der klassische Dualismus Ägyptens hatte politische Gestalt gewonnen. Von nun an heißt das historische Thema „Tanis und Theben", wobei anzumerken ist, daß die thebanischen Hohenpriester der tanitischen Dynastie merkwürdigerweise stets eine Art Oberkönigtum eingeräumt haben.

Mit Herihor und Smendes, in der Theorie eigentlich nur mit Smendes, beginnt die 21. Dynastie (ca. 1069–945)[3]. In dieser Epoche – man bedenke: es ist die Epoche der israelitischen Staatenbildungen! – verwirklichte sich in Ägypten ein höchst eigentümliches Staatsideal: die Idee des Gottesstaates des Amun-Re, besonders in Theben, aber auch in Tanis[4]. Amun-Re, der seit der 18. Dynastie längst auf dem Wege zur Theokratie gewesen war, galt jetzt in strengem theokratischen Sinn als König Ägyptens, und die irdischen Herrscher betrachteten sich als seine Vollzugsbeamten, d. h. als Repräsentanten von Teilen der in Amun selbst liegenden umfassenden Herrschergewalt. Um dieser Theorie willen nannten sich auch die tanitischen Pharaonen „Hohepriester des Amun-Re von Tanis", obwohl der Hausgott ihrer Dynastie der unterägyptische Seth war. Amun herrschte praktisch in der Hauptsache auf dem Wege über das Orakel. Voll verwirklicht ist die Idee des Gottesstaates wahrscheinlich nur in Theben gewesen; für Tanis fließen allerdings die Quellen sehr viel spärlicher. Jedenfalls schritt unter der Decke dieser theologisch-politischen Konstruktion die innere Zersetzung fort, bei gleichzeitiger Hochblüte der Amun-Theologie – eine Lage, wie sie analog und ähnlich in der Amarnazeit bestanden hatte[5]. Von Außenpolitik konnte nicht die Rede sein: Ägyptens Ansehen im Auslande sank unter den Nullpunkt. Nichts bezeugt die Diskrepanz zwischen der erhabenen Idee des Gottesstaates und der kläglichen Realität deutlicher als der aus dieser Zeit stammende Reisebericht des Wenamun, der im 5. Jahr des Doppelkönigtums Herihor/Smendes zum Holzeinkauf nach Byblos reiste und dort nicht wie der Vertreter einer Großmacht, sondern wie ein lästiger Bittsteller behandelt wurde[6]. Zwischen Tanis und Theben herrschte im übrigen ein überwiegend freundliches Verhältnis. Es kam nicht zu Konflikten, zu deren Austragung die ephemären und epigonalen Nachfolger des Herihor und des Smendes weder willens noch in der Lage waren.

In Mittel- und Unterägypten gewannen im Laufe der Zeit libysche Söldnerführer die tatsächliche Macht. Die Libyer, unter Merenptah und Ramses III. gefährliche Gegner Ägyptens[7], waren unter den späteren Ramessiden als ägyptische Militärkolonen angesiedelt worden, und ihre Führer, die sich „Oberhäuptlinge der Meschwesch" nannten, gelangten auf dem Wege der Bildung örtlicher Hausmacht zu immer größerem Einfluß.

[3] Die ägyptische Chronologie der Spätzeit ist verworren, unsicher und umstritten. Alle Zahlenangaben haben nur Annäherungswert. Ich folge den Ansätzen von W. Helck, Geschichte des alten Ägypten. HdO I, 1,3 (1968).

[4] Vgl. H. Kees, Herihor und die Aufrichtung des thebanischen Gottesstaates. Nachrichten d. Göttinger Gesellsch. d. Wiss., phil.-hist. Kl. I, 2,1 (1936); ders., Die Hohenpriester des Amun von Karnak von Herihor bis zum Ende der Äthiopenzeit. Probleme der Ägyptologie 4 (1964).

[5] S. Teil 1, S. 36-38.

[6] Übersetzungen: A. Erman, Die Literatur der Ägypter (1923) 225–237; AOT², 71–77; ANET³, 25–29; TGI³, 41–48.

[7] S. Teil 1, S. 41.

So konnte es geschehen, daß zum ersten Male seit der Hyksoszeit wieder Ausländer den Pharaonenthron bestiegen, von niemandem als Fremdherrscher betrachtet, da sie längst vollkommen ägyptisiert waren. Von Bubastis (*Tell Basṭa* bei *Zaqāzīk*) aus begründete der libysche General Schoschenk I. sein zunächst unterägyptisches Königtum, das unter seiner und seiner ersten Nachfolger Osorkon I. und Takelotis I. Regierung auch auf Mittelägypten übergriff und in Oberägypten jedenfalls nicht ohne Einfluß war. Schoschenk I. (945–924) [8] ist der erste Herrscher der sog. Bubastidenzeit, nach Manetho als 22. und 23. Dynastie (945–730) gezählt[9]. Die Verhältnisse im Inneren änderten sich im Prinzip nicht. Die Bubastiden begründeten keine einheitliche und eindeutige Zentralgewalt. Sie tasteten die Idee des Gottesstaates nicht an, beherrschten aber – wenigstens zeitweise – Theben und damit Oberägypten durch das Mittel der Sekundogenitur, d. h. sie setzten Prinzen des eigenen Hauses als Hohepriester des Amun-Re von Theben ein. Versippt, verschwägert und verflochten waren sie auch mit anderen Machtzentren – z. B. Herakleopolis, Memphis –, so daß man sagen könnte, Ägypten sei eigentlich föderalistisch strukturiert gewesen, und der Bubastidenkönig nur *primus inter pares* [10]. Aber *de facto* hatten die Bubastiden das Heft soweit in der Hand, als sie starke Könige waren. Je schwächer sie waren, desto nachdrücklicher konnten lokale Kleinfürsten – vor allem im Nildelta – Unabhängigkeitsansprüche stellen und nicht selten auch realisieren. Daß unter solchen Bedingungen keine sehr wirksame Außenpolitik möglich war, liegt auf der Hand. Immerhin ließen sich die Bubastiden die Pflege der Beziehungen zu den westlichen Oasen und deren Kolonisation angelegen sein. Schoschenk I. und Osorkon I. erneuerten den Verkehr mit Byblos[11]. Und die große Ausnahme von der außenpolitischen Abstinenz der Bubastiden ist natürlich der schon erwähnte[12] spektakuläre, aber eigentlich folgenlose Feldzug Schoschenks I. nach Palästina im 5. Jahre Rehabeams von Juda[13].

---

[8] Zur problematischen Chronologie vgl. K. A. Kitchen, Late Egyptian Chronology and the Hebrew Monarchy. JANES 5 (1973) 225–233.

[9] Vgl. K. Baer, The Libyan and Nubian Kings of Egypt. Notes on the Chronology of Dynasties XXII and XXIV. JNES 32 (1973) 4–25.

[10] Auch eine klare Dynastiegliederung ist nicht möglich: die 23. Dynastie des Petubastis läuft etwa hundert Jahre lang neben der 22. her.

[11] S. zwei in Byblos gefundene Statuenfragmente dieser Pharaonen mit phönikischen Inschriften (KAI 5–6).

[12] S. o. S. 245 f.

[13] Hier besteht ein bis zur Stunde ungelöstes chronologisches Problem. Die von den Ägyptologen mit guten Gründen angesetzten Jahre Schoschenks I. (945–924) passen nicht zu der von J. Begrich und A. Jepsen errechneten Chronologie Rehabeams (926–910). Nach K. T. Andersen regierte Rehabeam 932/1–916/15, nach E. R. Thiele 931/30–913. Der ägyptisch-judäische Synchronismus von 1. Kön 14,25 stört also Begrich/Jepsens chronologisches System. Irgendwo muß ein Fehler liegen. – Vgl. zu den Sachfragen auch D. B. Redford, Studies in Relations between Palestine and Egypt during the 1st Mill. B. C. II: The 22nd Dynasty. JAOS 93 (1973) 3–17.

Im 8. Jh. v. Chr. ging es mit der Bubastidenherrschaft zu Ende. In Nubien bildete sich ein von Ägypten unabhängiges starkes Staatswesen mit Zentrum in Napata am *Gebel Barkal* unweit des 4. Nilkataraktes. Die einheimischen, stark ägyptisierten Herrscher dieses Reiches begannen alsbald, nach Ägypten überzugreifen. Mit ihnen trat Ägypten in die sog. Äthiopenzeit: die 25. Dynastie (ca. 751–664). Die Könige tragen nubische Namen, deren Lautgestalt nicht ganz sicher ist und die deshalb verschieden wiedergegeben werden: Kaschta oder Kuschta, Pianchi oder Pi, Schabaka, Schabako oder Schebiko (716–701), Schabataka oder Schebitko (701–690) und Taharka (690–664). Die Äthiopen waren fromme Verehrer des Gottes Amun-Re in Widdergestalt; sie kopierten in Napata bis zu gewissem Grade den thebanischen Gottesstaat. Zu nicht genau bekanntem Zeitpunkt gelang dem König Kaschta ohne erkennbare Gewalt die Unterwerfung der Thebais. Die letzten Bubastiden konnten dem keinerlei Widerstand entgegensetzen; ihre Herrschaft war auch in Unterägypten nur noch nominell. Kaschta verschwägerte sein Haus mit dem der Bubastiden und etablierte im thebanischen Gottesstaat die weibliche Dynastie der „Gottesgemahlinnen", deren Amt auf dem Wege der Adoption weitergegeben wurde. Um 730 kam es zu einer antiäthiopischen Koalition der sonst miteinander rivalisierenden mittel- und unterägyptischen Teilfürstentümer, die anscheinend die ihnen von den Äthiopen drohende Gefahr erkannten. Aber das Unternehmen schlug fehl: König Pianchi oder Pi, der Sohn des Kaschta, konnte im Gegenzuge vorübergehend alle Landesteile Ägyptens seinem Szepter unterwerfen. Er berichtet darüber auf der berühmten Napata-Stele aus seinem 21. Regierungsjahr, einer der schönsten und lebendigsten ägyptischen Königsinschriften[14]. Als er nach Napata zurückgekehrt war – die Äthiopen behielten immer ein Bein in ihrer Heimat, ließen sich auch dort bei *Kurru* begraben –, zerfielen Mittel- und Unterägypten sofort wieder in Teilfürstentümer, darunter die ephemäre 24. Dynastie des Tefnachte von Sais und seines Sohnes Bokchoris. Dieser interimistische Zustand dauerte bis etwa 715 oder etwas später. Schabaka, der Bruder des Pianchi, unterwarf für seine und seines Nachfolgers Schabataka Zeit ganz Ägypten dem äthiopischen Herrschaftsanspruch. Unter diesen Königen, auch noch unter Taharka, gewann die Außenpolitik wieder Vorrang[15]. Sie zeigten sich an den Verhältnissen auf der syropalästinischen Landbrücke interessiert, stießen dort freilich auf das mächtig expandierende Großreich der Assyrer, das der Äthiopenherrschaft um 664 ein Ende machte[16]. Die Äthiopen kehrten heim, orientierten sich hinfort nach

[14] Vgl. A. Niccacci, Egitto e Bibbia sulla base della stele di Piankhi. Studium Biblicum Franciscanum, Liber Annuus 32 (1982) 7–58; ders., Su una nuova edizione della stele di Piankhi. Ebenda 447–460.

[15] Zu den begrenzten militärischen Möglichkeiten vgl. A. J. Spalinger, Notes on the Military in Egypt during the XXVth Dynasty. Journal of the Society for the Study of Egyptian Antiquities 11 (1981) 37–58.

[16] S. u. S. 300 f.

Süden und gründeten unweit der Mündung des Aṭbara in den Nil die neue Hauptstadt Meroë, die erst 350 n. Chr. durch Aeizanes von Axum erobert und zerstört worden ist.

Die Neuordnung der Verhältnisse im Vorderen Orient ist nach alledem nicht von Ägypten ausgegangen. Sie kam aus dem Zweistromland, allerdings nicht aus dem alten Kulturgebiet Babylonien, sondern von den Assyrern zu beiden Seiten des oberen Tigris. Der Aufstieg des neuassyrischen Reiches zur beherrschenden Vormacht im Nahen Osten ist keineswegs plötzlich, sondern Schritt für Schritt vor sich gegangen. Das Ergebnis war ein Großreich völlig neuer Art: ein beispielloses Machtgebilde, das die Geschicke des Vorderen Orients jahrhundertelang bestimmt hat.

Einen ersten Anlauf zur Aufrichtung der assyrischen Großmacht unternahm noch vor der Jahrtausendwende Tiglatpileser I. (1117–1077)[17]. Er griff über das assyrische Stammland am oberen Tigris hinaus und in das System der syrohettitischen Nachfolgestaaten in Obermesopotamien und Nordsyrien hinein und schickte sich an, das Erbe des hettitischen Neuen Reiches anzutreten[18]. Seine Feldzüge führten ihn in das Gebiet des ehemaligen Reiches *Mitanni-Ḫanigalbat*[19], nach *Kummuḫ*, in die Naïri-Länder bis zum Van-See, nach Babylonien. Vor allem aber erreichte er als erster neuassyrischer König die Mittelmeerküste und empfing Tribute aus Sidon, Byblos und Arwad[20]. Es bestand kein Zweifel: mit Assyrien mußte künftig gerechnet werden; es stand im Begriff, aus seiner Isolation herauszutreten und strebte offensichtlich nach der Rolle einer Führungsmacht. Freilich waren der Politik Tiglatpilesers I. dauerhafte Erfolge nicht beschieden. Es kam nicht zur Bildung fester Formen der assyrischen Oberhoheit in den unterworfenen Gebieten; Tribute[21] und die gelegentliche Mitnahme von Prinzen als Geiseln genügten keineswegs. Noch fehlte eine klare politisch-militärische Konzeption, ohne die ein Großreich nicht entstehen, geschweige denn bestehen kann. Überdies waren Tiglatpilesers Kräfte durch endlose Kämpfe gegen die Aramäer *(Aramū, Aḫlamū)* gebunden. Assyriens Menschen- und Materialverluste müssen gewaltig gewesen sein. So fiel der erste Versuch in sich zusammen. Tiglatpilesers schwache Nachfolger waren nicht in der Lage, die expansive Politik fortzusetzen, und diese Schwäche begünstigte spätestens seit Aššur-rabi II. (1010–970) den Aufbau selbständiger aramäischer Staaten in Obermesopotamien und Syrien: *Bīt-Adini* beiderseits des Euphratknies mit der Hauptstadt *Til Barsip (Tell Aḥmar), Bīt-Baḫiani* am oberen *Ḫābūr* mit der Hauptstadt *Gu-*

---

[17] Ich folge der Chronologie von E. Cassin und R. Labat in: Fischer Weltgeschichte 3/4 (1966/7). Vgl. zu den Sachfragen E. Weidner, Die Feldzüge und Bauten Tiglatpilesers I. AfO 18 (1958) 342 ff.

[18] Vgl. J. D. Hawkins, Assyrians and Hittites. Iraq 36 (1974) 67–83.

[19] S. Teil 1, S. 35 f.

[20] Vgl. TUAT I, 4, 356 f.

[21] Vgl. grundsätzlich W. J. Martin, Tribut und Tributleistungen bei den Assyrern. Studia Orientalia VIII, 1 (1936).

zana (Tell Ḥalaf), Bīt-Agusi um Aleppo *(Ḥalab)* und Arpad *(Tell Refād), Ja'udi-Sam'al (Zinçirli)*[22] u.a.m. Selbst in Babylonien gelangten die Aramäer (Chaldäer) zwischen dem 11. und 9. Jh. zur Macht und zur Bildung von Fürstentümern. Eine vorübergehende Phase assyrischer Offensivpolitik unter Aššur-dān II. (935–912) vermochte an alledem nichts zu ändern.

Der eigentliche Anfang des neuassyrischen Großreiches fällt in die Regierungszeit Adadnarāris II. (912–891)[23]. Von nun an ging es den assyrischen Herrschern nicht mehr nur um den vorübergehenden Gewinn großräumiger Territorien, sondern zunehmend auch um die feste Angliederung eroberter Gebiete an das assyrische Staatswesen. Die Hauptvoraussetzung dafür war eine straffe, zentralistische Staatsführung. Der König als Mandatar des Reichsgottes Assur stand an der Spitze eines gewaltigen Heeres ziviler und militärischer Beamter, die ihm ebenso rechenschaftspflichtig waren wie er dem Gotte. Dazu kam als Vorbedingung imperialistischer Außenpolitik die Bildung und Pflege eines schlagkräftigen stehenden Heeres mit Streitwagenabteilungen[24] und erstmalig auch mit Reiterei, die – mit Bogen und Lanze bewaffnet – außerordentlich schnell und wirkungsvoll eingesetzt werden konnte. Keine Grausamkeit des Kriegshandwerks war den Großkönigen, ihren Offizieren und Soldaten fremd; trafen sie auf Widerstand, dann hinterließen sie leblose Siedlungen und verbrannte Erde. Die assyrischen Truppenverbände sind für Jahrhunderte der Schrecken der Völker des Alten Orients gewesen[25]. Adadnarāri II. griff planmäßig nach allen Seiten aus: in die Naïri-Länder und bis zum Urmia-See, nach Babylonien, vor allem aber gegen die Aramäerstaaten des Westens. Das Neue seiner Expansionspolitik in den Assyrien unmittelbar benachbarten Gebieten Obermesopotamiens bestand darin, daß er sie nach erfolgter Eroberung und Tributleistung nicht sich selbst überließ, sondern dazu überging, sie verwaltungstechnisch als Provinzen mit assyrischen Statthaltern seinem Reiche anzugliedern und Garnisonen einzurichten. Gewiß war das alles erst ein Anfang, aber immerhin legte Adadnarāri II. sozusagen den Grundstein für das klassische assyrische Provinzialsystem, an dem die Herrscher der folgenden Jahrhunderte schrittweise weitergebaut haben[26]. Sein Sohn Tukulti-Ninurta II. (891–884) setzte diese Politik erfolgreich fort, vor allem nach Westen *(Ḫarrān)* und nach Norden gegen das Reich der Urartäer.

Aššurnāṣirpal II. (884–858) bezeichnet den ersten Höhepunkt der an Glanzlichtern reichen Geschichte des neuassyrischen Großreiches. Er ver-

---

[22] Vgl. B. Landsberger, Sam'al. Studien zur Entdeckung der Ruinenstätte Karatepe. Veröffentl. d. Türk. Histor. Gesellsch. 7,16 (1948); dazu die Inschriften KAI 24–26 und 214–221.

[23] Texte: J. Seidmann, Die Inschriften Adadnirâris II. Mitteilungen der Altorientalischen Gesellschaft 9,3 (1935).

[24] Vgl. B. Hrouda, Der assyrische Streitwagen. Iraq 25 (1963) 155–158.

[25] Vgl. W. v. Soden, Die Assyrer und der Krieg. Iraq 25 (1963) 131–144.

[26] Vgl. grundlegend E. Forrer, Die Provinzeinteilung des assyrischen Reiches (1921).

einigte in sich die Unerbittlichkeit und Rücksichtslosigkeit des Kriegsmannes mit der Besonnenheit und Zähigkeit des innenpolitischen Organisators. Nach zahlreichen Bauten in den alten Hauptstädten Assur und Ninive ließ er sich und seinem Hofstaat eine neue Residenz errichten: Kalaḫ *(Nimrūd)*, ein assyrisches Babylon[27]. Das nötige Material und die Menschen brachte er durch seine Feldzüge ein, die ihn wie seine Vorgänger nach allen Himmelsrichtungen führten, zum ersten Male seit Tiglatpileser I.[28] auch wieder bis ans Mittelmeer. Aššurnāṣirpal vermochte noch nicht, das assyrische Provinzialsystem planmäßig auf außermesopotamische Gebiete zu übertragen. Dafür aber fuhr er in großem Stile fort, einen Kranz von Vasallenstaaten rings um das assyrische Kernland aufzubauen. Die Fürsten der Gebiete, die er auf seinen Kriegszügen berührte, wurden zu regelmäßigen Tributleistungen und oft auch zur Gestellung von Hilfstruppen gezwungen. Ihre politische Bewegungsfreiheit war eingeschränkt, und wer gegen Assyrien konspirierte oder rebellierte, wurde unverzüglich durch einen proassyrischen Vasallenfürsten ersetzt. Neu war auch Aššurnāṣirpals Praxis, zerstörte Städte in z.T. weit entfernten Gebieten wieder aufzubauen, mit Garnisonen zu besetzen und als assyrische Aktionsbasen zu benutzen. Dennoch war und blieb der Vasallenkranz ein Herd der Unsicherheit für das assyrische Reich. Das galt auch noch unter Salmanassar III. (858–824), der die Innen- und Außenpolitik seines Vaters im wesentlichen unverändert fortsetzte. Er griff zum ersten Male in den von der assyrischen Expansion vorher nicht berührten mittelsyrischen Raum hinein[29]. Sein Hauptgegner war dort der Aramäerstaat von Damaskus, mit dem er lange und wechselvolle Kriege führte[30]. Der Wille zur Unterwerfung Syriens zwang Salmanassar zur Beseitigung der politischen Selbstän-

---

[27] Aššurnāṣirpals II. Kolossalpalast in Kalaḫ ist das erste imperiale Architekturdenkmal in Assyrien: von enormen Ausmaßen, mit Relief- und Inschriftenplatten aus Kalkstein und Alabaster, mit gewaltigen Torsphingen (heute im Britischen Museum) zeugt es sowohl von der Blüte neuassyrischer Kunstübung wie von der Gigantomanie des Erbauers, dessen Nachfolger die Errichtung großer Paläste am Ort fortsetzten. Abbildungen: AOB 378–380; ANEP², 646ff.; R.D. Barnett–W. Forman, Assyrische Palastreliefs (o.J.); R.D. Barnett–M. Falkner, The Sculptures of Aššur-naṣir-apli II (883–859 B.C.), Tiglathpileser III. (745–727 B.C.), Esarhaddon (681–669 B.C.) from the Central and South-West Palaces at Nimrud (1962). Vgl. K.-H. Bernhardt, Die Umwelt des AT 1 (1967) 175–178 (Lit.).

[28] S.o. S. 293.

[29] Texte: AOT², 340–344; ANET³, 276–280; TGI³, 50f.; TUAT I,4,360–367; E. Michel, Die Assur-Texte Salmanassars III., in: WdO I–IV (1947–1967) in Fortsetzungen; G.G. Cameron, The Annals of Shalmaneser III, King of Assyria. A New Text. Sumer 6 (1950) 6–26; F. Safar, A Further Text of Shalmaneser III from Assur. Sumer 7 (1951) 3–21; J. Laessøe, A Statue of Shalmaneser III from Nimrud. Iraq 21 (1959) 147–157; J.V. Kinnier-Wilson, The Kurba'il-Statue of Shalmaneser III. Iraq 24 (1962) 90–155; P. Hulin, The Inscriptions on the Carved Throne-Base of Shalmaneser III. Iraq 25 (1963) 48–69. Vgl. dazu A.T.E. Olmstead, Shalmaneser III and the Establishment of Assyrian Power. JAOS 41 (1921) 345–382; G. Lambert, The Reigns of Aššurnaṣirpal II and Shalmaneser III: An Interpretation. Iraq 36 (1974) 103–109; M. Elat, The Campaigns of Shalmaneser III against Aram and Israel. IEJ 25 (1975) 25–35.

[30] S.o. S. 262f.

digkeit von *Bīt-Adini,* das ihm den Weg nach Westen versperrte, und zu mehreren Feldzügen gegen die Kleinstaaten beiderseits der kilikischen Pforte: *Quë, Milid, Gurgum* und *Kummuḫ.* Dauernder Erfolg war freilich auch ihm nicht beschieden. Er empfing zwar oft den Tribut „aller Könige von *Ḫatti*" – so nannten die Assyrer die aramaisierten syrohettitischen Nachfolgestaaten Nordsyriens –, konnte aber nicht verhindern, daß sie sich immer wieder gegen ihn zusammenrotteten. Auch die berühmte Schlacht bei Qarqår *(Ḫirbet Qerqūr)* am Orontes (853)[31] gegen eine Koalition von zwölf syrischen Fürsten unter der Führung von Damaskus und Hamath brachte keine Entscheidung[32]. Im Norden Assyriens traf Salmanassar auf das sich kräftig entfaltende Reich von Urartu, das in der Folgezeit – zuerst unter König Sardur I. (ca. 832–825) – zu einem der Hauptgegner Assurs heranwuchs und nicht selten zusammen mit nord- und mittelsyrischen Dynasten gemeinsame antiassyrische Sache machte. Ein Fazit der Expansionspolitik Salmanassars III. ist nicht leicht zu ziehen: er hat die Macht Assyriens auf nicht weniger als 27 Feldzügen nach allen Seiten hin wirkungsvoll demonstriert, hat unendliche Tribute hereingebracht und das assyrische Staatsgebiet durch die Unterwerfung von *Bīt-Adini* nach Westen vorgeschoben, ohne doch die beständige Unruhe unter den Vasallen in den Griff zu bekommen. Sein Alter war durch innenpolitische Wirren verdüstert: eine Revolte unter der Führung seines Sohnes Aššur-dān-apli brach aus, der sich bedeutende assyrische Städte anschlossen, und die zu einem Bürgerkrieg führte, den erst Šamši-Adad V. (824–811) beenden konnte. Dessen Sohn Adadnarāri III. (811–781) war beim Thronantritt noch minderjährig; seine Mutter Sammuramāt – die Semiramis der griechischen Sage – führte zunächst die Regentschaft. Er nahm die Politik seines Großvaters Salmanassar III. in Syrien wieder auf, ohne wesentlich weiter zu kommen als dieser[33]. Vor allem aber bereinigte er das vordem vielfach gestörte, unter Šamši-Adad V. besonders feindselige Verhältnis zu Babylonien[34]: er bereinigte es im Sinne von Frieden und Freundschaft. Babylonien war und blieb aber ein Element der Unsicherheit innerhalb des neuassyrischen Großreiches. Das lag vor allem daran, daß keiner der assyrischen Großkönige es wagte, Babylonien dem assyrischen Provinzialsystem einzugliedern. In diesen rauhen Kriegern des Nordens lebte die Ehrfurcht vor dem babylonischen Nachbarland als der Mutter ihrer Kultur und Gesittung, ihrer Sprache, Schrift und Religion. Babylonien konnte nun einmal nicht mit demselben Maß gemessen werden wie beliebige an-

---

[31] Vgl. J. A. Brinkman, A Further Note on the Date of the Battle of Qarqar and Neo-Assyrian Chronology. JCS 30 (1978) 173–175.

[32] S. o. S. 262.

[33] Texte: TUAT I, 4, 367–369.

[34] Vgl. J. A. Brinkman, A Preliminary Catalogue of Written Sources for a Political History of Babylonia: 1160–722 B.C. JCS 16 (1962) 83–109; ders., Foreign Relations of Babylonia from 1600 to 625 B.C.: The Documentary Evidence (Summary). American Journal of Archaeology 76 (1972) 271–281.

dere außerassyrische Gebiete. So erkannten die assyrischen Herrscher das babylonische Königtum an und versicherten sich seiner entweder durch freundschaftliche Beziehungen, durch den Vasallitätsstatus, dadurch, daß sie selbst den babylonischen Thron bestiegen und in Personalunion regierten oder auch durch die Einsetzung von Vizekönigen aus der assyrischen Dynastie nach dem Prinzip der Sekundogenitur. Auf jeden Fall aber behielt Babylonien einen Sonderstatus und blieb für die Assyrer ein Gegenstand ehrfürchtigen Staunens oder bitteren Hasses[35].

Nach einer letzten Schwächeperiode unter den drei Nachfolgern Adadnarāris III. bestieg im Jahre 745 v. Chr. Tiglatpileser III. (745–727) den assyrischen Thron[36]. Ihm war es beschieden, das neuassyrische Reich auf den Gipfel der Macht zu führen und Assyriens Aufstieg zu vollenden. Sowohl innen- wie außenpolitisch wehte sozusagen vom ersten Tage seiner Regierung an ein scharfer Wind, der spüren ließ, daß ein Mann das Heft in die Hand genommen hatte, dessen Wille zur Vollendung des Imperiums durch nichts und niemanden aufgehalten werden konnte. Er ging alsbald an eine Neuordnung des Administrationswesens innerhalb der bereits gewonnenen Territorien des Reiches. Da sich in den alten und z. T. beträchtlich großen Provinzen die Möglichkeit einer gefährlichen Machtkonzentration in den Händen der Provinzstatthalter *(šakin māti)* abzeichnete, legte er alles Gewicht auf die Bildung kleinerer Verwaltungsbezirke, die jeweils einem „Administrator" (LÚEN.NAM, *bēl pāḫati*) mit beschränkten Vollmachten unterstanden. Die Großprovinzen wurden zwar nicht geradezu beseitigt, ihre Statthalter aber weitgehend entmachtet. So sicherte Tiglatpileser III. seiner eigenen Zentralgewalt Funktionstüchtigkeit und Effizienz. Auf dieser Basis ruhte das Konzept seiner Außenpolitik, deren Neuartigkeit und Durchschlagskraft nicht nachdrücklich genug betont werden können. Es ging Tiglatpileser nicht mehr nur darum, benachbarte kleinere Staatsgebilde in Form eines mehr oder weniger lockeren Vasallitätsverhältnisses an Assyrien zu binden, sondern ihrer so viele wie möglich restlos zu okkupieren. Er entwickelte ein System der stufenweisen Vernichtung der politischen Selbständigkeit der Kleinstaaten mit dem Ziel ihrer Einverleibung in das Gefüge der assyrischen Provinzen. Die Stufen dieses Systems und die Stadien des sich daraus ergebenden Vorgehens lassen sich schematisierend und etwas vereinfacht wie folgt beschreiben.

1. Stadium: Bildung eines Vasallitätsverhältnisses durch Demonstration der assyrischen Militärmacht; Verpflichtung zu regelmäßigen, meist jähr-

---

[35] Vgl. J. A. Brinkman, Babylonia under the Assyrian Empire, 745–627 B.C. Power and Propaganda, ed. M. T. Larsen (1979) 223–250.

[36] Texte: AOT², 345–348; ANET³, 282–284; TGI³, 54–59; TUAT I, 4, 370–378; P. Rost, Die Keilschrifttexte Tiglat-Pilesers III. nach den Papierabklatschen und Originalen des Britischen Museums, 2 Bde. (1893); H. W. F. Saggs, The Nimrud Letters, 1952. Iraq 17 (1955) – 36 (1974) in Fortsetzungen; H. Tadmor, Introductory Remarks to a New Edition of the Annals of Tiglat-Pileser III. Proceedings of the Israel Academy of Sciences and Humanities 2,9 (1967).

lichen Tributzahlungen und gegebenenfalls zur Gestellung von Hilfstruppen. Insoweit unterscheidet sich Tiglatpilesers Verfahren kaum von dem seiner außenpolitisch aktiven Vorgänger. Er konnte einen „Vasallenkranz", d.h. eine nicht unbeträchtliche Anzahl kleinerer Staatsgebilde im 1. Stadium der Vasallität, bereits bei seinem Regierungsantritt übernehmen. Es kam nur darauf an, diesen Vasallen ihre Vasallität gegenüber Assyrien nachdrücklich in Erinnerung zu bringen und neue hinzuzugewinnen.

2. Stadium: Bei Beweis oder auch nur Vermutung antiassyrischer Konspiration unverzügliche militärische Intervention, Beseitigung des ungetreuen Vasallen und Einsetzung eines proassyrischen Fürsten, nach Möglichkeit aus der angestammten Dynastie. Im Zusammenhang damit erfolgten nicht selten drastische Gebietsverkleinerungen: die abgeschnittenen Teile des Territoriums wurden entweder sofort in assyrische Provinzen verwandelt oder benachbarten assurtreuen Vasallen zu Lehen gegeben. Natürlich stieg in diesem 2. Stadium der militärische und diplomatische Druck Assyriens auf den Vasallenstaat beträchtlich, die Tributpflichten wurden erhöht und die Außenpolitik unter ständiger Kontrolle gehalten.

3. Stadium: Beim geringsten Anzeichen einer gegen Assyrien gerichteten Unternehmung erneute und endgültige militärische Okkupation, Beseitigung des Vasallenfürsten, Liquidation der politischen Selbständigkeit des Staates und Errichtung einer assyrischen Provinz *(pāḫatu)* mit einem assyrischen Administrator und dem nötigen Beamtenstab. Flankierende Maßnahmen im 3. Stadium: Errichtung neuer Festungen, Ansiedlung von Militärkolonen, vor allem aber die Deportation der einheimischen und die zwangsweise Ansiedlung einer fremden Oberschicht. Die Deportationspraxis hatte den Zweck, der bodenständigen Landbevölkerung die Führungsschicht zu nehmen und sie dadurch politisch aktionsunfähig zu machen. Assyrien hoffte, daß sich das auf diese Weise entstandene Völkergemisch leichter würde regieren und unter Kontrolle halten lassen[37].

Es versteht sich von selbst, daß sich Tiglatpileser III. nicht in allen Fällen streng an dieses System halten konnte. Besondere Konstellationen forderten Ausnahmen von der Regel und hinreichende Elastizität der assyrischen Außenpolitik. So sah sich Tiglatpileser bereits 743 einer antiassyrischen Koalition der nordsyrischen Aramäerstaaten *Arpad, Milid, Gurgum, Kummuḫ* und wohl noch einiger weiterer gegenüber, die den Zeitpunkt gekommen glaubten, sich des assyrischen Druckes entledigen zu können und die sich dazu der Unterstützung Sardurs III. von Urartu (ca. 765–733) versichert hatten[38]. Die Koalitionspartner befanden sich alle im 1. Sta-

---

[37] Vgl. B. Oded, Mass Deportations and Deportees in the Neo-Assyrian Empire (1979).

[38] Aus dem Vorfelde dieser Koalition stammen die aramäischen Staatsvertragstexte der drei Stelen von *Sfīre* zwischen *Matīʾilu* von Arpad und *Bargaʾjā* von KTK (KAI 222–224). Außer der in KAI[3] genannten Literatur vgl. bes. J.A. Fitzmyer, The Aramaic Inscriptions of Sefîre. Biblica et Orientalia 19 (1967) und zu KTK R. Degen, WdO IV (1967) 48–60.

dium der Vasallität. Tiglatpileser zögerte nicht, den Aufstand niederzuschlagen: er schlug Sardur III. am Euphrat, belagerte Arpad *(Tell Refād)* bis 740 und machte es dann, wie auch den benachbarten Staat *Unqi*, zur assyrischen Provinz. Bei den anderen Vasallen griff er jedoch entgegen der sonst geübten Praxis nicht in die dynastischen Verhältnisse ein, sondern begnügte sich damit, sie durch Gebietsverkleinerungen zu bestrafen. Arpad trat also vom 1. sofort ins 3. Stadium über, die anderen ins 2. Stadium mit Modifikationen. Die Gründe kennen wir nicht. War Tiglatpileser bei seinem ersten Eingreifen in Syrien noch unsicher? Jedenfalls lassen die Ereignisse erkennen, daß der Assyrerkönig in der Lage war, in der Außenpolitik elastisch zu handeln. Assyrien brauchte zweierlei: eine klare und zielbewußte Konzeption und einen Mann, der sie souverän zur Mehrung des Reiches interpretieren und handhaben konnte.

Es ist hier nicht der Ort, im einzelnen nachzuzeichnen, wie Tiglatpileser III. und seine Nachfolger Salmanassar V. (727–722), Sargon II. (722–705)[39] und Sanherib (705–681)[40] nach und nach den gesamten Vorderen Orient unter ihrem Szepter vereinigten. Das jedenfalls war das Ergebnis: ein Ergebnis, das vor allem auch die Geschicke der syropalästinischen Landbrücke entscheidend gestaltet hat[41]. Freilich blieben lockere und unsichere Stellen in diesem gewaltigen Großreichsgebilde erhalten, vor allem an seinen Rändern. Von der Sonderstellung Babyloniens war schon die Rede[42]. Auch Tiglatpileser III. hat sie respektiert. Einige Jahre vor seinem Tode hat er noch selber unter dem Namen *Pūlu* den babylonischen Thron bestiegen; seine nächsten Nachfolger haben es nicht anders gehalten. Die alten, reichen Handelsmetropolen an der phönikischen Küste sind bis zum Ende des neuassyrischen Großreiches nicht in assyrische Provinzen verwandelt worden. Sie behielten relative politische Selbständigkeit im Rahmen des 1. oder 2. Stadiums der Vasallität. Der Grund dafür lag natürlich nicht im Unvermögen der Assyrer, sondern in der Notwendigkeit, die Phöniker pfleglich zu behandeln, um ihre weitreichenden, das ganze Mittelmeer umspannenden Handelsbeziehungen[43] auch weiter-

[39] Texte: AOT², 348–352; ANET³, 284–287; TGI³, 60–65; TUAT I,4,378–387; D.G. Lyon, Keilschrifttexte Sargons, Königs von Assyrien (722–705 v. Chr.), nach den Originalen neu herausgegeben usw. Assyriolog. Bibliothek 6 (1883); H. Winckler, Die Keilschrifttexte Sargons nach den Papierabklatschen und Originalen neu herausgegeben, 2 Bde. (1889); A. G. Lie, The Inscriptions of Sargon II, King of Assyria. I. The Annals (1929); A. T. E. Olmstead, The Text of Sargon's Annals. AJSL 47 (1930/1) 259–280; C. J. Gadd, Inscribed Prisms of Sargon II from Nimrud. Iraq 16 (1954) 173–201; W. Mayer, Sargons Feldzug gegen Urartu – 714 v. Chr. Eine militärhistorische Würdigung. MDOG 112 (1980) 13–33.

[40] Texte: AOT², 352–354; ANET³, 287f.; TGI³, 67–69; TUAT I,4,388–392; D.D. Luckenbill, The Annals of Sennacherib. The University of Chicago, Oriental Institute Publications 2 (1924); A. Heidel, The Octogonal Sennacherib Prism in the Iraq Museum. Sumer 9 (1953) 117–187.

[41] S. u. S. 328.

[42] S. o. S. 296f.

[43] Vgl. S. Moscati, Die Phöniker. Von 1200 v. Chr. bis zum Untergang Karthagos. Kindlers Kulturgeschichte (1966); W. A. Ward (ed.), The Role of the Phoenicians in the Interac-

hin für das Hinterland und damit für Assyrien zu nutzen[44]. Auch im Süden der Landbrücke ließen die Assyrer eine Anzahl halb selbständiger Kleinstaaten bestehen, obwohl gerade dort immer wieder Aufstände ausbrachen und Assur zu militärischem Eingreifen zwangen: Juda, die Stadtstaaten der philistäischen Pentapolis – mit Ausnahme von Asdod, das vorübergehend assyrische Provinz wurde[45] – und die ostjordanischen Randstaaten Ammon, Moab und Edom. Damit war beabsichtigt, diese kleineren Staatsgebilde als Pufferstaaten gegen Ägypten zu erhalten, um eine unmittelbare Grenzberührung des assyrischen Riesenreiches mit Ägypten zu vermeiden[46]. Zur Zeit Tiglatpilesers III. und seiner ersten Nachfolger lag in dieser Politik angesichts der wachsenden Macht der 25. äthiopischen Dynastie[47] kluge Selbstbeschränkung. Als diese Macht jedoch im Schwinden begriffen war, hielt es Asarhaddon (681–669) für richtig, durch die Eroberung Ägyptens den Schlußstein in das Gebäude des neuassyrischen Großreiches zu setzen[48]. Im Jahre 674 unternahm er einen ersten Feldzug, wurde aber bei *Ša-awele* (= Sile, die ägyptische Grenzfestung *Ṯl*) geschlagen. 671 aber drangen die assyrischen Armeen unaufhaltsam in Ägypten ein und eroberten Memphis. Pharao Taharka floh in die Thebais. Die Assyrer bildeten im Delta und in Teilen Mittelägyptens kleine Verwaltungsbezirke. Dabei stützten sie sich auf die einheimischen ägyptischen Gaufürsten, die sie im Amte beließen, aber der Kontrolle assyrischer Administratoren unterstellten. Asarhaddon selbst nahm großsprecherisch den Titel „König der Könige von Muṣur (Unterägypten), Patros (Oberägypten) und Kusch (Äthiopien)" an, der von der Wirklichkeit nicht entfernt gedeckt wurde. Waren die fremden libyschen und äthiopischen Pharaonen von den Ägyptern keineswegs als Fremdherrscher angesehen worden, so galt das natürlich nicht auch von den Assyrern. Auf sie konzentrierte sich aller Haß, und es verwundert niemanden zu hören, daß bereits 670 alleror-

---

tion of Mediterranean Civilization (1968); A. Parrot – M. H. Chéhab – S. Moscati, Die Phönizier. Die Entwicklung der phönizischen Kunst von den Anfängen bis zum Ende des dritten punischen Krieges (1977).

[44] Vgl. B. Oded, The Phoenician Cities and the Assyrian Empire in the Time of Tiglathpileser III. ZDPV 89 (1973) 38–49; M. Cogan, Tyre and Tiglath-Pileser III. Chronological Notes. JCS 25 (1973) 96–99; J. N. Postgate, The Economic Structure of the Assyrian Empire. Power and Propaganda, ed. M. T. Larsen (1979) 193–221. – Ereignisse wie im Jahre 677, als Asarhaddon Sidon eroberte, in assyrische Verwaltung nahm und *Kār-Aššur-aḫa-iddina* „Asarhaddonsburg oder -hafen" nannte, blieben Episode. Vgl. auch J. Elayi, Les cités phéniciennes et l'empire assyrien à l'époque d'Assurbanipal. RA 77 (1983) 45–58.

[45] S. u. S. 321.

[46] Vgl. R. Follet, „Deuxième Bureau" et information diplomatique dans l'Assyrie des Sargonides. RSO 32 (1957) 61–81; M. Elat, The Economic Relations of the Neo-Assyrian Empire with Egypt. JAOS 98 (1978) 20–34.

[47] S. o. S. 292.

[48] Texte: AOT², 354–358; ANET³, 289–294; TGI³, 70; TUAT I, 4, 393–399. Vgl. R. Borger, Die Inschriften Asarhaddons. AfO Beiheft 9 (1956, Nachdruck 1967); D. J. Wiseman, The Vassal Treaties of Esarhaddon. Iraq 20 (1958) 1–99; A. J. Spalinger, Esarhaddon and Egypt: An Analysis of the 1st Invasion of Egypt. Or 43 (1974) 295–326.

ten Aufstände ausbrachen, die den letzten Feldzug Asarhaddons veranlaßten (669), auf dem er starb. Die durch den Thronantritt Assurbanipals (669 – um 630)[49] eingetretene Unsicherheit nutzte Taharka, Memphis und das Delta wieder in seine Hand zu bekommen. Aber 667 wurde er durch den General *(turtānu)* Assurbanipals verjagt und die vorige Lage wiederhergestellt. Nach dem Tode Taharkas (664) versuchte es sein Neffe Tanutamun, der letzte Pharao der 25. Dynastie, noch einmal. Aber die Dinge standen hoffnungslos für ihn: die Assyrer behaupteten Memphis, eroberten nun auch Theben und gewannen damit Oberägypten. Jetzt war, wenn man so sagen darf, Ägypten befriedet. Die Assyrerherrschaft dauerte bis 655. Etwas weniger als ein Jahrzehnt reichte das neuassyrische Großreich vom ersten Nilkatarakt bis zum Mittelmeer und vom iranischen Hochland bis zum Persischen Golf.

Allerdings: diese gewaltige Aufgipfelung des Reiches trug den Keim zum Untergang in sich. Sie war gewissermaßen die Peripetie im Drama der assyrischen Geschichte. Denn Assyrien hatte nun die äußersten Grenzen seiner Möglichkeiten erreicht, und zwar nicht in der Zeit der ersten stürmischen Expansion, sondern nach Jahrhunderten kräfteverzehrender Arbeit für die Erhaltung, Sicherung und Mehrung des inneren und äußeren Bestandes des Reiches. Die Eroberung Ägyptens war der Euphorie vergleichbar, die dem Tode vorausgeht. Wie sehr Assyrien im Grunde schon geschwächt war, hat gerade Assurbanipal während seiner langen Regierungszeit bitter zu spüren bekommen. Assurbanipal repräsentierte einen anderen Herrschertyp auf dem assyrischen Thron als es die meisten seiner Vorgänger gewesen waren. Gebildet und belesen, hatte er Sinn für Literatur und Wissenschaft, für die Pflege der schönen Künste und für alles, was das Leben angenehm machen kann. Seine große Bibliothek, die in Ninive gefunden worden ist, hat mit Recht Weltberühmtheit erlangt. Das alles heißt nicht, daß er ein schwacher, unentschlossener Mann gewesen wäre. Er hat vielmehr nahezu pausenlos und erbittert gekämpft, und das war nötig, denn das Großreich hatte seinen Höhepunkt überschritten und geriet mehr und mehr in die Defensive. Ein Großreich aber, das nicht mehr offensiv ist und sein kann, hat im Grunde schon zu bestehen aufgehört, auch wenn sein äußerer Bestand noch eine Weile mühsam erhalten werden kann. Assurbanipal verzehrte die Kräfte des Reiches und sich selbst in unendlichen Defensivkriegen nach allen Seiten. Er konnte nicht verhindern, daß Ägypten 655 unter Psammetich I., dem Begründer der 26. saitischen Dynastie, seine Unabhängigkeit zurückgewann[50]. Zwischen 652

[49] Texte: M. Streck, Assurbanipal und die letzten assyrischen Könige bis zum Untergang Niniveh's. Vorderasiat. Bibliothek 7, 3 Bde. (1916); Th. Bauer, Das Inschriftenwerk Assurbanipals vervollständigt und neu bearbeitet. Assyriolog. Bibliothek NF 1–2 (1933); A. C. Piepkorn, Historical Prism Inscriptions of Ashurbanipal I (1933); A. R. Millard, Fragments of Historical Texts from Nineveh: Ashurbanipal. Iraq 30 (1968) 98–111; J. E. Reade, The Rassam Obelisk. Iraq 42 (1980) 1–22. Vgl. E. Badolì u. a., Studies on the Annals of Assurbanipal. I. Morphological Analysis. Vicino Oriente 5 (1982) 13–73. Vgl. auch TUAT I, 4, 399–401.

[50] S. u. S. 360.

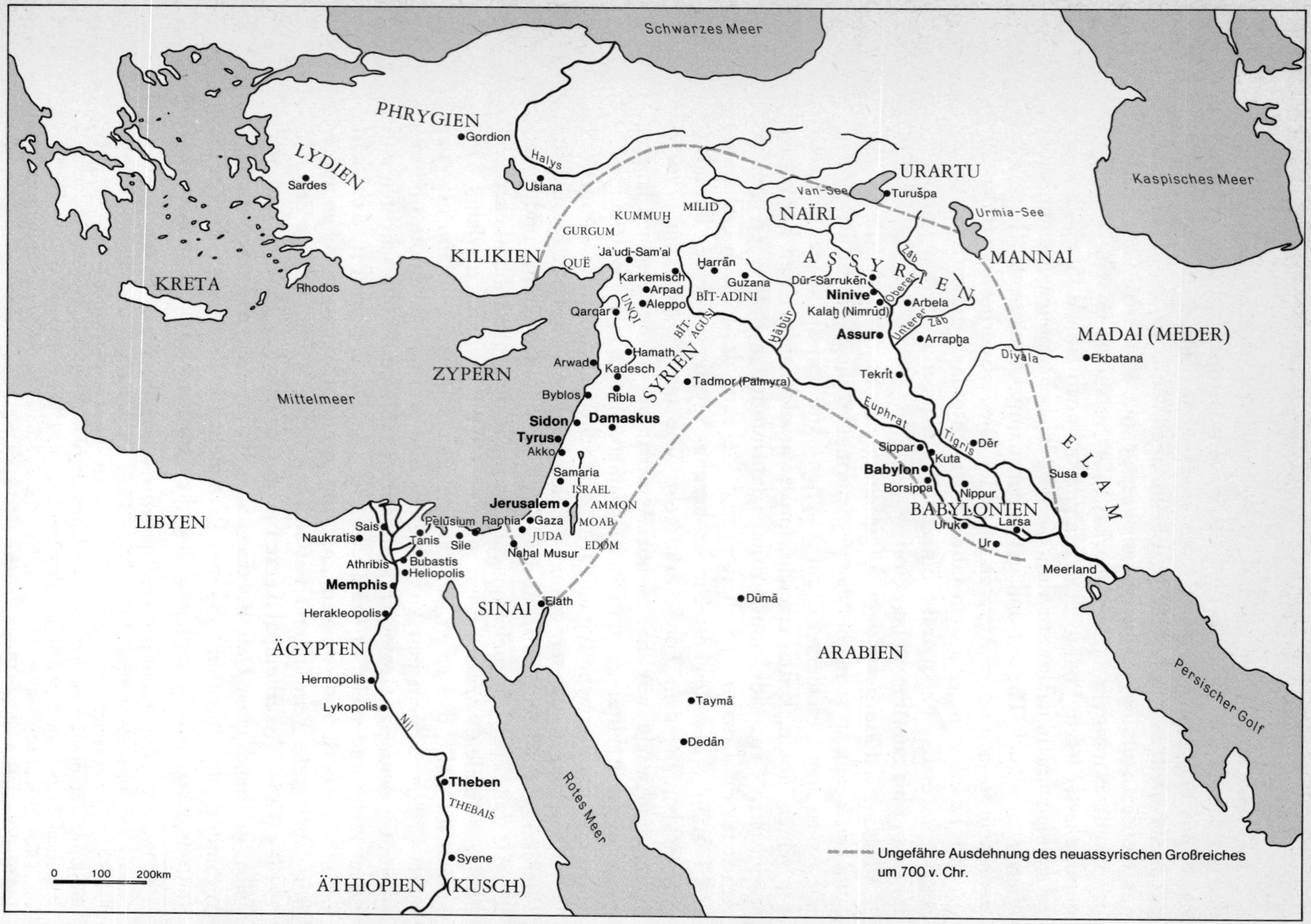

Karte 5: Das neuassyrische Großreich

und 648 tobte der unselige Bruderkrieg Assurbanipals gegen seinen Bruder Šamaššumukīn, den Vizekönig von Babylonien[51]. Assurbanipal blieb zwar Herr der Lage[52], aber das Reich ging aus den Auseinandersetzungen geschwächt hervor. Dazu kamen ständige Kämpfe gegen Nachbarstaaten, z.B. Elam, gegen unbotmäßige Vasallen und gegen Protoaraber der Wüste[53]. Südmesopotamien entwickelte sich zu einem besonders gefährlichen Unruheherd[54]. Mit Assurbanipal ging das assyrische Zeitalter im Vorderen Orient zu Ende. Als er um 630 starb, war es nur noch eine Frage weniger Jahre, bis neue aufstrebende Mächte den Resten des neuassyrischen Großreiches den Garaus machten und sein Erbe unter sich aufteilten.

KAPITEL 2

Der syrisch-ephraimitische Krieg und das Ende des Staates Israel

Nach dem Tode Jerobeams II.[1] ging es im Nordstaat Israel mit der von Jehu begründeten Dynastie rasch zu Ende. Zunächst bestieg Jerobeams Sohn Sacharja (747) den Thron. Doch schon nach sechs Monaten kam es zu Wirren, in deren Verlauf der König von einem Usurpator namens Schallum ben Jabesch getötet wurde. Dieser wiederum erfreute sich einer Regierungszeit von nur einem Monat; danach fiel er durch die Hand eines Mannes, der sich in den Wirren als die stärkste Figur erwiesen hatte: Menachem ben Gadi aus Thirza *(Tell el-Fārʿa)*. Während der knapp zehnjährigen Regierung Menachems (747–738) kehrte Israel in den Zustand relativer Ruhe zurück (2.Kön 15,8–22).

Das aber war die Ruhe vor dem Sturm. Denn in dieser Zeit wuchs das neuassyrische Großreich unter Tiglatpileser III. zu einem Machtfaktor ersten Ranges heran, dessen Wirkungen die Staaten der syropalästinischen Landbrücke nun alsbald zu spüren bekommen mußten. In den ersten Jahren seiner Regierung war Tiglatpileser III. ausschließlich im Norden und Osten seines Reiches beschäftigt. Aber 738 griff er zum ersten Male und sogleich in großem Stile auf Mittelsyrien über. Dort zerschlug er eine an-

---

[51] Vgl. zur Vorgeschichte S.Ahmed, Ashurbanipal and Shamash-shum-ukin during Esarhaddon's Reign. Abr-Nahrain 6 (1965/6) 53–62.

[52] Vgl. M.Cogan–H.Tadmor, Ashurbanipal's Conquest of Babylon: The First Official Report – Prism K. Or 50 (1981) 229–240.

[53] Vgl. M.Weippert, Die Kämpfe des assyrischen Königs Assurbanipal gegen die Araber. WdO VII (1973/4) 39–85; VIII (1975/6) 64.

[54] Vgl. S.Ahmed, Mesopotamia in the Time of Ashurbanipal. Studies in Ancient History 2 (1968).

[1] S.o. S.282–284.

tiassyrische Koalition syrischer Fürsten und annektierte große Teile des Aramäerstaates von Hamath *(Ḥama)*[2], der noch ein Jahrhundert früher einer der Hauptgegner Salmanassars III. bei Qarqar am Orontes gewesen war[3]. Dieser Erfolg hatte große Wirkungen auf die benachbarten Kleinstaaten, die sich plötzlich als Grenznachbarn des assyrischen Kolosses wiederfanden und denen die Angst ins Gebein fuhr. Eine Reihe südostkleinasiatischer Staaten, die phönikischen Küstenstädte Tyrus[4] und Byblos, die Mehrzahl der nord- und mittelsyrischen Staaten und sogar eine Araberkönigin namens Zabibê beeilten sich, dem assyrischen Großkönig Kontributionen zu zahlen und ihn ihrer Ergebenheit zu versichern. Die Liste der Tributäre ist doppelt überliefert: in den Annalen Tiglatpilesers III., Kol. III, Z. 150–154, und auf einer Stele aus dem Iran[5], Kol. II, Z. 3–19. Unter ihnen befanden sich (nach den Annalen Z. 150):

ᴵMi̇̀-ni-ḫ̮i-im-me ᵁᴿᵁSa-mì-ri-na-a-a = Menachem von Samaria und *ᴵRa-ḫ̮i-a-nu ᴷᵁᴿŠá-imēri-šu-a-a* = Raṣyān von Damaskus[6].

Beide Staaten, Damaskus und Israel, vollzogen mit ihrer Unterwerfung die Erneuerung des 1. Stadiums der Vasallität, in dem sie – wenigstens theoretisch – seit der Zeit Salmanassars III. gestanden hatten. Es könnte sein, daß sich Menachem von Israel[7] dabei auch von der Nebenabsicht leiten ließ, sein vielleicht immer noch labiles Königtum zu festigen und mit der Autorität des Großherrn zu untermauern. Die Ereignisse mögen ihm also nicht einmal ganz ungelegen gekommen sein. Jedenfalls machte er, um die Kontributionssumme aufbringen zu können, eine bemerkenswerte Erfindung: die Kopfsteuer. Die nach 2. Kön 15, 19 f. geforderten 1000 Talente Silber[8] wurden auf die heerbannpflichtigen Grundbesitzer des Lan-

---

[2] Nämlich die Landesteile, die früher zum Reich von *Nuḫašše* (*Luḫuti, LʿŠ)* gehört hatten und deren Hauptstadt *Ḫatarikka* (im AT *Ḥadrāk*) gewesen war; vgl. M. Noth, Laʾasch und Hazrak [1929]. ABLAK 2, 135–147. Die Stadt Hamath selbst mit ihrem Umland wurde dem assyrischen Provinzialsystem noch nicht eingegliedert.

[3] S. o. S. 262. Vgl. K. Kessler, Die Anzahl der assyrischen Provinzen des Jahres 738 v. Chr. in Nordsyrien. WdO VIII, 1 (1975) 49–63.

[4] Nach M. Cogan, a. a. O. (s. o. S. 300 Anm. 44) lautet die Reihe der Stadtfürsten von Tyrus: Tubaʾil (bis 738), Hiram II. (738–734/2), Metenna (734/2–727), Lulî (727–701).

[5] L. D. Levine, Two Neo-Assyrian Stelae from Iran. Royal Ontario Museum, Art and Archaeology, Occasional Paper 23 (1972). Vgl. dazu L. D. Levine, Menahem and Tiglath-Pileser: A New Synchronism. BASOR 205 (1972) 40–42 und den grundlegenden Aufsatz von M. Weippert, Menahem von Israel und seine Zeitgenossen in einer Steleninschrift des assyrischen Königs Tiglatpileser III. aus dem Iran. ZDPV 89 (1973) 26–53.

[6] Es handelt sich um den im AT mehrfach genannten König *Rᵉṣīn* von Aram-Damaskus (2. Kön 15, 37; 16, 5 f.; Jes 7, 1. 4. 8; 8, 6; 9, 10). Sein Name ist falsch vokalisiert: er lautete altaramäisch *Raqyān* (Steleninschrift II, Z. 4: *ᴵRa-qi-a-nu),* in der Schreibung auch *Raʿyān (= Ra-ḫ̮i-a-nu),* im jüngeren Aramäisch korrekt zu *Raṣyān* entwickelt, wozu die Konsonanten des biblischen Textes (RṢYN) genau passen.

[7] W. H. Shea, Menahem and Tiglath-Pileser III. JNES 37 (1978) 43–49, datiert den Tribut auf 740, Menachems Tod auf 739.

[8] 2. Kön 15, 19 f. bezieht sich trotz einiger Merkwürdigkeiten doch wohl auf den Tribut des Jahres 738. Tiglatpileser III. erscheint unter seinem babylonischen Thronnamen *Pūlu,* den er damals noch gar nicht trug.

des (hebr. *gibbōrẹ̄ haḥayil)* umgelegt, so daß auf jeden 50 Sekel entfielen. Wenn diese Zahlen annähernd stimmen sollten, dann müßte es im damaligen Israel etwa 60000 Grundbesitzer gegeben haben.

Ob der Staat der Davididen von den Ereignissen berührt wurde, ist nicht ganz sicher. Es ist aber wahrscheinlich. Zwar wird er in den beiden Tributärlisten nicht genannt, aber in Z. 103 der Annalen [9] erscheint ein *ᴵAz-ri-ja-a-u ᴷᵁᴿJa-u-da-a-a* als Gegner der Assyrer, der – wenn A. Jepsens Chronologie zutrifft – mit Asarja/Ussia von Juda (773–736) identisch sein kann [10]. Man weiß in der Tat nicht recht, wer es sonst gewesen sein könnte [11]. Denn unter den Königen des nordsyrischen Staates *Ja'udi-Sam'al* gibt es keinen dieses Namens. Trotzdem ist und bleibt die Sache merkwürdig. Es ist schwer vorstellbar, daß König Ussia oder die Politiker, die den wahrscheinlich längst Erkrankten [12] vertraten, eine Rolle oder gar die Hauptrolle [13] in einer antiassyrischen Koalition gespielt haben sollten, deren Schwerpunkt deutlich in Mittelsyrien lag. Welche Gründe hätten gerade das abgelegene Juda bewegen können, Syrien bis hinauf zum Amanusgebirge gegen Tiglatpileser III. zu mobilisieren oder sich an einem solchen Unternehmen auch nur zu beteiligen? Die Frage muß offengelassen werden.

In den folgenden vier Jahren hatten Syrien und Palästina Ruhe; denn Tiglatpileser III. war anderweitig beschäftigt. Erst 734 kamen die Dinge wieder in Fluß. Für dieses Jahr verzeichnet der assyrische Eponymenkanon Cb I [14] einen Feldzug *a-na ᴷᵁᴿPi-lis-ta* = nach Philistäa [15]. Mindestens zwei fragmentarische Inschriften Tiglatpilesers – die sog. Kleinere Inschrift I und ein Text aus *Nimrūd* – geben genauere Informationen über dieses Unternehmen [16]. Wir erfahren, daß sich die militärische Aktion des Großkönigs hauptsächlich gegen die Philisterstadt Gaza [17] richtete, deren König *Ḫanūnu* es gar nicht erst auf einen Waffengang ankommen ließ, sondern nach Ägypten floh. Daß Tiglatpileser im Zusammenhang damit den nördlichen Teil der palästinischen Küstenebene vom Nordstaat Israel abtrennte und als assyrische Provinz *Dū'ru* konstituierte, um sich eine ungehinderte Durchgangsmöglichkeit nach Süden zu verschaffen – wie bis-

---

9 Tontafelfragment K 6205 = Annalen Z. 102–120.

10 So H. M. Haydn, Azariah of Judah and Tiglathpileser III. JBL 28 (1909) 182–199; D. D. Luckenbill, Azariah of Juda. AJSL 41 (1924/5) 217–232; H. Tadmor, Azriyau of Yaudi. ScrH 8 (1961) 232–271.

11 Vgl. auch 2. Kön 15, 17. 23: Gleichzeitigkeit von Asarja und Menachem.

12 S. o. S. 256.

13 So M. Weippert, a. a. O. (s. o. Anm. 5), S. 32.

14 In neuassyrischer Zeit datierten die Assyrer nach Listen, in denen die Jahre durch die Namen der Könige und hoher Beamter des Reiches gekennzeichnet waren, meist noch mit Hinzufügung eines hervorragenden Ereignisses. Solche Listen nennt man Eponymenkanon(es). Veröffentlichung und Bearbeitung: A. Ungnad, Reallexikon d. Assyriologie 2 (1938) 412–457.

15 A. Ungnad, a. a. O., S. 431.

16 Vgl. A. Alt, Tiglatpilesers III. erster Feldzug nach Palästina [1951]. KS 2, 150–162.

17 Über das Verhältnis der Assyrer zu den Philistern vgl. H. Tadmor, Philistia under Assyrian Rule. BA 29 (1966) 86–102.

her meist angenommen –, ist eher unwahrscheinlich; die Provinz dürfte doch wohl erst nach dem sog. syrisch-ephraimitischen Krieg eingerichtet worden sein. Er nahm aber jedenfalls die Gelegenheit wahr, in dem Orte *Naḫal Muṣur* am „Bach von Ägypten" *(Wādī'l-ʿArīš)*[18] einen assyrischen Militärstützpunkt einzurichten, der ihm vielleicht später einmal als Sprungbrett nach Ägypten dienen sollte. Tiglatpilesers Verfahren in dieser südlichen Randzone der Landbrücke unterschied sich von seiner sonst geübten Praxis: er nahm den geflohenen Stadtfürsten von Gaza nach dessen ziemlich rasch erfolgter Rückkehr in Gnaden an und setzte ihn in seine alten Rechte ein, d.h. er verzichtete auf die Überführung Gazas in das 2. Stadium der Vasallität[19]. Er tat das wahrscheinlich, weil ein Territorium im 2. Vasallitätsstadium, vom assyrischen Provinzialgebiet durch eine Zone von Vasallenstaaten im 1. Stadium getrennt, sich kaum wirkungsvoll hätte kontrollieren lassen.

Der Feldzug des Jahres 734 vollzog sich in nächster Nachbarschaft des Südstaates Juda. Er demonstrierte dem Davididen Ahas (741–725 oder 744–729) zum ersten Male aus der nächsten Nähe, wie die Assyrer mit Widerständen verfuhren, denen sie sich gegenübersahen[20]. Die Wirkungen dieses Anschauungsunterrichtes blieben nicht aus. Als Raṣyān von Damaskus und Pekach von Israel (735–732)[21] König Ahas im Spätfrühling/Sommer 734 in eine antiassyrische Koalition hineinzuziehen versuchten, setzte dieser einem solchem Ansinnen beharrlichen Widerstand entgegen. Daraus entwickelte sich der sog. syrisch-ephraimitische Krieg[22], über dessen Ursachen, Verlauf und Folgen wir durch drei verschiedene literarische Quellengruppen gut unterrichtet sind:

1. durch die Auszüge der Dtr aus den Annalen der Könige von Israel und Juda, die freilich keine zusammenhängende Darstellung ergeben, sondern auf verschiedene Abschnitte über die Könige des Nord- und Südstaates verteilt sind (2.Kön 15,29f. 37; 16,5–9);

2. durch die Sprüche zweier israelitischer Propheten, die in dieser Krisenzeit eindringlich ihre Stimmen erhoben haben, einer in Jerusalem, der andere in Israel (Jes 7,1–17; 8,1–15; 10,27b–34; 17,1–11; Hos 5,1f.; 5,8–6,6; 8,7–10);

---

[18] N. Na'aman, The Brook of Egypt and the Assyrian Policy on the Egyptian Border. Shnaton 3 (1978/9) 138–158, identifiziert den „Bach von Ägypten" mit dem in 1.Sam 30,9f. 21 genannten *Naḥal Beśōr*, von dem freilich niemand genau weiß, wo er zu suchen ist.

[19] S.o. S.298.

[20] Den schreckenerregenden Eindruck assyrischer Militärverbände hat der Prophet Jesaja einige Jahre später großartig beschrieben: Jes 5,26–29. Abbildungen zur Ausrüstung der assyrischen Truppen z.B. in AOB 132–141 und ANEP², 336–373.

[21] Die Angabe in 2.Kön 15,27, Pekach habe 20 Jahre regiert, ist falsch.

[22] Diese merkwürdige Bezeichnung hat sich eingebürgert. Sie beruht darauf, daß die alten Übersetzungen (LXX, Vulgata) und nach ihnen auch Luther „Aram, Aramäer" mit „Syrien, Syrer" wiedergegeben haben. Ephraim steht *pars pro toto* für den Nordstaat Israel; vgl. auch Jes 7,2.

3. durch die Inschriften Tiglatpilesers III.[23], nämlich Annalen Z.195–240, ND 4301 + 4305[24] und III R 10, Nr.2 (= sog. Kleinere Inschrift I)[25].

Mit Hilfe dieser Quellen können die Hauptlinien der Ereignisse zuverlässig rekonstruiert werden, auch wenn vieles von den Hintergründen, Einzelheiten und chronologischen Verhältnissen strittig bleibt[26]. Besonders zu beachten ist die prophetische Überlieferung bei Jesaja und Hosea, aus der mehr Einsichten gewonnen werden können, als man auf den ersten Blick erwarten sollte[27].

Zunächst die Schilderung der Hauptereignisse. Raṣyān von Aram-Damaskus und Pekach von Israel – beide Staaten seit 738 im erneuerten 1. Stadium der Vasallität – hielten den Zeitpunkt für günstig, sich zu einer antiassyrischen Koalition zusammenzuschließen, um des assyrischen Druckes ein für allemale ledig zu werden. Sie bemühten sich um eine Verbreiterung ihrer politischen und vor allem militärischen Aktionsbasis und versuchten deshalb – zunächst gewiß mit diplomatischen Mitteln – den Davididen Ahas von Juda zur Teilnahme an der Konspiration zu bewegen. Ahas jedoch sah für sich und Juda keine Veranlassung zu einem antiassyrischen Abenteuer; vielleicht beurteilte er – wenn ja, mit Recht! – die Erfolgschancen des Unternehmens als ungünstig. Er lehnte ab. Die Verbündeten wiederum glaubten, auf Juda als Teilnehmer der Koalition unter keinen Umständen verzichten zu können und entschlossen sich daher zum Krieg. Sie sammelten Streitkräfte auf dem Territorium des Nordstaates Israel und schickten sich an, gegen Jerusalem vorzurücken, nicht etwa um Juda mit Krieg zu überziehen, sondern um den renitenten Davididen abzusetzen und einen gefügigen Aramäer namens *Ben-Ṭāb'ēl*[28] auf den judä-

[23] Vgl. E.Vogt, Die Texte Tiglat-Pilesers III. über die Eroberung Palästinas. Biblica 45 (1964) 348–354.

[24] D.J.Wiseman, Iraq 18 (1956) 117ff.

[25] P.Rost, a.a.O. (s.o. S.297 Anm.36), S.78ff. Übersetzungen der genannten drei Texte: AOT², 346–348; ANET³, 282–284; TGI³, 57–59; TUAT I,4,371–374. 376–378.

[26] Vgl. J.Begrich, Der syrisch-ephraimitische Krieg und seine weltpolitischen Zusammenhänge [1929]. GS 99–120; B.Oded, The Historical Background of the War between Rezin and Pekah against Ahaz. Tarbiz 38 (1968/9) 205–224; ders., The Historical Background of the Syro-Ephraimite War Reconsidered. BA 34 (1972) 153–165. Wichtig für die Beurteilung bestimmter literarischer Formeln der historiographischen Überlieferung: H.Tadmor–M.Cogan, Ahaz and Tiglath-Pileser in the Book of Kings: Historiographic Considerations. Biblica 60 (1979) 491–508.

[27] Vgl. dazu A.Alt, Hosea 5,8 – 6,6. Ein Krieg und seine Folgen in prophetischer Beleuchtung [1919]. KS 2,163–187; H.Donner, Israel unter den Völkern. Die Stellung der klassischen Propheten des 8.Jh. v.Chr. zur Außenpolitik der Könige von Israel und Juda. SVT 11 (1964) 1–63; J.M.Asurmendi, La guerra Siro-efraimita. Historia y Profetas. Instituto Español Bíblico y Arqueológico de Jerusalén 4 (1982); M.E.W.Thompson, Situation and Theology. OT Interpretations of the Syro-Ephraimitic War (1982).

[28] Jes 7,6 *Ṭāb'al* = tendenziös „Gut nicht!"; mit LXX und Esra 4,7 ist *Ṭāb'ēl* zu vokalisieren.

ischen Thron zu bringen. Gewiß sollten die militärischen Kräfte Judas so weit wie möglich geschont werden, da die Verbündeten sie später gegen Assyrien noch brauchen würden. Ahas geriet in schwere Bedrängnis; denn es war vorauszusehen, daß Jerusalem einer Belagerung durch die vereinigten israelitisch-aramäischen Truppen nicht lange würde standhalten können. In dieser Lage entschloß er sich – gegen den dringenden Rat des Propheten Jesaja! – die Geister zu rufen, die Juda dann nicht mehr losgeworden ist. Er sandte eine Kontribution an Tiglatpileser III. mit der Bitte, ihm gegen Raṣyān und Pekach beizustehen. Damit begab er sich freiwillig ins 1. Stadium der Vasallität. Tiglatpileser nahm die Gelegenheit, eine gegen ihn gerichtete Konspiration im Keime zu ersticken, unverzüglich wahr. Er rückte mit der Armee von Norden gegen die Verbündeten vor und zwang ihnen damit die militärische Auseinandersetzung viel früher auf, als sie erwartet und gewollt hatten. Raṣyān und Pekach mußten ihre Streitkräfte sofort von Jerusalem abziehen, um sie den Assyrern entgegenzuwerfen[29]. Aber selbstverständlich nützte das nicht viel; denn gegen die assyrischen Truppenverbände war kein Kraut gewachsen. Immerhin konnte sich Raṣyān eine Weile in Damaskus halten: die Stadt erlag erst 732 dem assyrischen Ansturm. Tiglatpileser hielt es für richtig, diesen gefährlichen Gegner bereits jetzt ganz auszuschalten. Er übersprang das 2. Stadium der Vasallität und machte Aram-Damaskus zu einer assyrischen Provinz. Aber noch vorher, also 733, erschien er in Israel und beschnitt das Territorium des Pekach empfindlich: er annektierte Galiläa und Gilead, verwandelte diese beiden Gebiete in die Provinzen *Magiddū* und *Gal'az[a]*[30], bildete vielleicht auch jetzt die Küstenprovinz *Dū'ru* (= Dor, *el-Burǧ* bei *eṭ-Ṭanṭūra*) und beschränkte Pekach auf das übriggebliebene Gebiet, den Rumpfstaat Ephraim. Er deportierte die städtische Oberschicht der eroberten Gebiete „nach Assur", während die bodenständige Landbevölkerung im Lande blieb und nach geläufiger assyrischer Praxis eine neue, fremde Oberschicht erhielt. Tiglatpileser brauchte nicht in die Regierungsgewalt des Rumpfstaates Ephraim einzugreifen; denn König Pekach fiel alsbald nach seiner Niederlage einer Verschwörung von seiten der assurfreundlichen Partei in Samaria zum Opfer. Das Haupt der Verschwörung, ein Mann namens Hosea ben Ela, wurde von Tiglatpileser als abhängiger

[29] Der politische Schachzug, gefährliche Feinde durch die provozierte Intervention eines Dritten loszuwerden, erfreute sich zwischen dem 10. und 8. Jh. v. Chr. auffallender Beliebtheit. Ganz ähnliche Fälle finden sich: 1. in 1. Kön 15, 16–22 (Asa von Juda gegen Baësa von Israel mit Hilfe von Aram-Damaskus; s. o. S. 248); 2. in KAI 24, 5–8 (Kilamuwa von Ja'udi-Sam'al gegen den König der Danuna mit Hilfe Salmanassars III.); 3. vielleicht auch in KAI 202 A, 4–17 (Zakir von Hamath und LʿŠ gegen eine Zehnerkoalition unter Führung von Aram-Damaskus mit wessen Hilfe? Das wissen wir nicht; der Text ist zerstört.).

[30] Zweifel gegen die Einrichtung der Provinz Gilead sind seit A. Jirku, Der angebliche assyrische Bezirk Gilead. ZDPV 51 (1928) 249–253, nicht mehr verstummt, trotz A. Alt, KS 2, 202 f. Vgl. auch H. Tadmor, The Southern Border of Aram. IEJ 12 (1962) 114–122.

Vasallenfürst des Rumpfstaates bestätigt[31]. Damit trat der Nordstaat in das 2. Stadium der Vasallität gegenüber Assyrien.

So gut sich die Ereignisse im großen übersehen lassen, so problematisch sind die Einzelheiten. Zwar hinsichtlich des Endes des syrisch-ephraimitischen Krieges kann kein Zweifel bestehen: es fällt mit der Okkupation von Damaskus 732 zusammen. Aber die Anfänge sind weniger deutlich zu erkennen. J. Begrich[32] ging von der richtigen Voraussetzung aus, daß sich die eigentlichen Kriegshandlungen zwischen Frühjahr 735 – dem Thronbesteigungsdatum des Pekach[33] – und 733 als dem Datum des Beginns der assyrischen Strafaktion gegen Damaskus abgespielt haben müssen. Daran ist in der Tat nicht zu rütteln. Nun fällt aber mitten in diesen Zeitraum der Feldzug Tiglatpilesers III. gegen Gaza im Jahre 734[34], nach aller Wahrscheinlichkeit im Frühjahr/Sommer dieses Jahres. Im welchem Verhältnis steht dieser Feldzug zum syrisch-ephraimitischen Krieg? Das wissen wir nicht genau. Begrich nahm an, daß die Kriegsereignisse vor dem assyrischen Feldzug gegen Gaza – also wohl vor Juni/Juli 734 – stattfanden und daß dieser der Beginn der Strafaktion gegen die Teilnehmer der antiassyrischen Koalition war. Hier besteht nun die Schwierigkeit, daß wir nicht präzise wissen, wer außer Israel und Damaskus sonst noch zur antiassyrischen Koalition gehörte. Ganz sicher ist es eigentlich nur von König Hiram *(Ḫirimu)* von Tyrus, von dem Tiglatpileser ausdrücklich sagt, daß er mit Raṣyān konspiriert habe[35]. Ansonsten äußert sich Tiglatpileser in seinen Inschriften generell und weiträumig über seine Gegner, ohne sie nach Konspirationen oder zeitlich zu differenzieren. Man kann nie ganz sicher sein, daß die zahlreichen Fürsten, von denen er sagt, er habe sie niedergeworfen, politisch und chronologisch überhaupt zusammengehören. Wenn also J. Begrich und andere nach ihm annahmen, die antiassyrische Koalition, die den syrisch-ephraimitischen Krieg auslöste, habe neben Damaskus und Israel auch die philistäischen Küstenstädte, vielleicht die ostjordanischen Randstaaten[36] und sicherlich im Hintergrunde Ägypten umfaßt, so hat diese Annahme jedenfalls keine eindeutige Textgrundlage – ganz abgesehen davon, daß die ostjordanischen Staaten und Ägypten gar nicht erwähnt werden. Diese Sachlage problematisiert auch Begrichs weitere Folgerungen: Tiglatpileser habe 734 versucht, durch seinen Zug in die philistäische Küstenebene das Eingreifen der Ägypter verhindern, die von

---

[31] Hosea zahlte 731 Tribut an Tiglatpileser III. in der südbabylonischen Stadt *Sarrabānu*; vgl. R. Borger – H. Tadmor, Zwei Beiträge zur atl Wissenschaft auf Grund der Inschriften Tiglatpilesers III. ZAW 94 (1982) 244–251.

[32] S. o. Anm. 26.

[33] Erwägungen zur keineswegs ganz sicheren Chronologie bei H. J. Cook, Pekah. VT 14 (1964) 121–135; E. R. Thiele, From Pekah to Hezekiah. VT 16 (1966) 83–103.

[34] S. o. S. 305 f.

[35] ND 4301 + 4305; vgl. TGI[3], 57.

[36] Diese sind, vielleicht unter Tiglatpileser III., ins erste Vasallitätsstadium getreten. S. u. S. 313 und vgl. B. Oded, Observations on Methods of Assyrian Rule in Transjordania after the Palestinian Campaigns of Tiglath-Pileser III. JNES 29 (1970) 177–186.

dorther zu erwarten waren. Die Flucht des *Ḫanūnu* von Gaza nach Ägypten und die anscheinend kampflose Preisgabe seiner Stadt hätten den Zweck gehabt, im Augenblicke höchster Bedrängnis ägyptische Waffenhilfe zu mobilisieren. Der Feldzug des Jahres 733 gegen Damaskus sei dann aus Philistäa erfolgt, wo das assyrische Heer von 734 auf 733 überwinterte. Das alles ist fraglich. Von einer Beteiligung Ägyptens verlautet nirgendwo ein Wort. Begrichs unterstützendes Argument, daß sich Ahas beim Heranrücken der israelitisch-aramäischen Streitkräfte an Ägypten hätte um Hilfe wenden können, wenn Ägypten nicht Partner der antiassyrischen Konspiration gewesen wäre, hält nicht Stich. Denn ein militärisches Eingreifen Ägyptens gegen Israel und Damaskus mußte in jedem Falle mißlich sein: es hätte Juda mit großer Wahrscheinlichkeit zum Kriegsschauplatz gemacht und überdies die Aufmerksamkeit der Assyrer zur Unzeit auf den Süden der Landbrücke gelenkt, wo ihre Interessen in Frage standen. Die Wiedereinsetzung des *Ḫanūnu* von Gaza als Vasallenfürst erschiene in merkwürdigem Licht, wenn sich dieser unmittelbar vorher um ägyptischen Beistand, wenn auch erfolglos, bemüht hätte. Die Überwinterung des assyrischen Heeres in der philistäischen Küstenebene ist möglich, aber nicht beweisbar und vielleicht nicht einmal wahrscheinlich. Daß Tiglatpileser Damaskus von Süden her, also von Gaza kommend, erobert haben müsse, ist aus den Annalen, Z. 203–209, nicht zu erschließen: zwar werden dort mehrere Ortschaften südlich von Damaskus genannt[37], aber nach der Mitteilung über die Belagerung von Damaskus und die Verwüstung der Oase *(el-Ġūta).* Ob die Zeit vom Frühjahr 735 bis Juni/Juli 734 für die Koalitionsverhandlungen zwischen Damaskus und Israel, die erste diplomatische Fühlungnahme mit Juda, die Ablehnung des Ahas, die eigentlichen Kriegshandlungen, das Hilfegesuch des Ahas an den Großkönig und den Anmarsch der assyrischen Armee ausreichte, ist schwer zu sagen. Eines darf man getrost ausschließen: daß der syrisch-ephraimitische Krieg gleichzeitig mit dem Philisterfeldzug Tiglatpilesers stattfand. Denn man wird den Verbündeten schwerlich den politischen und strategischen Mißgriff zutrauen dürfen, die Aufmerksamkeit der in der Küstenebene anwesenden Assyrer durch militärische Maßnahmen auf sich zu lenken. Nach alledem erscheint es geraten, den Feldzug von 734 vom syrisch-ephraimitischen Krieg zu trennen – wie es A. Alt[38] getan hat – und diesen später als jenen anzusetzen.

Zieht man die Entfernungsverhältnisse, die Geographie und die Gewohnheiten kriegführender Mächte im alten Orient in Betracht, dann ist es wahrscheinlich, daß Tiglatpileser III. spätestens im April/Mai 734 in der philistäischen Küstenebene eintraf und bis Juni/Juli dort blieb. Die Koali-

[37] *Ḫadara = el-Ḫaḍr* südwestl. von Damaskus; *Kuruṣṣa = Brēqa* im *Ǧōlān*; *Irma = ʿIlmā* im *Ḫaurān*; *Metuna = el-Imtūne* nördl. des *Ḫaurān.* Die Lokalisationen der ersten beiden Orte sind unsicher.

[38] S. o. Anm. 16.

tionsverhandlungen zwischen Damaskus und Israel und der Versuch, Juda zur Teilnahme zu überreden, können während dieser Zeit oder auch schon vorher stattgefunden haben. Man kann sich leicht vorstellen, daß der Durchzug der Assyrer durch israelitisches Gebiet die antiassyrische Stimmung am Hofe und vielleicht auch im Volke verstärkte, so daß die damaszenischen Unterhändler offene Ohren fanden. Wie dem auch sei: in dieses Anfangsstadium gehört jedenfalls Jes 17,1–11, ein Spruch, in dem der Prophet das geplante antiassyrische Unternehmen zur Katastrophe verurteilt sieht[39]. Der Aufmarsch der alliierten Truppen in Ephraim ist Jes 7,1–17 vorausgesetzt[40]: er erfolgte erst nach dem Abzug des assyrischen Heeres aus der Küstenebene, da die Alliierten sich gehütet haben werden, während der Anwesenheit der Assyrer an der Küste oben im Gebirge militärisch zu operieren. Also fällt Jes 7,1–17 in die Zeit nach Juni/Juli 734. Damals wartete Ahas auf den Angriff der Verbündeten und erwog wohl auch schon das Hilfegesuch an Tiglatpileser – gegen den Rat Jesajas, der darin nicht nur mangelndes Vertrauen gegenüber Jahwe sah, sondern auch damit rechnete, daß der erwartete Angriff gar nicht erfolgen werde: „Fürchte dich nicht, und dein Herz werde nicht weich wegen dieser beiden rauchenden Brandscheitstummel, trotz der Zornesglut das Raṣyān und der Aramäer und des Sohnes des Remaljahu! (Jes 7,4) ... Denn bevor der Knabe lernt, das Böse zu verwerfen und das Gute zu wählen, wird das Land verlassen sein, vor dessen beiden Königen dir graut" (Jes 7,16). Wäre nun der Vormarsch der Verbündeten gegen Jerusalem alsbald nach dem Gespräch Jesajas mit dem König (Jes 7) erfolgt, dann bliebe zweierlei unverständlich:

1. Ahas müßte das Hilfegesuch an Tiglatpileser III. noch im Jahre 734 abgesandt haben. Tat er das, dann fragt man sich, warum Tiglatpileser bis 733 wartete, ehe er etwas unternahm. Das sieht ihm weder ähnlich, noch wäre es klug gewesen.
2. Ist es dem Propheten Jesaja zuzutrauen, daß er angesichts klar erkennbarer Zeichen drohender Gefahr – der Vormarsch der Verbündeten gegen Jerusalem! – nicht nur den militärischen Vorgang bagatellisierte, sondern ausdrücklich mit einem längeren Andauern der Spannungen rechnete („bevor der Knabe lernt ..." Jes 7,16)? Das ist ihm nicht zuzutrauen, denn er war ein Mann von großem Weitblick und gesundem politischen Urteil.

Dann aber muß damit gerechnet werden, daß der Marsch auf Jerusalem erst kurz vor dem Eingreifen der Assyrer, also 733, geschah[41]. Das würde

---

[39] Die V.5a.6–9 sind als spätere Interpretamente anzusehen.

[40] Auch dieser Text ist durch Zusätze angereichert worden: str. V.1aβb (aus 2.Kön 16,5); 5b; 8b; 15; vielleicht auch 17(?).

[41] Für diese Zeitdifferenz läßt sich noch ein weiteres, allerdings sehr hypothetisches Argument ins Feld führen. In Jes 7,14 wird die Geburt eines Kindes als unmittelbar bevorstehend

heißen, daß die Pläne der Verbündeten 734 nicht mehr zum Zuge gekommen sind. Gründe sind nicht bekannt, aber es lassen sich welche denken. Das Jahr stand nicht mehr an seinem Beginn. Ließ sich Jerusalem nicht im Handstreich nehmen, dann mußte man sich auf eine längere Belagerung einrichten. Vielleicht erschienen die militärischen Mittel dazu nicht ausreichend oder die Jahreszeit zu weit fortgeschritten, so daß ein ergebnisloser Abbruch der Belagerung zu befürchten stand, weil die Bauern heim auf ihre Felder strebten. Ferner ist zu berücksichtigen, daß die Koalition allem Anschein nach ziemlich rasch zustandegekommen war. Vielleicht ergaben sich daraus politische oder strategische Meinungsverschiedenheiten unter den Verbündeten, die das weitere gemeinsame Vorgehen betrafen. Wir wissen es nicht. Jedenfalls wurde der Plan im Frühjahr 733 wiederaufgenommen und nun unverzüglich in die Tat umgesetzt. In diese Situation gehört Jes 10,27b–34[42]. Die Alliierten rückten nicht, wie man hätte erwarten sollen, auf der Hauptstraße entlang der Wasserscheide des Gebirges von Norden gegen Jerusalem vor, sondern auf einem schwierigeren östlichen Nebenwege über Rimmon *(Rammūn)*, Michmas *(Muḫmās)*, Geba *(Ǧebaʿ)* nach Nob (auf dem *Rās el-Mušārif*). Der Sinn dieses beschwerlichen Anmarsches bestand darin, die judäische Grenzbefestigung Mizpa *(Tell en-Naṣbe)* zu umgehen und erst südlich von ihr auf die Hauptstraße zu stoßen. Jesaja rechnete in dieser gefahrvollen Lage zwar nicht mehr – wie ein Jahr früher – mit dem Ausbleiben des Angriffs, wohl aber mit einem Gotteswunder zugunsten des Ahas und Jerusalems. Daraus folgt, daß die von Jesaja so hart verurteilte Politik der Anlehnung an Assyrien bis jetzt noch nicht realisiert worden war[43]. Ahas zögerte bis zum letzten Augenblick, die Gesandtschaft an Tiglatpileser III. abgehen zu lassen. Erst als er keinen Ausweg mehr sah, entschloß er sich dazu. Diesen Stand der Dinge setzen voraus: Jes 8,5–8[44]; 8,9–10[45]; 8,11–15; Hos 5,8–9. Es dürfte kaum viel mehr als eine Woche vergangen sein, bis sich die assyrische Armee in Marsch setzte. Auf die Nachricht von ihrem Vorrücken hin muß-

---

angekündigt, das den Namen Immanuel „Mit uns ist Gott" erhalten soll, und zwar zum Zeichen, daß Jahwe mit Juda sein werde und deshalb kein Anlaß bestehe, zu verzagen. Die Identität dieses Immanuel ist strittig. Sollte er ein Sohn des Propheten Jesaja gewesen sein – eine Annahme, die mir trotz der klugen Überlegungen von M. Görg, Hiskija als Immanuel. Plädoyer für eine typologische Identifikation. BN 22 (1983) 107–125, noch immer wahrscheinlich ist –, dann ist klar, daß die Geburt des Jesajasohnes Eilebeute-Raubebald *(Mahēr-šālāl-ḥāš-baz)* Jes 8,1–4 nicht wohl früher als mindestens 10–11 Monate nach der Geburt des Immanuel erfolgt sein kann. Auch Jes 8,1–4 steht noch immer im Zeichen des syrisch-ephraimitischen Krieges. Diese Erwägung gilt natürlich nur unter der Annahme derselben Mutter für beide Söhne.

[42] V. 34 ist Zusatz.

[43] Das alles gilt natürlich nur unter der Voraussetzung, daß ich Jes 10,27b–34 historisch richtig lokalisiert habe; vgl. H. Donner, Israel unter den Völkern. SVT 11 (1964) 30–38; ferner: Der Feind aus dem Norden. ZDPV 84 (1968) 46–54. Die These, an der ich festhalte, hat wenig Gegenliebe gefunden. Anders z. B. H. Wildberger, Jesaja. BK 10 (1972) 423–435.

[44] Ohne *ʿImmānū-ʾēl* V. 8.

[45] Ohne *kī ʿImmānū-ʾēl* V. 10.

ten die Verbündeten ihre Streitkräfte von Jerusalem abziehen. Die Judäer stießen sofort nach und eroberten ein Stück ephraimitischen Territoriums: Hos 5,10. In einem Zeitraum von wahrscheinlich nur wenigen Wochen, etwa zwischen Mai und Juli 733, brach die Koalition zusammen. Tiglatpileser III. belagerte Damaskus und fiel in Nordisrael ein. Während er durch die Verteidigungskraft Raṣyāns bis 732 vor Damaskus festgehalten wurde, führte das Unternehmen gegen Israel sofort zum gewünschten Erfolg: zur Überführung des Staates Israel in das 2. Stadium der Vasallität. Dieses Ergebnis setzen voraus: Hos 5,1f.; 5,11; 8,7–10; 5,12–14; 5,15 – 6,6 – und zwar in dieser chronologischen Reihenfolge.

Nach der Eroberung von Damaskus und der Einsetzung des Hosea (731–723) als Vasallenkönig von Ephraim blieb die Lage im syrisch-palästinischen Staatensystem für nahezu ein Jahrzehnt unverändert. Tiglatpilesers III. Eingriff in das Gefüge der Kleinstaaten auf der Landbrücke hatte eine nachhaltig lähmende Wirkung auf die Emanzipationsgelüste der Vasallen. Es war die Ruhe nach dem Sturm. Das gilt auch für Juda und den Rumpfstaat Ephraim, die beide im Vasallitätsverhältnis gegenüber Assyrien verharrten und keinerlei Befreiungsversuche unternahmen. Fast alle Staaten der syropalästinischen Landbrücke zahlten Tiglatpileser Tribut. Der Großkönig nennt sie mehrfach, am ausführlichsten in der Tontafelinschrift K 3751 (= II R 67), Z.7′–12′: Kummuḫ, Quë, Byblos, Hamath, Samʾal, Gurgum, Milid, Tuna, Tuḫana, Išunda, Arwad, Ammon, Moab[46], Askalon, Juda[47], Edom und Gaza. Das ist eine eindrucksvolle Liste, deren geographische Ordnung freilich zu wünschen übrig läßt. Außerdem ist es eine gewachsene Liste[48], die man nicht etwa mit einer Aufzählung der Koalitionspartner des syrisch-ephraimitischen Krieges verwechseln darf. Hosea von Ephraim fehlt. Das ist merkwürdig; denn der Text stammt frühestens aus dem Jahre 729. War dieser Hosea derart unbedeutend, daß sich nicht einmal seine Nennung als Tributär lohnte? Wir wissen es nicht. Jedenfalls blieb die Lage unverändert, auch als Tiglatpileser III. 727 starb und sein Sohn Salmanassar V. den assyrischen Thron bestieg. Weder Ahas noch Hosea sind der Versuchung erlegen, die stets bei Thronwechseln im assyrischen Reiche entstehende Krisensituation politisch für sich auszunutzen.

Im Jahre 724 jedoch hielt Hosea von Ephraim die Zeit für gekommen, Assyrien die Treue aufzukündigen. Er stellte die Tributzahlungen an Salmanassar V. ein und begann, diplomatische Fühlung mit Ägypten aufzu-

---

[46] Einzelheiten über die Beziehungen Moabs zu Assyrien aus den Nimrūd-Briefen bei H. Donner, Neue Quellen zur Geschichte des Staates Moab in der 2. Hälfte des 8. Jh. v. Chr. Mitteilungen des Instituts f. Orientforschung 5 (1957) 155–187; E. Olávarri, Moab en nuevo documento asirio del s. VIII a. C. Estudios Bíblicos 21 (1962) 315–324; S. Mittmann, Das südliche Ostjordanland im Lichte eines neuassyrischen Keilschriftbriefes aus *Nimrūd.* ZDPV 89 (1973) 15–25.

[47] *^{I}Ja-ú-ḫa-zi ^{KUR}Ja-ú-da-a-a*, d.h. Jehoahas *(Yehōʾāḥāz)* = Vollform des Namens Ahas.

[48] Vgl. M. Weippert, a.a.O. (s.o. Anm. 5), S. 53.

nehmen, um politische und gegebenenfalls auch militärische Rückendekkung zu erhalten (2. Kön 17,4).

Mit wem verhandelte er dort? Wir wissen es leider nicht. Ägypten stand um jene Zeit im Zeichen der wachsenden Macht der 25. äthiopischen Dynastie. Freilich war es den Äthiopen noch nicht gelungen, ganz Ägypten unter ihrem Szepter zu vereinigen, abgesehen vom Augenblickserfolg des Pharao Pianchi um 730. Im Nildelta und in Mittelägypten gab es eine Vielzahl selbständiger Teilfürstentümer, darunter die sog. 24. Dynastie des Tefnachte von Sais und seines Sohnes Bokchoris[49]. Es ist wahrscheinlicher, daß sich Hosea an einen oder mehrere dieser Teilkönige wandte als an die geographisch weit entfernten Äthiopen. 2. Kön 17,4 weiß es allerdings ganz genau: Hosea verhandelte mit „Sōʾ, dem König von Ägypten“[50]. Das ist nicht Tefnachte von Sais unter seinem Horusnamen *Sjȝ-ib*[51], auch nicht der Ortsname Sais[52] oder *Sȝw* „der Sait“[53], sondern nach aller Wahrscheinlichkeit nichts anderes als das ägyptische Wort für König: *nj-św.t* > *nśw.t* > *nśw* > *Sō*ʾ[54]. Mit einem Wort: auch 2. Kön 17,4 weiß es nicht besser als wir.

Hoseas Aktion war, wie immer man die Sache betrachtet, ein folgenschwerer politischer Mißgriff. Man begreift nicht, wie er dazu kam, ausgerechnet 724 einen Aufstand zu riskieren. Zwar besitzen wir keine Inschriften Salmanassars V., aber es gibt auch keinerlei Anzeichen dafür, daß das neuassyrische Großreich in einer innen- oder außenpolitischen Krise gesteckt hätte. Hosea mußte sich sagen, daß er es wahrscheinlich mit Assyrien in seiner ganzen ungeteilten Macht zu tun bekommen würde – und wenn nicht, dann doch immerhin mit Kräften, die zu seiner Vernichtung vollkommen ausreichen würden. Überdies hatte er keineswegs ein geeintes Ägypten hinter sich, das ernsthaft als Gegengewicht zu Assyrien hätte gelten können. Ob sich andere syropalästinische Staaten an der Konspiration beteiligten, wissen wir nicht: wäre es in größerem Umfange geschehen, dann hätten wir vielleicht doch eine Spur davon; war aber der Umfang klein, dann bedeutete es kaum einen Kräftezuwachs, der das Unternehmen aussichtsreich gemacht hätte. Hosea von Ephraim hatte keine Chance. Vielleicht ist er von der assurfeindlichen Partei am Hofe in Samaria unter Druck gesetzt, mit Sturz bedroht und so gezwungen worden, zur Unzeit auf antiassyrischen Kurs einzuschwenken.

---

[49] S. o. S. 292.

[50] Früher glaubte man diesen Sōʾ (vokalisiert *Sewe* o. ä.) mit einem ägyptischen Feldherrn identifizieren zu können, der in den Inschriften Sargons II. genannt wird: *ISíb-ʾe-(e) LÚtar-ta-nu KURMu-ṣu-ri.* Diese Gleichung ist aufzugeben, seit R. Borger erkannt hat, daß das Sumerogramm SIPA „Hirt“ in neuassyrischer Zeit nicht syllabisch síb gelesen wurde. Es heißt also SIPA *ʾe-(e)* = *Rēʾê ʾe-(e)*, Genetiv zu *rēʾû* „Hirt“. Vgl. R. Borger, Das Ende des ägyptischen Feldherrn Sibʾe. JNES 19 (1960) 48 ff.; H. Goedicke, The End of „So, King of Egypt“. BASOR 171 (1963) 64 ff.

[51] So R. Sayed, Tefnakht ou Horus Sȝ-(IB). VT 20 (1970) 116–118.

[52] So H. Goedicke, 727 v. Chr. WZKM 69 (1977) 1–19.

[53] So D. B. Redford, A Note on II Kings 17,4. Journal of the Society for the Study of Egyptian Antiquities 11 (1981) 75 f.

[54] Vgl. R. Krauss, Sō, König von Ägypten – ein Deutungsvorschlag. MDOG 110 (1978) 49–54.

Was kommen mußte, kam ohne Verzug: Salmanassar V. zögerte keinen Augenblick, die gegen ihn gerichtete Bewegung gewaltsam zu unterdrükken. Es gelang ihm, der Person des Königs Hosea habhaft zu werden (2. Kön 17,4). Die Residenz Samaria konnte sich immerhin drei Jahre lang – das Jahr des Aufstandes mitgerechnet – gegen die assyrische Belagerung halten (2. Kön 17,5). Erst 722, kurz vor dem Tode Salmanassars V. und dem Regierungsantritt Sargons II., erlag die Stadt dem assyrischen Ansturm (2. Kön 17,6). Zwar hat sich Sargon II. in seinen Inschriften mehrfach der Eroberung von Samaria gerühmt, aber es darf als sicher gelten, daß die Stadt noch unter Salmanassar V. fiel[55]. Allerdings war es dann Sargon, der die politischen Konsequenzen aus dem Siege zog. Der Rumpfstaat Ephraim wurde zur assyrischen Provinz *Samerīna* gemacht, zur vierten und letzten Provinz auf dem Boden des Staates Israel[56]. Die Oberschicht wurde nach Mesopotamien und Medien deportiert (2. Kön 17,6), eine neue Oberschicht vor allem aus Babylonien und Mittelsyrien angesiedelt (2. Kön 17,24). Ägypten war, wie nicht anders zu erwarten, gar nicht erst auf der Bildfläche erschienen. Damit hatte der letzte Rest des Nordstaates Israel zu bestehen aufgehört: das dereinst von Saul begründete Reich war untergegangen.

Aus der assyrischen Provinz *Samerīna* – hier liegt übrigens der Ursprung für den Gebrauch des Namens Samaria als Landschaftsbezeichung – hört man für die nächste Zeit nicht allzu viel[57]. Der dtr Leitartikel 2. Kön 17,7–41 begründet ausführlich, warum alles so hatte kommen müssen. Er enthält einige konkrete Nachrichten, deren Herkunft jedoch unbekannt ist und die vielleicht nicht einmal alle ursprünglich in diesen Zusammenhang gehörten. Immerhin ist soviel deutlich, daß die Bevölkerung durch die Deportation einen beträchtlichen Aderlaß erlitten hatte. Sargon II. beziffert in einem seiner Texte[58] die Zahl der Weggeführten auf 27 280; sie sind niemals wieder heimgekehrt. Die neue Oberschicht, woher immer sie gekommen sein mag, vermischte sich im Laufe der Zeit mit der bodenständigen Landbevölkerung. Religionspolitisch ließen die Assyrer die Zügel anscheinend locker: die neue Oberschicht brachte ihre Götter mit[59], und die israelitische Bevölkerung verehrte weiterhin Jahwe – und

---

[55] So nach der Babylonischen Chronik CT 34,47, Kol. I, Z. 27–32 (AOT², 359 f.; ANET³, 301 f.; TGI³, 60; TUAT I, 4. 401 f.). Vgl. H. Tadmor, The Campaigns of Sargon II of Assur: A Chronological-Historical Study. JCS 12 (1958) 22 ff. 77 ff. (bes. 33–40); vgl. auch E. Vogt, Biblica 39 (1958) 535–541.

[56] Vgl. A. Alt, Das System der assyrischen Provinzen auf dem Boden des Reiches Israel [1929]. KS 2, 188–205.

[57] Zu einigen Kaufverträgen aus Gezer und Samaria: K. Galling, Assyrische und persische Präfekten in Geser. PJB 31 (1935) 75–93 (bes. 81–86); A. Alt, Lesefrüchte aus Inschriften. 4. Briefe aus der assyrischen Kolonie in Samaria. PJB 37 (1941) 102–104.

[58] Vgl. TGI³, 60 f.

[59] Die Namen dieser Götter sind in 2. Kön 17,30 f. in so fürchterlichem Zustande überliefert, daß man fast gar nichts damit anfangen kann: *Sukkōt-Bᵉnōt*, *Nẹ̄rgal*, *'Ašīmā*, *Nibḥaz* (oder *Nibḥan*), *Tartaq*, *'Adrammelek* (or. *'ᴬdarmelek*) und *ʿᴬnammelek*. Nergal ist eine babylo-

sicher nicht Jahwe allein (2. Kön 17,29–34). Die Priesterschaft des Reichsheiligtums von Bethel war exiliert worden. Als nun eine Löwenplage ausbrach, schrieb man das der Rache des Landesgottes zu, und der König von Assyrien ließ einen deportierten Jahwepriester nach Bethel heimkehren (2. Kön 17,25–28); der mag den dortigen Jahwekult weitergeführt haben. Wir wissen freilich auch nicht annähernd, aus welcher Zeit diese Geschichte stammt[60]. Mindestens noch zweimal sind später neue Kolonistenschübe ins Land gekommen: unter Asarhaddon (Esra 4,2; Jes 7,8 b) und unter Assurbanipal (Esra 4,10). Sie haben die Bevölkerungszusammensetzung gewiß weiter verändert. Wir gehen mit der Annahme kaum fehl, daß hier wenigstens eine der Wurzeln für die fortschreitende Entfremdung des alten israelitischen Nordens gegenüber Juda liegt, die sich später in nachexilischer Zeit mehr und mehr verfestigte, bis hin zum sog. samaritanischen Schisma[61]. Der Norden jedenfalls, ehedem im Zentrum des Kräftespiels auf der syropalästinischen Landbrücke, schied erst einmal aus. Nutznießer dieser von Assyrern eingeleiteten Entwicklung ist auf lange Sicht Jerusalem gewesen.

KAPITEL 3

Der Staat Juda unter der Oberhoheit der Assyrer

Der Thronwechsel von Salmanassar V. (727–722) auf Sargon II. (722–705) verlief keineswegs so glatt wie der im Jahre 727 voraufgegangene von Tiglatpileser III. auf Salmanassar V. Denn Sargon kam als Usurpator durch einen Staatsstreich zur Macht, gestützt auf eine Revolte-Partei in der alten Hauptstadt Assur, deren Privilegien schon Tiglatpileser III. nicht unerheblich beschnitten hatte und die unter Salmanassar V. – wenn man dem Nachfolger Glauben schenken darf – noch einmal durch den Entzug der Steuerfreiheit und durch die Verpflichtung zum Frondienst zu leiden gehabt hatte. Die Vorgänge sind in Dunkel gehüllt. Es scheint, als sei Salmanassar fern seiner Hauptstadt kurz nach dem Ende der Belagerung von

---

nische und ʾAšîmā eine syrische Gottheit. Sind die anderen und ist die ganze Liste Produkt späterer gelehrter Spekulation? Vgl. auch J. Ebach – U. Rüterswörden, ADRMLK, „Moloch" und Baʿal ADR. Eine Notiz zum Problem der Moloch-Verehrung im alten Israel. UF 11 (1979) 219–226.

[60] Das alte Heiligtum von Silo (*Ḫirbet Sēlūn*) scheint nicht schon vor 1000 v. Chr., sondern erst jetzt, im Zusammenhang des Endes des Nordstaates, zerstört worden zu sein. Vgl. J. van Rossum, Wanneer is Silo verwoest? NTT 24 (1969/70) 321–332; R. A. Pearce, Shilo and Jer. VII 12.14 & 15. VT 23 (1973) 105–108.

[61] S. u. S. 435 f.

Samaria[1] gewaltsam beseitigt worden. Über die Herkunft des Usurpators läßt sich nichts ermitteln. Er spricht nicht darüber. Vielleicht war er Offizier gewesen; auch für einen Sohn Tiglatpilesers III. hat man ihn schon gehalten[2]. Nicht einmal sein Name ist zweifelsfrei bekannt; denn Sargon, akkad. *Šarru-kēnu* „rechtmäßiger König", war wohl ein Thronname, den er erst anläßlich seines Regierungsantrittes annahm, um die Illegitimität seiner Thronfolge zu verdunkeln. Außerdem enthielt der Name ein außenpolitisches Programm: so hatte ja doch der berühmte Reichsgründer Sargon I. von Sumer und Akkad (um 2350 v. Chr.) geheißen. Natürlich mußte Sargon II. den Kreisen, die ihm zur Macht verholfen hatten, gefällig sein. In diesen Zusammenhang gehört wahrscheinlich die in den Inschriften mehrfach berichtete Rückgabe von Privilegien an die Bürger der Städte Assur und *Ḫarrān* (Befreiung von der Fron, Steuer- und Zollfreiheit) und die Freistellung der Tempel dortselbst von allen fiskalischen Verpflichtungen. Das brachte Sargon die Unterstützung der Wirtschaftsmagnaten des Landes und der Priesterschaft ein, bedeutete aber zugleich eine gewisse Verschiebung der Gewichte auf dem Sektor der Innenpolitik, deren Wirkungen sich schwer abschätzen lassen. Jedenfalls waren die ersten Monate der Regierung des Usurpators nicht frei von Schwierigkeiten, deren Überwindung große Klugheit, Besonnenheit und Entschlossenheit erforderte.

Selbstverständlich hatte das alles außenpolitische Folgen: das Knistern im Gebälk des Riesenreiches konnte im Kranz der Provinzen und Vasallenstaaten nicht unbemerkt und ohne Folgen bleiben. Wenn überhaupt, dann schien jetzt der Zeitpunkt für die Unterworfenen gekommen, die assyrischen Fesseln abzuwerfen und politische Selbständigkeit wiederzuerlangen. Wie auf Kommando flammten denn auch alsbald nach Sargons Thronbesteigung in unterschiedlichen Teilen des Reiches Aufstände auf: von Osten her rückte *Ummanigaš* (eigentlich *Ḫumbannikaš*) von Elam vor, in Babylonien strebte der Aramäer (Chaldäer) *Markud-apla-iddina* – der Merodachbaladan des AT[3] – zur Krone, im Westen erhoben sich Koalitionen unter *Ilu-bi'di* (oder *Jau-bi'di*) von Hamath und *Ḫanūnu* von Gaza. Sargon handelte klug, als er zunächst einmal eine Art Stillhalteabkommen mit *Marduk-apla-iddina* schloß, das diesem 721 den babylonischen Thron einbrachte[4]. Aber er zögerte zu sehr, und das gab den Vasallen in Syrien und Palästina Gelegenheit, ihre antiassyrischen Bündnisse zu konsolidieren; denn es war klar, daß keiner der Kleinstaaten der Landbrücke allein gegen Assyrien würde antreten können. Es hat den Anschein, als hätten sich zwei Zentren des Widerstandes gebildet, von denen nicht mit Bestimmtheit zu sagen ist, ob und inwieweit sie miteinander im Einverneh-

---

[1] S. o. S. 315

[2] E. Unger, Sargon II. von Assyrien, der Sohn Tiglatpilesers III. (1933).

[3] S. u. S. 324 f.

[4] *Marduk-apla-iddina* hatte vorher militärische Unterstützung von seiten der Elamiter erhalten; vgl. J. A. Brinkman, Elamite Military Aid of Merodach-Baladan. JNES 24 (1965) 161–166.

men standen. In Mittelsyrien sammelte *Ilu-bi'di*, der König des im 2. Stadium der Vasallität stehenden Reststaates von Hamath, eine Koalition aus den Vasallenstaaten Arpad und Simirra und den Provinzen Damaskus und *Samerīna*. Das assyrische Herrschaftsgefüge im Westen muß ganz erheblich ins Wanken geraten sein, wenn sich sogar Provinzen an dergleichen Unternehmungen beteiligten. In Palästina suchte der bereits aus der Zeit Tiglatpilesers III. bekannte Philisterfürst *Ḫanūnu* von Gaza[5] Verbindung mit Ägypten; ferner bemühte er sich um den Anschluß Judas und wohl auch einiger Araberstämme der Wüste. Die dtr Geschichtsschreiber haben diese Koalitionsverhandlungen mit Schweigen übergangen. Wir wissen davon ausschließlich durch einen Spruch des Propheten Jesaja, der mit Sicherheit in diese Zeit gehört (Jes 14,28–32):

(28) „Im Todesjahr des Königs Ahas geschah folgender Ausspruch:
(29) Freue dich nicht, ganz Philistäa, daß der Stock, der dich schlug, zerbrochen ist!
Denn aus der Wurzel der Schlange wird ein Basilisk hervorgehen, und dessen Frucht wird ein fliegender Drache sein:
(30b) ‚der wird' durch Hunger ‚deinen Samen' töten und was von dir übrigbleibt umbringen.
(31) Heule, Tor! Schreie, Stadt! Erzittere, Philistäa!
Denn von Norden kommt eine Rauchwolke, und niemand ‚zählt' ihre Scharen!
(32) Und was soll man den fremden Boten antworten?
Daß Jahwe den Zion gegründet hat! Auf ‚dem' werden die Elenden seines Volkes Zuflucht haben,
(30a) und die Allergeringsten werden weiden und die Armen sichere Ruhe finden."[6]

Die Überschrift des Spruches (V. 28) ist sekundär und will auch chronologisch nicht passen[7]. Man kann erkennen, daß Jesaja ein Gegner des Anschlusses Judas an die antiassyrische Koalition war. Dieser Anschluß ist denn auch nicht zustandegekommen. Juda blieb neutral, und wir wissen leider nicht, ob diese kluge Neutralitätspolitik durch den Einfluß des Pro-

---

[5] S. o. S. 305. 310.

[6] Aus Sachgründen gehört V. 30 a hinter V. 32 an das Ende des Spruches. V. 30 b: L. nach LXX 3. P. m. sg. *wᵉhēmīt* statt 1. P. *wᵉhēmattī* und *zarʿēk* statt des aus V. 29 eingedrungenen *šāršēk* „deine Wurzel". – V. 31: *kullēk* ist vielleicht als Glosse aus V. 29 zu streichen. Die Lesart von I Q Is[a] *mōdēd* statt des sinnlosen *bōdēd* ist vorzuziehen. – V. 32: L. mit I Q Is[a] *ūbō* statt *ūbāh*? – Vgl. insgesamt H. Donner, Israel unter den Völkern. SVT 11 (1964) 110–113; A. K. Jenkins, Isaiah 14,28–32 – An Issue of Life and Death. Folia Orientalia 21 (1980) 47–63 (die Streichung von V. 30 ist nicht überzeugend).

[7] Der Übergang von Ahas auf Hiskia ist chronologisch unsicher: Begrich und Jepsen 725, Thiele 716/5, Andersen 715/4. Keines dieser Daten kommt für Jes 14,28–32 ernsthaft in Betracht.

pheten zustandekam oder wenigstens gefördert wurde. Jedenfalls verhielt sich König Hiskia vorsichtig und vermied fürs erste, sich in gegen Assyrien gerichtete Unternehmungen hineinziehen zu lassen.

Im Jahre 720 v. Chr. war es soweit: Sargon II. ging daran, die Verhältnisse im Westen seines Reiches zu ordnen[8]. Er schlug zunächst die Verbündeten der Nordkoalition bei Qarqar (*Ḫirbet Qerqūr*) am unteren Orontes, eroberte und zerstörte Hamath, nahm *Ilu-bi'di* gefangen und rekrutierte in Hamath Truppen und Kriegsmaterial für seine Armee. Hamath trat ins 3. und letzte Stadium der Vasallität; es wurde assyrische Provinz. Danach wandte sich Sargon nach Süden, schlug *Ḫanūnu* von Gaza und seinen ägyptischen Verbündeten *Rē'û*[9] bei *Rapiḫu (Refaḥ)*, etwa 25 km südwestlich von Gaza, und beendete damit die Konspiration. *Ḫanūnu* wurde deportiert; Gaza trat in das 2. Stadium der Vasallität. Ob auch die anderen Philisterstädte, die nach Jes 14,29.31 beteiligt gewesen zu sein scheinen, läßt sich nicht sagen. Der Ägypter *Rē'û*, General *(tartānu)* eines der Teilfürsten des Nildeltas, zog sich alsbald nach der verlorenen Schlacht in seine Heimat zurück. Sein Herr *Pir'u šar* *KUR**Muṣuri* „Pharao, der König von Ägypten" brachte Sargon Tribute, wahrscheinlich in der Absicht, politische Weiterungen des mißglückten Unternehmens zu verhindern. Sollte das Bokchoris, der Sohn des Tefnachte von Sais, gewesen sein[10]? Niemand weiß es.

In den nächsten Jahren war Sargon II. im Nordwesten, Norden und Nordosten seines Reiches beschäftigt, entweder um die Emanzipationsbestrebungen mehr oder minder großer Vasallen zu dämpfen oder bedrängten Vasallen zu Hilfe zu eilen: 719 bei den Mannäern südlich des Urmia-Sees, 718 im ostkleinasiatischen Tabal, 717 in Karkemisch *(Ǧerāblus)* und auch in den folgenden Jahren hier und dort. Die treibende Kraft im Hintergrunde war das unter Rusa (ca. 730–714), dem Nachfolger Sardurs III., wieder mächtig erstarkende und expandierende Reich von Urartu, dessen Interessen allerorten, besonders aber in *Muṣaṣir* am Oberlauf des Großen *Zāb*[11], mit denen Assyriens kollidierten. Diese Auseinandersetzungen verschafften der syropalästinischen Landbrücke eine Atempause.

Aus dem Jahre 716 ist eine Maßnahme überliefert, die den Südrand Palästinas betraf, obwohl dort keineswegs ein Aufstand ausgebrochen war[12]: Sargon II. hatte 720 den Ort *Rapiḫu (Refaḥ)* nicht nur zerstört, sondern auch die Bevölkerung zu großen Teilen deportiert und damit ein Vakuum

---

[8] AOT², 348 f.; ANET³, 284 f.; TGI³, 62; TUAT I, 4, 383 und verwandte Texte.

[9] S. o. S. 314, Anm. 50.

[10] S. o. S. 292. 314.

[11] Vgl. R. Follet, RSO 32 (1957) 61–81.

[12] Vgl. E. F. Weidner, Šilkan(ḫe)ni, König von Muṣri, ein Zeitgenosse Sargons II. Nach einem neuen Bruchstück der Prisma-Inschrift des assyrischen Königs. AfO 14 (1941–44) 40–53; G. Ryckmans, *Ši-il-kan-ni*, *Ši-il-ḫe-ni* = arabe préislamique *Slḥn*? Ebenda 54–56. Zur Auswertung vgl. A. Alt, Neue assyrische Nachrichten über Palästina. I. Zur Besetzung des palästinisch-ägyptischen Grenzgebietes [1945]. KS 2, 226–234.

geschaffen, das er jetzt zu füllen für richtig hielt. Er siedelte nach geläufiger assyrischer Praxis Deportierte aus anderen Teilen des Reiches in der Nachbarschaft des 734 von Tiglatpileser III. errichteten Stützpunktes *Naḫal Muṣur*[13] an. Mit dem Aufseheramt über diese neue Kolonie betraute er den Scheich *(nasīku)* des assurtreuen Ortes Laban *(Tell Abū Selēme?)* unweit von *Rapiḫu.* Das hatte den Vorteil, daß die bevölkerungspolitisch verdünnte Zone zwischen dem neuassyrischen Großreich und Ägypten fest in assyrische Hände kam und Assyriens Position gegenüber Ägypten stärker machte als vordem. Die Wirkung blieb nicht aus: Sargon II. empfing den Tribut des *Šilkanni*[14], Königs von Ägypten, wohl ein sonst nicht bekannter Kleinfürst des östlichen Nildeltas[15].

Kurze Zeit später kam es in der philistäischen Küstenebene erneut zu Unruhen. Darüber unterrichten die große Prunkinschrift und ein Prismenfragment Sargons II.[16], ferner aus dem AT Jes 20, eine Prosaerzählung nach Art der in 2. Kön 18, 13–20, 19 (Jes 36–39) überlieferten Jesajalegenden. Sargon datiert die Ereignisse in sein 11. Regierungsjahr, also 712/11. Jes 20 aber lehrt, daß die Vorgeschichte mindestens bis 713, wenn nicht noch weiter, zurückreicht. Der Stadtkönig des philistäischen Asdod *(Esdūd)* namens *Azuri* hatte damals die Tributzahlungen an Assyrien eingestellt und sich um die Bildung einer antiassyrischen Koalition aus Philistäa, Juda, Moab, Edom und Ägypten bemüht[17]. Welche Gründe ihn dazu bewogen, ist ungewiß; vielleicht gab die 716 erfolgte Einrichtung einer assyrischen Kolonie in und um *Rapiḫu*, die den Vasallen des Südens den Zugang nach Ägypten erschwerte, einen der Anlässe. Soweit erkennbar, gelang es Sargon zunächst, die Lage ohne militärische Aktion unter Kontrolle zu bekommen. Er setzte *Azuri* kurzerhand ab und dessen Bruder *Aḫimiti* als Stadtfürst von Asdod ein. Damit hätte die Sache erledigt sein können. Aber die Stadtaristokratie von Asdod akzeptierte die Entscheidung des Großkönigs nicht und verhalf einem Manne namens *Jamani* zur Macht, der unverzüglich auf den antiassyrischen Kurs des *Azuri* zurückschwenkte. Im Jahre 711 hielt Sargon nun doch einen militärischen Eingriff für nicht mehr vermeidbar. Er war zu Beginn dieses Jahres damit beschäftigt, den nordsyrischen Kleinstaat Gurgum aus dem 2. ins 3. Stadium

---

[13] S. o. S. 306.

[14] So endgültig der Name; vgl. W. F. Albright, Further Light on Synchronisms between Egypt and Asia in the Period 935–685 B. C. BASOR 141 (1956) 23–27.

[15] Die von Albright u. a. empfohlene Identifikation des *Šilkanni* mit einem der Osorkon (ägypt. *Wśrkn*) geheißenen Könige der 23. Dynastie von Tanis scheitert an der Chronologie. Die 23. Dynastie ist etwa zeitgleich mit der späteren Phase der 22. libyschen Dynastie und endete um 730 v. Chr. Aber ein anderweitig ganz unbekannter Osorkon könnte es schon gewesen sein.

[16] ARAB II, §§ 62. 193–195; AOT², 350 f.; ANET³, 286 f.; TGI³, 63 f.; TUAT I, 4, 381 f. 384 f.

[17] Vgl. A. Alt, Neue assyrische Nachrichten über Palästina. II. Zur Errichtung der Provinz Asdod [1945]. KS 2, 234–241.

der Vasallität zu überführen, d.h. in eine assyrische Provinz zu verwandeln. Wahrscheinlich von dort aus sandte er eine Heeresabteilung unter Führung eines Generals *(tartānu)* nach Palästina, und der belagerte und eroberte Asdod, *Gimtu* (= Gath, *Tell eṣ-Ṣāfī?*) und *Asdudimmu* (d.h. Asdod am Meer, *Mīnet el-Qalʿa*). Die erhoffte ägyptische Waffenhilfe, mit der auch der Prophet Jesaja gerechnet zu haben scheint (Jes 20,4f.), blieb wieder einmal aus. *Jamani* floh dennoch nach Ägypten und erbat dort politisches Asyl. In Ägypten hatte der 716 zur Regierung gekommene Äthiope Schabaka inzwischen die Fürstentümer des Deltas unterworfen und das Land geeinigt[18]. Er sah keinerlei Veranlassung, sich mit dem gefährlichen assyrischen Nachbarn anzulegen und lieferte *Jamani* aus. Das weitere war nur noch Sache der Administration. Die Oberschicht der eroberten philistäischen Ortschaften wurde deportiert, fremde Kolonisten angesiedelt und das Gebiet zur assyrischen Provinz unter einem Administrator *(bēl pāḫati)* gemacht. Die übrigen Teilnehmer der Koalition hatten sich anscheinend rechtzeitig aus der Sache zurückgezogen und kamen mit dem Schrecken davon. So auch Hiskia von Juda, dem Jesaja dringend von der Beteiligung abgeraten hatte[19]. Er zog sich zurück und hat damit die Katastrophe für Juda um genau ein Jahrzehnt aufgehalten.

Sargon II. widmete sich in der Folgezeit hauptsächlich der Befriedung Babyloniens, dessen Thron er 710 selber bestieg, und dem Ausbau seiner neuen Residenz *Dūr-Šarrukēn* „Sargonsburg" *(Ḫorṣabād).* Es kam zu seinen Lebzeiten nicht mehr zu Aufständen in Syrien und Palästina; der Schlag gegen Asdod hatte die Emanzipationsbestrebungen der Vasallen gedämpft. Erst 705, nach dem Tode Sargons und der Thronbesteigung seines Sohnes Sanherib (705–681), begann es im Südwesten des Reiches wieder unruhig zu werden. Diesmal war es der bisher so vorsichtige Hiskia von Juda (725–697)[20], der aus unbekannten Gründen die Zeit für gekommen hielt, antiassyrischen Kurs einzuschlagen. Der Thronwechsel in Assur mag ihn ermutigt haben. Während in früheren Jahren jeweils andere versucht hatten, ihn für Konspirationen zu gewinnen, bemühte er sich nun selber um das Zustandekommen eines tragfähigen antiassyrischen Bündnisses. Darüber und über die sich daraus ergebenden Ereignisse unterrichten folgende Quellen:

---

[18] S.o. S.292.

[19] Vgl. H.L.Ginsberg, Reflexes of Sargon in Isaiah after 715 B.C.E. JAOS 88 (1968) 47–53.

[20] Auch die Chronologie Hiskias ist nicht ganz sicher: Begrich 725/24–697/96, Jepsen 725–697 (oder 728–700), Thiele 716/15–687/86, Andersen 715/14–697/96. Vgl. zu den Problemen S.H.Horn, The Chronology of King Hezekiah's Reign. AUSS 2 (1964) 18–26; E.R. Thiele, The Azariah and Hezekiah Synchronisms. VT 16 (1966) 103–107; J.B.Payne, The Relationship of the Reign of Ahaz to the Accession of Hezekiah. Bibliotheca Sacra 125 (1968) 40–52.

1. die Inschriften Sanheribs[21], unter ihnen insbesondere der sog. Taylor-Zylinder (ein sechsseitiges Tonprisma) Kol. II, 34–III, 41[22], das Chicago-Prisma, die Stierinschrift aus Ninive[23], dazu die Reliefs der Eroberung von Lachisch aus dem Palast Sanheribs in Ninive[24].
2. 2. Kön 18,7 b: ein dtr Exzerpt aus den Annalen der Könige von Juda.
3. Jesaja-Überlieferungen, näherhin: a) Sprüche des Propheten Jesaja[25] (18; 30,1–5; 31; 22,1–14; 1,4–9); b) Legenden über die Wirksamkeit Jesajas (2. Kön 18,13–20,19 = Jes 36–39).

Natürlich sind das Quellen von höchst unterschiedlichem Wert. Ihre Verläßlichkeit und Auswertbarkeit – vor allem die der Jesajalegenden – sind umstritten. Der Historiker kann nicht mehr tun, als sich um das kritisch gesicherte Minimum zu bemühen[26].

Hiskia von Juda wurde *spiritus rector* einer antiassyrischen Koalition von Staaten des Südteils der syropalästinischen Landbrücke. Der Umfang dieser Koalition ist nicht mehr genau abzugrenzen, da wir nicht wissen, ob die Staaten, die Sanherib später Tribut bezahlten, tatsächlich und von Anfang an Mitkonspiratoren gewesen waren. Auf alle Fälle gehörten die Philisterstädte Askalon *(ʿAsqalān)* Ekron *(Ḫirbet el-Muqannaʿ)* dazu, ferner wahrscheinlich die phönikischen Küstenstädte Arwad *(Arwād, er-Ruād), Samsimuruna* (?), Byblos *(Ǧbēl)* und Sidon *(Ṣaydā)*, vielleicht auch die ost-

---

[21] Eine gründliche Zusammenstellung des Materials bei R. Borger, Babylonisch-assyrische Lesestücke (1979²) 64 ff. (73 ff.). Vgl. auch die Übersicht mit Literaturangaben bei E. Vogt, Sennacherib und die letzte Tätigkeit Jesajas. Biblica 47 (1966) 427–437.

[22] AOT², 352–354; ANET³, 287 f.; TGI³, 67–69; TUAT I, 4, 388–391.

[23] Alle Inschriften auch bei D. D. Luckenbill, The Annals of Sennacherib. The University of Chicago, Oriental Institute Publications 2 (1924) und in ARAB II.

[24] AOB², 137–141; ANEP², 372 f.; jetzt zusammengestellt, vorzüglich abgebildet und gezeichnet bei D. Ussishkin, The Conquest of Lachish by Sennacherib (1982).

[25] Die Aufzählung folgt der relativen Chronologie. Vgl. zu den Einzelheiten H. Donner, Israel unter den Völkern. SVT 11 (1964) 117–139; auch H. Barth, Die Jesaja-Worte in der Josiazeit. WMANT 48 (1977).

[26] Literatur in Auswahl: W. Rudolph, Sanherib in Palästina. PJB 25 (1929) 59–80; A. Alt, Die territorialgeschichtliche Bedeutung von Sanheribs Eingriff in Palästina [1930]. KS 2, 242–249; H. Haag, La campagne de Sennachérib contre Jérusalem en 701. RB 58 (1951) 348–359; H. H. Rowley, Hezekiah's Reform and Rebellion. Bulletin of the John Rylands Library, Manchester 44 (1962) 395–431; L. L. Honor, Sennacherib's Invasion in Palestine (1966); S. H. Horn, Did Sennacherib campaign once or twice against Hezekiah? AUSS 4 (1966) 1–28; B. S. Childs, Isaiah and the Assyrian Crisis. Studies in Biblical Theology II, 3 (1967); J. B. Geyer, 2 Kings XVIII 14–16 and the Annals of Sennacherib. VT 21 (1971) 604–606; W. v. Soden, Sanherib vor Jerusalem 701 v. Chr. Antike und Universalgeschichte, Fs H. E. Stier (1972) 43–51; N. Naʾaman, Sennacherib's „Letter to God" on his Campaign to Judah. BASOR 214 (1974) 25–39; A. F. Rainey, Taharqa and Syntax. Tel Aviv 3 (1976) 38–41; R. E. Clements, Isaiah and the Deliverance of Jerusalem. JSOT, Suppl. Ser. 13 (1980); G. Garbini, Il bilinguismo dei Giudei. Vicino Oriente 3 (1980) 209–223; A. Catastini, Il quattordicesimo anno del regno di Ezechia (II Re 18,13). Henoch 4 (1982) 257–263; M. Hutter, Überlegungen zu Sanheribs Palästinafeldzug im Jahre 701 v. Chr. BN 19 (1982) 24–30.

jordanischen Randstaaten Ammon, Moab und Edom[27]. Die Alliierten stellten gemeinsam und auf einen Schlag im Jahre 705 oder allenfalls 704 die Tributzahlungen an den Großkönig ein. Sie bemühten sich zusätzlich um Rückendeckung und Unterstützung bei dem Äthiopen Schabaka von Ägypten. Während der Verhandlungen tauchten die fremdartigen Gestalten äthiopischer Gesandter in Jerusalem auf und erregten großes Aufsehen, auch beim Propheten Jesaja (Jes 18,1 f.):

(1) „Ha! Land des Flügelgeschwirrs, ‚das Ströme durchziehen‘,
(2) das Boote auf den Nil und Papyruskähne über die Wasserfläche sendet!
Geht, ihr schnellen Boten, zu dem hochgewachsenen und blanken Volk,
das überall gefürchtet ist, dem Volk, das stammelt und niederwalzt!“ [28]

Der Prophet hat in den Anfangsjahren der Allianz mehrfach seine Stimme erhoben und vor dem Bündnis mit Ägypten gewarnt. Er sah keinerlei Erfolgschancen und riet, wie schon früher, zur Neutralität. Er beschränkte sich nicht einfach darauf, die Autorität Jahwes zur Geltung zu bringen, sondern suchte nach Gründen und Argumenten. Er wies etwa darauf hin, daß es in der Küstenebene zum Zusammenstoß der Assyrer mit den Ägyptern kommen werde, zu einer militärischen Kraftprobe, an der Jahwe sich nicht beteiligen wolle. Jahwe habe vor, seinerseits neutral zu bleiben und dem Kampf als unbeteiligter Beobachter zuzuschauen (Jes 18,3 f.):

(3) „Alle Bewohner des Erdkreises und ‚alle‘ Bewohner der Welt!
Wenn man eine Signalstange auf den Bergen aufpflanzt, dann schaut hin, und wenn man ins Horn stößt, dann horcht auf!
(4) Denn also hat Jahwe gesprochen: Ich will ruhig bleiben und an meinem Orte zuschauen
wie glühende Hitze bei Sonnenschein, wie Taugewölk ‚zur Erntezeit‘.“ [29]

Wenn aber Jahwe selber sich neutral verhält, dann kann eine wie immer geartete Parteinahme Judas nicht in Frage kommen. Aus Jahwes Neutrali-

---

[27] Zu den wechselhaften Beziehungen Judas mit den ostjordanischen Staaten vgl. H. L. Ginsberg, Judah and the Transjordan States from 734–582 B. C. Alexander Marx Jubilee Volume (1950) 347–368.

[28] V. 1: Der Attributsatz *ʾ^{a}šer mẹʿẹber l^{e}nah^{a}rẹ̄ Kūš* „das jenseits der Ströme von Kusch liegt“ ist wohl eine gelehrte geographische Glosse. Stattdessen ist der Attributsatz am Ende von V. 2, dort sachlich und metrisch überflüssig, unter Verzicht auf *ʾarṣō* „sein Land“ hinter V. 1 a zu stellen. – V. 2: Str. nach LXX die Präposition *b* vor *k^{e}lẹ̄* und vielleicht auch *ʾel-ʿam.*

[29] V. 3: Vor *šōk^{e}nẹ̄* ist vielleicht *kål* zu ergänzen. – V. 4: *ʾẹ̄lay* „zu mir“ ist vielleicht z. str., ebenso das überschüssige zweite *b^{e}ḥom* (stattdessen *b^{e}qāṣīr* oder nach den alten Übersetzungen *b^{e}yōm qāṣīr*?).

tät folgt mit der Logik der Konsequenz die Neutralität Judas als seines erwählten Volkes. An anderer Stelle hat Jesaja darauf hingewiesen, daß das Bündnis mit Ägypten nicht ernstlich als ein Pakt zwischen zwei gleichberechtigten und wenigstens annähernd gleichstarken Partnern betrachtet werden könne. Vielmehr ziehe Juda nach Ägypten, „um sich in der Burg des Pharao zu bergen und im Schatten Ägyptens Zuflucht zu finden" (Jes 30,2). Er sah ganz richtig, daß den Ägyptern die Hauptlast für das Gelingen der Pläne aufgebürdet werden würde: eine sehr bedenkliche Sache, da sich Ägypten ja schon mehrfach als unzuverlässiger Partner erwiesen hatte. Vor allem aber war das Bündnis mit Ägypten für Jesaja nichts anderes als ein Vertrauensbruch gegenüber Jahwe und schon deshalb zum Scheitern verurteilt (Jes 31,1. 3):

> (1) „Wehe! Die nach Ägypten um Hilfe hinabziehen, sich auf Rosse verlassen!
> Sie vertrauten auf Streitwagen, weil die zahlreich sind, und auf Wagenpferde, weil die stark sind;
> aber auf den Heiligen Israels blickten sie nicht, und nach Jahwe fragten sie nicht.
> (3) Ägypten ist ja Mensch und nicht Gott, seine Rosse sind Fleisch und nicht Geist!
> Wenn Jahwe seine Hand ausstreckt, dann wird der Unterstützende straucheln und der Unterstützte fallen." [30]

Es kommt nicht in erster Linie darauf an, daß die Ankündigungen des Propheten tatsächlich eingetroffen sind und daß die Ereignisse seine Sicht der Dinge als richtig bestätigten. Wesentlich ist nur, daß er mit seinen Warnungen diesmal nicht durchdrang und bei den verantwortlichen Politikern um Hiskia kein Gehör fand. Die Koalitionsverhandlungen wurden fortgesetzt. Dabei scheint sich der assurtreue Stadtfürst *Padî* von Ekron den Plänen zunächst widersetzt zu haben. Aber er geriet in Konflikt mit seiner eigenen Stadtaristokratie, die ihn absetzte und in Ketten gefesselt an Hiskia auslieferte.

Nach 2.Kön 20,12–19 = Jes 39 reichten die diplomatischen Beziehungen Hiskias sogar bis nach Babylonien. Dort hatte sich der Aramäer *Marduk-apla-iddina II.,* der bereits von 721 bis 710 König von Babylon gewesen war, nach dem Tode Sargons II. gegen einen Mann namens *Marduk-zākir-šumi* durchgesetzt und eine zweite, neunmonatige Herrschaft aufgerichtet, bis Sanherib ihn schlug und vertrieb. Dieser Merodachbaladan, wie das AT ihn nennt, schickte eine Gesandtschaft nach Jerusalem, die dort sehr höflich empfangen wurde und mit der Hiskia verhandelte. Die Erzählung ist stark legendenhaft gefärbt; auch ist strittig, ob die babylonische Gesandtschaft in die Jahre vor 710 oder in das Jahr 705/4 fällt. Trotz

[30] V. 2 ist ein Interpretament. – V. 3: *w^{e}yaḥdāw kullām yiklāyūn* „und sie werden alle gemeinsam zugrundegehen" ist vielleicht Glosse.

mancher Bedenken ist das letztere wohl wahrscheinlicher[31]. Allerdings war es gewiß nicht Hiskia, der den Babylonier in die Allianz hineinzuziehen suchte, sondern umgekehrt der Babylonier auf der Suche nach Bundesgenossen gegen den zu erwartenden assyrischen Schlag[32]. Hiskia mag geschmeichelt gewesen sein. Daß er sich große politische Vorteile aus dieser Verbindung versprach, ist nicht wahrscheinlich.

Das Unternehmen war nach alledem sorgfältig vorbereitet und zu einem günstigen Zeitpunkt ins Werk gesetzt; es versprach diesmal Erfolg – soweit man überhaupt an dauerhafte Erfolge gegen das neuassyrische Großreich glauben konnte. In der Tat sah die Sache zunächst ganz gut aus. Denn obgleich der assyrische Thronwechsel legitim und ohne erkennbare innenpolitische Schwierigkeiten vonstatten gegangen war, hatte Sanherib in den ersten Jahren schwer zu kämpfen, um seine Herrschaft und die Grenzsicherheit des Reiches gegen Elam, Babylonien und die Bergvölker des Nordens im Zagros-Gebiet durchzusetzen. Erst im Jahre 701 v. Chr. war er in der Lage, sich Syrien und Palästina zuzuwenden. Bereits der Anmarsch des assyrischen Heeres verbreitete im ganzen syropalästinischen Raume Schrecken und veranlaßte die Vasallen, dem Großkönig Ergebenheitsgeschenke darzubringen. Sanherib nennt auf dem Taylor-Zylinder ohne rechte geographische Ordnung *Samsimuruna,* Sidon, Arwad, Byblos, Asdod – das anscheinend nicht mehr assyrische Provinz war[33] –, Ammon, Moab, Edom und „die Könige des Landes Amurru insgesamt". Was Sidon betrifft, so hatte sich dessen Stadtfürst *Lulî* unbotmäßig gezeigt. Sanherib machte sozusagen im Vorübergehen kurzen Prozeß mit ihm: er setzte ihn ab und einen assurtreuen Mann namens *Tuba'lu (= 'Ittōba'al)* ein. Man erfährt dabei, daß Sidon in dieser Zeit die Hegemonie über die gesamte südphönikische Küste bis nach Akko innehatte. In Palästina eingetroffen, nahm Sanherib unverzüglich die Unterwerfung der aufständischen Philisterstädte Askalon und Ekron in Angriff. Zunächst eroberte er Askalon, deportierte den König *Ṣidqā* und seine Familie und ersetzte ihn durch seinen Vorgänger *Šarrulūdāri.* Dann wandte er sich gegen Ekron. Aber in diesem Augenblick trat ein, was der Prophet Jesaja angekündigt hatte (Jes 18,3): es erschien eine ägyptische Hilfstruppe. Bei *Altaqū* (im AT Eltheke, Jos 19,44; 21,23 = *Tell eš-Šallāf?*[34]) prallten die Heeresformationen aufeinander, und die Schlacht endete mit einem großen assyrischen Sieg. Sanherib nennt auf dem Taylor-Zylinder, Kol. II, 73f., als seine Gegner: *šarrāni*$^{MEŠ.ni}$ ^{KUR}*Muṣuri* „die Könige von Ägypten" und Bogenschützen, Streitwagen und Pferde des *šar* ^{KUR}*Meluḫḫe* „Königs

[31] Vgl. J.A. Brinkman, Merodach-Baladan II. Studies Presented to A. L. Oppenheim (1964) 6–53; H. Wildberger, Jesaja. BK X, 17. 18 (1981) 1469–1481.

[32] Fl. Josephus, Ant. X, 2, 2 (§ 30 Niese) hat das ganz richtig verstanden: „Der Babylonierkönig Baladas schickte Gesandte mit Geschenken an Ezechias und ließ ihn um Freund- und Bundesgenossenschaft bitten."

[33] S. o. S. 321.

[34] Vgl. Y. Aharoni, The Land of the Bible (1966) 337f.

von Meluḫḫa". Meluḫḫa bedeutet in dieser Zeit Äthiopien[35]; gemeint ist also Pharao Schabaka oder sein Nachfolger Schabataka[36]. Die „Könige von Ägypten" sind dann die Teilfürsten des Nildeltas, die wohl kaum noch über staatliche Selbständigkeit verfügten, deren Truppenkontingente aber immerhin gesondert aufgeführt werden. Nach dem Sieg von *Altaqū* eroberte Sanherib Ekron, bestrafte die renitente Stadtaristokratie und setzte den König *Padî* wieder in seine Rechte ein. Dann wandte er sich gegen Juda[37] und eroberte „46 seiner (scil. Hiskias) festen ummauerten Städte, sowie die zahllosen kleinen Städte in ihrem Umkreis" (Kol. III, 13f.). Um Jerusalem wurde der Belagerungsring gezogen. Nach dem Taylor-Zylinder (Kol. III, 20–23) befehligte Sanherib die Truppen selbst: „Ihn selber schloß ich gleich einem Käfigvogel in seiner Residenz Jerusalem ein. Schanzen warf ich gegen ihn auf, das Hinausgehen aus seinem Stadttor machte ich ihm unmöglich." Die Jesajalegenden berichten dagegen, der Großkönig habe nur eine Heeresabteilung unter der Führung hoher Offiziere nach Jerusalem gesandt (Jes 36,2; 2. Kön 18,17). Wie dem auch sei: nennenswerten Widerstand vermochte Juda den assyrischen Truppen nicht entgegenzusetzen. Nur die beiden westlichen Grenzfestungen Lachisch *(Tell ed-Duwēr* oder *Tell ʿĒṭūn?)* und Libna *(Tell Bornāṭ)*[38] konnten sich einige Zeit halten. Wir wissen das aus den Jesajalegenden (2. Kön 18,17 = Jes 36,2 und 19,8 = 37,8) und aus Sanheribs grandiosen Reliefbildern im Palast zu Ninive[39]. Als der Widerstand gebrochen war, sah sich Hiskia in Jerusalem völlig isoliert. Es blieb ihm nichts anderes übrig, als sich dem Großkönig erneut zu unterwerfen und eine hohe Kontributionssumme zu zahlen[40]. Sanherib nahm die Unterwerfung an, brach die Belagerung Jerusalems ab[41] und ließ sich bewegen, den Davididen den Stadtstaat, der seit

---

[35] Im 3. Jahrtausend v. Chr. bezeichnete *Meluḫḫa* die Region von der Nordküste des Persischen Golfes bis ins Industal; vgl. K. Jaritz, Tilmun–Makan–Meluḫḫa. JNES 27 (1968) 209–213 und J. Gelb, Makkan and Meluḫḫa in Early Mesopotamian Sources. RA 64 (1970) 1–8.

[36] Wenn die Chronologie stimmt, erfolgte der Wechsel 701. Die Assyrer haben die Herrschaftsverhältnisse übrigens ganz richtig eingeschätzt; vgl. die geographische Formulierung in der Prunkinschrift Sargons II., Z. 102f. (TGI³, 64).

[37] Spätestens seit K. Elliger, Die Heimat des Propheten Micha [1934]. KS 9–71, ist es üblich, die Spruchkombination Mi 1,8–16 mit dieser Situation zu verbinden. Das ist m. E. nicht überzeugend; vgl. H. Donner, Israel unter den Völkern. SVT 11 (1964) 92–105.

[38] G. W. Ahlström, der die Gleichung Lachisch = *Tell ed-Duwēr* in Zweifel zog, hat neuerdings *Tell ed-Duwēr* für Libna vorgeschlagen. Vgl. G. W. Ahlström, Is Tell ed-Duweir Ancient Lachish? PEQ 112 (1980) 7–9; ders., Tell ed-Duweir: Lachish or Libnah? PEQ 115 (1983) 103f.

[39] S. o. Anm. 24.

[40] Die Angaben über die Höhe der Summe differieren: 30 Talente Gold, 800 Talente Silber und viele Kostbarkeiten nach dem Taylor-Zylinder, Kol. III, 34ff.; 300 Talente Silber und 30 Talente Gold nach 2. Kön 18,14–16 (Tempelchronik; s. o. S. 254).

[41] Spekulationen über eine Seuche im assyrischen Heer, die den Abbruch der Belagerung erzwungen haben könnte, gehen über das hinaus, was sich historisch ermitteln läßt. Zu den abenteuerlichen Mitteilungen Herodots, Hist. II, 141, die man gern damit verbindet, vgl. W. Baumgartner, Herodots babylonische und assyrische Nachrichten. Zum AT und seiner Um-

alters ihre Domäne war, zu belassen. Das Land Juda trennte er ab, machte es jedoch nicht zu einer assyrischen Provinz, sondern gab es den assurtreuen Philisterfürsten *Mitinti* von Asdod, *Ṣilbēl* von Gaza und *Padî* von Ekron, die sich nicht am Aufstand beteiligt hatten, zur Nutznießung. Die dadurch entstandene territorialpolitische Lage steht hinter Jes 1,7–9:

> (7) „Euer Land ist eine Wüste, eure Städte im Feuer verbrannt, euren Acker vor euch verzehren Fremde.
> (8) Nur die Tochter Zion ist übriggeblieben wie eine Hütte im Weinberg ‚und' wie eine Nachthütte im Gurkenfeld, wie eine ‚belagerte' Stadt.
> (9) Wenn Jahwe Zebaoth nicht einen kleinen Rest für uns gelassen hätte, wäre es uns wie Sodom gegangen, wären wir wie Gomorrha geworden." [42]

Der Stadtfürst *Mitinti* von Asdod des Jahres 701 v. Chr. stellt ein territorialgeschichtliches Problem dar. Asdod war 711 assyrische Provinz geworden[43]. Der Eponym des Jahres 669, *Šamaš-kāšid-ajābī*, war Administrator von Asdod[44]. Entweder haben die Assyrer Asdod vor 701 in ein halb selbständiges Fürstentum zurückverwandelt (2. Vasallitätsstadium), um später – aus unbekannten Gründen – dortselbst erneut eine Provinz einzurichten, oder sie hielten es für angezeigt, dem Philisterfürsten relative Selbständigkeit zu belassen, freilich unter Aufsicht assyrischer Administratoren. Die zweite Lösung wäre ein Mittelding zwischen dem 2. und 3. Vasallitätsstadium gewesen – vielleicht galt das überhaupt für alle Philisterstädte. Daß die Assyrer territorialpolitisch beweglich sein konnten, ist bekannt und wird durch ihren Umgang mit Juda bestätigt.

Man muß sich klarmachen, daß das alte, dereinst in Hebron von den Ältesten und David begründete Reich Juda (2. Sam 2,1–4)[45] durch die territorialpolitische Maßnahme Sanheribs zu bestehen aufgehört hatte[46]. Hiskia war auf den Stadtstaat Jerusalem beschränkt. Das bedeutet nichts an-

---

welt (1959) 282–331. Daß Hiskia seinen Tribut nach Ninive entrichtete, ist nicht notwendig darin begründet, daß er sich erst nach dem Abzug des assyrischen Heeres unterworfen hätte. 2. Kön 19,35 = Jes 37,36 ist jedenfalls legendär.

[42] V. 7: Die Phrase *ūšᵉmāmā kᵉmahpẹkat Sᵉdōm* (so statt *zārīm*) „und eine Wüste wie die Umkehrung von Sodom" ist ein Interpretament aus V. 9. – V. 8: L. nach LXX und mit I Q Is^{a} *wᵉkimlūnā.* LXX ὡς πόλις πολιορκουμένη führt auf *kᵉʿīr nᵉṣōrā* (statt MT *nᵉṣūrā*).

[43] S. o. S. 321.

[44] Vgl. M. Falkner, Die Eponymen der spätassyrischen Zeit. AfO 17 (1954–56) 100–120.

[45] S. Teil 1, S. 191 f.

[46] Vgl. A. Alt, a. a. O. (s. o. Anm. 26); M. Elat, On the Political Status of Judah after Sennacherib's Conquest of Lachish. Yediot 31 (1966/7) 140–156; ders., The Political Status of the Kingdom of Judah within the Assyrian Empire in the 7th Century B. C. E. Investigations at Lachish, ed. Y. Aharoni (1975) 61–70. Ob sich aus den judäischen Krugstempeln Einzelheiten über die Verteilung des judäischen Gebietes an die Philisterfürsten erschließen lassen, ist eine offene Frage; vgl. P. Welten, Die Königs-Stempel. Ein Beitrag zur Militärpolitik Judas unter Hiskia und Josia. ADPV (1969) und D. Ussishkin, The Destruction of Lachish by Sennacherib and the Dating of the Royal Judean Storage Jars. Tel Aviv 4 (1977) 28–60; H. D. Lance, The Royal Stamps and the Kingdom of Josiah. HThR 64 (1971) 315–332.

deres als die Überführung vom 1. ins 2. Stadium der Vasallität, mit Gebietsverkleinerung, aber ohne Eingriff in die dynastischen Verhältnisse. Aber Hiskias Nachfolger bis hinab zu Zedekia[47], waren doch alle Könige von Juda? Das ist richtig und zeigt an, daß die territoriale Lösung des Jahres 701 nicht von Dauer war. Vielleicht war sie von allem Anfang an als Provisorium gedacht. Denn Sanherib war wohl wie seine Vorgänger daran interessiert, auf dem Südteil der syropalästinischen Landbrücke halb selbständige Pufferstaaten am Leben zu erhalten. Der Stadtstaat Jerusalem ohne das Land Juda war in diesem Konzept von geringem Nutzen. Die Davididen durften also hoffen, Juda zurückzubekommen, wozu weiter nichts nötig war, als daß die Assyrer die 701 geschaffene Ordnung auf administrativem Wege revidierten. Das ist spätestens unter Manasse, vielleicht aber gar noch zu Lebzeiten Hiskias geschehen. Aus der Katastrophe des Jahres 701 haben die Könige auf dem Throne Davids jedenfalls die einzig mögliche politische Konsequenz gezogen: bis zum Untergang des neuassyrischen Großreiches in der 2. Hälfte des 7. Jh. v. Chr. hatte der Süden Palästinas Ruhe. Es hat kein Aufstand mehr stattgefunden[48].

Was wir aus den Regierungszeiten Hiskias und seiner Nachfolger Manasse (609–642) und Amon (641–640) sonst noch erfahren, ist leider ganz wenig, abgesehen von religionspolitischen Tatbeständen, die im nächsten Kapitel gesondert behandelt werden sollen. In 2. Kön 18, 8 heißt es, Hiskia habe die Philister bis nach Gaza geschlagen: eine Notiz, die nirgendwo historisch unterzubringen ist. Erwähnung aber verdient eine Baumaßnahme Hiskias, deren Resultat bis zum heutigen Tage bewundert werden kann, wie denn überhaupt das Stadtgebiet von Jerusalem unter Hiskia und Manasse beachtlich wuchs und sich veränderte[49]. Wahrscheinlich im Zusammenhang der assyrischen Bedrohung des Jahres 701 v. Chr. machte der König die Wasserversorgung Jerusalems von der außerhalb der Stadtmauer gelegenen Gihonquelle *(ʿĒn Sittī Maryam)* unabhängig. Er ließ einen etwa 513 m langen Felsentunnel unter dem Südosthügel von Jerusalem graben, der das Wasser der Quelle nach dem auf der Westseite der Südspitze des Hügels angelegten Siloahteich *(ʿĒn Silwān, el-Birke)* leitete (2. Kön 20, 20; genauer 2. Chron 32, 30)[50]. Zwei Bauarbeiterbrigaden arbeiteten gleichzeitig von beiden Seiten aufeinander zu, und an der Stelle, wo sie sich trafen, wurde zur Feier des Ereignisses die heute im Antiken-

---

[47] S. u. S. 375 ff.

[48] Vgl. C. D. Evans, Judah's Foreign Policy from Hezekiah to Josiah. Scripture in Context, ed. C. D. Evans (1980) 157–178; A. S. Bulbach, Judah in the Reign of Manasseh as Evidenced in Texts during the Neo-Assyrian Period and in the Archaeology of the Iron Age (Ph. D. Diss. New York 1981). Diss. Abstr. International 42 (1981/82) 809 f.

[49] Vgl. M. Broshi, The Expansion of Jerusalem in the Reigns of Hezekiah and Manasseh. IEJ 24 (1974) 21–26.

[50] Vgl. R. Wenning – E. Zenger, Die verschiedenen Systeme der Wassernutzung im südlichen Jerusalem und die Bezugnahme darauf in biblischen Texten. UF 14 (1982) 279–294.

museum zu Istanbul befindliche Siloah-Inschrift angebracht[51]. Der außenpolitische Kurs Manasses blieb unverändert assurfreundlich[52]. Es ist nicht ganz auszuschließen, daß er – vielleicht unter Assurbanipal – einmal nach Ninive zitiert worden ist. Sollte er sich während der Loslösung Ägyptens vom neuassyrischen Großreich unter Psammetich I.[53] oder bei Gelegenheit des Bruderkrieges Assurbanipals gegen Šamaššumukīn[54] politisch verdächtig gemacht haben? Wenn es so war, dann hatte die Sache jedenfalls keinerlei erkennbare Folgen. Der Bericht in 2. Chron 33,10–13, nach dem Manasse in Ketten nach Babylon gebracht und durch einen Gnadenakt Jahwes wieder freigelassen wurde, könnte einen möglicherweise zugrundeliegenden historischen Tatbestand spekulativ ausgeweitet und damit fast unkenntlich gemacht haben[55]. Amon schließlich ist nach kurzer Regierung einer Palastrevolte zum Opfer gefallen[56], nach deren Ende der judäische Landadel den achtjährigen Josia zum König machte (2. Kön 21,23 f.). Damit trat Juda ein in den großen Auftakt zur letzten Phase seiner Existenz.

KAPITEL 4

Die assyrische Krise der israelitischen Religion

Die Darstellung des Verlaufes der Geschichte des Südstaates Juda ist an dieser Stelle zu unterbrechen, um eine religionspolitische Erscheinung ins Auge zu fassen, die zweifellos in Zusammenhang mit der assyrischen Oberhoheit über Juda steht: das Einströmen assyrischer Kulte und Kultobjekte nach Jerusalem und Juda und die dadurch hervorgerufene assyrische Krise der israelitischen Religion. Das Problem ist aus zwei Gründen zu erörtern: einmal deswegen, weil die Wirkungen der assyrischen Oberherrschaft auf die Religion und damit auf das Leben im Vasallenstaat Juda für sich allein schon historisches Interesse verdienen, zum anderen aber

---

[51] AOT², 445; ANET³, 321; TGI³, 66 f.; KAI 189 (Lit.). Vgl. noch G. Levi Della Vida, In Memoriam P. Kahle. BZAW 103 (1968) 162–166; A. Jepsen, Mitteilungen d. Instituts f. Orientforschung 15 (1969) 2–4; G. Garbini, L'iscrizione di Siloe e gli „Annali dei re di Giuda". AION.NS 19 (1969) 261–263; E. Puech, RB 81 (1974) 196–214; M. Görg, BN 11 (1980) 21 f.

[52] Er erscheint als Tributär in einer Inschrift Asarhaddons vor 669: AOT², 357 f.; ANET³, 291; TGI³, 70; TUAT I, 4, 397.

[53] S. u. S. 360.

[54] S. o. S. 303.

[55] Vgl. E. L. Ehrlich, Der Aufenthalt des Königs Manasse in Babylon. ThZ 21 (1965) 281–286.

[56] Der Versuch von A. Malamat, The Historical Background of the Assassination of Amon, King of Judah. IEJ 3 (1953) 26 ff., die Ermordung Amons in Zusammenhang mit der großen Revolte gegen Assurbanipal 640/39 zu bringen, bleibt spekulativ. Natürlich kann es in Jerusalem eine antiassyrische Partei gegeben haben. Ob sie aber tatsächlich versuchte, 640 antiassyrische Emanzipationspolitik zu erzwingen, wissen wir nicht.

wegen der Bedeutung der Sache für wesentliche Aspekte der Politik und Reform des Königs Josia[1]. Mit der Nennung des Namens Josia ist freilich sogleich die Schwierigkeit bezeichnet, vor der der Historiker steht. Denn die einschlägigen atl Texte stammen überwiegend aus dem dtr Geschichtswerk, und für die Dtr war Josia die schlechthin zentrale Königsgestalt nach David, mit nichts und niemandem als eben nur mit David vergleichbar. Das nährt den sich hier und dort zur Gewißheit erhebenden Verdacht, daß die Dtr Josias Vorgänger an Josia gemessen und die Berichte so gestaltet haben, daß diese Vorgänger als Vorläufer oder Antipoden des großen Königs erschienen. Mit anderen Worten: der dtr Anteil an den Texten ist abzuziehen, und es will scheinen, als ob danach nicht allzu viel übrigbliebe. Die Quellenlage ist der Untersuchung also nicht günstig, und dasselbe gilt auch für die zumeist mehrdeutigen, schwer zu interpretierenden assyrischen Texte, die Informationen über die Religionspolitik der Assyrer in den unterworfenen Gebieten liefern sollen. Indessen muß ein Versuch gewagt werden: nicht alles ist dtr, und nicht alles ist zweifelhaft[2].

Zweifelhaft, und zwar im Sinne weitgehender Unverständlichkeit, ist 2.Kön 16,10–16: ein literarisch wohl nicht einheitlicher und stellenweise schlecht erhaltener Text unklarer Herkunft, der anzudeuten scheint, bereits die erste Berührung des Staates Juda mit dem neuassyrischen Großreich habe kultuspolitische Konsequenzen nach sich gezogen. Man erfährt, daß sich König Ahas nach seinem Eintritt in das 1. Stadium der Vasallität im Jahre 732 v.Chr. zum Zwecke einer Zusammenkunft mit Tiglatpileser III. nach Damaskus begab. Dort sah er einen Altar, dessen Maße und Modell er nach Jerusalem voraussandte, um ihn für den Tempel Jahwes nachbilden zu lassen. Um welchen Altar es sich handelte, wird nicht berichtet. War es ein damaszenisch-aramäischer Altar oder ein assyrischer, und wenn das letztere, der Altar des der Provinz Damaskus oktroyierten assyrischen Staatskultus oder ein Privataltar der assyrischen Beamtenschaft, die die Provinz zu verwalten hatte? Die Beurteilung der Sache wird dadurch erschwert, daß wir nicht präzise wissen, ob die Assyrer die Einrichtung des offiziellen assyrischen Staatskultes in den Provinzen und Vasallenstaaten verlangten, ob sie dabei zwischen Provinzen und Vasallenstaaten unterschieden[3], oder ob sie das assyrische Religionswesen

---

[1] S.u. S.342ff.

[2] Vorab sind drei wichtige Monographien zu nennen: J.W.McKay, Religion in Judah under the Assyrians 732–609 B.C. Studies in Biblical Theology II,26 (1973); M.Cogan, Imperialism and Religion: Assyria, Judah and Israel in the 8th and 7th Centuries B.C. SBL, Mon. Ser. 19 (1974); H.Spieckermann, Juda unter Assur in der Sargonidenzeit. FRLANT 129 (1982). Vgl. ferner auch L.W.Fuller, The Historical and Religious Significance of the Reign of Manasseh (1912); E.Nielsen, Politiske forhold og kulturelle strømminger i Israel og Juda under Manasse. Dansk Teologisk Tidsskrift 29 (1966) 1–10 (eine engl. Zusammenfassung in: 4th World Congress of Jewish Studies, Papers Vol. I (1967) 103–106); B.Otzen, Israel under the Assyrians. Reflections on Imperial Policy in Palestine. Annual of the Swedish Theological Institute 11 (1977/8) 96–110.

[3] So M.Cogan, a.a.O., S.49ff.

dem Unterwerfungseifer der Vasallen und Provinzgouverneure überließen. In den assyrischen Königsinschriften finden sich in der Tat einige wenige Angaben, die erkennen lassen, daß die Assyrer in unterworfenen Gebieten gelegentlich die Einrichtung ihres Reichskultes forderten oder diesen selbst einrichteten: unter Tiglatpileser III. in Gaza, unter Sargon II. im südbabylonischen Meerland und bei den Mannäern nördlich von Assur, unter Asarhaddon in Ägypten[4]. Das ist nicht viel, und selbst wenn man es durch Überlegungen zur religiösen Kriegsideologie der Assyrer ergänzt[5], kommt kein klares Bild zustande. Verfuhren die Assyrer immer so oder nur fallweise, unter bestimmten Umständen? Hatte die Sache überhaupt Methode, oder hing sie von der Laune des jeweiligen Großkönigs und seiner Berater ab? Was bedeutete „Einführung des assyrischen Staatskultes" genau und praktisch, was bedeutete es vor allem, nachdem die assyrischen Truppen abgezogen waren? Wie verhielt sich die „geforderte" assyrische Kultübung zu dem, was assyrische Beamten – zumindest in den Provinzen – ohnehin und was die Vasallen aus Loyalitätsgründen freiwillig leisteten? Alle diese Fragen können wir nicht sicher beantworten. Vor allem aber bleibt unklar, ob der Altar des Königs Ahas damit überhaupt etwas zu tun hat. Der Text deutet es zwar an – Ahas trifft sich mit dem assyrischen Großherrn in Damaskus! –, aber es fällt auf, daß der neue Altar im regulären Jahwekultus Verwendung zu finden scheint: der ältere, bronzene Altar von 1. Kön 8,64 wird um seinetwillen zur Seite gerückt und einer nicht näher ausgeführten Verwendung vorbehalten (V. 15). Haben Redaktoren die tatsächlichen Verhältnisse verschleiert – so daß also Ahas den neuen Altar in Wirklichkeit dem assyrischen Staatskultus gewidmet hätte –, oder empfahl sich der König öffentlich als eifriger Jahweverehrer, während er den beiseitegerückten älteren Altar zu möglichst unauffälliger Ausübung des von ihm geforderten assyrischen Kultus benutzte[6]? Da wir das alles wirklich nicht wissen, und da auch die anderen in Betracht kommenden Quellen[7] darüber schweigen, sollten wir die kultuspolitischen Maßnahmen des Ahas jedenfalls nicht überschätzen. Sie waren – von welcher Art immer – wahrscheinlich von untergeordneter Bedeutung.

Ähnlich liegen die Dinge im Falle der sog. Kultusreform des Königs Hiskia, über die 2. Kön 18,4 folgendes mitteilt: „Der schaffte die Höhen ab, zertrümmerte die Maṣṣeben, hieb die Aschera um und zerschlug die eherne Schlange, die Mose angefertigt hatte; denn bis zu jener Zeit hatten ihr die Israeliten Rauchopfer dargebracht, und man nannte sie *Neḥuštān*." Man hat versucht, den Inhalt dieses Kurzberichtes mit Hiskias antiassyrischen Unternehmungen in Zusammenhang zu bringen[8]. Die Annahme

[4] Die Texte sind zusammengestellt, dargeboten und kommentiert bei H. Spieckermann, a. a. O., S. 322–344.

[5] H. Spieckermann, a. a. O., S. 344–362.

[6] Die letztere, natürlich spekulative Lösung bei H. Spieckermann, a. a. O., S. 362–369.

[7] Z. B. der Prophet Jesaja und die sog. Reformberichte in 2. Kön 18,4 und 23,4–20.

[8] Z. B. noch M. Noth, Geschichte S. 241; S. Herrmann, Geschichte S. 316 f.

legte sich ja auch tatsächlich nahe, daß Hiskia, als er 705 oder 704 Assyrien die Treue aufkündigte, inzwischen eingedrungene assyrische Kultsymbole demonstrativ beseitigte, um seine Unabhängigkeit auch kultuspolitisch zum Ausdruck zu bringen. Das aber ist Spekulation; dem Texte von 2. Kön 18,4 kann man es nicht entnehmen. Denn einerseits bietet die atl Überlieferung – von jenem zweifelhaften Altar des Ahas abgesehen – keinerlei Anhaltspunkte dafür, daß das Einströmen assyrischer Kultobjekte schon vor 705 begonnen hatte, und andererseits ist es unmöglich, die berichteten Reformmaßnahmen Hiskias mit assyrischem Kultwesen in überzeugende Verbindung zu bringen. Was sind Höhen, Maṣṣeben, Ascheren und ein Schlangenbild? Es sind Hinweise auf den kanaanäischen Religionsbereich und auf den kanaanisierten Jahwekultus. Hinzu kommt nun aber, daß die Dreiheit „Höhen, Maṣṣeben, Ascheren" in den Zusammenhang der dtr Theologie gehört[9]. Der Verdacht liegt sehr nahe, daß die Dtr Hiskia an Josia gemessen und zu einer Art „Vorreformator" gemacht haben[10]. Die Skepsis J. Wellhausens gegenüber der sog. hiskianischen Reform[11] hatte gute Gründe für sich. Man sollte sie allerdings nicht auch auf die eherne Schlange ausdehnen. Denn die Notiz, Mose habe dieses Kultsymbol angefertigt[12], kann nicht dtr sein, da die Dtr die Autorität des Mose nicht ausgerechnet einem Gegenstande zugeschrieben haben würden, von dessen Beseitigung zu berichten war. Also gab es irgendwo in oder bei Jerusalem einen von Hause aus wahrscheinlich kanaanäisch-jebusitischen Schlangenkult[13], der leidlich jahwisiert und sicher volkstümlich war. Warum Hiskia ihn beseitigen ließ, wissen wir nicht, aber daß er es tat, ist gewiß. Hiskia hat mithin in diesem Falle, und vielleicht noch darüber hinaus, „reinigend" in das Religionswesen Jerusalems eingegriffen: das waren wahrscheinlich eher bescheidene Aktionen, die den Dtr dann aber willkommenen Anlaß boten, den König zu einem Vorläufer Josias zu stilisieren[14]. „Kultusreform" sollte man das nicht nennen, auch antiassyrische Tendenzen sind darin nicht zu erkennen, und von einer assyrischen Krise der israelitischen Religion kann noch nicht die Rede sein.

Nach alledem darf es als wahrscheinlich gelten, daß der Zustrom assyrischer Kultobjekte nach Jerusalem und Juda nicht schon im 8., sondern erst im 7. Jh. v. Chr. erfolgte. Auch die politische Gesamtlage spricht dafür. Seit der 701 erfolgten Unterwerfung Hiskias durch Sanherib befanden sich die Davididen in einem drückenden Abhängigkeitsverhältnis gegenüber Assyrien. Die Südgrenze der assyrischen Provinz *Samerīna* verlief wenige Kilometer nördlich von Jerusalem. Sanherib hatte Sorge getragen, durch die

---

[9] Vgl. 1. Kön 14,23; 2. Kön 17,10; 21,3; 23,8.

[10] So einleuchtend H. Spieckermann, a.a.O., S. 170–175.

[11] J. Wellhausen, Prolegomena zur Geschichte Israels (1905⁶) 25.47f.; Israelit. und jüd. Geschichte, S. 124f.

[12] S. dazu die ätiologische Kultsage Num 21,4–9.

[13] Hat der „Schlangenstein bei der Walkerquelle" (1. Kön 1,9) etwas damit zu tun?

[14] Vgl. auch 2. Kön 18,22.

Abtrennung des flachen Landes Juda und durch hohe Kontributionen etwaigen Emanzipationstendenzen der Davididen entgegenzuwirken[15]. In der Tat haben sich weder Hiskia noch Manasse jemals wieder zu erheben gewagt. Asarhaddon, der das neuassyrische Großreich durch die Eroberung Ägyptens auf den Gipfel seiner Macht und territorialen Ausdehnung führte, nennt Manasse von Juda neben einer großen Anzahl tributpflichtiger Vasallen der syropalästinischen Landbrücke[16], und der Umstand, daß Assurbanipal diese Liste wörtlich übernahm[17], läßt erkennen, daß sich unter ihm daran nichts änderte. Anscheinend ließ die Botmäßigkeit der Davididen so wenig zu wünschen übrig, daß sich die Assyrer irgendwann – vielleicht noch zu Lebzeiten Hiskias – entschlossen, die 701 geschaffene Territorialordnung zu revidieren und das Gebiet des Staates Juda wiederherzustellen. Vermutlich wurde damit die alte, vor 701 gültig gewesene Ordnung nicht einfach restituiert; denn die neue Verfügungsgewalt der Davididen beruhte doch wohl auf großköniglichem Beschluß und nicht auf der freien Zustimmung der „Männer von Juda“. Es ist jedoch auch möglich, daß dergleichen staatsrechtliche Subtilitäten keine Rolle spielten.

In diese Zeit fällt die Einrichtung offizieller und halboffizieller assyrischer Kulte hauptsächlich in Jerusalem, aber wohl auch in Juda: Kulte, die – von den Assyrern gefordert oder nicht – von den davidischen Königen zum Zeichen ihrer Loyalität gegenüber Assur jedenfalls gefördert wurden. Damit war zugleich, in welchem Umfange immer, die Möglichkeit des Einflusses der assyrisch-babylonischen Religion auf die Jahwereligion gegeben[18]. Zur vorsichtigen Rekonstruktion und Nachzeichnung der Verhältnisse stehen folgende Quellen zur Verfügung:

1. der Bericht über die Kultusreform des Königs Josia in 2. Kön 23,4–20.24[19];

---

[15] S. o. S. 326 f.

[16] Prisma B, Kol. V, Z. 55: *[I]Me-na-si-i šar [KUR]Ja-u-di* (mit geringen Schreibvarianten). Vgl. R. Borger, Die Inschriften Asarhaddons (1956) 60; AOT², 357; ANET³, 291; TGI³, 70; TUAT I, 4, 397; Weippert, Edom 127. 130.

[17] Prisma C, Kol. II, Z. 27': *[I]Mi-in-se-e šar [KUR]Ja-ú-di.* Vgl. R. Borger, Babylonisch-assyrische Lesestücke (1979²) 93; Weippert, Edom 141.

[18] Gesamtdarstellungen der assyrisch-babylonischen Religion sind nicht sehr zahlreich: M. Jastrow, Die Religion Babyloniens und Assyriens (1905–1912); É. Dhorme, La religion assyro-babylonienne (1910); B. Meissner, Babylonien und Assyrien 2 (1925); R. Dussaud–É. Dhorme, Les anciennes religions orientales. Mana, Introduction à l'histoire des religions I, 2 (1949); J. Bottéro, La religion babylonienne (1952); S. H. Hooke, Assyrian and Babylonian Religion (1953); Th. Jacobsen, Treasures of Darkness. A History of Mesopotamian Religion (1976); H. Ringgren, Die Religionen des Alten Orients. ATD.E Sonderband (1979) 113–184. – Zu den Verhältnissen in der Sargonidenzeit vgl. auch E. G. Klauber, Zur Politik und Kultur der Sargonidenzeit. Untersuchungen auf Grund der Brieftexte. AJSL 28 (1911/12) 101–133; ders., Politisch-religiöse Texte aus der Sargonidenzeit (1913); W. v. Soden, Religiöse Unsicherheit, Säkularisierungstendenzen und Aberglaube z. Zt. der Sargoniden. Studia Biblica et Orientalia III: Oriens Antiquus (1959) 356–367.

[19] S. u. S. 346 f.

2. der Bericht über die Regierung des Königs Manasse in 2. Kön 21,1–18 (bes. V. 1–9).

Die chronologisch verkehrte Reihenfolge ist gerechtfertigt; denn es kann gar keinem Zweifel unterliegen, daß der Bericht über Manasse nicht nur außerordentlich stark dtr bearbeitet, sondern geradezu nach dem Modell des Berichtes über Josia gestaltet ist. Seine literarische Inferiorität ist evident[20]. Die Dtr haben Manasse als eine Art Kontrastfigur zu Josia aufgebaut und ebensoviel Abscheulichkeit auf jenen gehäuft wie sie diesen in Ruhmesglanz eintauchten. Sie hätten das freilich kaum tun können, wenn die Manasse-Überlieferung nicht tatsächlich einige ältere, nicht dtr Nachrichten enthalten hätte, an die angeknüpft werden konnte (zumindest 2. Kön 21,5.7 a). Außerdem waren sie insofern historisch im Recht, als die von Josia beseitigten assyrischen Kulte vorher, im Laufe des 7. Jh., aufgekommen sein mußten, d. h. aber hauptsächlich während der 55-jährigen Regierungszeit Manasses (696–642), der gegenüber die letzten Jahre Hiskias und die Episode Amons (641–640) kaum ins Gewicht fielen und die ersten Jahre Josias vor der Reform aus Gründen der dtr Theorie von der vollkommenen Untadeligkeit dieses Königs auszuscheiden hatten. Die Darstellung wird also vor allem auf den Reformbericht über Josia zu gründen sein; andere Texte stehen dazu höchstens in einem Ergänzungs- und Bestätigungsverhältnis.

2. Kön 23,4 berichtet, daß es im heiligen Bezirk Jahwes zu Jerusalem kultische Einrichtungen (hebr. *kẹlīm* „Geräte") gab, die „für den Baal, für die Aschera und für das ganze Himmelsheer" bestimmt waren. Zu diesen „Geräten" können durchaus auch die Altäre von 2. Kön 21,3 f. gehören, auch wenn sie literarisch auf das Konto der Dtr gehen sollten. Sie befanden sich nicht etwa in einem der Vorhöfe, sondern im Langhaus *(hẹkāl)* des Tempels, drängten sich also in die Richtungsgerade zwischen dem Eingang und die im Dunkel des Allerheiligsten stehende Lade Jahwes. Wem sie geweiht waren, ist nicht mit letzter Sicherheit auszumachen. Doch spricht die Zusammenordnung „Baal, Aschera, Himmelsheer" dafür, im Baal und der Aschera *interpretationes canaanaicae* für assyrische Gottheiten zu sehen. Es liegt am nächsten, dabei an *Aššur* und *Ištar* zu denken, d. h. an den assyrischen Reichsgott und an die Herrin der Liebe und der Schlacht, die in einem beispiellosen religionsgeschichtlichen Avancement von der untergeordneten Stellung einer Magd und Konkubine des Himmelsgottes *Anu* zu dessen legitimer Gemahlin und dann nacheinander zur Gemahlin sämtlicher mesopotamischer Reichsgötter aufgestiegen war. *Aššur* und *Ištar* waren in besonderer Weise religiöse Repräsentanten des neuassyrischen Großreiches; die Plazierung ihres Kultes im Langhaus des Tempels ist gut verständlich. Warum heißen sie „der Baal" und „die Aschera"? Was Baal betrifft, so ist zunächst zu bedenken, daß dieses Ap-

[20] Der Nachweis zuletzt bei H. Spieckermann, a. a. O., S. 160–170.

pellativum schon längst keine konkrete kanaanäische Göttergestalt mehr bezeichnete, sondern eine Art Sammelausdruck für Götzendienst und heidnisches Wesen geworden war[21]. Diese Generalisierung ermöglichte die Anwendung auch auf *Aššur,* die dadurch erleichtert worden sein mag, daß man diesen Gott wie alle großen männlichen Götter auf Akkadisch *bēlu* „Herr" (= Baal) nannte[22]. Und der *Ištar* entsprachen im westsemitischen Bereich die Fruchtbarkeitsgöttinnen *'Aṯirat, 'Anat* und *'Aṯtart,* die einander bis an die Grenze der Ununterscheidbarkeit ähnlich waren[23]. Im AT läßt die Bezeichnung Aschera an folgenden Stellen assyrischen Hintergrund erkennen oder doch vermuten: Mi 5,13; Dtn 16,21 f.; 2. Kön 21,7a – und auch die „Himmelskönigin" *(malkat haššāmayim)* von Jer 7,18 und 44,17–19 ist niemand anderes als *Ištar*[24]. Das „Himmelsheer" schließlich, dem ebenfalls Altäre in den beiden Vorhöfen des Tempels gewidmet waren (2. Kön 23,12; 21,5), ist nichts anderes als ein Sammelbegriff für assyrisch-babylonische Himmels- und Gestirngottheiten[25]. Der Astralkult wird in 2. Kön 23,5 so spezifiziert, daß man die assyrisch-babylonischen Entsprechungen leicht erkennen kann: *haššemeš* „die Sonne" = *ᵈŠamaš, hayyarēᵃḥ* „der Mond" = *ᵈSîn, hammazzālōt* „die Standorte, Tierkreisbilder" = *manzalātu* / *mazzalātu* „Standorte, Konstellationen"[26]. Es ist zu bedenken, daß sich die assyrisch-babylonische Religion im Laufe ihrer Geschichte mehr und mehr zur Gestirnreligion entwickelt hatte. Nicht nur die Götter, die wie *ᵈŠamaš* und *ᵈSîn* ihrer Natur nach Himmelskörper repräsentierten, sondern alle großen und kleinen Götter wurden zu Fixsternen, Planeten und Sternbildern in Beziehung gesetzt. Gerade aus neuassyrischer Zeit gibt es umfangreiche Listen mit Aufzählungen der Gestirne und der zu ihnen gehörigen Gottheiten. Es verwundert niemanden, daß solche Anschauungen nun auch in Jerusalem Eingang fanden, und wenn 2. Kön 23,5 berichtet, man habe den Gestirngottheiten Rauchopfer dargebracht, dann finden sich auch dafür assyrisch-babylonische Zeugnisse[27]. In denselben Zusammenhang gehören ferner die in 2. Kön 23,11 erwähnten „Rosse, die die Könige von Juda der Sonne am Eingang zum Jahwetempel aufgestellt hatten, nach der Zelle *(liškā)* des Kammerherrn Nethan-Melech zu, die im Parwarim lag, und die Wagen der Sonne". Rosse und Wagen sind geläufige Attribute assyrischer und babylonischer Götter und zugleich auch Kultrequisiten[28]. Der Sonnengott *ᵈŠamaš* z. B.

[21] Vgl. H. Spieckermann, a. a. O., S. 200–225.

[22] Vgl. G. van Driel, The Cult of Aššur. Studia Semitica Neerlandica 13 (1969); W. G. Lambert, The God Aššur. Iraq 45 (1983) 82–86.

[23] H. Spieckermann, a. a. O., S. 212–221.

[24] Eines der geläufigen Epitheta der *Ištar* ist *šarrat šamê* „Himmelskönigin"; vgl. K. L. Tallqvist, Akkadische Götterepitheta. Studia Orientalia 7 (1938) 239 f.

[25] H. Spieckermann, a. a. O., S. 221–225.

[26] Einzelheiten bei H. Spieckermann, a. a. O., S. 271–276.

[27] Eine sehr gute Darstellung der „Spätform assyrischer Religion" bei H. Spieckermann, a. a. O., S. 229–306.

[28] H. Spieckermann, a. a. O., S. 252–256.

hatte einen mit „feurig rennenden Maultieren bespannten" Wagen, auf dem ihn sein Wagenlenker *Bunene* bei Tage über den Himmel und des Nachts durch die Unterwelt fuhr[29]. Möglicherweise signalisierten auch die zwar nicht im Tempelbezirk, aber gleich außerhalb der Stadtmauern gelegenen „Höhen der Bocksgestalten" (2. Kön 23,8b) assyrisch-babylonischen Einfluß[30]: nicht so, als seien diese Bocksdämonen aus Assyrien übernommen, aber doch im Sinne einer Förderung durch das assyrisch-babylonische Dämonenwesen. Was schließlich die in 2. Kön 23,7 genannten Kedeschenhäuser im Tempelbezirk betrifft, so hat man an Einflüsse assyrisch-babylonischer Kulturprostitution (Hierodulie) denken wollen. Aber das ist ganz unsicher und wenig wahrscheinlich; denn der Ausdruck *qᵉdēšīm* (fem. *qᵉdēšōt*) bezeichnet niederes Kultpersonal, das untergeordnete Dienste im Tempel zu leisten hatte[31].

Auch auf dem flachen Lande förderten oder duldeten die Davididen das Einströmen assyrischen Kultwesens. Wir hören von „Höhen in den Städten Judas und im Weichbild von Jerusalem" (2. Kön 23,5; vgl. 21,3), auf denen assyrische Kulte von einem eigens dafür bestimmten Kultpersonal, den *kᵉmārīm*[32], gepflegt wurden. In welchem Verhältnis sie zu den Jahwehöhen im Lande (2. Kön 23,8.15.19 f.) standen, wissen wir nicht. Vielleicht ist mit einer Art Gemengelage zu rechnen[33].

Neben der Einrichtung regulärer assiyrischer Kulte ist ein Zustrom assyrischer Sitte und assyrischen Brauchtums, vor allem in der Jerusalemer Aristokratie, zu beobachten. Einzelheiten darüber erfährt man aus Zeph 1,1–6.8 f. Beide Sprüche sind gegen die Einwohnerschaft Jerusalems gerichtet, der zweite ausdrücklich gegen die Beamtenschaft und gegen die königlichen Prinzen. Der Prophet wirft ihnen vor, daß sie sich fremdem religiösen Brauchtum geöffnet haben: sie verrichten auf den Dächern ihrer Häuser die Proskynesis vor dem Himmelsheer, kleiden sich in ausländische – wohl assyrische – Gewänder und hüpfen beim Eintritt in ein Haus geziert über die Schwelle[34]. Dergleichen Sitten und Moden sind religiös begründet und gefärbt, und es verwundert nicht, daß Jahwe nach Zeph 1,4 erklärt, er werde „den Baal mit Stumpf und Stiel" ausrotten[35].

---

[29] Vgl. B. Meissner, Babylonien und Assyrien 2 (1925) 20. Man kann erwägen, ob der von LXX in 23,11 gebotene Singular τὸ ἅρμα = hebr. *mirkebet* den Vorzug vor dem Plural des MT verdient.

[30] L. *bāmōt haśśᵉʿīrīm* statt MT *bāmōt haššᵉʿārīm*. Zu den *śᵉʿīrīm* „Bocksdämonen" vgl. Jes 13,21; 34,14; Lev 17,7; 2. Chron 11,15.

[31] Vgl. z. B. Jos 9,23. 27 und M. I. Gruber, The Qādēš in the Book of Kings and in Other Sources. Tarbiz 52 (1982/3) 167–176.

[32] Vgl. H. Spieckermann, a. a. O., S. 85 f.

[33] Zum religionsgeschichtlichen Problem des Höhenkultes vgl. auch H. Balz-Cochois, Gomer. Der Höhenkult Israels im Selbstverständnis der Volksfrömmigkeit. Untersuchungen zu Hosea 4,1–5,7. EH XXIII, 191 (1983).

[34] Vgl. H. Donner, Die Schwellenhüpfer. Beobachtungen zu Zeph 1,8 f. Journal of Semitic Studies 15 (1970) 42–55.

[35] Wörtl. „den Rest des Baal". Oder sollte die von O. Procksch im Apparat der BHK³ gegebene, etwas abenteuerliche Vermutung *ʾaššūr* statt *šᵉʾār* gar das Richtige treffen?

Alles in allem zeigt sich eine bedenkliche kultische Überfremdung, vor allem am Tempel zu Jerusalem. Sie konnte für die Jahwereligion kaum ohne Folgen bleiben: eben das ist gemeint, wenn hier von der assyrischen Krise der israelitischen Religion gesprochen wird. Man macht sich die Sache am ehesten klar, wenn man die praktischen Konsequenzen der Existenz assyrischer Kulte in den Vorhöfen und im Langhaus des Tempels bedenkt. Früher hatte Jahwe allein, über der Lade im Dunkel der Cella thronend, dem Tempel sakralen Nimbus und kultisches Gepräge gegeben. Der Blick des Israeliten, der durch das große Portal im Osten den Vorhof betrat, endete in gerader Verlängerung beim Allerheiligsten und erhielt durch die Gegenwart Jahwes Ziel und Richtung. Diese Richtungsgerade war jetzt, wenn nicht geradezu unterbrochen, so doch gestört. Zwischen dem Eintretenden und der Cella standen die Altäre und Embleme assyrischer Gottheiten und zogen den Blick mit der für den Orientalen schwer widerstehlichen Kraft vordergründiger Anschauung auf sich. Jahwe geriet sozusagen in den Hintergrund. Es war angesichts der engen Verbindung sinnenfälliger Darstellung und geistiger Vorstellung nicht mehr als natürlich, daß Jahwe wie im Kultus so auch im religiösen Leben und Denken der Israeliten gewissermaßen nach hinten verschoben wurde. Daß es in der Tat so kam, erkennt man an der Bescheltung des Propheten Zephanja, der auftrat, als das Gift des assyrischen Einflusses schon längere Zeit gewirkt hatte. Zeph 1,12 redet von Leuten, denen die treibende Kraft der Jahwereligion – der Hefe vergleichbar, die den Wein zum Gären bringt – verlorengegangen war. Sie sagen bei sich selbst: „Jahwe tut weder Gutes noch Böses" – d.h. er tut überhaupt nichts, ist ein *deus otiosus* im Hintergrund, von den assyrischen Göttern verdrängt, denen gegenüber er sich als unterlegen erwiesen hatte. Die praktische Konsequenz dieser Anschauung ist es, daß die Jerusalemer „sich von Jahwe abgekehrt haben und nach Jahwe weder suchen noch fragen" (Zeph 1,6).

Kann man diesen Vorgang religionsgeschichtlich noch verständlicher machen? Es soll, bei aller Unsicherheit, wenigstens versucht werden. Man muß fragen, in welcher Weise die religiöse Rezeption der assyrischen Kulte in Jerusalem und Juda vor sich gegangen ist. Wir wissen das zwar nicht genau, aber es scheint doch, als hätten die assyrischen Elemente ihren Platz in der religiösen Vorstellungswelt der Israeliten nahe bei dem gefunden, was wir mit einem längst nicht mehr ethnisch gemeinten Ausdruck als „kanaanäisch" bezeichnen. Die assyrisch-babylonischen Gottheiten standen zwar von Hause aus überwiegend in Beziehung zu Naturtatsachen, wenn sie nicht geradezu Repräsentanten von Naturerscheinungen waren; sie hatten sich jedoch im Laufe der Geschichte mehr und mehr zu religiösen Repräsentanten des neuassyrischen Großreiches entwickelt und damit – besonders für die unterworfenen Gebiete – gewissermaßen historisches Profil bekommen[36]. Man sollte annehmen, daß sie auch von den

[36] Vgl. B. Albrektson, History and the Gods. An Essay on the Idea of Historical Events as Divine Manifestations in the Ancient Near East and in Israel. Coniectanea Biblica, OT Series 1 (1967).

Jerusalemern und Judäern als geschichtliche Größen empfunden und mit ihren Namen genannt worden wären. Das aber ist nicht der Fall. Vielmehr hat die Naturbezogenheit der fremden Gottheiten den Ausschlag für ihre Rezeption gegeben. Das gilt keineswegs nur für Götter, deren Beziehung zur Natur ohnehin auf der Hand lag – wie *Šamaš, Sîn* und das Himmelsheer –, sondern auch für solche, die in eminentem Sinn Ausdruck einer politischen Größe geworden waren, wie etwa *Aššur* und *Ištar.* So rückten die Gottheiten des assyrisch-babylonischen Pantheons in große innere Nähe zu den kanaanäischen Natur- und Vegetationsgottheiten, man kann auch sagen: zur kanaanäischen Komponente der palästinisch-israelitischen Religion. Die Reichsgötter Assyriens verloren in Jerusalem ihre individuelle historische Prägung soweit, daß man sie Baal und Aschera nennen konnte. Darin besteht der Sinn des oben[37] gebrauchten Ausdrucks *interpretatio canaanaica*; gemeint ist nicht etwa Interpretation durch Kanaanäer. Man erkennt an alledem, daß die kanaanäische Religion – oder besser: die kanaanäische Komponente der Jahwereligion – im Verlauf der assyrischen Krise Förderung und Belebung erfahren hat. Der Vergleich mit der phönikischen Krise zur Zeit der Omridendynastie[38] legt sich nahe, und es ist im Grunde ganz sachgemäß, daß die Dtr diesen Vergleich bereits gezogen haben. Der dtr Prophetenspruch 2. Kön 21,10–15 kündigt ein Strafgericht an, bei dem Jahwe über Jerusalem und Juda „die Meßschnur von Samaria" ziehen und „die Setzwaage des Hauses Ahabs" anlegen werde. Und ein spätdtr Redaktor hielt es für richtig, zur dtr Notiz über Manasses Altäre für Baal und Aschera hinzuzufügen: „wie Ahab, der König von Israel, getan hatte" (2. Kön 21,3).

Aus alledem geht hervor, daß der Zustrom assyrischer Gottheiten und Kulte stimulierend auf den „Kanaanismus" und damit auch auf den niemals völlig zum Stillstand gekommenen Amalgamationsprozeß der Jahwereligion mit kanaanäischen Elementen gewirkt hat. Es sind also in der Hauptsache zwei Sachverhalte, die der assyrischen Krise der israelitischen Religion ihr Gepräge geben: der aktuelle Angriff auf Gestalt und Bestand der Jahwereligion und die Beförderung der latenten Krise des Kanaanismus.

---

[37] S. o. S. 334.
[38] S. o. S. 264–273.

KAPITEL 5

Der Untergang des neuassyrischen Großreiches und das Reformwerk des Königs Josia

Nach dem um 630 erfolgten Tode Assurbanipals[1] ging das neuassyrische Großreich verhältnismäßig rasch und unaufhaltsam seinem Ende entgegen. Seine Kräfte waren verbraucht, die moralische Autorität des letzten großen assyrischen Herrschers dahingegangen, das mesopotamische Stammland ausgesogen und von einer Vielzahl sich befehdender Gruppierungen und Parteien zerrissen. Das Weltreich war reif zum Untergang. Es bedurfte nur noch eines Anstoßes von außen, um es endgültig zu Fall zu bringen. Der Anstoß kam etwa gleichzeitig von Norden und von Südosten, wo dem assyrischen Reiche zwei Gegner erwuchsen, deren es auf die Dauer nicht Herr werden konnte: die Meder vom iranischen Hochland, die unter den Königen Phraortes und Kyaxares (babylon. *Umakištar*) nach Süden und Westen drängten, und das aramaisierte Babylonien, dessen antiassyrische Kräfte langsam immer stärker wurden[2].

Über die Ereignisse dieser dunklen und bewegten Jahre lassen sich Aussagen machen, seit nicht mehr nur die verhältnismäßig wenigen Inschriften der letzten assyrischen Könige und die Nachrichten der griechisch schreibenden Historiographen (Herodot, Berossos) zur Verfügung stehen, sondern babylonische Chroniken, die den Zeitraum ganz oder teilweise abdecken. Über die Jahre 616–609 unterrichten die „Chronik Gadd“[3], über den Zeitraum zwischen 626 und 556 die von D.J.Wiseman herausgegebenen babylonischen Chroniken des Britischen Museums[4]; hinzu kommen Fragmente[5]. Diese Chroniken erlauben eine streckenweise sehr detaillierte, manchmal aber auch nur bescheidene Einsicht in den Geschichtsverlauf. Sie bieten ein Gerüst von Namen, Fakten und Zahlen: Rohmaterial für den Historiker[6].

---

[1] Sein Todesjahr steht nicht präzise fest: er ist frühestens 631 und spätestens 627 gestorben. Zu den chronologischen Problemen vgl. M.Falkner, Die Eponymen der spätassyrischen Zeit. AfO 17 (1954–56) 100–120; J.Oates, Assyrian Chronology, 631–612 B.C. Iraq 27 (1965) 135–159.

[2] S.u. S.362f.

[3] C.J.Gadd, The Fall of Niniveh. The Newly Discovered Babylonian Chronicle, Nr. 21901 in the British Museum (1923).

[4] D.J.Wiseman, Chronicles of Chaldaean Kings (1956, 1961²); vgl. auch A.K.Grayson, Cronache dell'impero neo-babilonese (626–556 a.C.). BeO 6 (1964) 191–206.

[5] A.R.Millard, Another Babylonian Chronicle Text. Iraq 26 (1964) 14–35.

[6] Vgl. noch G.Morawe, Studien zum Aufbau der Neubabylonischen Chroniken in ihrer Beziehung zu den chronologischen Notizen der Königsbücher. EvTheol 26 (1966) 308–320; A.K.Grayson, Assyrian and Babylonian Chronicles. Texts from Cuneiform Sources 5 (1975); R.A.Parker–W.H.Dubberstein, Babylonian Chronology 626 B.C. – A.D. 75 (1976). Übersetzungen (auszugsweise) in den Sammelwerken: AOT², 362–365; ANET³, 303–305; TGI³, 59–63; TUAT I,4,401–405.

Assurbanipal hinterließ das Reich seinem Sohne *Aššur-etel-ilāni*, von dem nicht viel mehr bekannt ist, als daß er sich der Unterstützung des Heeres unter dem General *Sîn-šum(a)-līšir* erfreute, der einen Usurpationsversuch niederschlug. *Aššur-etel-ilāni* scheint bald (627?) gestorben zu sein. Jedenfalls kam die Herrschaft nach einem mehrmonatigen Interregnum, in dem *Sîn-šum(a)-līšir* die Geschäfte führte, an einen zweiten Sohn Assurbanipals namens *Sîn-šar(ra)-iškun*[7]. Die Einzelheiten des Herrschaftswechsels sind nicht genau bekannt, und es ist auch schon die These vertreten worden, daß es nach Assurbanipals Tode nur einen Nachfolgekönig gegeben habe, nämlich *Aššur-etel-ilāni*, dessen babylonischer Thronname *Sîn-šar(ra)-iškun* gewesen sei[8]. Wie dem auch sei, in den ersten Jahren konnte sich Assyrien noch leidlich halten. Doch 627 starb oder fiel der assyrische Statthalter *Kandalānu,* den Assurbanipal nach dem Ende seines Bruders Šamaššumukīn (648) in Babylonien eingesetzt hatte, und damit begannen die Schwierigkeiten. Zwar erkannten die Städte Babyloniens, in denen assyrische Garnisonen standen, *Sîn-šar(ra)-iškun* an, nicht jedoch Babylon selbst. In Südbabylonien, besonders im Distrikt *Bīt-Jakīni* und im Meerlande am Persischen Golf, waren Aufstände der aramäischen (chaldäischen) Bevölkerung ausgebrochen, geschürt und geführt von *Nabû-apla-uṣur* (Nabopolassar), dessen Herrschaft *Sîn-šar(ra)-iškun* zunächst einmal anerkannte. Das war der kommende Mann. Er rückte vor, plünderte Uruk mit elamischer Hilfe, stieß bei Nippur auf assyrische Verbände, die ihn zwar zum Rückzug nach Uruk zwangen, dort aber von ihm geschlagen wurden. 626 kämpfte sich das von den Assyrern belagerte Babylon frei und trug Nabopolassar die Königswürde an. Damit war der erste Nagel in den assyrischen Sarg geschlagen. 623 erfolgte ein Aufstand des Distriktes von *Dēr* gegen die Assyrer, und etwa gleichzeitig gingen die Meder, wahrscheinlich unter Phraortes, gegen Ninive vor[9]. Das Ergebnis der Vorgänge bleibt im Dunkeln, da die babylonischen Chroniken für einige Jahre aussetzen. Man kann gerade noch erkennen, daß den schwer angeschlagenen Assyrern zwei Bundesgenossen erwuchsen: im Norden unfreiwilligerweise die skythischen Reiterscharen, deren Heimat wahrscheinlich in den südrussischen Steppengebieten lag, und die Ägypter der 26. Dynastie unter Psammetich I. (664–610)[10].

Von Psammetich I. weiß Herodot (II, 157) zu berichten, er habe Asdod 29 Jahre lang belagert. Hinter dieser natürlich nicht glaubhaften Angabe mag immerhin das Interesse der saitischen Pharaonen an der syropalästinischen Landbrücke stehen. Des weiteren teilt Herodot (I, 105) mit, die Skythen seien durch ganz Syrien und Palästina gezogen und erst bei Askalon von Psammetich zum Stehen gebracht

---

[7] Vgl. J. Reade, The Accession of Sinsharishkun. JCS 23 (1970) 1–9.

[8] Vgl. R. Borger, Mesopotamien in den Jahren 629–621 v. Chr. Wiener Zeitschrift f. d. Kunde d. Morgenlandes 55 (1959) 62–76; ders., Der Aufstieg des neubabylonischen Reiches. JCS 19 (1965) 59–78.

[9] Herodot I, 102.

[10] S. u. S. 341. 360 f.

worden. Diesen sog. Skythensturm benutzte man früher gern zur Erklärung des „Feindes aus dem Norden" bei Zephanja und Jeremia[11]. Aber Herodot ist der einzige Zeuge dafür. Vermutlich handelt es sich um einen Reflex der ägyptischen Bestrebungen, Völkerschaften des Nordens politisch zu neutralisieren, wohl vor allem im Interesse des ägyptischen Hegemonieanspruches über Palästina und Mittelsyrien[12].

Die Skythen bremsten fürs erste die medische Expansion nach Süden; mehr haben sie wohl nicht geleistet[13]. Die Ägypter dagegen waren an der Sache politisch viel stärker interessiert. Sie gingen von der Erwägung aus, daß es jetzt vielleicht möglich sein werde, den alten und theoretisch niemals aufgegebenen ägyptischen Herrschaftsanspruch über den Südteil der syrisch-palästinischen Landbrücke zur Geltung zu bringen. Die Ägypter wünschten ein schwaches Assyrien als Pufferstaat gegen die Meder und Babylonier, von denen man sich denken konnte, wie sie sich als Erben des neuassyrischen Großreiches verhalten würden. Deshalb schlossen sie ein Bündnis mit Assyrien und suchten diesen Todeskandidaten mit allen, auch mit militärischen Mitteln zu halten. 616 schlug der Meder Kyaxares die Skythen; gleichzeitig brachte Nabopolassar der assyrischen Armee bei *Qablīnu* am mittleren Euphrat eine Niederlage bei, rückte euphrataufwärts bis zu den Nebenflüssen *Ḫābūr* und *Balīḫ* vor und schickte sich an, gegen die Hauptstadt Assur vorzugehen. Dieser Doppelangriff hätte Assyrien schon das Leben kosten können; doch sandte Psammetich I. Truppen, denen es gelang, Nabopolassar zurückzuwerfen und nun seinerseits in der Festung *Tekrīt* am Tigris zu belagern. Im Norden bedrohten die Meder inzwischen den Distrikt von *Arrapḫa*. Als die Ägypter die Belagerung von *Tekrīt* ergebnislos abgebrochen hatten und verschwunden waren, gab es kein Halten mehr. Kyaxares eroberte 614 kurz nacheinander *Tarbiṣu (Šarīf-Ḫān)* und Assur. Nabopolassar schloß einen Vertrag mit den Medern, der nach einer Mitteilung des Berossos durch die Verheiratung eines babylonischen Prinzen mit einer medischen Prinzessin besiegelt worden sein soll. Nach einem Teilsieg des *Sîn-šar(ra)-iškun* im Jahre 613 war es soweit: 612 v.Chr. gelang es der medisch-babylonischen Koalition, Ninive nach dreimonatiger Belagerung zu erobern. Das war der Todesstoß für das neuassyrische Reich. Im alten assyrischen Stammland erhob sich ein furchtbares Gemetzel. Die Städte am oberen Tigris wurden dem Erdboden gleichgemacht und sind seitdem nie wieder besiedelt worden. Nach einer griechischen Überlieferung kamen *Sîn-šar(ra)-iškun* und seine Familie in den Flammen der Königsburg von Ninive um. Der Fall von Ninive ver-

---

[11] Vgl. F. Wilke, Das Skythenproblem im Jeremiabuch. Fs R. Kittel, BWAT 13 (1913) 222–254.

[12] Vgl. zum Skythenproblem H. Cazelles, Sophonie, Jérémie, et les Scythes en Palestine. RB 74 (1964) 24–44; R. P. Vaggione, Over all Asia? The Extent of the Scythian Domination in Herodotus. JBL 92 (1973) 523–530.

[13] Die Rolle der ebenfalls expandierenden *Ummān-manda* ist nicht völlig klar. Sie waren jedenfalls keine Skythen; vgl. B. Landsberger–Th. Bauer, ZA 37 (1927) 81–83.

breitete im ganzen Vorderen Orient Schrecken, verursachte zugleich aber auch ein großes Aufatmen über die Befreiung vom assyrischen Joch. Mehr als 1000 km entfernt feierte der Prophet Nahum den Sieg der Meder und Babylonier als einen Sieg Jahwes, der Juda die Freiheit geschenkt hatte:

> „Siehe, auf den Bergen sind die Füße des Freudenboten, der
> Heil verkündigt:
> Feiere, Juda, deine Feste, bezahle deine Gelübde!
> Denn fortan wird der Heillose dich nicht mehr durchziehen;
> es ist ganz aus mit ihm." (Nah 2,1).

Und über die Zwingburg Ninive selbst frohlockte der Prophet:

> „Keine ‚Heilung' gibt's für deinen Schaden, unheilbar ist dein
> Schlag.
> Alle, die von dir hören, klatschen deinetwegen in die Hände!
> Denn über wen ist nicht beständig deine Bosheit ergangen!"
> (Nah 3,19)[14].

Im Rückblick und angesichts des Unterganges des neuassyrischen Großreiches steht man nicht ohne beklommene Bewunderung vor der Leistung der Großkönige und ihrer Beamten, denen es gelungen war, ein Reichsgebilde aufzubauen, zu gliedern, zu beherrschen und geraume Zeit zu halten, wie es der Orient bis dahin nicht gesehen hatte. Das gilt auch im Hinblick auf die syropalästinische Landbrücke, die doch zunächst ein verläßliches Barometer für die relative Stärke und Schwäche des Großreiches gewesen war. So sehr jedoch die Kleinstaaten dieses Raumes den Assyrern im 8. Jh. v. Chr. zu schaffen gemacht hatten, so gründlich waren sie danach – im 7. Jh. – befriedet. Auch der Niedergang und der endliche Zusammenbruch des assyrischen Reiches scheint keine nennenswerten politischen Wirkungen auf die Provinzen und Vasallenstaaten des Westens gehabt zu haben – soweit wir es wissen. Die harte Herrschaft der Assyrer hatte den Widerstandswillen anscheinend gebrochen, der Westen des Reiches verharrte in Lähmung, auch während der krisenreichen Regierungszeit Assurbanipals und selbst noch nach dessen Tode. Gewiß kann dieser Eindruck durch die Quellenlage bedingt und also irrtümlich oder doch vereinfachend sein. Aber es ist schon auffallend, daß von antiassyrischer Politik auf der syrisch-palästinischen Landbrücke nicht das Geringste verlautet.

Eine Ausnahme gibt es allerdings. Ein einziger unter den assyrischen Vasallen des Südwestens hatte das Format, die Zeichen der Zeit zu erken-

---

[14] Nach LXX ἴασις ist wahrscheinlich *gẹhā* statt MT *kẹhā* „Löschung" zu lesen; doch könnte natürlich auch einfacher Wechsel *g/k* vorliegen. – Vgl. H. W. F. Saggs, Nahum and the Fall of Niniveh. JThST.NS 20 (1969) 220–225 zu Nah 2,7–9. J. Jeremias, Kultprophetie und Gerichtsverkündigung in der späten Königszeit. WMANT 35 (1970) 11–55 (bes. 53–55) hat versucht, Nahum hinaufzudatieren und als frühen Zeitgenossen Zephanjas zu verstehen.

nen und den Niedergang der Macht Assyriens politisch auszunutzen: König Josia von Juda (639–609), eine der glänzendsten, begabtesten und faszinierendsten Gestalten auf dem Throne Davids, der letzte große König des Südstaates[15]. Trotz aller idealen dtr Übermalung und Stilisierung, die seine Gestalt erfahren hat, wird man vermuten dürfen, daß er bereits seinen Zeitgenossen als Verkörperung der in der Geschichte des Volkes Israel lebendigen Hoffnungen galt, als der Gesalbte Jahwes schlechthin, als der wahre und würdige Nachkomme Davids. Josia ist der König der nach ihm benannten „josianischen Reform". Wir würden diese Reform gründlich mißverstehen, wenn wir sie ausschließlich unter dem außen- und innenpolitischen Aspekt der Gegnerschaft gegenüber Assyrien betrachten wollten. Denn die Reform ist durch das Auftauchen des Deuteronomiums ausgelöst und ganz wesentlich mitbedingt worden: durch die Erscheinung eines heiligen Buches, dessen Wirkungen auf die Religions- und Geistesgeschichte Israels, des Judentums, des Christentums und des Islam gar nicht hoch genug eingeschätzt werden können. In der josianischen Reform sind politische und religiöse Motive eine unauflösbare Verbindung eingegangen. Freilich ist schon hier darauf hinzuweisen, daß die geschichtliche Stunde den Idealen und dem Werke Josias weniger günstig war, als er selber geglaubt haben mag, und an diesem Mißverhältnis ist er schließlich gescheitert und hat große Erwartungen mit ins Grab genommen. Im Grunde endet mit ihm die Königsgeschichte Israels; was noch folgte, war nicht viel mehr als ein Nachspiel. Die Geschichte der israelitischen Königszeit war durch die große und tragische Gestalt Sauls eröffnet worden. Sie schloß mit Josia in den Dimensionen von Größe und Tragik, die einem solchen Ende gemäß sind.

Nach diesem Vorspruch darf nun allerdings nicht verschwiegen werden, daß die Auffassungen der Exegeten und Historiker über Josia und seine Reform sehr weit auseinanderklaffen – nicht weniger weit als bei den klassischen Themen der Vorgeschichte Israels bis zur sog. Landnahme. Das gilt bereits für die Beurteilung des Quellenmaterials, das lange nicht so gut und ausführlich ist, wie man sich wünschen möchte. Immerhin besitzen wir über die Regierungszeit Josias, der als achtjähriger Knabe den judäischen Thron bestieg[16], den Bericht von 2. Kön 22–23, der seinerseits die Quelle der chronistischen Darstellung in 2. Chron 34–35 bildet. Die Dtr haben diesen Bericht in den geläufigen Rahmen für die Darstellung der Regierung der israelitischen und judäischen Könige eingestellt (2. Kön 22, 1 f.; 23, 25–30). Die literarische Analyse und die historische

---

[15] Vgl. O. Procksch, König Josia. Fs Th. Zahn (1928) 19–53; F. M. Cross – D. N. Freedman, Josiah's Revolt against Assyria. JNES 12 (1953) 56–58; W. E. Claburn, The Fiscal Basis of Josiah's Reforms. JBL 92 (1973) 11–22; G. W. Ahlström, Royal Administration and National Religion in Ancient Palestine. Studies in the History of the Ancient Near East 1 (1982).

[16] S. o. S. 329.

Auswertung des Berichtes waren und sind strittig[17]. Das hat hauptsächlich zwei Gründe: 1. Der Text ist unzweifelhaft zusammengesetzt. Das wirft Fragen auf, die sich nur schwer mit einem ausreichenden Grade von Sicherheit oder auch nur Wahrscheinlichkeit beantworten lassen. Handelt es sich um eine Komposition aus mehreren, ursprünglich einmal selbständig gewesenen Stücken oder um die redaktionelle Bearbeitung eines einheitlichen Grundbestandes? Erfolgte die dtr Redaktion in mehreren Stufen, und wenn ja, in welchen? Inwieweit haben die dtr Redaktoren die josianische Reform verzeichnet, durch Interpretation verändert? Haben sie womöglich bestimmte Scheinfakten auf dem Wege der Interpretation überhaupt erst geschaffen? Lassen sich die Redaktions- und Bearbeitungsvorgänge wieder rückgängig machen[18]? 2. Die josianische Reform ist, jedenfalls nach dem biblischen Bericht, durch die Auffindung eines „Gesetzbuches" (hebr. *sẹfer hattōrā*) im Jerusalemer Jahwetempel ausgelöst worden. Daran knüpfen sich historische Fragen. Verhielt es sich wirklich so, oder ist die Verbindung der Reform mit dem Buch das Werk der dtr Bearbeiter? War das aufgefundene Buch tatsächlich das Deuteronomium? Gewiß nicht das Dtn in seiner kanonischen Letztgestalt, sondern in einer Urform. Wie aber sah dieses Urdeuteronomium aus? Oder handelte es sich um ein anderes Buch, das der Reform zugrundelag? Welche Konsequenzen ergeben sich aus der Beantwortung dieser Fragen für die Beschreibung des Charakters und des Ausmaßes der Reform[19]? Es liegt auf der

---

[17] Ein kurzer Forschungsüberblick bei H. Spieckermann, Juda unter Assur in der Sargonidenzeit. FRLANT 129 (1982) 17–30.

[18] Eine Auswahl an neuerer Literatur (die aufgeführten Arbeiten enthalten in der Regel mehr als nur literarische Analysen): W. Dietrich, Prophetie und Geschichte. FRLANT 108 (1972); ders., Josia und das Gesetzbuch (2 Reg. XXII). VT 27 (1977) 13–35; H. Hollenstein, Literarkritische Erwägungen zum Bericht über die Reformmaßnahmen Josias. 2 Kön XXIII 4ff. VT 27 (1977) 321–336; M. Rose, Bemerkungen zum historischen Fundament des Josia-Bildes in II Reg. 22f. ZAW 89 (1977) 50–63; H.-D. Hoffmann, Reform und Reformen. Untersuchungen zu einem Grundthema der dtr Geschichtsschreibung. AThANT 66 (1980) bes. 169–270; H. Spieckermann, a. a. O., S. 46–160. Chr. Levin, Joschija im dtr Geschichtswerk. ZAW 96 (1984) 351–371.

[19] Ausgewählte Literatur (die aufgeführten Arbeiten enthalten in der Regel auch literarkritische Analysen): G. Hölscher, Komposition und Ursprung des Deuteronomiums. ZAW 40 (1922) 161–255; ders., Das Buch der Könige, seine Quellen und seine Redaktion. Fs H. Gunkel, FRLANT 36/1 (1923) 158–213; K. Budde, Das Deuteronomium und die Reform König Josias. ZAW 44 (1926) 177–224; A. Bentzen, Die josianische Reform und ihre Voraussetzungen (1926); D. W. B. Robinson, Josiah's Reform and the Book of the Law (1951); A. Jepsen, Die Reform des Josia [1959]. Der Herr ist Gott (1978) 132–141; E. W. Nicholson, Josiah's Reformation and Deuteronomy. Transactions of the Glasgow University Oriental Society 20 (1963/4) 77–84; N. Lohfink, Die Bundesurkunde des Königs Josias. Biblica 44 (1963) 261–288; J. M. Grintz, Die Erzählung von der „Reform" des Josia und das Deuteronomium. Beth-Miqra 11,4 (1965) 3–16 (hebr.); L. Rost, Zur Vorgeschichte der Kultusreform des Josia. VT 19 (1969) 113–120; J. Lindblom, Erwägungen zur Herkunft der josianischen Tempelurkunde. Scripta Minora Regiae Societatis Humaniorum Litterarum Lundensis 1970–71:3 (1971); J. R. Lundbom, The Law Book of the Josianic Reform. CBQ 38 (1976) 293–302; E. Würthwein, Die josianische Reform und das Deuteronomium. ZThK 73 (1976) 395–423.

Hand, daß in eine ausführliche kritische Erörterung aller dieser Probleme hier nicht eingetreten werden kann. Es ist nicht mehr zu leisten als der Versuch, zwischen Scylla und Charybdis der Extreme einigermaßen heil hindurchzukommen und einen Weg zu gehen, der leidlich gerade durch das Gestrüpp der Meinungen hindurchführt. Zwei Leitgesichtspunkte sollen dabei beachtet werden: der Bericht über die Regierungszeit Josias verdient mehr Vertrauen, als es nach dem ersten kritischen Durchgang scheinen könnte, und die dtr Barbeiter haben zwar retouchierend und stilisierend eingegriffen, aber dabei das historische Fundament nicht völlig verändert.

Von den dtr Rahmenteilen abgesehen, enthalten 2. Kön 22–23 einen zusammenhängenden, im wesentlichen einheitlichen, dtr bearbeiteten Bericht über die Regierungszeit Josias, der sich in folgende Abschnitte gliedern läßt:

1. 22,3–13: eine Erzählung über die Auffindung und die Schicksale des „Gesetzbuches“, der josianischen Reformurkunde. Die Erzählung ist authentisch, vorexilisch und nur leicht dtr bearbeitet (V. 13).
2. 22,14–20: das Orakel der Prophetin Hulda, in mehreren Stufen kräftig dtr redigiert.
3. 23,1–3: der Bericht über den Bundesschluß Josias, mit dtr Anteilen in V. 1.
4. 23,4–15. 19f. 24: ein im wesentlichen authentischer, vorexilischer Bericht über die Reformmaßnahmen Josias mit leichten dtr Retouchen (V. 13f.) und einem dtr Interpretament (V. 24). Es ist wahrscheinlich, daß diesem Bericht eine offizielle Quelle zugrundegelegen hat, wenn auch nicht – wie oft angenommen – die Annalen der Könige von Juda[20].
5. 23,21–23: der Bericht über das josianische Passah als Abschluß der Gesamtdarstellung[21].

Übrig bleibt noch 23,16–18: ein spätdtr Zusatz, der sich auf die Prophetenlegende von 1. Kön 12,33–13,32 zurückbezieht und hier ganz auf sich beruhen bleiben kann. Die chronistische Darstellung in 2. Chron 34–35 hat keinerlei selbständigen historischen Quellenwert: sie ist – wie üblich – eine Nachbearbeitung (Epitome) der Königsbücher-Vorlage, und alles, was über die Vorlage hinausgeht, ist auf exegetischem Wege gewonnen.

Das ist unter kritischen Historikern heute nicht mehr strittig – mit einer Ausnahme: der Chronologie der josianischen Reform. Während die Darstellung von 2. Kön 22–23 die Reform durch den 622 gemachten Fund des „Gesetzbuches“ ausgelöst sein läßt, beginnt sie nach 2. Chron 34, 3–7 (33) wesentlich früher: die erste Hinwendung Josias zu Jahwe, anscheinend noch persönlich und privat, geschah in

[20] Vgl. R. Meyer, Auffallender Erzählungsstil in einem angeblichen Auszug aus der „Chronik der Könige von Juda“. Fs F. Baumgärtel (1959) 114–123; H. Spieckermann, a. a. O., S. 120–130.

[21] Weitergehende Skepsis – wie z. B. die H. Spieckermanns, der 23,9. 15. 19f. 21–23 für ausschließlich dtr hält – vermag ich nicht zu teilen.

seinem 8. Regierungsjahr (632), als der König 16 Jahre alt war, und der Beginn des Reformwerkes fiel ins 12. Regierungsjahr (628), das 20. Lebensjahr des Königs[22]. Dieser Chronologie haben sich – vor allem in der Nachfolge Th. Oestreichers[23] – zahlreiche Exegeten und Historiker angeschlossen. Sie schien den Vorteil einer vom „Gesetzbuch" unbeeinflußten Deutung der josianischen Reform zu bieten. Die Dinge stellten sich dann so dar, daß die Reform bereits sechs Jahre lang im Gange war, als das „Gesetzbuch" auftauchte. Es löste die Reform nicht aus, sondern gab ihr nur einen neuen Impuls und eine andere Richtung. Aber diese Auffassung ist nicht stichhaltig[24]; denn sie verkennt und unterschätzt die Grundsätze chronistischer Historiographie. Das chronistische Josiabild ließ die Annahme unmöglich erscheinen, ausgerechnet dieser König könne bis zu seinem 18. Regierungsjahr gewartet haben, ehe er die Reform begann. Außerdem war das mosaische Gesetz nach chronistischer Überzeugung nie ganz vergessen gewesen; es hatte schon vor Josia mehr als einmal reformerische Kraft entfaltet (sogar bei Manasse: 2. Chron 33, 15–17!), und deshalb konnte das 622 gefundene Buch nur ein weiteres Exemplar des längst bekannten Gesetzes gewesen sein. Schließlich war es für den Chronisten ein leichtes, Josias frühe Frömmigkeit aus dem an ihn gerichteten Teil des Hulda-Orakels (2. Kön 22, 18–20) exegetisch zu gewinnen.

Es empfiehlt sich, mit dem Bericht über die Reformmaßnahmen Josias (2. Kön 23,4–15. 19f. 24) zu beginnen. Keiner der dort beschriebenen Reformakte ist datiert, aber es spricht nichts dagegen, daß sie eine wenigstens ungefähre chronologische Folge einhalten. Es handelt sich ausschließlich um kultuspolitische Maßnahmen mit dem Ziel der Beseitigung alles fremden, nichtisraelitischen, nichtjahwistischen Religionswesens – mit einem Worte: mit dem Ziel der wie immer verstandenen *Kultusreinheit.* Man könnte zunächst meinen, der Sinn dieser Maßnahmen erschöpfe sich darin; sie seien auf den Sektor des Kultes und der Religion beschränkt, eine sozusagen rein „kirchliche" Angelegenheit. Aber das gibt es natürlich nicht. Josias Kultusreform war zumindest auch Ausdruck einer politischen Gesamtkonzeption, innerhalb derer die Kultusreinheit nur ein Aspekt unter anderen war. Um das zu erkennen, darf man das Augenmerk nicht nur auf das richten, was geschah, sondern muß auch beachten, wo etwas geschah. Man muß Josias Reformmaßnahmen lokal und territorial gliedern und unterscheiden. Dabei ergibt sich das folgende:

1. Jerusalem: In der Hauptstadt Jerusalem, die als Stadtstaat einst die Domäne seiner Väter gewesen war, wurde Josia in zwei Bereichen tätig.

a) Tempelbezirk: Hier ordnete Josia die Beseitigung des gesamten, während der voraufgegangenen Jahrzehnte in den heiligen Bezirk Jahwes eingedrungenen assyrischen Kultwesens an (23,4. 6f. 11f.)[25]. Er ließ die Kultgegenstände für „den Baal, die Aschera und das ganze Himmelsheer"

---

[22] Gemeint ist wahrscheinlich das Datum seiner Volljährigkeit in Sachen des Kultes und des militärischen Dienstes; vgl. die Belege bei H. Spieckermann, a. a. O., S. 33, Anm. 5.

[23] Th. Oestreicher, Das deuteronomische Grundgesetz. Beiträge z. Förderung christl. Theologie 27,4 (1923).

[24] Vgl. zur Kritik H. Spieckermann, a. a. O., S. 30–41.

[25] S. o. S. 334–336.

aus dem Langhaus des Tempels hinausschaffen und im Kidrontal *(Wādī en-Nār)* verbrennen. Er entfernte die Aschera und riß die Kedeschenhäuser nieder. In den Tempelvorhöfen beseitigte er die Rosse und Wagen des Sonnengottes *Šamaš* und die Dachaltäre für das Himmelsheer.

b) Stadtgebiet: Im Stadtgebiet von Jerusalem ließ Josia Kultstätten beseitigen, die nicht assyrischen, sondern kanaänischen Ursprungs waren, aber im Verlaufe der assyrischen Krise der israelitischen Religion Förderung und Belebung erfahren hatten (23,8. 10. 13). Er brach die „Höhen der Bocksdämonen"[26] ab, verunreinigte die Kultstätte im Tale Ben-Hinnom *(Wādī er-Rabābe)* südlich von Jerusalem und zerstörte die Höhenheiligtümer auf dem „Berg des Ärgernisses" östlich der Stadt, die einst Salomo eingerichtet hatte (1. Kön 11,7 f.)[27] und die – mehr oder weniger kümmerlich – noch immer existierten.

2. *Weichbild von Jerusalem*: Nach 23,5 betrafen die Maßnahmen Josias auch das Territorium des Stadtstaates Jerusalem *(m^{e}sibbę̄ Y^{e}rūšālayim)*, das seit Asa von Juda[28] im Norden bis Mizpa *(Tell en-Naṣbe)* und Geba *(Ǧebaʿ)* reichte und im Süden wahrscheinlich auf den Höhen nördlich von Bethlehem endete. Auch dort beseitigte Josia die Kultstätten für die assyrischen Götter *Šamaš*, *Sîn* und die Götter der Tierkreiszeichen und das ganze Himmelsheer samt dem dazu gehörigen Kultpersonal *(k^{e}mārīm)*. Sehr wahrscheinlich fielen der Ausrottung auch „kanaanäische" Kulthöhen zum Opfer.

3. *Städte Judas*: Nicht anders verfuhr Josia in den Ortschaften des Staates Juda „von Geba bis Beerseba" (23,5. 8 a).

Mit einem Worte: Josia beendete in Jerusalem und Juda durch rigorose Ausrottungsmaßnahmen die assyrische Krise, oder genauer: er beseitigte deren Anlässe. Das aber war ganz sicher mehr als das Streben nach Kultusreinheit. Denn zur Zeit der vollen Macht des neuassyrischen Großreiches hätte ein judäischer Kleinkönig schwerlich wagen dürfen, so zu verfahren, wie Josia verfuhr. Nach der Katastrophe von 701 v. Chr. und angesichts der unmittelbaren Nachbarschaft des assyrischen Kolosses hatten die Könige auf dem Throne Davids allen Anlaß zu Behutsamkeit und Loyalität gegenüber Assyrien gehabt. In diesem Lichte betrachtet ist die Beseitigung der assyrischen Kultstätten und Kultgegenstände unter Josia ein deutliches Nein zur assyrischen Oberhoheit. Die Kultusreform ist mithin auch Ausdruck der *Emanzipationspolitik*, die Josia gegenüber Assyrien betrieb. Es wird nirgendwo berichtet und ist auch nicht wahrscheinlich, daß er sein Vasallitätsverhältnis förmlich aufgekündigt hätte, etwa durch Einstellung der Tributzahlungen und womöglich durch das Bemühen um antiassyrische Bundesgenossenschaft. Er hatte wohl erkannt, daß dergleichen nicht nötig sein würde. Der sterbende assyrische Riese war nicht

[26] S. o. S. 336.
[27] S. Teil 1, S. 218.
[28] S. o. S. 248 f.

mehr in der Lage, irgendwo einzugreifen. Assyrische Machtdemonstrationen standen nicht zu erwarten, schon gar nicht nach den Ereignissen des Jahres 623 v. Chr.[29]. Die Vasallität der Kleinstaaten der Landbrücke stand nur noch auf dem Papier. Es genügte vollkommen, sich so zu verhalten, als gäbe es keine assyrische Oberhoheit mehr. Das war in Josias Lage Realpolitik, die zu praktizieren er nicht gezögert hat.

Der geographische Durchgang ist jedoch noch nicht zu Ende. Nach 23,15 zerstörte und profanierte Josia das alte, dereinst von Jerobeam I. errichtete Reichsheiligtum von Bethel *(Bētīn)*[30]. Er griff also über das Territorium von Jerusalem und Juda hinaus und in das Gebiet der assyrischen Provinz *Samerīna* hinein. Das mag etwas später, gewissermaßen in einem zweiten Anlauf geschehen sein[31]. Schließlich ging er sogar dazu über, die „Höhenheiligtümer" *(bāttę̄ habbāmōt)* in den Städten der Provinz *Samerīna* zu beseitigen und deren Priesterschaft *(kōhanīm)* auszurotten. Die Beobachtung, daß sich darin eine ganz neue religionspolitische Zielrichtung der Reform kundgibt, soll einen Augenblick zurückgestellt werden. Hier interessiert vor allem die Geographie. Sie läßt erkennen, daß sich Josia keineswegs mit Emanzipationspolitik gegenüber Assyrien zufriedengab, sondern daß er den Machtverlust des Großreiches dazu benutzte, um zur *Annexion* überzugehen. Er legte seine Hand, wahrscheinlich nicht einmal mit militärischen Mitteln, auf die praktisch herrenlos gewordene Provinz *Samerīna.* Vielleicht geschah das erst nach dem Fall von Ninive im Jahre 612 v. Chr. In seinem letzten Regierungs- und Lebensjahr operierte Josia, wenn auch nur aus gegebenem Anlaß, sogar auf dem Boden der Provinz *Magiddū* (23,29f.)[32]. Es ist nicht auszudenken, wohin das noch hätte führen können, wenn dem Leben des Königs nicht im Jahre 609 bei Megiddo ein plötzliches und gewaltsames Ende bereitet worden wäre[33].

---

[29] S. o. S. 340.

[30] S. o. S. 242.

[31] Vgl. H. W. Wolff, Das Ende des Heiligtums in Bethel [1970]. GS 442–453; G. S. Ogden, The Northern Extent of Josiah's Reform. Australian Biblical Review 26 (1978) 26–34; nicht ganz ohne Bedenken auch G. W. Ahlström, King Josiah and the *dwd* of Amos VI. 10. Journal of Semitic Studies 26 (1981) 7–9. – Daß die Profanierung des Heiligtums von Bethel den Dtr als Beendigung der „Sünde Jerobeams" erscheinen und ihren vollen Beifall finden mußte, liegt auf der Hand. Die Vermutung freilich, das Ereignis selber sei nichts weiter als eine dtr Erfindung *ad maiorem regis gloriam* (so H. Spieckermann, a. a. O., S. 112–116), ist m. E. nicht überzeugend. Denn was für die Identität der Reformurkunde gilt, muß auch hier gelten: daß nämlich „die Dtr für Judäer schrieben, deren Väter zum großen Teil Zeitgenossen Josias gewesen waren" (S. 155). Die Existenz oder Nichtexistenz eines Heiligtums vom Range Bethels konnte sich kaum der Kontrolle entziehen.

[32] S. u. S. 357.

[33] Überlegungen, ob und inwieweit Josia sein Gebiet auch nach Westen und Süden erweiterte und befestigte, sind ebenso spekulativ wie die Vermutungen über die Reorganisation der Struktur und der Verwaltung des Staates Juda unter Josia. Zum ersten beruft man sich gern auf archäologische Funde (Zusammenfassung bei J. H. Hayes – J. M. Miller (ed.), Israelite and Judaean History, S. 464–466), besonders auf die sog. Königsstempel (P. Welten, Die Königs-Stempel. Ein Beitrag zur Militärpolitik Judas unter Hiskia und Josia. ADPV 1969). Für das zweite sind vor allem atl Ortslisten der Ausgangspunkt; s. Teil 1, S. 129. Es ist

Dies alles führt zu einer weiteren Überlegung, die ergibt, daß die Politik Josias mit den Leitbegriffen Emanzipation und Annexion noch immer nicht zureichend beschrieben ist. Denn die Gebiete, deren er sich zu bemächtigen begann, lagen auf dem Boden des alten Nordstaates Israel, dessen letzten Rest die Assyrer 722 v. Chr. beseitigt hatten. Dort aber hatten die Könige auf dem Throne Davids seit mehr als drei Jahrhunderten, seit der Nichterneuerung der Personalunion[34], nichts zu suchen gehabt. Also handelte es sich um nichts geringeres als um den Versuch der Wiederherstellung der Verhältnisse unter David und Salomo, um eine Politik der *Restauration* unter neuen Bedingungen. Josia erachtete den Zeitpunkt für gekommen, das alte, nie erloschene Ideal des davidisch-salomonischen Gesamtreiches in die Wirklichkeit umzusetzen. Er schickte sich an, das zur Erfüllung zu bringen, was der Prophet Jesaja hundert Jahre früher verkündet hatte: die Wiedervereinigung des israelitischen Nordens mit dem judäischen Süden (Jes 8,23b–9,6)[35]. Daß ihm das nicht gelang, lag gewiß nicht an Konzeptionslosigkeit oder Mangel an Tatkraft. Es war vielmehr das Ergebnis einer veränderten Weltlage, die die Errichtung eines Reichsgebildes wie zur Zeit Davids und Salomos nicht mehr erlaubte. Josias Werk ist am Antagonismus von Ideal und Wirklichkeit gescheitert.

Das allerdings gilt nur für den Sektor der äußeren Politik, nicht zugleich auch für einen wesentlichen – den wesentlichsten – Aspekt der josianischen Reform, der bisher unberücksichtigt gelassen wurde. Es heißt in 2. Kön 23,8a: „Und er ließ alle Priester aus den Städten Judas kommen und verunreinigte die Höhen, auf denen die Priester geräuchert hatten, von Geba bis Beerseba." Es könnte zunächst scheinen, als gehöre diese Maßnahme in den Zusammenhang des Vorgehens gegen das assyrische Kultwesen im Lande Juda. Dem aber widerspricht der Text. Denn er gebraucht für „Priester" das Wort *kōh^{a}nīm*, und *kōhēn* bezeichnet gerade nicht den Priester eines fremden Kultes, sondern den Jahwepriester. Josia profanierte also die alten Opferhöhen für Jahwe, die es seit den Anfängen der israelitischen Geschichte überall im Lande gab, und konzentrierte die brotlos gewordene Priesterschaft in der Hauptstadt Jerusalem. Das Ergebnis dieser Maßnahme war die Säkularisierung des flachen Landes und die Zentralisation des Jahwekultes am salomonischen Tempel zu Jerusalem. Zur Kultusreinheit trat die *Kultuseinheit* – und das ist aus der antiassyrischen Politik Josias nicht verständlich zu machen, sondern muß durch einen Impuls ausgelöst worden sein, der bisher überhaupt noch nicht in den Blick kam. Gewiß, staatsrechtlich überschritt Josia seine Kompetenzen wohl nicht. Die alte Personalunion zwischen Jerusalem und Juda scheint

---

jedoch größte Vorsicht angezeigt, da sowohl die archäologischen wie auch die literarischen Quellen mehrdeutig sind.

[34] S. o. S. 238.

[35] Vgl. A. Alt, Jesaja 8,23–9,6. Befreiungsnacht und Krönungstag [1950]. KS 2,206–225; J. A. Emerton, Some Linguistic and Historical Problems in Is VIII,23. Journal of Semitic Studies 14 (1969) 151–175.

nach 701 v.Chr. nicht mehr existiert zu haben. Seitdem beruhte die Regierungsgewalt der Davididen nicht mehr auf der freien Zustimmung der Männer von Juda, sondern auf großköniglich assyrischem Erlaß[36]. Josia bedurfte also nicht des Einverständnisses der judäischen Ältesten, als er die Säkularisierung des Landes in Angriff nahm. Aber was will das schon besagen angesichts des unerhörten Eingriffes in die Tradition Israels, angesichts der Beseitigung alles dessen, was Israel seit alters wert und lieb gewesen war? Der Gedanke der Kultuseinheit stand in krassem Gegensatz zu dem, was sich im Laufe der Religionsgeschichte Israels gebildet und ergeben hatte. Daß Josia das tun konnte, ohne hinweggefegt zu werden, zeigt an, daß der auslösende Impuls stark genug gewesen sein muß, die Widerstände gleich mit zu überwinden. Man ist versucht zu sagen: Gott selber mußte die Kultuszentralisation befohlen haben, und zwar glaubhaft, so daß niemand hätte sagen können, der König habe sich das ausgedacht. Übrigens hat Josia die Kultuszentralisation auch in den annektierten Gebieten praktiziert. Bethel war ja doch eines der ältesten und vornehmsten Jahweheiligtümer Israels[37], und auch die Höhenheiligtümer in den Städten von Samaria (23,19f.) waren mindestens zum Teil Jahweheiligtümer. Deren Priesterschaft konzentrierte Josia allerdings nicht in Jerusalem, sondern ließ sie ausrotten[38]. Gründe dafür sind nicht bekannt. Vielleicht hatten sich die Priester der Politik Josias widersetzt und mußten das mit dem Leben bezahlen. Noch einmal erhebt sich die Frage: wie war das alles möglich?

Hier ist nun der Ort, um vom Funde des „Gesetzbuches" zu reden, das nach der Darstellung von 2.Kön 22–23 die josianische Reform auslöste. Im 18.Regierungsjahr des Königs – also 622 v.Chr. – begab sich der Kanzler Schaphan in den salomonischen Tempel, um dort den seit Joas von Juda üblichen Kassensturz vornehmen zu lassen[39]. Bei dieser Gelegenheit überreichte ihm der Priester Hilkia „das Gesetzbuch", von dem er erklärte, er habe es im Tempel „gefunden". Durch Vermittlung des Kanzlers gelangte dieses vom Schleier des Geheimnisses umwobene Buch in die Hände und zu Ohren des Königs, der darüber in äußerste Bestürzung geriet und beschloß, ein Orakel bei der Prophetin Hulda, der Frau des königlichen Garderobiers, einholen zu lassen[40]. Das Orakel machte deutlich, daß die Bestimmungen des Buches eigentlich seit alters hätten eingehalten werden müssen. Jahwe sei zornig darüber, daß dies nicht geschehen war, und werde Unglück über Jerusalem und Juda bringen. König Josia aber,

---

[36] S.o. S.328.

[37] Vgl. Gen 28,10–22!

[38] Über eventuelle Spuren der Priesterpolitik Josias in einigen Ortslisten des AT: A.Alt, Bemerkungen zu einigen judäischen Ortslisten im AT [1951]. KS 2,289–305; ders., Festungen und Levitenorte im Lande Juda [1952]. KS 2,306–315. Vgl. auch B.Mazar, The Cities of the Priests and Levites. SVT 7 (1960) 193–205; J.M.Miller, The Korahites of Southern Judah. CBQ 32 (1970) 58–68.

[39] S.o. S.254.

[40] Vgl. J.Priest, Huldah's Oracle. VT 30 (1980) 366–368.

der sich demütig vor Jahwe gebeugt hatte, werde das Unheil nicht zu erleben brauchen und in Frieden zu seinen Vätern eingehen[41]. Der König faßte den Beschluß, die Verwirklichung der Bestimmungen des Buches unverzüglich ins Werk zu setzen. Er berief eine Versammlung im Tempel ein, verlas das „Bundesbuch" *(sefer habbᵉrīt)* und erklärte es in einer feierlichen Bundesschlußzeremonie für die von nun an gültige Bundesurkunde: „Da trat der König auf das Podest und schloß den Bund vor Jahwe, daß sie Jahwe nachwandeln und seine Gebote, Zeugnisse und Satzungen von ganzem Herzen und von ganzer Seele befolgen wollten, um die Worte dieses Bundes, die in diesem Buche geschrieben standen, in Kraft treten zu lassen. Und das ganze Volk trat in den Bund." (2. Kön 23,3)

Was war das für ein Buch? Die Überzeugung reicht weit zurück – bis zu Kirchenvätern wie Hieronymus, Chrysostomus und Procopius von Gaza –, daß es sich um die Urgestalt des Deuteronomiums handelte. In den Rang einer wissenschaftlich begründeten These wurde sie zu Beginn des 19. Jahrhunderts durch M. L. de Wette[42] erhoben: in seiner *„Dissertatio critica, qua Deuteronomium a prioribus Pentateuchi libris diversum alius cuiusdam recentioris auctoris opus esse monstratur"* von 1805 und in den „Beiträge(n) zur Einleitung in das Alte Testament I" von 1806. Da die Erzählung von 2. Kön 22,3–20 nicht den Inhalt, sondern die Wirkungen schildert, die das Buch hervorrief, kann die These nur auf Indizien gegründet werden. Deren gibt es mehrere; sie sind von unterschiedlichem Gewicht, führen aber in ihrer Gesamtheit zu einem sehr hohen Grade von Wahrscheinlichkeit, um nicht zu sagen: zur Gewißheit. Es sind die folgenden:

1. Die Formel „von ganzem Herzen und von ganzer Seele" in 2. Kön 23,3 ist ein – übrigens unvollständiges – Zitat aus der Präambel des Deuteronomiums (Dtn 6,5).

2. Josia ordnete die Feier eines Passahfestes an, „wie es in diesem Bundesbuche geschrieben steht" (2. Kön 23,21–23). Dieses Passah entspricht nicht Ex 12, sondern der deuteronomischen Passahordnung Dtn 16,1–8[43].

3. Das josianische Buch galt als sehr alt. Schon „unsere Väter" (22,13) hatten es nicht befolgt, und das seinen Bestimmungen entsprechende Passah war „seit der Richterzeit" (23,22) nicht mehr gefeiert worden. Das Deuteronomium gibt sich als Urkunde aus der Zeit des Mose.

4. Die Nichtbefolgung der Bestimmungen des Buches war in ihm selbst unter Drohungen gestellt (22,16. 19). Das Deuteronomium enthält solche Warnungen, Drohungen und Flüche[44].

---

[41] Es versteht sich, daß dieses Orakel ein dankbares Betätigungsfeld dtr Interpretation geworden ist, besonders jener Teil (V. 18–20), der Josia allein gilt.

[42] Vgl. R. Smend, W. M. L. de Wettes Arbeit am Alten und am Neuen Testament (1958).

[43] Vgl. L. Rost, Josias Passa [1968]. Studien zum AT, BWANT 101 (1974) 87–93; J. Halbe, Passa-Massot im deuteronomischen Festkalender. ZAW 87 (1975) 147–168; M. Delcor, Reflexions sur la Pâque du temps de Josias d'après 2 Rois 23,21–23. Henoch 4 (1982) 205–219.

[44] Vgl. z. B. „hüte dich!" Dtn 12,13. 19. 30; 15,9; „damit es dir (und deinen Kindern) wohlergehe" Dtn 12,25. 28; 19,13; 22,7; „damit du leben bleibst" Dtn 16,20; 25,15; „Israel

Vor allem aber ist neben dem Ideal der Kultusreinheit, wie es Josia praktizierte[45], das der Kultuseinheit einer der Hauptgegenstände des deuteronomischen Gesetzes. Das Corpus des Deuteronomiums beginnt in Dtn 12 mit einem ausführlichen Abschnitt, in dem die Forderung nach Kultuszentralisation[46] mit allen Bedingungen und Konsequenzen entfaltet wird. Freilich ist nirgendwo von Jerusalem die Rede, sondern immer nur neutral von dem „Ort, den Jahwe erwählen wird, um seinen Namen dorthin zu legen", oder „dort wohnen zu lassen" (Dtn 12,5 u.ö.). Es ist weder sicher noch überhaupt wahrscheinlich, daß der oder die Verfasser des Deuteronomiums Jerusalem als das eine zentrale Heiligtum betrachtet wissen wollten. Genannt ist es jedenfalls nicht; gewiß aus vielen Gründen, nicht zuletzt deshalb, weil das Deuteronomium als Abschiedsrede des Mose an die israelitischen Stämme kurz vor Beginn der Landnahme gestaltet ist. Für den Jerusalemer Josia aber war klar, daß Jerusalem gemeint sein müsse: ein Interpretationsakt war ja in jedem Falle gefordert – und wie hätte Josia einen anderen Ort als Jerusalem, wo der Tempel Salomos stand, auch nur in Erwägung ziehen können? Interpretation war auch sonst das Gebot der Stunde; denn es konnte nicht ausbleiben, daß der König bei der Realisierung der Kultuszentralisationsforderung in Konflikt mit den Bestimmungen des Buches geriet. Das war z.B. der Fall bei der Lösung des schwierigen Problems, was denn mit den levitischen Priestern der Jahweheiligtümer im Lande werden sollte, die durch die Kultuszentralisation brotlos wurden. Das Deuteronomium selber weiß sich nicht anders zu helfen als dadurch, daß es diese Priester der Sozialfürsorge der Ortsgemeinden empfiehlt (Dtn 12,12. 19 u.ö.). Darüber hinaus gibt es ein besonderes Priestergesetz (Dtn 18,1–8), in dem angeordnet wird, daß den Priestern die aktive Teilnahme am Kultus des Zentralheiligtums nach Wunsch möglich gemacht werden solle: „Wennn nun ein Levit aus irgend einer deiner Ortschaften, wo er sich als Schutzbürger aufhält, an den Ort kommt, den Jahwe erwählen wird – und er darf ganz nach seinem Belieben kommen! –, dann darf er im Namen seines Gottes Jahwe priesterlichen Dienst tun so gut wie alle seine levitischen Brüder, die dort im Dienste Jahwes stehen" (Dtn 18,6f.). Josia erkannte zweifellos alsbald, welche Schwierigkeiten und Gefahren die Verwirklichung dieser Bestimmungen nach sich ziehen würde. Am Jerusalemer Tempel amtierten die Zadokiden, die sich gegen die drohende Verwilderung der kultischen Ordnung gewiß zur Wehr setzen würden; selbstverständlich spielten da auch wirtschaftliche Gesichtspunkte eine nicht geringe Rolle. Überdies mußte damit gerechnet werden, daß die Leviten des Landes, ihrer Funktionen und Einkünfte beraubt, einen gefährlichen innenpolitischen Unruheherd bilden würden. Josia ließ

---

soll sich fürchten" Dtn 21,21 – ganz besonders in den Schlußkapiteln 27, 28 und 30, 15–20, von denen allerdings sehr zweifelhaft ist, ob sie zum „Urdeuteronomium" gehörten.

[45] Vgl. z.B. Dtn 17,3 mit 2.Kön 23,5.

[46] Vgl. auch M.Weinfeld, Cult Centralization in Israel in the Light of a Neo-Babylonian Analogy. JNES 23 (1964) 202–212.

sich gar nicht erst darauf ein. Er entschloß sich, die Landleviten gegen das Deuteronomium – besser: das Deuteronomium auf seine Weise interpretierend – in Jerusalem zu konzentrieren, sie jedoch nicht zum priesterlichen Dienst am Tempel zuzulassen. 2. Kön 23,9: „Doch durften die Höhenpriester nicht zum Altare Jahwes in Jerusalem hinaufsteigen; sie aßen vielmehr ungesäuerte Brote inmitten ihrer Brüder." Damit hatte Josia die Leviten an einem Orte beisammen und unter Kontrolle. Es ist nicht ausgeschlossen, daß er begann, sie mit untergeordneten Arbeiten am Tempel zu beschäftigen, d.h. zu einer Art *clerus minor* zu machen. Das jedenfalls ist das Ergebnis der nun einsetzenden Entwicklung. Als Tempeldiener, von den Priestern unterschieden, begegnen die Leviten in nachexilischer Zeit[47] und auch noch im NT[48].

Allein schon diese Beobachtung, der andere an die Seite gestellt werden könnten, spricht gegen die Auffassung, daß das Deuteronomium als Programmschrift *ad hoc* für die josianische Reform verfaßt worden ist. Die josianische Interpretation des Deuteronomiums darf nicht dazu verführen, das Buch gewissermaßen für eine Auftragsarbeit des Königs zu halten, übrigens auch nicht dazu, Jerusalem oder Juda ohne weiteres als seinen Entstehungsort anzunehmen. Gewiß ist das Deuteronomium ein Restaurationsprogramm; es ist und bleibt aber fraglich, ob für jene Art von Restauration, wie sie Josia ins Werk setzte. Hier muß nun allerdings eingeräumt werden, daß wir über Herkunft und Verfasserschaft des Deuteronomiums nichts wirklich Sicheres wissen. In die Debatte darüber soll auch gar nicht erst eingetreten werden[49]. Nur soviel sei angedeutet, daß auch das Territorium des alten Nordstaates Israel als Herkunftsgebiet des Deuteronomiums in Betracht gezogen worden ist[50]. Dafür könnten auffällige Beziehungen zur Prophetie Hoseas und zu jenen Partien im Pentateuch sprechen, die man herkömmlicherweise „elohistisch" nennt. Auch das Königsgesetz (Dtn 17,14–20) weist vielleicht in diese Richtung; übrigens ist das Bild vom Königtum, das in ihm gezeichnet wird, noch einmal ein Argument dagegen, daß Josia die Abfassung des Deuteronomiums womöglich selber veranlaßt hat. Kam es vielleicht aus Kreisen in den assyrischen Provinzen des alten Nordstaates Israel, die dem Ende der assyrischen Herrschaft entgegensahen und sich Restaurationsgedanken machten, oder entstand es irgendwo in Juda oder gar in Jerusalem: wie es schließlich in den Jerusalemer Tempel und in die Hände des Priesters Hilkia gelangte, wissen wir nicht und sollten auch nicht versuchen, die Lücken unseres Wissens durch Romanphantasien auszufüllen.

---

[47] Vgl. Num 3,5ff.; Ez 44,11 u.ö.

[48] Vgl. Lk 10,30–37.

[49] Vgl. S. Loersch, Das Deuteronomium und seine Deutungen. SBS 22 (1967); E.W. Nicholson, Deuteronomy and Tradition: Literary and Historical Problems in the Book of Deuteronomy (1967); M. Weinfeld, Deuteronomy and the Deuteronomic School (1972).

[50] Vgl. K. Galling, Das Königsgesetz im Deuteronomium. ThLZ 76 (1951) 133–138; A. Alt, Die Heimat des Deuteronomiums. KS 2, 250–275.

Die Probleme der Herkunft und Verfasserschaft des Deuteronomiums sind für die Deuteronomiumforschung von großem Interesse und Gewicht; sie sind es nicht gleichermaßen auch für die Geschichte der josianischen Reform. Eine andere Beobachtung ist viel gewichtiger und obendrein geeignet, den Argumenten für die immer wieder bestrittene Identität der josianischen Reformurkunde mit dem Deuteronomium ein weiteres hinzuzufügen. Geht man einmal davon aus, daß dem Bericht von 2. Kön 22–23 trotz aller Stilisierung wenigstens in den Grundzügen historische Glaubwürdigkeit zukommt, dann ergibt sich, daß Josia sein auf Kultusreinheit und Kultuseinheit gerichtetes Reformwerk nicht in schlaflosen Nächten ersann, sondern daß es ihm durch Jahwes Autorität abgefordert wurde – wie sehr immer diese Forderung mit des Königs eigenen Konzepten, Plänen und Neigungen zusammengestimmt haben mag. Jahwes Autorität trat aber nun nicht so an Josia heran, wie das bisher üblich gewesen war: durch Vermittlung eines prophetischen Boten[51], durch Träume[52] oder auf sonst eine traditionelle Weise[53]. Sie trat an ihn in Gestalt eines Buches heran: eines Buches, dem unbedingter Gehorsam zu leisten war, eines Buches, das den Willen Jahwes enthielt und darstellte, und zwar unbestreitbar, für den König und für seine Zeitgenossen vollkommen überzeugend. Mit einem Wort: Jahwes Autorität erreichte den König auf dem Wege über ein heiliges Buch, mit dem sich sogar unpopuläre Maßnahmen wie die Kultuszentralisation durchsetzen ließen. Will man nun nicht damit rechnen, daß dieses Buch von der Bildfläche verschwand und wir keine Spur mehr von ihm haben, dann wird man ganz von selbst auf das Deuteronomium gewiesen. Denn die Heiligkeit, um nicht zu sagen: die qualitative Kanonizität des Deuteronomiums hat sich nicht erst im Laufe der Zeit ergeben, sondern war von allem Anfang an vorhanden. Das „Urdeuteronomium" – welchen Umfang es immer gehabt haben mag – ist die erste uns bekannte atl Schrift, die mit dem Geburtsadel eines heiligen Buches in die Welt getreten ist, und seine späteren Bearbeitungen und Ergänzungen haben diesen Charakter bewahrt und verstärkt. Man findet eine beachtliche Anzahl der Merkmale, welche heilige Schriften als solche qualifizieren[54], bereits in ihm selbst und – die Identität mit der josianischen Bundesurkunde angenommen – in der Geschichte seiner Auffindung und Promulgation unter Josia. Natürlich ist nicht zu erwarten, daß die klassischen Charakteristika des späteren jüdischen und christlichen qualitativen Kanonbegriffes[55] auf das Deuteronomium einfach und ausnahmslos angewendet werden könnten, so daß man gewissermaßen nur „abzuhaken"

---

[51] Vgl. Jes 7; Jer 38 u.ö.

[52] Vgl. 1. Kön 3,4–15.

[53] Vgl. 1. Sam 14,36ff.; 2. Sam 2,1.

[54] Die beste Darstellung ist J. Leipoldt – S. Morenz, Heilige Schriften. Betrachtungen zur Religionsgeschichte der antiken Mittelmeerwelt (1953).

[55] Vgl. H. Donner, Gesichtspunkte zur Auflösung des klassischen Kanonbegriffes bei Joh. Sal. Semler. Fides et Communicatio, Fs M. Doerne (1970) 56–68.

brauchte. Das kommt schon deshalb nicht in Betracht, weil das Deuteronomium vor Beginn des eigentlichen Zeitalters der heiligen Schriften[56] entstanden ist. Aber der Anspruch, mit dem es auftritt, und die Begleitumstände, die es sich selbst zuschreibt oder die ihm alsbald zugeschrieben werden, lassen deutlich erkennen: das Deuteronomium ist eine Frühform dessen, was später einmal heilige Schrift sein und so genannt werden wird. Bereits die Verbindung mit der Offenbarung am Gottesberg in der Wüste (Dtn 1,6ff.; 4,12–14; 5,20–30; 18,16–19; 28,69) und der Charakter als Abschiedsrede des Mose (Dtn 3,28; 4,21f.; 31; 34) sind Hinweise darauf, daß die Autorität Jahwes und des Mose im Deuteronomium nachhaltig und verpflichtend Gestalt gewonnen hat. Das ist eine der Bedingungen dafür, daß Schriften heilig werden, aber es ist noch kein eindeutiges formales Kennzeichen einer heiligen Schrift. Anders liegen die Dinge jedoch bei den folgenden, im Deuteronomium selbst und im Auffindungsbericht anzutreffenden Merkmalen:

1. der Geburtsadel, d.h. der Ursprung in grauer Vorzeit – vor Beginn der Landnahme –, in Verbindung mit der Pseudepigraphie, der Zurückführung auf eine große Gestalt der Vergangenheit[57];
2. die geheimnisvollen Umstände der Entdeckung oder Auffindung (2.Kön 22)[58];
3. die Schriftlichkeit, d.h. der Sachverhalt, daß die Schriftform von allem Anfang gegeben ist und selbst durch die Fiktion der Rede deutlich hindurchscheint (Dtn 6,7; 11,19; 17,18f.; 27,3.8; 28,58.61; 30,10; 31,9–13.24f.);
4. die kanonische Formel zur Sicherung der Textintegrität, die sog. Ptahhotepformel (Dtn 4,2; 13,1)[59];
5. die öffentliche Bekanntmachung (2.Kön 23,2)[60];
6. die Einrichtung des Raumes für die öffentliche Bekanntmachung, das Vorhandensein eines Lesepodestes o.ä. (2.Kön 23,3)[61];
7. die Aufbewahrung an heiliger Stätte, z.B. im Tempel (Dtn 17,18; 31,26; 2.Kön 22,8)[62];
8. die Interpretation der Prophetie als heilige Schriftstellerei und des Propheten als des Autors heiliger Texte, damit verbunden die Annahme einer prophetischen Sukzession (Amtsnachfolge) während des kanonischen Offenbarungszeitraumes (Dtn 18,9–22)[63].

---

[56] S.u. S.436–439.
[57] Leipoldt–Morenz, S.24ff.
[58] Leipoldt–Morenz, S.28f.; vgl. auch J.Herrmann, Ägyptische Analogien zum Funde des Deuteronomiums. ZAW 28 (1908) 291–302.
[59] Leipoldt–Morenz, S.56ff.
[60] Leipoldt–Morenz, S.101.
[61] Leipoldt–Morenz, S.105f.
[62] Leipoldt–Morenz, S.165ff.
[63] Vgl. H.Donner, Prophetie und Propheten in Spinozas Theologisch-politischem Traktat. Theologie und Wirklichkeit, Fs W.Trillhaas (1974) 31–50.

Die Koinzidenz „Reform (bes. Kultuszentralisation) – autoritative Reformurkunde (heilige Schrift) – Deuteronomium als heilige Schrift“ als das Ergebnis einer späteren dtr Konstruktion zu begreifen, fällt sehr schwer. Dann aber ist die josianische Reform auch deshalb ein außerordentlich bedeutsames Datum der Religions- und Geistesgeschichte Israels, als in ihr zum ersten Male ein heiliges Buch zum Zuge und zur Wirkung gelangte. Die Reform Josias präludiert dem nachexilischen Zeitalter der heiligen Schriften[64]. Es ist damit zu rechnen, daß das Deuteronomium auch über die Generalthemen der Reform hinaus Einfluß auf das Leben und Denken Josias und seiner jerusalemischen und judäischen Zeitgenossen genommen hat – oder doch hätte nehmen können, wenn die josianische Ära nicht plötzlich, unerwartet und tragisch zu Ende gegangen wäre.

Nach der Eroberung von Ninive durch die vereinigten Babylonier und Meder im Jahre 612 v. Chr. war dem assyrischen Reiche das Lebenslicht nämlich noch immer nicht ganz ausgeblasen. Es gab noch ein für die Geschichte Assyriens wenig bedeutendes, für die syrisch-palästinische Landbrücke aber umso gewichtigeres Nachspiel. Versprengte assyrische Einheiten sammelten sich unter Führung des Prinzen *Aššur-uballiṭ* II. im oberen Mesopotamien und bildeten mit ägyptischer Unterstützung einen kurzlebigen assyrischen Reststaat mit dem Zentrum in *Ḫarrān* im Euphratknie. Bereits 610 aber gelang es den Gegnern, *Aššur-uballiṭ* aus seinem Verteidigungsnest zu vertreiben und nach Nordsyrien zu jagen. Damit hätte der assyrische Epilog ein Ende haben können. Im Jahre 609 jedoch erfolgte noch einmal eine Wende zugunsten der Assyrer. Es war das zweite Regierungsjahr des ägyptischen Pharao Necho II. (610–595), des Sohnes Psammetichs I., der gesonnen war, die proassyrische Politik seines Vaters auch jetzt noch fortzusetzen. Ihm war daran gelegen, den Restbestand des assyrischen Reiches gegen die bedrohlich erstarkten Babylonier und Meder zu halten und bei dieser Gelegenheit den alten assyrischen Hegemonieanspruch über Palästina und Mittelsyrien durch den noch älteren ägyptischen abzulösen. So zog er 609 an der Spitze beachtlicher ägyptischer Truppenverbände nach Norden[65], eroberte *Ḫarrān* zurück und setzte *Aššur-uballiṭ* II. noch einmal für kurze Zeit in seine Rechte ein. Über dieses Ereignis gibt es in 2. Kön 23,29 eine Notiz, vielleicht aus den Annalen der Könige von Juda, die durch einen kleinen Textfehler entstellt und deshalb unzutreffend ist: „Zu seiner Zeit zog der Pharao Necho, der König von Ägypten, gegen (!) den König von Assyrien zu Felde an den Euphratstrom.“ Das Richtige erfährt man aus den babylonischen Chroniken[66] und

[64] Diesen Konsequenzen kann man nur dann entgehen, wenn man – wie E. Würthwein (s. o. Anm. 19) u. a. – dem Bericht von 2. Kön 22–23 historische Glaubwürdigkeit entschlossen abspricht und die Historizität der Kultuszentralisation unter Josia bestreitet. Die Argumente dafür sind m. E. nicht ausreichend.

[65] Vgl. A. Hjelt, Die Chronik Nabopolassars und der syrische Feldzug Nechos. Fs K. Marti, BZAW 41 (1925) 142–147.

[66] BM 21901, Rev. Z. 66–75; vgl. D. J. Wiseman, Chronicles of Chaldaean Kings (1956, 1961²) 62f.

aus Fl. Josephus, Ant. X, 5, 1 (§ 74 Niese): „Nechao, der König der Ägypter, hob ein Heer aus und zog auf den Euphrat zu, um die Meder und Babylonier zu bekriegen, die das Reich der Assyrer zerstört hatten. Er trachtete nämlich danach, ganz Asien (d. h. Vorderasien) unter seine Herrschaft zu bringen"[67].

Es war ganz klar, daß die ägyptischen Bemühungen zur Stützung der Assyrerherrschaft in *Ḫarrān* nicht im Interesse Josias liegen konnten. Seine antiassyrische Emanzipations- und Annexionspolitik brachte ihn faktisch auf die Seite der Gegner Assyriens. Noch weniger war ihm an einer Wiederaufrichtung der ägyptischen Oberhoheit in Palästina gelegen. Deshalb entschloß er sich, den Vormarsch des Pharao Necho nach Norden mit militärischen Mitteln aufzuhalten. Er versuchte, seine militärische Unterlegenheit durch geschickte Strategie wettzumachen, indem er die Ägypter bei Megiddo erwartete: auf dem klassischen Schlachtfeld Palästinas, wo die Küstenstraße nach Umgehung der Karmelspitze in die Ebene hinaustritt. Dort konnte er sich günstig postieren und aus übersichtlichem Gelände gegen die vermutlich aus einem Gebirgshohlweg *(Wādī ʿĀra)* kommenden Ägypter antreten[68]. Aber der Plan mißlang, möglicherweise, ohne daß es überhaupt zur Schlacht kam. Nach 2. Kön 23, 29 gelang es dem Pharao, auf unbekannte Art der Person Josias habhaft zu werden. Er zögerte nicht, ihn umzubringen. Die judäischen Streitkräfte gaben ihre Sache daraufhin verloren und zogen sich zurück. Mit einem nennenswerten militärischen Zusammenstoß hat erst der Chronist gerechnet (2. Chron 35, 20–24). Josias Leiche wurde nach Jerusalem gebracht und im Erbbegräbnis der Dynastie Davids bestattet[69].

So endete König Josia und mit ihm zunächst auch sein Werk. Aber dieses Ende war vordergründig und vollzog sich nicht dort, wo die entscheidenden Dinge der Geschichte geschehen: in den Herzen und Gedanken der Menschen. Durch die Erhebung Jerusalems zum Zentralheiligtum, durch die Proklamation des Deuteronomiums und durch das in Josia verkörperte Königsideal hat die josianische Reform unabsehbare Wirkungen auf die Geschichte Israels, des Judentums, des Christentums und des Islam entfaltet: mithin auf die Kultur-, Religions- und Geistesgeschichte der ganzen morgen- und abendländischen Welt.

---

[67] Danach ist in 2. Kön 23, 29 a die Präposition *ʾel* statt *ʿal* zu lesen.

[68] Es ist dieselbe topographische Situation wie etwa 850 Jahre früher beim Sieg Thutmoses III. gegen die Koalition unter Führung des „elenden Asiaten von Kadesch"; vgl. AOT², 83–87; ANET³, 235–238; TGI³, 14–20. Über die Wege nach Megiddo s. A. Alt, PJB 10 (1914) 70–88.

[69] Die Unklarheiten über den Lebensausgang Josias haben zu mancherlei Überlegungen und Vermutungen geführt: B. Alfrink, Die Schlacht bei Megiddo und der Tod des Josias (609). Biblica 15 (1937) 173–184; B. Couroyer, Le litige entre Josias et Nechao (II Chron XXXV, 20 ss.). RB 55 (1948) 388–396; St. B. Frost, The Death of Josiah: A Conspiracy of Silence. JBL 87 (1968) 369–382; G. Pfeifer, Die Begegnung zwischen Pharao Necho und König Josia bei Megiddo. Mitteilungen d. Instituts f. Orientforschung 15 (1969) 297–307; A. Malamat, Josiah's Bid for Armaggedon. The Gaster Fs (1973) 267–278; ders., Megiddo, 609 B. C.: The Conflict Re-Examined. Acta Antiqua Academiae Scientiarum Hungaricae 22 (1974) 445–449; H. G. M. Williamson, The Death of Josiah and the Continuing Development of the Deuteronomic History. VT 32 (1982) 242–248.

Teil VI

Das babylonische Zeitalter

KAPITEL 1

Völker und Staaten des Alten Orients bis zum Aufkommen der Perser

Gesamt- und Teildarstellungen: s. Teil 1, S. 29 und Teil 2, S. 287.

Ägypten: A. Wiedemann, Geschichte Ägyptens von Psammetich I. bis auf Alexander den Großen (1880); P.-G. Elgood, Later Dynasties of Egypt (1951); F. Kienitz, Die politische Geschichte Ägyptens vom 7. bis zum 4. Jahrhundert v. d. Z. (1953); H. de Meulenaere, Herodotos over de 26ste Dynastie. Bibl. de Muséon 27 (1957); M. F. Gyles, Pharaonic Policies and Administration, 663 to 323 B. C. (1959); CAH III, ch. XII–XV.

Mesopotamien: C. Bezold, Ninive und Babylon. Monographien zur Weltgeschichte 18 (1903, 1909[3]); R. Koldewey, Das wiedererstehende Babylon (1925[4]); R. Ph. Dougherty, Nabonidus and Belshazzar. A Study of the Closing Events of the Neo-Babylonian Empire. Yale Oriental Series, Researches 15 (1929); E. Unger, Babylon, die heilige Stadt, nach der Beschreibung der Babylonier (1931); H. W. F. Saggs, The Greatness That Was Babylon (1962); R. Borger, Der Aufstieg des neubabylonischen Reiches. JCS 19 (1965) 59–78; K. Jaritz, Der Untergang des babylonischen Reiches. Saeculum 19 (1968) 143–155; CAH III, ch. IX–XI.

Quellen: s. auch S. 287. – J. N. Strassmaier, Babylonische Texte I–IV: Inschriften von Nabonidus, König von Babylon (1889); V–VI: Inschriften von Nabuchodonosor, König von Babylon (1889); B. T. A. Evetts, Inscriptions of the Reigns of Evil-Merodach (B. C. 562–559), Neriglissar (B. C. 559–555) and Laborosoarchod (B. C. 555) = Strassmaier, Babylonische Texte VI B (1892); St. Langdon, Die neubabylonischen Königsinschriften Vorderasiat. Bibliothek 4 (1912); C. J. Gadd, The Harran Inscriptions of Nabonidus. Anatolian Studies 8 (1958) 35 ff.; M. Dietrich, Neue Quellen zur Geschichte Babyloniens I–III. WdO 4 (1967/8) 61–103. 183–251; 5 (1969/70) 51–56. 176–190; P.-R. Berger, Die neubabylonischen Königsinschriften. Königsinschriften des ausgehenden babylonischen Reiches (626–539 a. Chr.). AOAT 4/1 (1973).

Randgebiete: F. W. König, Älteste Geschichte der Meder und Perser. AO 33, 3/4 (1934); A. T. Olmstead, History of the Persian Empire (1948); I. M. Djakonov,

Istorija Midii [= Geschichte Mediens] (1956); H. von der Osten, Die Welt der Perser (1956); E. Herzfeld, The Persian Empire (1968). – E. H. Minns, Scythians and Greeks (1913); T. T. Rice, Die Skythen (1957).

Das Jahrhundert zwischen dem Untergang des neuassyrischen Großreiches (ca. 630–612) und der Eroberung Babylons durch den Perserkönig Kyros II. (539) trägt die Bezeichnung „babylonisches Zeitalter“ zu Recht und aus mehreren Gründen. Zum einen war es das neubabylonische Großreich unter der Dynastie der Chaldäer, das das Erbe Assyriens in weiten Teilen des alten Nahen Ostens antrat. Zum anderen war es eben dieses Reich, das als der bestimmende Machtfaktor in der altorientalischen Geschichte jenes Zeitraumes zu gelten hat: ein Machtgebilde, das alle anderen größeren und kleineren Mächte des Orients auf den zweiten Rang verwies. Und schließlich darf der außerordentliche Kultureinfluß nicht übersehen werden, der von Babylonien auf die Länder des Nahen Ostens ausging, gewissermaßen zentriert und symbolisch dargestellt in der mit ungeheurer Pracht und Herrlichkeit ausgebauten Stadt Babylon, der Hauptstadt der damaligen Welt.

Zu den Mächten auf dem zweiten Rang gehörte auch *Ägypten*, obwohl es zwischen 664 und 525 v. Chr. von einer bedeutenden und tatkräftigen Dynastie regiert wurde: der 26. Dynastie von Sais, die man überhaupt die letzte große einheimische Dynastie in der Geschichte des vorhellenistischen Ägypten nennen kann. Die ägyptischen Denkmäler, die die Pharaonen von Sais hinterlassen haben, sind nicht allzu zahlreich. Als Quellen kommen von nun an auch die Darstellungen griechisch schreibender Autoren hinzu, vor allem Herodot und Flavius Josephus. Der erste König der 26. Dynastie, Psammetich I. (664–610), war der Sohn eines von Assurbanipal sehr geschätzten Stadtfürsten von Sais namens Necho [1]. Wie sein Vater, so war auch Psammetich zunächst ein loyaler assyrischer Vasall in Athribis und nach Nechos Tode in Sais; er scheint sogar den babylonischen Nebennamen *Nabû-šēzibanni* getragen zu haben. Wann und wie er sich von der assyrischen Oberherrschaft löste, ist nicht genau bekannt. Es muß mit der Schwächung Assyriens durch den Bruderkrieg zwischen Assurbanipal und Šamaššumukīn [2] zusammenhängen. Zu Šamaššumukīn unterhielt Psammetich Beziehungen, ebenso zu Gyges von Lydien, der ihn beim Aufbau einer schlagkräftigen Truppe aus karischen und ionischen Söldnern unterstützte [3]. Die tatsächliche Aufkündigung seiner Vasallität gegenüber Assyrien mag um 655 oder etwas später erfolgt sein. In diesem Jahre vollendete er die Reichseinheit durch den Griff nach der Thebais mit friedlichen Mitteln: er ließ seine Tochter Nitokris von der „Gottesgemahlin des Amun“, Schepenupet II., der Schwester des Taharka, adoptie-

---

[1] Man zählt ihn als Necho I., obwohl er eigentlich zur Vorgeschichte der 26. Dynastie gehört.

[2] S. o. S. 303.

[3] Die „ehernen Männer“ bei Herodot II, 151 f.

ren und zur Nachfolgerin bestimmen. Der thebanische Gottesstaat[4], der bis dahin noch immer unter äthiopischem Einfluß gestanden hatte, blieb während der ganzen Zeit der 26. Dynastie erhalten, freilich unter der politischen Aufsicht der Pharaonen von Sais. Psammetich bemühte sich während seiner langen Regierungszeit um den Aufbau einer neuen Zentralverwaltung[5]: er versuchte mit unterschiedlichem Erfolg, die Stadt- und Gaufürsten durch Reichsbeamte zu ersetzen, die weder feudal noch lokal gebunden waren und von der Zentrale in Sais aus dirigiert werden konnten. Bei der Neugestaltung der Verhältnisse ließ sich Psammetich von Strukturvorbildern des Alten und des Neuen Reiches leiten. Dieser restaurative Zug gehört in den Zusammenhang der sog. „saitischen Renaissance", auf die zurückzukommen ist[6]. Von Psammetichs I. proassyrischem Engagement und seinem vor 616 vollzogenen Eintritt in die vorderasiatische Politik war schon die Rede[7]. Sein Nachfolger Necho II. (610–595) setzte die Asienpolitik des Vaters energisch fort. Dadurch geriet die syropalästinische Landbrücke noch einmal für kurze Zeit unter ägyptische Oberhoheit[8]. Diese Phase endete aber bereits 605 v. Chr., als der babylonische Kronprinz Nebukadnezar die Ägypter bei Karkemisch *(Ǧerāblus)* vernichtend schlug. Die Ägypter verloren 605/4 auch Rückzugsgefechte bei Hamath am Orontes *(Ḥama)* und bei Askalon[9], konnten sich allerdings 601 gegen einen Angriff Nebukadnezars auf Ägypten selbst erfolgreich zur Wehr setzen. Nach Herodot II, 158 f. bemühte sich Necho II. um den Ausbau der Flotte und um die Belebung des Handels. Er versuchte auch, einen Kanal vom Nil zum Golf von Suez über das *Wādī eṭ-Ṭumēlāt* und *Birket Timsāḥ* zu ziehen, der aber rasch versandete. Aus der Regierungszeit Psammetichs II. (595–589) ist außer einem Feldzug gegen Nubien im 3. Jahr[10] und einem Zug nach Syrien ein Jahr darauf[11] so gut wie nichts bekannt. Sein Nachfolger Apries (589–570) griff ohne großen Erfolg in die antibabylonischen Aufstandsbewegungen in Palästina und Mittelsyrien ein[12]. Er ist der „Pharao Hophra" von Jer 44, 30. Sein Hauptpro-

---

[4] S. o. S. 290.

[5] Vgl. H. Kees, Innenpolitik der Saitenzeit. Nachrichten d. Götting. Gesellschaft d. Wiss. (1935) 95 ff.

[6] S. u. S. 369. [7] S. o. S. 340 f.

[8] Vgl. S. Sauneron – J. Yoyotte, Sur la politique palestinienne des rois Saites. VT 2 (1952) 131–136.

[9] Wahrscheinlich gehört in diesen Zusammenhang der aramäische Brief des Vasallenfürsten Adon (von Askalon?) an Necho II. mit der Bitte um militärische Unterstützung (KAI 266). Vgl. dazu noch S. H. Horn, Where and When was the Aramaic Saqqara Papyrus Written? AUSS 6 (1968) 29–45; W. H. Shea, Adon's Letter and the Babylonian Chronicle. BASOR 223 (1976) 61–63; B. Porten, The Identity of King Adon. BA 44 (1981) 36–52.

[10] Vgl. H. S. K. Bakry, Psammetichus II and his Newly Found Stele at Shellâl. OrAnt 6 (1967) 225–244.

[11] Vgl. J. Yoyotte, Sur le voyage asiatique de Psammétique II. VT 1 (1951) 140–144.

[12] S. u. S. 379 und J. K. Hoffmeier, A New Insight on Pharaoh Apries from Herodotus, Diodorus and Jeremiah 46, 17. Journal of the Society for the Study of Egyptian Antiquities 11 (1981) 165–170.

blem war die zunehmende Hellenisierung Ägyptens, zu der nicht nur die griechischen Söldner im Heere der saitischen Pharaonen, sondern auch Kaufleute beitrugen, die in Ägypten Handelsfaktoreien eröffneten. Als sich Apries im Jahre 570 von eifersüchtigen Libyern bereden ließ, mit Heeresmacht gegen die griechische Kolonie von Kyrene vorzugehen, kostete ihn das den Thron[13]. Der Usurpator Amasis (570–526), ein vormaliger General, besiegte ihn und ließ sich mit Hilfe der Libyer zum Pharao ausrufen[14]. Die Rivalität der libyschen Militärkolonen und der Griechen bestimmte die Innenpolitik dieser letzten Phase der saitischen Herrschaft. Amasis erwarb sich durch allerlei progriechische Maßnahmen den Titel eines „Griechenfreundes" (Herodot II, 178): durch die ehrenvolle Konzentration der griechischen Söldner in der alten Hauptstadt Memphis, durch die Einrichtung und Pflege der großen griechischen Handelsfaktorei in Naukratis u.dgl. Wahrscheinlich wollte er aber nur die unkontrollierte Ausbreitung des Griechentums hemmen, indem er kontrollierbare Zentren bildete. Ägypten erlebte in dieser Zeit eine hohe wirtschaftliche Blüte. Die Außenbeziehungen des Amasis reichten bis Athen, Sparta, Lindos – und bis zu Polykrates von Samos[15], mit dem er bekanntlich auf des „Daches Zinnen" stand, voll Grauen „vor der Götter Neide"[16]. Des Lebens ungemischte Freude ist auch ihm nicht zuteilgeworden, besonders in der zweiten Hälfte seiner Regierungszeit nicht, als er den unaufhaltsamen Aufstieg des Perserreiches unter Kyros II. am fernen Horizonte sehen mußte, wahrscheinlich wissend, daß auch Ägypten eines Tages ein Opfer der Perser werden würde. Im Jahre 525 durchbrach Kambyses die ägyptischen Grenzbefestigungen bei Pelusium *(Tell Faramā)* und beendete die Herrschaft der 26. Dynastie[17]. Amasis war vorher gestorben, sein Sohn Psammetich III. wurde ermordet[18].

Mesopotamien stand in der 2. Hälfte des 7. Jahrhunderts v. Chr. im Zeichen des Niedergangs der assyrischen Macht und des Aufstieges des chaldäischen Babylonien. Babylonien war seit dem Ende des 2. Jahrtausends v. Chr. zunehmend aramaisiert worden[19]. Die Chaldäer waren eine starke Aramäergruppe in Südbabylonien, das man ^{KUR}*Kaldu* nannte, zunächst vor allem in der Provinz des Meerlandes nahe dem Persischen Golf. Dort sind sie seit dem 9. Jahrhundert v. Chr. bezeugt, erlebten ihren Aufstieg zur Herrenschicht aber erst im 7. Jahrhundert[20]. Dem chaldäischen

---

[13] Herodot II, 161–163.

[14] Vgl. J. Yoyotte – S. Sauneron, Bulletin de l'Institut français d'archéologie orientale 50 (1952) 157ff.

[15] Herodot III, 41–43.

[16] Fr. Schiller, Der Ring des Polykrates.

[17] Herodot III, 11.

[18] Herodot III, 15.

[19] Vgl. J. A. Brinkman, A Political History of Post-Kassite Babylonia, 1158–722 B.C. AnOr 43 (1968).

[20] Vgl. J. A. Brinkman, Notes on Aramaeans and Chaldaeans in Southern Babylonia in the Early 7th Century B.C. Or 46 (1977) 304–325.

Adel des Meerlandes entstammte wahrscheinlich Nabopolassar *(Nabû-apla-uṣur*, 625–605), der Begründer der chaldäischen Dynastie von Babylon. Von seinem Kampfe gegen Assyrien und von seiner Inthronisation als König von Babylonien war bereits die Rede[21]. Hier ist nur soviel nachzutragen, daß er es war, der die Fundamente des neubabylonischen Großreiches gelegt und der babylonischen Innen- und Außenpolitik auf etwas weniger als ein Jahrhundert die Wege gewiesen hat. Nabopolassar war als Militärführer nicht immer erfolgreich, umso mehr aber als Diplomat. Es gelang ihm nach der Eroberung von Ninive im Jahre 612 v.Chr. und der Liquidierung des assyrischen Reststaates von *Ḫarrān*[22], die babylonischen und medischen Interessengebiete sorgsam, friedlich und vorteilhaft gegeneinander abzugrenzen. Er überließ seinem Verbündeten Kyaxares das alte assyrische Stammland am oberen Tigris und die Provinz *Ḫarrān* und erbte selber den mesopotamischen und syropalästinischen Rest des neuassyrischen Großreiches. Die Herrschaft über die Landbrücke war freilich erst noch gegen die Ägypter durchzusetzen. Innenpolitisch suchte Nabopolassar dem Reiche in Anlehnung an die Administrationspraxis der Assyrer feste Form zu geben. Vor allem aber war er ein großer Bauherr, der sich mit Hingabe der Restauration babylonischer Tempel widmete, besonders für die Götter *Šamaš* und *Marduk*, und natürlich nicht zuletzt in Babylon selbst. Seine Arbeiten am Marduktempel *Esangila* und an dessen berühmten Stufenturm *Etemenanki* („Haus des Fundamentes des Himmels und der Erde") sind ein Präludium zum großartigen Ausbau Babylons unter der Regierung seines Sohnes. Diesen, den Kronprinzen Nebukadnezar *(Nabû-kudurri-uṣur)*[23], zog er in seinen letzten Jahren zur Mitregierung heran; er wechselte mit ihm im militärischen Oberbefehl ab.

Nebukadnezar II. (605–562) war es denn auch, der die vorübergehende Herrschaft des Pharao Necho auf der syrisch-palästinischen Landbrücke beendete. Das geschah in der Schlacht bei Karkemisch, über deren Vorgeschichte und Verlauf wir aus der babylonischen Chronik recht gut unterrichtet sind[24]. In den Jahren 609–607 hatte Nabopolassar gegen nördliche Bergvölker gekämpft, um freie Hand für seine Auseinandersetzung mit den Ägyptern zu gewinnen. 606 griff er die Ägypter an, die bei Karkemisch einen Brückenkopf hielten, kam aber nicht recht voran. Nachdem er das Kommando dem Kronprinzen übertragen hatte, liefen die Dinge so: „Er (Nebukadnezar) marschierte gegen Karkemisch, das am Ufer des Euphrat liegt, und [gegen das ägyptische Heer], das in Karkemisch lag,

---

[21] S.o. S.340f.

[22] S.o. S.356f.

[23] Die übliche, auf dem AT beruhende Wiedergabe des Namens entspricht dem babylonischen Konsonantenbestand weniger gut als die ebenfalls im AT belegte Namensform Nebukadrez(z)ar; vgl. Jer 21,2; 29,21; Ez *passim* u.ö.

[24] BM 21946 bei D.J.Wiseman, S.67–69; TGI³, 73; TUAT I,4,402f. Vgl. dazu E.Vogt, Die neubabylonische Chronik über die Schlacht bei Karkemisch und die Einnahme von Jerusalem. SVT 4 (1957) 67–96.

überschritt den Fluß und [... mit]einander kämpften sie. Und das Heer Ägyptens wich zurück, und ihre [Niederlage] bewirkte er bis zu ihrem Nichtsein. Den Rest des ägyptischen Heeres, [... das] der Niederlage entflohen war, (so schnell daß) keine Waffe sie erreichen konnte, überwanden die babylonischen Truppen im Distrikt von Hamath und schlugen ihn so, daß nicht ein einziger Mann in seine Heimat zurückkehrte“[25]. Das war es im Grunde auch schon. Die folgenden häufigen Syrienfeldzüge Nebukadnezars waren nicht viel mehr als „militärische Spaziergänge“[26] ohne nennenswerten Widerstand. Das gilt auch für das zweimalige Eingreifen in Juda und Jerusalem 598/7 und 587/6[27]. Es gilt jedoch nicht für den gescheiterten und mit hohen Verlusten bezahlten Angriff auf Ägypten im Winter 601/600[28]. Ansonsten erfährt man über die militärischen Unternehmungen Nebukadnezars II. wenig von ihm selber: nichts über die angebliche dreizehnjährige Belagerung von Tyrus[29], nichts über die Annexion Kilikiens zwischen 595 und 570, wenig über einen Feldzug gegen Amasis von Ägypten 568. Nebukadnezar hat keine Feldzugsberichte assyrischen Stils hinterlassen, sondern fast ausschließlich Bauinschriften, diese freilich in beachtlicher Zahl. Er wandelte als Bauherr in den Spuren seines Vaters, restaurierte allerorten alte Tempel, vollendete den grandiosen Ausbau von Babylon und errichtete nördlich der Stadt die „medische Mauer“ zwischen *Sippar* und *Akšak*, deren Verlauf noch heute im Luftbild zu erkennen ist[30]. Unter ihm wurde der Alte Orient babylonisch und Babylon das Zentrum der damals bekannten Welt.

Nach Nebukadnezars II. Tode (562) begann der Niedergang des neubabylonischen Großreiches. Dieser relativ früh einsetzende Verfall war zunächst nicht auf den Druck von seiten starker auswärtiger Gegner zurückzuführen, sondern auf das Erlahmen der Kräfte der Dynastie. Die Nachfolger Nebukadnezars II. waren den Aufgaben, die die Beherrschung und Verwaltung des Riesenreiches an sie stellte, nicht ganz gewachsen; sie scheiterten vor allem an der Bewältigung der innenpolitischen Spannungen, die das Reich immer mehr auf den Untergang zutrieben. Von Nebukadnezars Sohn *Amēl-Marduk* (562–560)[31] ist wenig bekannt, immerhin die Begnadigung des deportierten Davididen Jojachin von Juda (2. Kön 25,27–30; Jer 52,31–34)[32]. Sein Nachfolger rühmt sich als „Vollbrin-

---

[25] TGI³, 73; vgl. TUAT I,4,403. Diese Angaben erhellen dunkle Stellen in Jer 46,2–12 und bei Fl. Josephus, Ant. X,11,1 (§§ 219ff. Niese).

[26] So R. Labat in: Fischer Weltgeschichte 4: Die altorientalischen Reiche III (1967) 99.

[27] S. u. S. 372f. 377–380.

[28] Vgl. E. Lipiński, The Egyptian-Babylonian War of the Winter 601–600 B.C. AION 22 (1972) 235–241; H. J. Katzenstein, „Before Pharao Conquered Gaza“ (Jeremiah xlvii 1). VT 33 (1983) 249–251.

[29] Vgl. Ez 26,1–28,19; Fl. Josephus, Ant X,11,1; c. Ap. I,21.

[30] Vgl. Xenophon, Anabasis II,4,12.

[31] Vgl. R. Sack, Amēl Marduk, 562–560 B.C. A Study Based on Cuneiform, OT, Greek, Latin and Rabbinical Sources. AOAT 4 (1972).

[32] S. u. S. 374.

ger frommer Werke" und „Erneuerer von *Esangila* und *Ezida*"; er erwarb sich auch Verdienste durch die Wiederherstellung priesterlicher Privilegien. Vielleicht darf man daraus schließen, daß *Amēl-Marduk* den Versuch einer antiklerikalen Innenpolitik unternommen hat: einer Politik, die gegen die unter Nebukadnezar mächtig erstarkte *Marduk*-Priesterschaft von Babylon gerichtet war. Er könnte eben daran gescheitert sein. Denn der Nachfolger Neriglissar (*Nergal-šar(ra)-uṣur,* 560–556), ein Schwiegersohn Nebukadnezars, der möglicherweise an der Belagerung und Eroberung Jerusalems 587/6 beteiligt gewesen war[33], ist mit Hilfe der Gegner *Amēl-Marduks* an die Macht gekommen. Seine kurze Regierungszeit stand bereits im Zeichen des Aufstiegs des Perserreiches unter Kyros II. Immerhin hat er 556 noch einen erfolgreichen Feldzug nach dem kleinasiatischen Kilikien unternommen[34]. Im Inneren des Reiches aber wuchsen die Spannungen, hervorgerufen durch die Rivalität der Priesterschaften an den Tempeln der großen Götter: *Marduk* in Babylon, *Šamaš* in Larsa und Sippar, *Nannar-Sîn* in Ur und dem noch unter medischer Herrschaft stehenden *Ḫarrān.* Diese Spannungen konnte Neriglissar nicht ausgleichen; seine einseitige Bevorzugung der *Marduk*-Priesterschaft zeigte, daß er es auch gar nicht wollte. Als er starb, wurde die Thronfolge durch die Ermordung des Kronprinzen *Lābaši-Marduk* gewaltsam unterbrochen.

Zur Macht gelangte ein Mann aus *Ḫarrān*, der letzte König des neubabylonischen Reiches: Nabonid *(Nabû-nāʾid*, 556–539), der Sohn eines sonst ganz unbekannten Statthalters *(šakkanakku)* und Prinzen *(rubû) Nabû-balāssu-iqbi* und der *Sîn* – Priesterin *Adda-Guppiʾ*. Nabonid ist eine der interessantesten Gestalten auf dem babylonischen Thron. Seine Inschriften, oft in altbabylonischer Sprache und Schrift abgefaßt, haben von ihm ein falsches und korrekturbedürftiges Bild entstehen lassen: das Bild eines bejahrten, weltfremden, archäologisch interessierten Schwärmers ohne politische Ambitionen. Man weiß inzwischen, daß das nicht zutrifft, auch wenn skurrile Züge im Charakterbild dieses Herrschers verbleiben[35].

---

[33] Vgl. Jer 39,3. 13.

[34] Chronik BM 25124 bei D.J.Wiseman, S.74–77. Vgl. zur Kilikienpolitik insgesamt W. F.Albright, Cilicia and Babylonia under the Chaldaean Kings. BASOR 120 (1950) 22–25.

[35] Literatur zu Nabonid: S.Smith, Babylonian Historical Texts Relating to the Capture and Downfall of Babylon (1924); J.Lewy, The Late Assyro-Babylonian Cult of the Moon and its Culmination at the Time of Nabonidus. HUCA 19 (1945/6) 405–489; B.Landsberger, Die Basaltstele Nabonids von Eski-Harran. Halil Edhem Memorial Volume (1947) 115ff.; J.M.Wilkie, Nabonidus and the Later Jewish Exiles. JThSt.NS 2 (1951) 36–44; W.Röllig, Erwägungen zu neuen Stelen König Nabonids. ZA.NF 22 (1964) 218–260; H.Tadmor, The Inscriptions of Nabunaid. Historical Arrangement. Fs B.Landsberger (1965) 351–363; W.G. Lambert, A New Source for the Reign of Nabonidus. AfO 22 (1968/9) 1–8. Zur Nachgeschichte auch: R.Meyer, Das Gebet des Nabonid. Sitzungsberichte d. Sächs. Akad. d. Wiss., phil.-hist. Kl. 107,3 (1962); R.H.Sack, The Nabonidus Legend. RA 77 (1983) 59–67. – Auf Nabonid bezügliche Texte in den Quellensammelwerken: AOT², 366–370; ANET³, 305–315; TGI 66–70; TGI³, 79–84; TUAT I,4, 406f.

Babylonien unmittelbar östlich benachbart, auf dem Territorium des alten Elam, saß das persische Dynastengeschlecht der Achämeniden, in Lehnsabhängigkeit von den medischen Oberherren. Diesem zukunftsreichen Geschlecht entstammte Kyros II., der sich langsam von den Medern emanzipierte und dem es um 550 gelang, den Mederkönig Astyages zu besiegen und der medischen Herrschaft ein Ende zu bereiten[36]. Er eroberte 549 Ekbatana, die medische Metropole im iranischen Hochland, und machte es zum Zentrum seines neuen persischen Reiches. In Kleinasien hatte sich seit dem Zusammenbruch des hettitischen Neuen Reiches zum ersten Male wieder ein größeres Staatsgebilde etabliert: das lydische Reich unter dem sprichwörtlich reichen König Kroisos (Krösus), das den medischen Einfluß in Anatolien zurückdrängte. Wollte Kyros das medische Erbe in vollem Umfang antreten, dann war eine militärische Auseinandersetzung mit Lydien unvermeidlich. In Vorbereitungen dazu begriffen, hatte Kyros keinerlei Interesse daran, mit seinem babylonischen Nachbarn in Konflikt zu geraten. Er machte eine Geste des Entgegenkommens und überließ Nabonid die Provinz *Ḫarrān*, die er von den Medern geerbt hatte. Durch diesen geschickten Schachzug legte er Nabonid seine Heimatstadt zu Füßen und durfte nun damit rechnen, den Rücken frei zu behalten. Nabonid begab sich sofort nach *Ḫarrān* und schickte sich an, den zerstörten Tempel seines Gottes *Sîn, Eḫulḫul,* glanzvoll wiederaufzubauen. Die einseitige, nahezu fanatische Bevorzugung der Götter *Sîn* und *Šamaš* verschaffte ihm viele Feinde, besonders natürlich in der *Marduk*-Priesterschaft von Babylon. Zu einem Aufstande kam es zu Lebzeiten Nabonids freilich nicht: ein Zeichen dafür, daß er innenpolitisch das Heft fest in der Hand hatte. Sollte Kyros jedoch gehofft haben, den Chaldäer durch die Überlassung *Ḫarrāns* von den immer deutlicher werdenden persischen Emanzipations- und Expansionsbestrebungen abzulenken, so sah er sich getäuscht. Es kann kaum ein Zweifel daran bestehen, daß Nabonid diese Absichten durchschaute und sich nicht die Augen verbinden ließ. Er widmete sich in *Ḫarrān* nicht nur der Pflege des *Sîn*-Kultes, sondern machte die Stadt zu einer Art Ausweichresidenz seines Reiches. Es könnte sein, daß in diesen Zusammenhang auch Nabonids rätselhafter Zug nach der innerarabischen Oase *Taymā* und sein langjähriger Aufenthalt daselbst gehört[37]. Er berichtet in einer seiner Inschriften folgendes: „Die Söhne von Babylon, Borsippa, Nippur, Ur, Uruk, Larsa, die Priester und Bewohner der heiligen Stätten von Akkad fehlten, vergingen sich und versündigten sich ..., sprachen nur noch falsche, ungerechte Worte und fraßen einander wie die Hunde. Sie ließen Fieber und Hungersnot in ihrer Mitte entstehen, so daß die Bevölkerung zurückging. Ich aber begab mich

[36] Vgl. D. Sacchi, La data della vittoria di Ciro su Astiage. Parola del Passato 102 (1965) 223–233.

[37] Vgl. W. F. Albright, The Conquests of Nabonidus in Arabia. Journal of the Royal Asiatic Society (1925) 293–295; W. G. Lambert, Nabonidus in Arabia. Proceedings of the Seminar for Arabian Studies 2 (1972) 53–64.

weit weg von meiner Stadt Babylon und schlug den Weg nach *Taymā, Dadānu, Padakku, Ḫibrâ, Jadiru,* ja bis nach *Jatribu* ein und wanderte zehn Jahre lang zwischen diesen Städten hin und her; in meine Stadt Babylon aber kehrte ich nicht ein" [38]. Nabonid stellt die Dinge so dar, als habe er die innenpolitisch miteinander rivalisierenden Gruppen durch seinen Weggang bestrafen wollen. Das nun wohl nicht, aber daß die Spannungen mit der *Marduk*-Priesterschaft von Babylon zu den Gründen seiner „Abreise" gehörten, ist nicht zu bezweifeln. Darüber hinaus aber mag die Absicht bestanden haben, eine chaldäisch-arabische Abwehrfront gegen die Expansion der Perser aufzubauen: die Länge der Achse *Taymā – Jaṯrīb* (das spätere Medina) beträgt immerhin etwa 400 km. Schießlich sind wirtschaftliche Gesichtspunkte zu nennen: mit der zunehmenden Versandung des Persischen Golfes lief der Import- und Exporthandel stärker als vordem über die Karawanenwege von Babylonien über *Taymā* nach Ägypten [39], und die Kontrolle dieser Wege mochte Nabonid nützlich erscheinen. Wie dem auch sei, jedenfalls überspannte Nabonid mit seinem Arabienaufenthalt den Bogen. Die langjährige Entfernung vom Zentrum seines Reiches mußte innenpolitische Folgen nach sich ziehen. Der König ließ sich in Babylon durch den Kronprinzen *Bēl-šar(ra)-uṣur* (Belsazar) vertreten, auf den sich alsbald der Haß der *Marduk*-Priesterschaft konzentrierte. Belsazar bewies überdies keine glücklich Hand: er repräsentierte nicht nur seinen von der Hauptstadt abwesenden Vater, sondern trieb dessen Religionspolitik ins Extrem. Er ging so weit, die Abhaltung des großen Neujahrsfestes, des Hauptfestes im *Marduk*-Kultus, zu verbieten. Wir wissen nicht, ob Nabonid davon überhaupt Kenntnis hatte. In seinem Sinne können Maßnahmen dieser Art eigentlich nicht gewesen sein; sollte er sie gekannt haben, dann hat er aus unerfindlichen Gründen nichts dagegen unternommen. Die Folgen blieben nicht aus. Die *Marduk*-Priesterschaft betrieb mehr und mehr eine rührige propersische Propaganda, in der Kyros als der kommende Befreier gefeiert wurde. Die jüdischen Exulantengemeinden in Babylonien schlossen sich dieser Propaganda an und erwarteten von Kyros das Ende ihrer Gefangenschaft [40]. Belsazar war der bestgehaßte Mann in Babylon – ein Tatbestand, der seinen sagenhaften Niederschlag in dem aus dem 2. Jahrhundert v. Chr. stammenden Danielbuch (Dan 5) gefunden hat. Man kennt die Sage, die die zugrundeliegenden geschichtlichen Ereignisse arg entstellt, umdatiert und für spätere Zeiten interpretiert hat, aus Heinrich Heines Ballade: „Und sieh! und sieh! an weißer Wand, da kam's hervor wie Menschenhand ... Belsazer ward aber in selbiger Nacht von seinen Knechten umgebracht." Das ist ein Stimmungs-

---

[38] Zitiert nach R. Labat, Fischer Weltgeschichte 4: Die altorientalischen Reiche III (1967) 108.

[39] Vgl. A. L. Oppenheim, Essay on Overland Trade in the First Millennium B. C. JCS 21 (1967, publ. 1969) 236–254.

[40] S. u. S. 386 f.

bild, das auf die letzten Jahre des neubabylonischen Großreiches paßt. Diesem Reiche galt das Menetekel, nicht dem Kronprinzen.

Im Jahre 540 v. Chr. entschloß sich der alte Nabonid endlich, nach Babylon zurückzukehren. Aber er kam zu spät. Es nützte nichts mehr, daß er für den Jahresbeginn 539 ein großes Neujahrsfest ankündigen ließ. Die Kyrospropaganda hatte viel zu sehr an Boden gewonnen, und die einmal in Gang gesetzte Entwicklung war nicht mehr aufzuhalten. Inzwischen hatte Kyros 547/6 Kroisos von Lydien geschlagen, dessen Metropole Sardes erobert und sein Herrschaftsgebiet bis an die Westküste Kleinasiens ausgedehnt. Er brauchte jetzt um die Sicherheit seines Reiches im Süden und Südwesten nicht mehr besorgt zu sein. So schickte er sich an, Babylonien den Todesstoß zu versetzen. Wie wenig sich Nabonid auf seine Beamten verlassen konnte, wurde sichtbar, als der Statthalter des Osttigrislandes, Gobryas, mit fliegenden Fahnen zu den Persern überlief. Derselbe Gobryas besiegte wenig später in der Schlacht bei Opis in der Nähe von Sippar den Kronprinzen Belsazar und erzwang den Übergang über den Euphrat. Am 12. Oktober 539 v. Chr. nahmen die Perser Babylon kampflos ein[41]. Über das Lebensende Nabonids und Belsazars ist nichts bekannt; es wird kaum ruhig und friedlich gewesen sein. Am 29. Oktober 539 hielt Kyros II. triumphalen Einzug in die Stadt, begrüßt und umjubelt von denen, die auf ihn gehofft hatten. Damit trat der Nahe Osten in das persische Zeitalter ein.

Eine kulturgeschichtliche Eigentümlichkeit der beschriebenen Epoche verdient das Interesse des Historikers. Man beobachtet im Alten Orient des 7. und 6. Jahrhunderts v. Chr. allerorten – soweit überhaupt erkennbar – einen Zug zur Restauration, die Orientierung am Alten und Klassischen, die Rückwendung zu früheren Phasen der eigenen Geschichte, die Idealisierung der Verhältnisse grauer Vorzeit. Das gilt für die bildende Kunst, für Sprache, Schrift und Literatur, für die Religion und bis zu gewissem Grade auch für die Politik. Man erinnert sich an die gewaltige und mustergültige Bibliothek Assurbanipals in seinem Palast zu Ninive: eine Bibliothek, die erklärtermaßen die gesamte sumerische und akkadische Literatur umfassen sollte, und die immerhin, nach den aufgefundenen Beständen zu urteilen, weit mehr als 10000 Keilschrifttafeln umfaßte. In neubabylonischer Zeit herrscht eine merkwürdige Vorliebe für Inschriften in altbabylonischer Sprache und Schrift, wobei zu beobachten ist, daß die Schreiber der Sache oft nur sehr unvollkommen gewachsen waren. Es ist so, als wollte unsereiner einen Text in der Sprache des Hildebrandsliedes abfassen. Die Chaldäerkönige Nabopolassar, Nebukadnezar II. und Nabonid kümmerten sich um die Restaurierung alter Tempel; wenn diese – wie im Falle des Tempels *Ebarra* in Larsa – schon überwiegend im Staub versunken waren, kam das einer Ausgrabung gleich. Man achtete auch sorgfältig auf die Gründungsurkunden der Tempel der Vorzeit. Nebukadnezar teilt einmal voller Stolz mit, eine solche Urkunde von keinem Geringeren als dem König *Narām-Sîn* von Akkad (ca. 2260–2223 v. Chr.) gefunden zu haben. Die Aufzählung der Beispiele ließe sich fortsetzen[42]. In Ägypten liegen die Dinge ganz

[41] Vgl. H. Wohl, A Note on the Fall of Babylon. JANES I, 2 (1969) 28–38.

[42] Die Sache ist m. W. für Mesopotamien bislang nicht monographisch behandelt worden.

ähnlich. Unter den saitischen Pharaonen der 26. Dynastie imitierte man in Plastik und Reliefkunst Vorbilder aus dem Alten Reich, schrieb Pyramidentexte auf die Wände der Gräber und verfaßte Inschriften in altägyptischer Sprache. Erinnert sei ferner an Psammetichs I. Imitation der Verhältnisse des Alten und Neuen Reiches – das letztere lag auch schon wieder mehr als ein halbes Jahrtausend zurück – bei der Reorganisation der Reichsverwaltung[43] und an die Inflation von Beamtentiteln des Alten Reiches in der Saitenzeit. Man spricht geradezu von der „saitischen Renaissance": ein Ausdruck, der freilich ebenso zurückhaltend verwendet werden sollte[44] wie die „salomonische Aufklärung"[45]. In Ägypten begann das alles schon früher als in Mesopotamien. Bereits der äthiopische Pharao Schabaka (716–701) hinterließ einen heute im Britischen Museum befindlichen Stein mit einem berühmten theologischen Text, der starke Beziehungen zu Gen 1 aufweist: das sog. Denkmal memphitischer Theologie[46]. Der Text soll nach den Angaben des Schabaka nach einer uralten Vorlage, die „von Würmern zerfressen war", angefertigt worden sein, und in der Tat ist er altäyptisch geschrieben und erweckt den Eindruck, er stamme aus der Zeit des Alten Reiches. Neuere Untersuchungen haben aber gezeigt, daß er mit hoher Wahrscheinlichkeit erst zur Zeit der 25. Dynastie abgefaßt wurde[47], allenfalls – m. E. weniger wahrscheinlich – unter der 19. Dynastie[48]. Wenn aber das Denkmal memphitischer Theologie nur vorgibt, aus dem Alten Reiche zu stammen, in Wirklichkeit jedoch anderthalb Jahrtausende jünger ist, dann handelt es sich um einen Fall von Steigerung der Autorität eines religiösen Textes durch seine Herleitung aus grauer Vorzeit – ganz wie beim Deuteronomium, das – im 7. Jahrhundert v. Chr. entstanden – als mosaische Urkunde ausgegeben und für eine solche gehalten wurde. Man sieht: Juda stand inmitten einer gemeinorientalischen Restaurationsbewegung. Daß die überall zu beobachtende Orientierung am Alten und Klassischen ihre Folgen für den Prozeß der Heiligwerdung religiöser Texte hatte, liegt auf der Hand und ist am Deuteronomium und seinen Schicksalen detailliert zu erweisen.

---

[43] S. o. S. 361.

[44] Vgl. H. Brunner, Zum Verständnis der archaisierenden Tendenzen in der ägyptischen Spätzeit. Saeculum 21 (1970) 151–161.

[45] S. Teil 1, S. 221.

[46] Vgl. A. Erman, Ein Denkmal memphitischer Theologie. Sitzungsberichte d. Preuß. Akad. d. Wiss. 43 (1911) 916 ff.; K. Sethe, Dramatische Texte zu altägyptischen Mysterienspielen I. Untersuchungen z. Geschichte u. Altertumskunde Ägyptens X, 1 (1928, Nachdruck 1964); H. Junker, Die Götterlehre von Memphis. Abhandlungen d. Preuß. Akad. d. Wiss., phil.-hist. Kl. 23 (1939).

[47] F. Junge, Zur Fehldatierung des sog. Denkmals memphitischer Theologie oder Der Beitrag der ägyptischen Theologie zur Geistesgeschichte der Spätzeit. Mitteilungen d. Deutschen Archäolog. Inst. Kairo 29 (1973) 195–204.

[48] H. A. Schlögl, Der Gott Tatenen. Nach Texten und Bildern des Neuen Reiches. OBO 29 (1980) bes. 110–117.

KAPITEL 2

Der Untergang des Staates Juda

Nach dem Tode des Königs Josia im Jahre 609 v. Chr. bei Megiddo[1] schaltete sich der judäische Landadel (*ʿamm hāʾāreṣ*)[2] in die Thronfolge ein und erhob den Prinzen Joahas auf den Thron Davids (2. Kön 23,30). Dabei scheint zum ersten Male das traditionelle Erbfolgeprinzip nicht befolgt worden zu sein. Denn ein Vergleich der Zahlenangaben von 2. Kön 23,31 und 23,36 ergibt, daß man den älteren Sohn Josias, den Kronprinzen Eljakim, zugunsten des jüngeren Joahas überging. Der Grund mag darin gelegen haben, daß Joahas im Gegensatz zu seinem Bruder Eljakim die Politik seines Vaters fortzusetzen versprach – und eben das könnte es gewesen sein, was man in den Kreisen des judäischen Landadels erhoffte und wollte. Zunächst schien die Hoffnung nicht zu trügen. Es erfolgte keine Intervention von seiten der Ägypter, die jetzt wieder die Oberhoheit über Palästina und einen Teil Syriens ausübten. Pharao Necho II. war in den Kämpfen um *Ḫarrān* gebunden[3] und konnte sich um die Verhältnisse auf der Landbrücke nicht sogleich kümmern. Nach Beendigung seines Feldzuges im August/September 609 hatte er dann aber Zeit dazu. Er kehrte nicht nach Ägypten zurück, sondern schlug sein Hauptquartier in Ribla (*er-Rable*) am mittleren Orontes auf, südlich des Sees von *Ḥoms* und nicht weit vom Nordausgang des Hochtales (*el-Biqāʿ*) zwischen Libanon und Antilibanos. Dorthin beorderte er den Davididen Joahas, nachdem dieser drei Monate lang regiert hatte[4]: anscheinend zur Ableistung des Treueides; denn Joahas erschien freiwillig und vielleicht ohne böse Vorahnungen. Als er aber in Ribla eintraf, wurde er unverzüglich gefangengesetzt, seiner Würde entkleidet und nach Ägypten gebracht, wo sich seine Spuren verlieren. Necho war – wie man sieht – nicht gesonnen, Eigenmächtigkeiten in Juda zu dulden. Er zerschlug damit alle Hoffnungen auf eine Weiterführung des josianischen Reformwerkes. Man mußte das in Jerusalem zur Kenntnis nehmen und konnte nichts weiter tun, als es bitter zu beklagen. Unter denen, die klagten, war auch der Prophet Jeremia (22,10): „Weint nicht um den Toten und klagt nicht um ihn! Weint vielmehr um den, der fortzieht; denn er wird nicht mehr zurückkehren und sein Vaterland wiedersehen"[5]!

Der Pharao ließ die Jerusalemer und Judäer gar nicht erst zu Atem und Besinnung kommen, sondern ging sofort an die Neuordnung der Verhält-

[1] S. o. S. 357.
[2] S. o. S. 252 f.
[3] S. o. S. 356.
[4] Diese Dreimonatsfrist entspricht ziemlich genau der Zeit, in der Necho II. in Obermesopotamien operierte; vgl. Chronik Gadd (BM 21901), Rev. Z. 66–69 (D. J. Wiseman, S. 62 f.).
[5] Der Tote ist Josia, und der, der fortzieht, Joahas (der Jer 22,11 Schallum genannt wird).

nisse in ägyptischem Sinne. Er setzte den übergangenen Eljakim als Vasallenkönig von Juda ein und änderte seinen Namen in Jojakim (608–598)[6]. Diese der Sache nach geringfügige Namensänderung war zweifellos als ein Hoheitsakt gemeint, durch den die Lehnsabhängigkeit des Davididen von Ägypten zu sichtbarem Ausdruck kommen sollte. Dem Lande Juda legte Necho eine Kontribution von beträchtlicher Höhe auf: 100 Talente Silber und wahrscheinlich 10 Talente Gold[7], d.h. ungefähr 3420 kg Silber und 342 kg Gold[8]. Jojakim blieb es überlassen, diese enorme Summe aufzutreiben[9]. Ferner ist anzunehmen, daß Necho den Territorialgewinn, den Josia auf Kosten der ehemals assyrischen Provinzen erzielt hatte, rückgängig machte und Jojakim auf die Grenzen der vorjosianischen Zeit beschränkte. Vielleicht nahm er die Verwaltung der assyrischen Provinzen auf dem Boden Palästinas in eigene Hände. Wir wissen es nicht; der karge Text von 2.Kön 23,33–35 läßt Genaueres nicht erkennen, und ägyptische Nachrichten darüber liegen nicht vor.

An der Sachlage änderte sich nichts, als die Oberhoheit über die syropalästinische Landbrücke nach der Schlacht bei Karkemisch im Jahre 605 aus ägyptischer in babylonische Hand überging (Jer 46,2–12; 2.Kön 24,7)[10]. Die nun folgenden letzten Jahre des Staates Juda sind weniger gut bekannt, als man sich wünschen möchte[11]. Das dtr Geschichtswerk berichtet darüber in seinen letzten Kapiteln (2.Kön 24–25), die ihrerseits die Quelle der chronistischen Darstellung bilden (2.Chron 36)[12]. Hinzu kommen Teile der sog. Baruchschrift im Jeremiabuch[13], hauptsächlich Jer 37–44, und verstreute prophetische Überlieferungsstücke aus Jeremia und Ezechiel. Mit den keilschriftlichen Quellen ist es nicht sonderlich gut bestellt. Die Inschriften der chaldäischen Könige enthalten nur wenige brauchbare historische Angaben; es sind Bauinschriften[14]. Die „Chronik Gadd“ endet 609 v.Chr., die übrigen, von D.J.Wiseman publizierten babylonischen Chroniken 594 v.Chr., im 11.Regierungsjahr Nebukadnezars II., um dann

---

[6] Das ist ein Thronname, wenn auch kein vom König selbst angenommener, sondern ein vom Oberherrn gegebener. Zu möglichen Spuren der Thronnamenpraxis vgl. A.M.Honeyman, The Evidence for Regnal Names among the Hebrews. JBL 67 (1948) 13–25.

[7] In 2.Kön 23,33 ist nach LXX^{L} und Peschitta vermutlich „10 Talente“ statt MT „ein Talent“ zu lesen; LXX^{BA} haben „100 Talente“.

[8] So bei Ansetzung des Schekelgewichtes auf 11,4 g. Nach dem Tageskurs vom 31.8. 1984 kosteten 342 kg Gold DM 14.706.000,– und 3420 kg Silber DM 2.394.000,–.

[9] Dabei befolgte er ein anderes Verfahren als seinerzeit Menachem von Israel (2.Kön 15,20; s.o. S.304 f.): keine Kopfsteuer (feste Summe pro Kopf), sondern Belastung der Bürger nach ihrem Vermögensstand.

[10] S.o. S.363 f.

[11] Zu dem, was die Archäologie allenfalls beitragen kann, vgl. E.Stern, Israel at the Close of the Period of the Monarchy: An Archaeological Survey. BA 38 (1975) 26–54.

[12] Vgl. N.Lohfink, Die Gattung der „Historischen Kurzgeschichte“ in den letzten Jahren von Juda und in der Zeit des Babylonischen Exils. ZAW 90 (1978) 319–347.

[13] Vgl. G.Wanke, Untersuchungen zur sogenannten Baruchschrift. BZAW 122 (1971).

[14] S.o. S.364.

für 557/6 v. Chr. noch einmal kurz aufzutauchen[15]. Als Tertiärquelle kommt schließlich das in seleukidischer Zeit, also Jahrhunderte später abgefaßte Werk Χαλδαϊκά des babylonischen Priesters Berossos in Betracht, von dem Auszüge bei Fl. Josephus, Ant. X, 11, 1 ff. (§§ 219 ff. Niese) aufbehalten sind[16].

Jojakim blieb drei Jahre lang babylonischer Vasall (2. Kön 24, 1). Danach sann er auf Abfall. Vielleicht standen im Hintergrunde Einflüsterungen von seiten der Ägypter, die den Kampf um die Oberhoheit auf der syrisch-palästinischen Landbrücke noch immer nicht aufgegeben hatten und dem König Waffenhilfe und Rückendeckung versprochen haben mögen. Das könnte im Jahre 602 v. Chr. gewesen sein. Nun fällt aber auf, daß aus diesem und den folgenden Jahren nichts über eine babylonische Strafaktion gegen Juda und Jerusalem verlautet. Man kann daraus zunächst den Schluß ziehen, daß die Babylonier einige Zeit brauchten, um die Herrschaft in den ihnen zugefallenen Gebieten *de facto* anzutreten. Sie waren Epigonen der Assyrer und in der assyrischen Technik der Behandlung der Außengebiete noch nicht hinlänglich bewandert. Immerhin verzeichnet die Chronik BM 21946 für 602 v. Chr. babylonische Truppenbewegungen im *Ḫatti*-Land (= Syrien) und für 601 den gescheiterten Feldzug gegen Ägypten[17]. Bei alledem hört man nichts von Juda, das doch am Wege lag und ziemlich leicht hätte *en passant* erledigt werden können[18]. So wird der Verdacht genährt, daß Jojakims Abfall erst 601 oder 600 erfolgte, als die Niederlage Nebukadnezars II. gegen Ägypten einen Augenblick der Schwäche des neubabylonischen Reiches signalisierte. Das würde bedeuten, daß die Angabe der „drei Jahre" in 2. Kön 24, 1 entweder rund und ungenau ist oder daß Jojakims Vasallität ab 604 v. Chr. gerechnet wird. Das wiederum könnte damit zusammenhängen, daß Unklarheiten hinsichtlich des Akzessionsjahres Nebukadnezars II. bestanden: zwar war er schon 605 König geworden, hatte aber den Beginn seiner Herrschaft mit dem Neujahrsfest 604 gefeiert[19]. Wie dem auch sei, es geschah zunächst nichts, und die Strafe folgte erst im Jahre 598 v. Chr. (2. Kön 24, 10–17). Babylonische Truppenverbände setzten sich in Marsch, rückten vor Jerusalem und begannen, die Stadt zu belagern. Die Führung der Armee lag anscheinend nicht in den Händen des Großkönigs selbst, sondern in denen seiner Offiziere. Die Katastrophe traf nicht mehr Jojakim, der vermutlich während der Belagerung gestorben war, sondern seinen Sohn Jojachin, über dessen

---

[15] S. o. S. 339.

[16] D. Schnabel, Berossos und die babylonisch-hellenistische Literatur (1923).

[17] D. J. Wiseman, S. 70 f. S. o. S. 364.

[18] Die „Streifscharen" der Chaldäer, Aramäer, Moabiter und Ammoniter, die Nebukadnezar gegen Jojakim gesandt haben soll, entsprechen wohl eher dtr Theorie als der historischen Realität. Wenn das so ist, dann entfallen mancherlei Vermutungen wie etwa bei Y. Aharoni, Arad. Its Inscriptions and Temple. BA 31 (1968) 2–32, bes. 17 f., und J. M. Myers, Edom and Judah in the 6th and 5th Centuries B. C. Near Eastern Studies (1971) 377–392, bes. 390–392.

[19] D. J. Wiseman, S. 68 f.

Haupt die Wellen, die sein Vater aufgerührt hatte, nun zusammenschlugen. Nachdem er drei Monate lang König gewesen war (2. Kön 24, 8), öffnete er die Stadt und verhinderte damit einen Sturmangriff der babylonischen Truppen und die in solchem Falle unvermeidliche Brandschatzung und Zerstörung. Das war noch 598 oder bereits 597: ein außerordentlich schwieriges und kontroverses chronologisches Problem, in dessen Erörterung hier nicht eingetreten werden soll[20]. Hatte Jojachin jedoch gehofft, die Babylonier durch seine Kapitulation zur Milde zu stimmen, so sah er sich getäuscht. Nebukadnezar II. war fest entschlossen, den südpalästinischen Kleinstaat nach bewährtem assyrischen Vorbild in das 2. Stadium der Vasallität[21] zu überführen. Die Assyrer hatten das seinerzeit nicht getan; es mußte jetzt schleunigst nachgeholt werden. Alle überlieferten Geschehnisse und Maßnahmen fügen sich in dieses Bild. Die babylonischen Truppen strömten in die Stadt und nahmen mit, was nicht niet- und nagelfest war. Der Tempel Jahwes wurde geplündert und seine Kostbarkeiten nach Babylonien geschickt, damit sich der König daran erfreue[22]. Jojachin selbst mußte mit zahlreichen Angehörigen der Oberschicht, des Adels, der Priesterschaft, des Handwerkerstandes, eingeschlossen seine Mutter und die Damen seines Harems, in die Verbannung nach Babylonien ziehen. 2. Kön 24, 14 beziffert die Zahl der Deportierten auf 10 000[23]; 24, 16 dagegen spricht von 7000 Militärpersonen und 1000 Handwerkern. Unter den Exulanten befand sich auch der Prophet Ezechiel (Ez 1, 1–3). Um eine genaue Kopie der assyrischen Deportationspraxis handelte es sich freilich nicht. Die Verbannten wurden nicht in einer der entfernten Provinzen des Reiches zwangsangesiedelt, sondern „nach Babel" (2. Kön 24, 16) gebracht, d. h. wohl nach Babylonien und nicht alle in die Hauptstadt Babylon. Dort gingen sie, jedenfalls zunächst, nicht in der eingesessenen Bevölkerung auf, sondern blieben beisammen, bemühten sich um die Erhaltung ihrer

---

[20] Vgl. aus der Fülle der Literatur: A. Malamat, A New Record of Nebuchadnezzar's Palestinian Campaigns. IEJ 6 (1956) 246–256; H. Tadmor, Chronology of the Last Kings of Judah. JNES 15 (1956) 226–230; M. Noth, Die Einnahme von Jerusalem im Jahre 597 v. Chr. [1958]. ABLAK 1, 111–132; J. Ph. Hyatt, New Light on Nebuchadrezzar and Judean History. JBL 75 (1965) 277–284; S. H. Horn, The Babylonian Chronicle and the Ancient Calendar of the Kingdom of Judah. AUSS 5 (1967) 12–27; A. Malamat, The Last Kings of Judah and the Fall of Jerusalem. A Historical-Chronological Study. IEJ 18 (1968) 137–156; K. S. Freedy – D. B. Redford, The Dates in Ezekiel in Relation to Biblical, Babylonian and Egyptian Sources. JAOS 90 (1970) 462–485; E. Kutsch, Das Jahr der Katastrophe: 587 v. Chr. Kritische Erwägungen zu neueren chronologischen Versuchen. Biblica 55 (1974) 520–545; A. Malamat, The Twilight of Judah in the Egyptian-Babylonian Maelstrom. SVT 28 (1975) 123–145; A. R. Green, The Chronology of the Last Days of Judah. Two Apparent Discrepancies. JBL 101 (1982) 57–73; H. Cazelles, 587 ou 586? The Word of the Lord Shall Go Forth, Fs D. N. Freedman (1983) 427–435.

[21] S. o. S. 298.

[22] Vgl. auch Jer 27, 18–22.

[23] In Anlehnung an Luthers Übersetzung liegt hier der Ursprung unserer Redewendung von den „ober(st)en Zehntausend". – Vgl. auch die Deportiertenliste von Jer 52, 28–30: 3023 Judäer, also – wenn die Zahl 10 000 ungefähr das Richtige trifft – etwa 7000 aus Jerusalem.

Eigenart und hegten die Hoffung auf baldige Heimkehr. Wenn wir Jer 29 wenigstens in den Grundzügen Glauben schenken dürfen[24], dann wurden sie darin durch keinen Geringeren als den Propheten Jeremia bestärkt, der in Jerusalem zurückgeblieben war und mit den Verbannten korrespondierte: „Baut Häuser und wohnt darin, pflanzt Gärten und genießt ihre Früchte! Nehmt Frauen und zeugt Söhne und Töchter, und nehmt für eure Söhne Frauen und verheiratet eure Töchter, daß sie Söhne und Töchter gebären und ihr euch dort vermehrt und nicht weniger werdet! Kümmert euch um die Wohlfahrt ‚des Landes', in das ich (d.h. Jahwe) euch weggeführt habe, und betet für es zu Jahwe; denn seine Wohlfahrt ist eure Wohlfahrt! ..."[25]. Jeremia riet also im Auftrage Jahwes, sich auf eine lange Gefangenschaft einzurichten. Das haben die Deportierten getan. Was König Jojachin betrifft, so ist er milde behandelt worden[26]. Er wurde mit seinem Hofstaat in die Hauptstadt Babylon gebracht und genoß dort den Status eines Staatsgefangenen. Im Palast Nebukadnezars II. sind vier Keilschrifturkunden gefunden worden, eine davon auf 592 datiert: Lieferscheine über bestimmte Quantitäten von Sesamöl für allerlei Ausländer, darunter *^{I}Ja-'u-ú-kīnu šar ^{KUR}Ja-a-ḫu-du (Ja-ú-du, Ja-ku-du)* und für die „fünf Söhne des Königs von Juda"[27]. Nach 2.Kön 25,27–30 ist Jojachin im Jahre 562 durch *Amēl-Marduk* (Ewil-Merodach) sozusagen rehabilitiert worden. Der Großkönig zog den Gefangenen an seine Tafel und erwies ihm damit eine Art Amnestie. Mit dieser Nachricht endet das dtr Geschichtswerk. Es hat den Anschein, als solle das Ereignis als ein Silberstreif am Horizont betrachtet werden: ein Grund, auf Jahwes gnädiges Handeln an seinem geschlagenen Volke für die Zukunft zu hoffen[28].

Mit der Deportation waren die Maßnahmen zur Überführung des Staates Juda in das 2. Stadium der Vasallität noch nicht erschöpft. Es ist nicht ausgeschlossen, daß Nebukadnezar II. Gebietsverkleinerungen vornahm – eine Annahme, die sich freilich nur auf Jer 13,18f. stützen kann:

(18) „Sage zum König und zur Königinmutter: Setzt euch tief herunter;
denn herabgesunken ist ‚von eurem Haupt' eure prächtige Krone!

---

[24] M. Dijkstra, Prophecy by Letter. VT 33 (1983) 319–322, hält Jer 29,24–32 für die Kopie eines echten Jeremiabriefes.

[25] V. 7: L. nach LXX *hā'āreṣ* statt MT *hā'īr* „der Stadt". – Die Fortsetzung mit der Verheißung der Rückkehr nach 70 Jahren ist wahrscheinlich sekundärer Zusatz.

[26] Vgl. W. F. Albright, King Joiachin in Exile. BA 5 (1942) 49–55.

[27] Die Schreibungen der Namen variieren. Vgl. E. F. Weidner, Mélanges Syriens offerts à M. René Dussaud (1939) 923ff.; F. M. Th. de Liagre Böhl, Nebukadnezar en Jojachin. Opera Minora (1953) 423–429; ANET^{3}, 308; TGI^{3}, 78f.

[28] Vgl. E. Zenger, Die dtr Interpretation der Rehabilitierung Jojachins. BZ.NF 12 (1968) 16–30.

(19) Die Städte des Südlandes sind verschlossen, und niemand öffnet.
Weggeführt ist Juda insgesamt, vollständig weggeführt“ [29].

Danach ist mit der Möglichkeit zu rechnen, daß Nebukadnezar den *Negeb*, d. h. das Südgebiet Judas südlich von Hebron, abtrennte und vielleicht den Edomitern überließ [30]. In diesem Falle hätte Juda schon 598/7 den Territorialbestand erhalten, den es später in der Perserzeit hatte [31]. Schließlich blieb noch das Problem der Neubesetzung des vakanten davidischen Thrones zu lösen. Der Großkönig entschied sich für einen Onkel Jojachins, den dritten der Söhne Josias, namens Mattanja. Er inthronisierte ihn in Jerusalem und änderte seinen Namen in Zedekia.

Zedekia (598/7–587/6) ist unter keinem günstigen Stern angetreten. Er war von Anfang an nichts anderes als eine Kreatur des babylonischen Großkönigs und außerdem sozusagen der Konkursverwalter seines Bruders Jojakim. Diese Situation zu bewältigen oder wenigstens aus ihr das Mögliche zu machen, hätte es eines Königs vom Formate Josias bedurft. Davon war Zedekia weit entfernt; staatspolitisches Geschick, die Kraft, etwas zu wollen und das Gewollte zu verwirklichen, begegnen nur selten in zwei aufeinanderfolgenden Dynastengenerationen. Niemand wird sich darüber wundern, daß Zedekia zu keiner Zeit volle Anerkennung bei der Bevölkerung von Jerusalem und Juda gefunden hat, von den Deportierten in Babylonien ganz zu schweigen. Hier wie dort galt als rechtmäßiger König der verbannte Jojachin, nach dem die Exulanten datierten (Ez 1,2; 8,1; 20,1; 24,1; 33,21) und auf dessen Rückkehr man in der Heimat hoffte (Jer 28,1–4) [32]. Auch der Prophet Jeremia, der ziemlich viel mit Zedekia zu tun hatte und zuweilen, vor allem in der letzten Zeit, geradezu sein geheimer Ratgeber war, formuliert mehrfach negative Urteile, ohne allerdings den verbannten Jojachin gegen Zedekia auszuspielen (Jer 24; 34 [33]; 37–38). Immerhin hat er einmal die Exulanten in Babylonien mit einem Korbe voll guter, schmackhafter Feigen verglichen, Zedekia und seinen Anhang dagegen mit schlechten Feigen, „die so schlecht sind, daß man sie nicht genießen kann“ – und die deshalb auf den Müll geworfen werden (Jer 24).

---

[29] V. 18: L. nach LXX, Peschitta, Vulgata *mẹrāšẹkem* statt MT *mar'ašōtẹkem* „der Platz auf euren Köpfen“. Vgl. zu den Einzelheiten W. Rudolph, Jeremia. HAT I, 12 (1968³) 92. 96 f.

[30] Vgl. J. Lindsay, The Babylonian Kings and Edom, 605–550 B. C. PEQ 108 (1976) 23–39.

[31] S. u. S. 410. 421 f. und A. Alt, KS 2, 280 f. .

[32] Der Zusammenstoß Jeremias mit Hananja von Gibeon vermittelt, wie immer man die überlieferungsgeschichtlichen und literarischen Fragen zu Jer 27–28 beurteilen will, ein ausgezeichnetes Stimmungsbild aus den Anfangsjahren der Regierung Zedekias. Vgl. H. Schmidt, Das Datum der Ereignisse von Jer 27 und 28. ZAW 39 (1921) 138–144; W. E. Lemke, „Nebuchadrezzar, my Servant“. CBQ 28 (1966) 45–50; H. Seebass, Jeremias Konflikt mit Chananja. ZAW 82 (1970) 449–452; A. Schenker, Nebukadnezars Metamorphose vom Unterjocher zum Gottesknecht. RB 89 (1982) 498–527; Ch. F. Fensham, Nebukadrezzar im the Book of Jeremiah. JNSL 10 (1982) 53–65.

[33] Dazu M. David, The Manumission of Slaves under Zedekiah. OTS 5 (1948) 63–79.

Es konnte ja auch auf die Dauer keinem Einsichtigen verborgen bleiben, daß das Staatswesen Zedekias nicht gedieh, sondern kümmerlich vegetierte. Das war nun freilich nicht anders zu erwarten; denn Juda befand sich im Zustande drückender Vasallität, der Gedeihen und Blüte ohnehin unmöglich machte. Zudem waren die meisten bewährten Kräfte der alten Oberschicht deportiert worden; das Land hatte einen lebensgefährlichen Aderlaß erlitten. Zedekia mußte zusehen, neue Beamte zu finden und eine neue staatstragende Oberschicht zu bilden. Aber die Auswahl an geeigneten Männern war nicht groß, und der König mag auch eine unglückliche Hand bewiesen haben. Jedenfalls sammelten sich am Hofe zu Jerusalem zweifelhafte Elemente, Emporkömmlinge, Parvenus, die weder durch Herkunft noch durch Erziehung und Ausbildung die Voraussetzungen mitbrachten, die zur Wahrnehmung verantwortlicher Ämter notwendig sind. Jeremia hat seine Stimme gegen diese Leute, deren verderblichen Einfluß auf den gutwilligen König er erkannte, erhoben (Jer 38,22). Hier liegt wohl auch der Hauptgrund dafür, daß Zedekia den guten, politisch vernünftigen Rat des Propheten nicht befolgt hat. Er dürfte – wenigstens gegen Ende seiner Regierung – gewußt haben, daß er den Kopf in die Schlinge steckte. Aber er konnte sich nicht durchsetzen; es fehlte ihm die Kraft, das, was er als richtig erkannt hatte, auch angesichts starker Widerstände auszuführen (Jer 38,5). Auch auf dem Sektor des Kultus im Jerusalemer Tempel traten Zustände ein, die an die assyrische Krise unter Manasse erinnern[34] – als hätte es keine josianische Reform gegeben. Der Prophet Ezechiel erlebte im Jahre 593/2 eine visionäre Entrückung aus dem Exil in den Tempelbezirk von Jerusalem (Ez 8). Dort zeigte ihm Jahwe die Greuel, die an heiliger Stätte verübt wurden. Er sah ein „Eiferbild" *(sẹmel haqqin'ā)* in der Nähe eines der Tore (V. 3. 5) – was immer das gewesen sein mag, vielleicht ein Orthostat mit mythischen Reliefdarstellungen, wie solche vor allem aus Nordsyrien bekannt sind[35]. Er beobachtete ferner vornehme Männer, die im Dunkel einer Kammer Rauchopfer vor „Gebilden von Gewürm und Vieh" darbrachten (V. 10f.). Er sah und hörte Frauen den babylonischen Gott *Tammuz* beweinen (V. 14), einen der großen sterbenden und auferstehenden Götter des Orients[36]. Er registrierte einen regelrechten Adorationskult für den Sonnengott *Šamaš* (V. 16): die Adoranten standen im Tempelvorhof, das Gesicht nach Osten und den Rücken Jahwe zugekehrt. Das alles ist symptomatisch und am Ende nicht einmal so sehr verwunderlich, wenn man hört, was die Götzendiener sagen: „Jahwe sieht uns nicht, Jahwe hat das Land verlassen" (V. 12). Dieses Zitat, sei es echt oder fingiert, ist der vollkommene Ausdruck der in Jerusalem und gewiß auch in Juda herrschenden Stimmung: Jahwe war mit den

[34] S. o. S. 332ff.

[35] Vgl. W. Zimmerli, Ezechiel. BK XIII (1979²) 214f.

[36] Vgl. E. M. Yamauchi, Tammuz and the Bible. JBL 84 (1965) 283–290; ders., Additional Notes on Tammuz. Journal of Semitic Studies 11 (1966) 10–15.

Exulanten ins Exil gezogen und hatte die Zurückgebliebenen alleingelassen.

So steuerte das Staatsschiff Zedekias seinem Untergang entgegen. Zeitpunkt und Einzelheiten des wahnwitzigen Entschlusses, vom neubabylonischen Großreich abzufallen, sind nicht bekannt. Es ist nicht auszuschließen, daß der Anstoß dazu wiederum von Ägypten ausging. Dort hatte im Jahre 595 Psammetich II. den Thron bestiegen[37]. Er erschien 592 oder 591 in Palästina oder an der phönikischen Küste, anscheinend ohne daß es ihm jemand verwehrte. Babylon war weit, und die babylonische Oberhoheit war in den unterworfenen Gebieten wohl nicht so stark wie es einst die assyrische gewesen war. Es handelte sich wahrscheinlich nicht um einen Feldzug, eher um eine Reise zu diplomatischen Zwecken[38]. Um diese Zeit, jedenfalls aber nicht allzu lange danach, entschloß sich der unglückliche Zedekia zum Abfall von Babylon. Die Vermutung liegt nahe, daß er zu diesem Schritt von Ägypten überredet worden ist, sei es durch direkte Einflußnahme oder über eine antibabylonische, aber proägyptische Partei am Hofe in Jerusalem. Die Vermutung wird dadurch bestärkt, daß Zedekia während der zweiten Belagerung Jerusalems tatsächlich ägyptische Waffenhilfe erhalten hat (Jer 37,5). Es ist aber ebensogut möglich, daß Ägypten sozusagen nur auf den fahrenden Zug aufsprang. Man fragt sich überhaupt fassungslos, was sich Zedekias politische Berater gedacht haben mögen. Sie verdankten doch der babylonischen Oberhoheit ihre Positionen! Was sich allerdings ein bestimmter, prominenter Berater des Königs dachte, wissen wir genau: Jeremia ist nicht müde geworden, vor dem selbstmörderischen Unternehmen zu warnen (Jer 37–38). Aber seine Stimme blieb ungehört, und wenn Zedekia sie vielleicht hörte und beherzigte, so war er doch nicht stark genug, der in Jerusalem ausgebrochenen politischen Unvernunft wirksam entgegenzutreten. So kam, was kommen mußte: Nebukadnezar II. ging daran, der relativen politischen Selbständigkeit des Staates Juda ein Ende zu bereiten und ihn in das 3. Stadium der Vasallität zu überführen.

Erneut erschienen babylonische Heeresformationen in Palästina, diesmal anscheinend unter des Großkönigs eigener Führung. Sie begannen die Belagerung Jerusalems am 10.X. des babylonischen Kalenders 589 oder 588 – je nachdem, wie man die Chronologie beurteilt[39] – und stürmten die Stadt nach anderthalb Jahren am 9.IV. des babylonischen Kalenders im

---

[37] S.o. S.361.

[38] W. Helck, Geschichte des alten Ägypten. HdO I,3,3 (1968) 254, rechnet mit einem vielleicht sogar zwei Jahre dauernden Feldzug. Aber zu welchem Zweck? Und warum hört man sonst nichts davon? Vgl. ferner M. Greenberg, Ezekiel 17 and the Policy of Psammetichus II. JBL 76 (1957) 304–309.

[39] 2. Kön 25,1–3; Jer 39,1 f.; 52,4–6. Zu den Schwierigkeiten der Chronologie s.o. S.373 mit Anm. 20. Es hängt alles am Datum der ersten Eroberung Jerusalems und an dem nicht notwendig damit zusammenfallenden ersten Regierungsjahr Zedekias. Die babylonischen Chroniken enden leider schon 594.

Jahre 587 oder 586. Das Land Juda konnte ziemlich rasch überrannt werden. Nennenswerten Widerstand leisteten nur zwei Festungen im westlichen Hügelland (Jer 34,7): Lachisch (*Tell ed-Duwēr* oder *Tell ʿĒṭūn*?)[40] und Aseka (*Tell Zakarīye*).

Über die Episode des Kampfes um diese Festungen unterrichten 21 beschriebene Tonscherben, die 1935 und 1938 in einem Torraum der Südwestbastion auf *Tell ed-Duwēr* gefunden worden sind: die sog. Lachisch-Ostraka[41]. Es handelt sich überwiegend um Briefe von Befehlshabern militärischer Außenposten in nahegelegenen Ortschaften an den Kommandanten der Zentrale. Sie geben ein überaus lebendiges Bild von der verzweifelten Lage, in der sich Juda während dieser Zeit befand. Einer der Briefe (Nr. 4) enthält vielleicht einen Hinweis auf den Fall der Festung Aseka. Er lautet: „(1) Möge Jahwe meinen Herren hören lassen gerade jetzt (2) erfreuliche Nachrichten! Und nun: entsprechend allem, was mein Herr anbefahl, (3) hat dein Knecht getan: Ich habe notiert auf die Tafel alles genau so, (4) wie es [mein Herr] mir anbefahl. Was jedoch mein (5) Herr (mir) anbefahl wegen Beth-Harrapid – dort gibt es keinen (6) Menschen (mehr)! Und was Semachjahu angeht, so hat Schemajahu ihn genommen und (7) ihn zur Stadt gebracht. Und ich – dein Knecht – kann (8) nicht im Augenblick (?) dorthin Anweisung geben, (9) allenfalls, wenn es wieder Morgen wird. (10) Und (mein Herr) soll wissen, daß wir auf die Signalzeichen von Lachisch (11) achten, gemäß allen Anweisungen, die (12) mein Herr gibt, jedoch sehen wir nicht (die Zeichen) von Aseka"[42]. Bitter beklagen die Verteidiger den Umstand, daß es in Jerusalem Leute gibt, die die Verteidigungskraft des Landes untergraben (Nr. 6, Z. 5–7): „Und siehe, die Worte der [Obersten?] sind nicht gut, (vielmehr) schlaff zu machen deine (?) Hände [und] sin[ken zu lassen] die Hände der M[änner]..."[43]. Gemeint sind Miesmacher, Defaitisten, Zivilisten nach der Art des Propheten Jeremia, dem tatsächlich hohe Beamte in Jerusalem ganz ähnliche Vorwürfe gemacht haben (Jer 38,4)[44]. Ein weiterer Text (Nr. 3, Z. 13–18) berichtet, daß sich der judäische Oberkommandierende (*śr hṣb' = śar haṣṣābā*) Konjahu ben Elnathan nach Ägypten begab – wollte er dort Waffenhilfe mobilisieren? –, und daß er einen Trupp aussandte, um *mzh* „Proviant, Vorräte(?)" zu holen. Daß dergleichen möglich war, ist doch wohl ein Zeichen dafür, daß weder der Belagerungsring um Jerusalem noch die Besetzung des

[40] S. o. S. 326 mit Anm. 38.

[41] Veröffentlicht von H. Torczyner, Lachish I: The Lachish Letters (1938). Die neueste Textfassung mit Bibliographie von D. Diringer in: O. Tufnell – M. A. Murray – D. Diringer, Lachish III, Vol. I (1953) 21–23. 331–339. Bearbeitungen und Übersetzungen: KAI 192–199; J. C. L. Gibson, Textbook of Syrian Semitic Inscriptions, Vol. 1: Hebrew and Moabite Inscriptions (1971) 32–49; ANET³, 321 f.; TGI³, 75–78. Vgl. auch K. Elliger, Die Ostraka von Lachis. PJB 34 (1938) 30–58. Der Versuch von J. W. Ganor, The Lachish Letters. PEQ 99 (1967) 74–77, die Ostraka in die Zeit Rehabeams zu datieren, hat nicht die geringste Wahrscheinlichkeit für sich.

[42] Übersetzung im wesentlichen nach TGI³, 76 f. Es wäre auch möglich, daß die Entfernung vom Absendeort nach Aseka zu weit war, um die Zeichen zu sehen, vielleicht weil der dazwischenliegende (?), unlokalisierte Ort Beth-Harappid ausgefallen war.

[43] Hebr. Text: *whnh dbry.h*[....]*l' ṭbm l*[*r*]*pt ydyk* [*wlš*]*qt ydy h'*[*nšm*].

[44] „Da sprachen die Beamten (*haśśārīm*) zum König: Dieser Mann muß sterben! Denn er macht ja doch nur die Hände der Kriegsleute, die in dieser Stadt übriggeblieben sind, und die Hände des ganzen Volkes schlaff (*merappē*), indem er derartige Reden gegen sie führt. Ja, dieser Mann ist nicht auf Heil für dieses Volk bedacht, sondern auf Unheil!"

Landes Juda sehr fest oder gar lückenlos gewesen sein können. Tatsächlich sandte Pharao Apries (589–570)[45] eine ägyptische Hilfstruppe, von der Jer 37,5–11 erklärt, sie habe eine zeitweilige Aufhebung der Belagerung Jerusalems erreicht. Mehr als eine Atempause kann das nicht gewesen sein. Man hört von den Ägyptern danach nichts mehr, also sind sie aus unbekannten Gründen bald wieder abgezogen.

Als die Babylonier nach anderthalbjähriger Belagerung die erste Bresche in die Stadtmauer legten (2. Kön 25,4)[46], war die Stadt ausgehungert und erschöpft und konnte sich nicht mehr halten. Zedekia vermochte zunächst zu fliehen; er wollte ins Ostjordanland, vielleicht sogar zu den Ammonitern. Aber er erreichte sein Ziel nicht. Bei Jericho im Jordangraben nahmen babylonische Patrouillen ihn und seine Begleitung gefangen und brachten sie nach Ribla *(er-Rable)* in Mittelsyrien, wo Nebukadnezar II. sein Hauptquartier aufgeschlagen hatte. Dort mußte Zedekia mit ansehen, wie seine Söhne und Angehörige seines Hofstaates abgeschlachtet wurden. Ihn selbst ließ der Großkönig blenden und in Ketten nach Babylonien transportieren.

Etwa einen Monat später, am 7. V. des babylonischen Kalenders, begann die Plünderung und totale Zerstörung Jerusalems (2. Kön 25,8 ff.). Das Kommando führte einer der hohen Beamten Nebukadnezars, der Chef der Leibwache Nebusaradan *(= Nabû-šar(ra)-iddin(a))*. Die Stadt wurde dem Erdboden gleichgemacht, der salomonische Tempel niedergebrannt. In den Flammen ist wahrscheinlich die Lade Jahwes umgekommen; sie war für die Babylonier kein Wertgegenstand und wurde deshalb nicht – wie andere Kostbarkeiten – nach Babylonien gebracht[47]. Nebusaradan setzte auch die Deportation in Gang[48]. Er ließ hohe Staatsbeamte und die Spitzen der Priesterschaft ins Hauptquartier nach Ribla bringen, damit sie dort hingerichtet würden (2. Kön 25,18–21). Die städtische Bevölkerung und die Reste der Oberschicht, soweit noch vorhanden, wurden nach Babylonien in Marsch gesetzt und verstärkten dort die Exulanten von 598/7. Zahlenangaben finden sich nur in Jer 52,28–32: 832 Jerusalemer, fünf Jahre später noch einmal 745 Judäer – wenn die Zahlen auch nur annähernd stimmen, also sehr viel weniger als bei der ersten Deportation. Den Propheten Jeremia nahm man vorübergehend fest, setzte ihn dann aber wieder auf freien Fuß; er entging dem Schicksal der Deportation (Jer 39,11–40,6).

Wie Nebukadnezar mit dem Territorium des Staates Juda verwaltungstechnisch verfuhr, ist leider nicht mehr genau zu ermitteln. Fest steht nur soviel, daß er Juda nicht als babylonische Provinz einrichtete. Wahrschein-

---

[45] S. o. S. 361 f.

[46] Vgl. G. Brunet, Le prise de Jérusalem sous Sédécias. Les sens militaires de l'hébreu bâqa'. Revue d'histoire des religions 167 (1965) 157–176.

[47] Vgl. M. Haran, The Disappearance of the Ark. IEJ 13 (1963) 46–58.

[48] Zu den chronologischen Fragen vgl. G. Larsson, When Did the Babylonian Captivity Begin? JThSt.NF 18 (1967) 417–423.

lich unterstellte er das Gebiet dem Gouverneur der Provinz *Samerīna*, wie es später auch die Perser getan haben[49]. Man hätte erwarten sollen, daß die Verwaltung von einem babylonischen Unterbeamten übernommen worden wäre, der dem samarischen Statthalter verantwortlich war. Aber das geschah keineswegs. Vielmehr beauftragte Nebukadnezar einen Judäer aus Jerusalem mit der heiklen Mission, in dem verwüsteten und ausgebluteten Lande wieder geordnete Verhältnisse zu schaffen: Gedaljahu ben Achikam, den Enkel des josianischen Staatskanzlers Schaphan (2. Kön 22,12. 14; Jer 26,24). Gedaljahu nahm seinen Sitz nicht in Jerusalem, sondern in Mizpa *(Tell en-Naṣbe)*, vielleicht wegen der größeren Nähe zur Provinz *Samerīna* und sicher deshalb, weil Jerusalem zerstört und als Verwaltungszentrum unbrauchbar geworden war. In Mizpa residierte Gedaljahu kurze Zeit als babylonischer Befriedungskommissar (2. Kön 25,22–26; Jer 40,7–43,7). Alsbald aber wurden er und sein teils judäisches teils babylonisches Gefolge von einer Fanatikergruppe, die sich aus der Katastrophe nach Ammon hatte retten können, ermordet. Der Anführer dieses Haufens war ein Mann namens Ismael ben Nethanja aus königlichem Geschlecht[50]. Nach dieser sinnlosen Bluttat entschlossen sich die Mörder, der Rache Nebukadnezars zu entfliehen und zusammen mit der Einwohnerschaft von Mizpa nach Ägypten auszuwandern[51]. Der Prophet Jeremia, der ebenfalls nach Mizpa übergesiedelt war, wurde gegen seinen Rat und Willen gezwungen, sich den Auswanderern anzuschließen. Er ist in Ägypten noch eine Weile als Prophet aufgetreten (Jer 43,8–44,30); niemand weiß, wie lange. Dann verlieren sich seine Spuren im Nillande.

Damit endete die Existenz des Südstaates Juda. Damit endete auch der nachjosianische Epilog des Königtums auf dem Throne Davids. Das Königtum hatte nach einem knappen halben Jahrtausend seines Bestehens seine Rolle ausgespielt. Aber es verschwand keineswegs völlig. Es blieb lebendig in den Hoffnungen, die sich schon immer mit ihm verbunden hatten und die wohl auch von den vorexilischen Propheten genährt worden waren. Die großen Investitionen Jahwes in das davidische Königtum konnten nicht ganz umsonst gewesen sein. Der Messias, der Gesalbte Jahwes, ein König aus Davids Geschlecht, würde eines Tages kommen und die Not seines Volkes wenden. Unter den Verbannten in Babylonien und angesichts einer Lage von verzweifelter Hoffnungslosigkeit sprach der Prophet Ezechiel nicht nur von der baldigen Rückkehr der Exulanten, die Jahwe bewirken werde, sondern auch von der Wiedervereinigung des Nordens mit dem Süden und damit von der Wiederaufrichtung des Reiches Davids: „Also hat der Herr Jahwe gesprochen: Siehe, nun werde ich die Israeliten mitten heraus aus den Völkern nehmen, zu denen sie gegan-

[49] S. u. S. 410. 421 f.

[50] Jer 40,14 teilt mit, der Ammoniterkönig Baalis sei der eigentliche Anstifter des Unternehmens gewesen.

[51] Die Rezension Jer 40,1–43,4 über die Gedaljahu – Ismael – Episode ist sehr viel ausführlicher und detaillierter, aber historisch kaum überall zuverlässig.

gen sind, und werde sie von allen Seiten sammeln und in ihr Land bringen. Und ich will sie zu *einem* Volke machen in dem Lande auf den Bergen Israels, und *ein* König soll über sie alle herrschen, und sie sollen nicht mehr zwei Völker sein und sollen nicht länger in zwei Königreiche zerteilt sein!" (Ez 37,21 f.). Diese und nachfolgende prophetische Erwartungen haben sich nicht erfüllt. Aber die Hoffnung ist nicht erloschen, sondern unter Veränderungen und Umbildungen in die folgenden Zeitalter hineingetragen worden.

KAPITEL 3

Das babylonische Exil

Gesamt- und Teildarstellungen: C. F. Whitley, The Exilic Age (1957); P. R. Ackroyd, Exile and Restoration. A Study of Hebrew Thought of the Sixth Century BC (1968); ders., Israel under Babylonia and Persia (1970); J. D. Newsome, By the Waters of Babylon. An Introduction to the History and Theology of the Exile (1979). – E. Klamroth, Die jüdischen Exulanten in Babylonien. BWANT 10 (1912); E. Janssen, Juda in der Exilszeit. FRLANT 51 (1956); R. Zadok, The Jews in Babylonia in the Chaldean and Achaemenian Periods in the Light of the Baylonian Sources (1976) mit Ergänzungen in Or 51 (1982) 391–393.

In den Jahrzehnten nach dem Untergang des Staates Juda und der Zerstörung Jerusalems begann für Israel das Zeitalter der Zerstreuung, der Diaspora[1]. Beträchtliche Menschengruppen israelititscher Herkunft lebten außerhalb ihres Heimatlandes unter fremden Völkern, und gerade bei ihnen – wenn auch keineswegs nur bei ihnen – bahnten sich Entwicklungen an, die für die Geschichte des Volkes Israel und des Judentums in der Folgezeit bedeutsam werden sollten. Das ist etwas ganz Neues; denn bisher waren geschichtlich belangvolle Kräfte stets in Palästina aufgekommen und wirksam geworden.

Es ist nicht leicht, ein Urteil darüber zu gewinnen, wo die Hauptakzente der israelitischen Geschichte während der Epoche des babylonischen Exils lagen. In Palästina war nach den beiden Deportationen von 598/7 und 587/6 v. Chr. eine quantitativ gewiß nicht geringe Bevölkerung[2] zurückgeblieben: wohl überwiegend die Bauernschaft, die ihrer städtischen Führungsschicht weitgehend beraubt und politisch aktionsunfähig geworden war (2. Kön 24,14; 25,12). Es wäre jedoch falsch, Palästina ge-

---

[1] Daran ändert die Tatsache nichts, daß es auch schon früher Deportationen gegeben hat; s. o. S. 315 f.

[2] Die Schätzung von W. F. Albright, The Seal of Eliakim and the Latest Preëxilic History of Judah. JBL 51 (1932) 77–106, bes. 87. 110 f., man habe mit allenfalls 20000 Bewohnern zu rechnen, beruht auf problematischen archäologischen Daten und dürfte zu niedrig sein.

wissermaßen abzuschreiben und in seiner Bedeutung zu unterschätzen[3]. Andererseits waren nicht ganz unbeträchtliche Bevölkerungsgruppen nach Ägypten abgewandert, zuletzt im Zusammenhang mit der Ermordung des Gedaljahu (2. Kön 25,26; Jer 41,17f.; 42; 43,7; 44,1). Von ihnen hört man wenig. Sie gingen in der sich stetig vergrößernden ägyptischen Diaspora auf, die später – vor allem in hellenistischer Zeit – zu beachtlicher Bedeutung gelangen sollte.

Hier ist ein wenig vorzugreifen. Jer 44,1 nennt als Aufenthaltsorte der nach Ägypten ausgewanderten Judäer Migdol[4], Tachpanches[5], Noph (Memphis, ägypt. *Mn-nfr*) und Patros (Oberägypten, ägypt. *pꜣ-tꜣ-rśj* „das Südland"). Migdol und Tachpanches waren Grenzfestungen im östlichen Nildelta. Vielleicht sind die Judäer dort als Militärkolonen angesiedelt worden. Eben dies ist mit Sicherheit der Fall bei der jüdischen Militärkolonie auf der Nilinsel Elephantine (einheimischer Name: *Yeb*) bei Assuan, die durch zahlreiche aramäische Texte gegen Ende des 5. Jahrhunderts v. Chr. bezeugt ist[6]. Wann und von wem diese Militärkolonie eingerichtet wurde, ist unbekannt[7]. Immerhin gibt es einen Text – eine Eingabe an den Gouverneur der Provinz Juda, Bagoas (aram. *Bgwhy*), vom Jahre 408 v. Chr.[8] –, der behauptet, der Tempel Jahwes (stets *Yhw* geschrieben) sei vor der persischen Eroberung 525 gebaut worden. Der älteste aufgefundene Papyrus ist in das Jahr 495 datiert[9]. Man wird also ins 6. Jahrhundert hinaufgehen dürfen, kaum jedoch ins 7. Jahrhundert[10]. Das Ende der Militärkolonie fällt in die Zeit kurz nach 400 v. Chr.; die 404 beginnenden ägyptischen Aufstände gegen die Perser haben ihren Niedergang eingeleitet. Ob der Angabe des Aristeasbriefes (Kap. 13), unter Psammetich – dem I. oder II.? – hätten Juden als Hilfstruppen gegen Äthiopien gedient, irgendein historischer Wert zukommt, ist zweifelhaft. Aber richtig ist natürlich, daß die Wurzeln der nachexilischen jüdischen Diaspora Ägyptens in vorexilische Zeit hinaufreichen. Die generelle Formel von Jes 11,11 über Diasporajuden in „Ägypten (= Unterägypten), Patros (= Oberägypten) und Kusch (= Äthiopien)" ist ganz sachgemäß[11]. Diese Diasporajuden waren stark ägyptisiert, was wiederum

---

[3] S. u. S. 387–390.

[4] Unlokalisiert. Ob identisch mit dem Migdol von Ex 14,2 = *Tell el-Ḥēr*? S. Teil 1, S. 94.

[5] Ägypt. *tꜣ-ḥ(t)-(n)-pꜣ-nḥśj* „die Festung des Nubiers". LXX Ταφνας, wahrscheinlich identisch mit Δαφναι, *Daphne* = *Defenne*, südwestl. von Pelusium *(Tell Faramā)*.

[6] Veröffentlichungen (z. T. auch Texte, die nicht aus Elephantine stammen): E. Sachau, Aramäische Papyrus und Ostraka aus einer jüdischen Militär-Kolonie zu Elephantine (1911); A. E. Cowley, Aramaic Papyri of the 5th Century B. C. (1923); E. G. Kraeling, The Brooklyn Museum Aramaic Papyri (1953); G. R. Driver, Aramaic Documents of the 5th Century B. C. (1954); Z. Shunnar, Ein neuer aramäischer Papyrus aus Elephantine. Geschichte Mittelasiens im Altertum, ed. F. Altheim und R. Stiehl (1970) 111–118. – Darstellungen: E. Meyer, Der Papyrusfund von Elephantine (1912); A. Vincent, La religion des judéo-araméens d'Éléphantine (1937); B. Porten, Archives from Elephantine. The Life of an Ancient Military Colony (1968). Vgl. auch das Sammelwerk von P. Grelot, Documents araméens d'Égypte. Littératures anciennes du Proche Orient 5 (1972).

[7] Vgl. E. C. B. MacLaurin, The Date of the Foundation of the Jewish Colony at Elephantine. JNES 27 (1968) 89–96.

[8] Cowley Nr. 30, Z. 13f.

[9] Cowley Nr. 1.

[10] B. Porten, a. a. O., S. 8–13.

[11] Vgl. ergänzend W. Kornfeld, Unbekanntes Diasporajudentum in Oberägypten im 5./4. Jh. v. Chr. Kairos NF 18 (1976) 55–59.

aus den Texten von Elephantine – aber nicht nur aus ihnen – abgelesen werden kann: der ägyptische Einfluß ist in der Namengebung, der Religion, dem Recht allenthalben deutlich erkennbar. Die jüdischen Militärkolonen von Elephantine gingen auch in ihrer angestammten Jahwereligion eigene und eigentümliche Wege: sie fanden nichts dabei, Götter wie *Ašam-Bethel, Anath-Bethel, Nabû* u.a. anzurufen und Jahwe sogar eine Göttin *Anathjahu* beizugeben. Wo dergleichen möglich ist, darf man sich über die Existenz eines nachjosianischen Jahwetempels außerhalb von Jerusalem nicht wundern und nicht etwa annehmen, ein solcher müsse bereits in vorjosianischer Zeit gebaut worden sein. Jedenfalls hat es aus der ägyptischen Diaspora keinerlei Rückkehr zum Zion gegeben, auch nicht nach 525, als das politisch durchaus möglich gewesen wäre. Aber die Bedeutung dieser Diasporaregion für die Geschichte des nachexilischen Judentums ist hoch zu veranschlagen.

Freilich, die Elite des Volkes war in den beiden Deportationen nach Babylonien gebracht worden. Diese Verbannten bildeten die eigentliche Exulantenschaft (hebr. *gōlā* Ez 1,1; 3,11. 15 u.ö.), und an sie knüpften sich große Hoffnungen für die Zukunft. In ihrem Kreise wirkten die Propheten Ezechiel und Deuterojesaja und stärkten das Bewußtsein, Jahwe sei mit dem wahren, eigentlichen Israel in die Verbannung gezogen.

1. *Babylonien*

Man macht sich vielfach ein falsches Bild vom Leben der Exulanten in Babylonien. Durch Fehlinterpretation atl Nachrichten entstanden und aus jüdischer und christlicher Frömmigkeit genährt, halten sich romantische Vorstellungen, die schwer auszurotten sind. Man sieht die Deportierten in elenden Verhältnissen, unter der Fuchtel peitschenschwingender Aufseher harte Sklavenarbeit verrichtend, als ein Heer erbarmungswürdiger Gefangener. Nach des Tages Last und Mühe saßen sie, womöglich mit klirrenden Ketten, an den Wasserflüssen Babylons und weinten, wenn sie an Zion gedachten (Ps 137,1). Von alledem kann keine Rede sein. Gewiß fließen die Quellen nicht gerade stark, aber doch stark genug, um erkennen zu lassen, daß das herkömmliche Bild der *captivitas babylonica* unzutreffend ist. Die Leiden der Exulanten waren innerer Art und gründeten nicht in ihren Lebensverhältnissen. Ein Teil der Oberschicht von Jerusalem und Juda, wohl vor allem der Hofstaat des Königs Jojachin, ist in die Stadt Babylon, die Metropole des Reiches, gebracht worden (2.Kön 24,15; 25,27–30). Dort führten die Verbannten ein leidlich komfortables Leben[12]. Den größeren Teil der Exulantenschaft siedelten die Babylonier in verschiedenen Kolonien an, die möglicherweise zum Domänenbesitz der Könige gehörten (Krongutländereien). Sie lebten dort als zwangsumgesiedelte Untertanenbevölkerung, keineswegs im Zustande der Sklaverei. Sie hatten relative Bewegungsfreiheit, konnten Häuser bauen, Pflanzungen anlegen, Handel treiben und ein den Umständen entsprechendes nor-

[12] S.o. S.373f.

males Leben führen (Jer 29). Sie verwalteten sich selbst, unter Leitung der „Ältesten der Exulantenschaft" oder „des Volkes" oder gar „Israels" (Jer 29,1; Ez 8,1; 14,1; 20,1) – ganz wie in der alten Heimat. Sie blieben nach Familien organisiert (Esra 2 = Neh 7)[13] und pflegten ihre Stammbäume (Esra 2,59; Neh 7,61). Manche von ihnen brachten es zu beachtlichem Wohlstand (Esra 1,6; 2,68f.). Selbst Sklavenhandel war ihnen gestattet (Esra 2,65). Nirgendwo ist bezeugt, daß sie Fronarbeit leisten mußten. Sollte es der Fall gewesen sein, dann hätte es keinerlei Unterschied gegenüber der einheimischen babylonischen Bevölkerung bedeutet; auch diese wurde zur Fronarbeit, etwa bei königlichen Bauvorhaben, herangezogen.

Das AT nennt mehrere solcher Exulantenkolonien; leider ist nur eine einzige annäherungsweise zu lokalisieren.

1. *Tẹl Ābīb* (Ez 3,15): „Ährenhügel". Wahrscheinlich ist an eine volkstümliche hebräische Etymologie von akkad. *til abūbi* „Sintfluthügel, d.h. uralter Hügel" zu denken[14]. Die Kolonie lag am Kanal *K^ebār*, der akkad. als *nār ka-ba-ri* „großer (?) Kanal" in zwei Urkunden aus der Zeit Artaxerxes I. (465/4–425) vorkommt[15]. Er ist sehr wahrscheinlich identisch mit dem heutigen *Šaṭṭ en-Nīl*, einem breiten Tal östlich von Babylon in der Gegend des alten Nippur. Daß diese Ansetzung das Richtige trifft, wird durch die Akten des bedeutenden babylonischen Handels- und Bankhauses *Murašû & Söhne* in Nippur bestätigt, in denen öfter Geschäftsfreunde mit jüdischen Namen aus eben dieser Gegend genannt werden[16]. Gewiß stammen diese Texte erst aus der zweiten Hälfte des 5. Jahrhunderts v. Chr.; man muß aber bedenken, daß keineswegs alle Exulanten nach dem Ende des Exils in ihre Heimat zurückgekehrt sind[17].

2. *Tẹl Ḫaršā* (Esra 2,59; Neh 7,61): „Pflughügel", vielleicht ebenfalls eine hebräische Volksetymologie[18]; nicht lokalisierbar.

3. *Tẹl Melaḥ* (Esra 2,59; Neh 7,61): „Salzhügel"[19]; nicht lokalisierbar.

4. *K^erūb Addān Immẹr* (Esra 2,59; Neh 7,61): zwei oder drei unbekannte Ortschaften.

5. *Kāsifyā* (Esra 8,17): Lage unbekannt.

---

[13] S.u. S. 411f.

[14] *Til abūbi* ist seit dem *Codex Ḫammurapi* in akkad. Texten mehrfach bezeugt; vgl. CAD I, 1, S. 78.

[15] H. Hilprecht–A. Clay, The Babylonian Expedition of the University of Pennsylvania IX (1898) 26ff. Nr. 4. 84.

[16] H. Hilprecht–A. Clay, Business Documents of Murashū Sons of Nippur Dated in the Reign of Artaxerxes I (464–424 B.C.) (1898); A. Clay, Business Documents of Murashū Sons of Nippur Dated in the Reign of Darius II (424–404 B.C.) (1904), mit Fortsetzung in: University of Pennsylvania Museum, Publications of the Babylonian Section II, 1 (1912). Vgl. dazu G. Cardascia, Les archives de Murašū: Une famille des hommes d'affaires babyloniens à l'époque perse (455–403 av. J.-C.) (1951); M. D. Coogan, Life in the Diaspora: Jews at Nippur in the 5th Century B.C. BA 37 (1974) 6–12; ders., West Semitic Personal Names in the Murašû Documents. Harvard Semitic Monographs 7 (1976).

[17] S.u. S. 411.

[18] Vgl. akkad. *ḫarāšu* „Bäume pflanzen" (CAD VI, S. 95f.) und *ḫaršu* „Nahrung, Fruchtart" (CAD VI, S. 116).

[19] W. F. Albright, JBL 51 (1932) 100f., hat auch hier Volksetymologie aus „Matrosenhügel" angenommen; vgl. akkad. *malāḫu*. Unsicher.

Eines der Ziele der assyrischen Deportationspraxis hatte darin bestanden, die Deportierten nach Möglichkeit in der alteingesessenen Bevölkerung aufgehen zu lassen. Das ist in Babylonien – wenigstens zunächst – nicht eingetreten. Die Babylonier scheinen es nicht einmal darauf angelegt zu haben, sonst hätten sie kaum geschlossene Exulantenkolonien eingerichtet. Denn in diesen Kolonien blieb das Nationalbewußtsein lebendig, und dort schwelte das Feuer der Hoffnung auf Rückkehr in die Heimat. Von Einzelnen abgesehen, die in die babylonische Umwelt abwanderten, blieben die Exulanten beisammen. Ihnen galt Babylonien als fremdes unreines Land (Ez 4,13): ein Land, in dem man sich nicht heimisch fühlen konnte und in welchem der legitime Jahwekultus nicht möglich war. Dieser war seit der josianischen Reform ausschließlich in Jerusalem erlaubt. Daran hatten die Zerstörung des salomonischen Tempels und der Verlust der Lade nichts geändert; denn Erwählung und Heiligkeit der Stätte hingen weder am Kultgebäude noch am Kultobjekt[20]. So lebten die Exulanten vom Gedenken an Jerusalem, und die Sehnsucht nach der alten Heimat, die gewiß in der zweiten Generation bereits abzukühlen begann, verband sich mit dem Gedanken an den Jerusalemer Jahwekultus und wurde dadurch am Leben erhalten (Ps 137). Wie man die Praxis der Religionsausübung in den Exulantenkolonien gestaltete, wissen wir leider nicht. Es gibt keinerlei Nachrichten über gottesdienstliches Leben. Natürlich liegt die Annahme nahe, daß sich Vor- und Urformen des späteren Synagogalgottesdienstes herauszubilden begannen, aber bezeugt ist das nirgendwo. Die rätselhafte Formulierung von Ez 11,16 „ich (Jahwe) bin ihnen (nur) ein wenig zum Heiligtum geworden" könnte allenfalls auf Notformen des Gottesdienstes hinweisen[21]. Ganz unbekannt ist ferner, was aus dem Jerusalemer Kultpersonal wurde. Was taten die Priester, Leviten, Tempelsänger und Tempeldiener *(nᵉtīnīm)*[22] im Exil? Wandten sie sich bürgerlichen Berufen zu? Behielten sie ihren religiösen Status? Lebten sie in bestimmten Exulantenkolonien beieinander, z.B. in *Kāsifyā* (Esra 8,15–20)? Wir wissen das alles nicht. Erkennbar ist gerade noch, daß im Exil zwei religiöse Verhaltensweisen wichtig wurden, die es zwar früher auch schon gegeben hatte, die aber jetzt zu Zeichen des Bundes zwischen Jahwe und seinem harrenden Volke aufstiegen und Bekenntnischarakter erhielten: die Sabbathruhe (Ez 20,12ff.; 22,8.26; 23,38) und die Beschneidung (Gen 2,1–4a P und 17 P)[23].

Natürlich kann man nicht über Religion im babylonischen Exil sprechen, ohne der beiden großen Propheten zu gedenken, denen die Ver-

[20] Vgl. D. Jones, The Cassation of Sacrifice after the Destruction of the Temple in 586 B.C. JThSt.NF 14 (1963) 12–31.

[21] Vgl. W. Zimmerli, Ezechiel. BK XIII (1979²) 249f.

[22] Vgl. B.A. Levine, The Netînîm. JBL 82 (1963) 207–212; J.P. Weinberg, *Nᵉtînîm* und „Söhne der Sklaven Salomos" in 6.–4. Jh. v.u.Z. ZAW 87 (1975) 355–371.

[23] Vgl. N.-E.A. Andreasen, The OT Sabbath. A Traditio-Historical Investigation. SBL, Diss. Series 7 (1972).

bannten – oder doch ein Teil von ihnen – Besinnung und geistige Erneuerung verdankten. Sie deuteten das Geschick des Volkes als Strafgericht Jahwes und lehrten das Exil nicht als Ende der Vergangenheit, sondern als Anfang der Zukunft verstehen.

1. *Ezechiel*: ein Jerusalemer aus priesterlichen Kreisen, ist bereits 598/7 deportiert und in *Tẹ̄l Ābīb* am Kanal *K*^{e}*bār* bei Nippur angesiedelt worden. Dort erlebte er 593 die Berufung zum Propheten (1–3). Bis 587/6 ist er nahezu ausschließlich als Unheilsprophet aufgetreten und hat unermüdlich, in wechselnden Bildern und Zeichenhandlungen, den Untergang Jerusalems angekündigt (1–24). Er lehrte in großen geschichtstheologischen Rückblicken (16; 20; 23) die Geschichte Israels als eine Geschichte des Abfalls von Jahwe begreifen, dem die Strafe schon gefolgt sei und notwendig weiter folgen müsse. Aber nach 587/6 wurde er zum Propheten der kommenden Erneuerung und Wiederherstellung, der *restitutio in integrum*, als deren Träger er die Exulanten betrachtete, unter denen er lebte und wirkte (34–37). Das wird nirgendwo großartiger zum Ausdruck gebracht als in der gespenstischen Vision von der Auferstehung der Totengebeine (37,1–14). Der Prophet sieht in einem Tale zahllose verdorrte und gebleichte Totengerippe, die sich auf Jahwes Geheiß vor seinen Augen mit Sehnen, Fleisch und Haut überziehen: „Da sprach er zu mir: Menschensohn, diese Gebeine sind das ganze Haus Israel. ‚Siehe, sie' sprechen: Unsere Gebeine sind verdorrt, unsere Hoffnung ist geschwunden, es ist aus mit uns! Darum weissage und sprich zu ihnen: Also hat der Herr Jahwe gesprochen: Siehe, ich öffne eure Gräber, hole euch ‚ ‘ aus euren Gräbern herauf und bringe euch auf den Boden Israels, damit ihr erkennt, daß ich Jahwe bin, wenn ich eure Gräber öffne und euch ‚ ‘ aus euren Gräbern heraufhole. Dann werde ich meinen Geist in euch geben, daß ihr lebendig werdet, und werde euch auf euren Boden versetzen, damit ihr erkennt, daß ich Jahwe bin. Ich habe es gesagt und werde es ausführen – Spruch Jahwes.“ (37,11–14)[24]. Darüberhinaus hat Ezechiel die Wiederherstellung der Einheit Israels erwartet und verkündet: die Verwirklichung der alten, niemals ganz aufgegebenen, im Südstaate Juda lebendigen Hoffnung auf die Restauration des davidisch-salomonischen Gesamtreiches (34,17–31; 37,15–28). Ez 40–48 schließlich enthält ein regelrechtes Restaurationsprogramm, den sog. „Verfassungsentwurf“, für das wiedererstandene und ungeteilte Israel. Dieser Entwurf stammt sicher nicht vom Propheten selbst, könnte aber in Kreisen seiner Schüler und Anhänger im babylonischen Exil entstanden sein[25].

2. *Deuterojesaja*: So nennt man einen anonymen Propheten, dessen literarische Hinterlassenschaft in Jes 40–55 vorliegt, und der gegen Ende des

---

[24] In V. 11 ist *w*^{e}*hinnām* statt MT *w*^{e}*hinnẹ̄* zu lesen (vgl. LXX, Vulg., Targ.). In V. 12f. dürfte das zweimalige *ʿammī* „mein Volk“ als Glosse zu streichen sein.

[25] Vgl. W. Zimmerli, Planungen für den Wiederaufbau nach der Katastrophe von 587. VT 18 (1968) 229–255; Ch. Macholz, Noch einmal: Planungen für den Wiederaufbau nach der Katastrophe von 587. VT 19 (1969) 322–352.

Exils, in den vierziger Jahren des 6. Jahrhunderts v. Chr., an unbekanntem Orte in Babylonien aufgetreten ist. Er verkündete mit großem Pathos die Befreiung und Heimkehr der Exulanten, die sich nach dem Modell des Auszugs aus Ägypten in Gestalt einer gewaltigen, von Jahwe geführten Prozession durch die Wüste nach Jerusalem vollziehen werde (40,1–5; 43,14–20; 49,8–13; 52,7–12 u. ö.). Befreiung und Heimkehr aber stehen im Zusammenhang mit der großen geschichtlichen Wende, die mit dem Namen des Perserkönigs Kyros II. verbunden ist[26]. Von ihm erwartete Deuterojesaja die Niederwerfung des neubabylonischen Reiches und das Ende des Exils (45,1–7 u. ö.): Kyros II. ist Adler (46,11), Gerechter (41,2), Hirt (44,28) und Messias (45,1)[27]. Nach der Heimkehr und Jahwes triumphalem Einzug in Jerusalem folgt die große Restauration: die Erneuerung Jerusalems und des Tempels (49,14–21; 49,22f.; 51,1–3 u. ö.), Friede und Heil für Israel (54,11–13), die Heimführung der gesamten Diaspora (43,5–8) und die Völkerwallfahrt zum Zion (49,23). Deuterojesaja hat den Exulanten unablässig Glaube und Hoffnung vorgehalten und eingehämmert. Wie seine Prophetie selbst ein Symptom der Erregung angesichts der bevorstehenden Wende von der babylonischen zur persischen Herrschaft ist, so muß von ihr große Erregung auf die Exulantenschaft ausgegangen sein.

2. *Palästina*

Über die Verhältnisse in Palästina während der Zeit des babylonischen Exils ist leider nur wenig bekannt. Das Wenige jedoch fordert auch hier eine Korrektur geläufiger Vorstellungen[28]. Palästina, insonderheit das Gebiet des untergegangenen Staates Juda, war keineswegs eine von Hirten und armen Fellachen spärlich bevölkerte Wüstenei, wie das gewisse poetische Äußerungen des AT nahelegen könnten[29]. Gewiß, der Krieg hatte das Land ausgesogen, das Leben war hart geworden, härter als vordem. Die Bevölkerung hatte den Großteil ihrer geistigen und politischen Führungsschicht verloren und befand sich in drückender ökonomischer Abhängigkeit. Ein poetischer Niederschlag dieser Verhältnisse ist die Sammlung sehr kunstvoller Klagelieder in Buche Threni, wahrscheinlich nicht lange nach 587/6 entstanden und später dem Propheten Jeremia zugeschrieben. Aber diese Lieder machen erstaunlich wenig Angaben und konkrete Mit-

---

[26] S. o. S. 367 und u. S. 392ff.

[27] Das Messiasprädikat ist nicht mißzuverstehen: Kyros ist nicht Israels Zukunftsherrscher, der ja aus der Dynastie Davids stammen wird, sondern Weltherrscher wie Nebukadnezar in Jer 27,5f.

[28] Vgl. G. Buccellati, Gli Israeliti di Palestina al tempo dell'esilio. BeO 2 (1960) 199–210; N. Avigad, Seals of Exile. IEJ 15 (1965) 222–230; S. Herrmann, Prophetie und Wirklichkeit in der Epoche des babylonischen Exils. Arbeiten z. Theologie I, 32 (1967); H.-P. Müller, Phönizien und Juda in exilisch-nachexilischer Zeit. WdO VI (1970/1) 189–204.

[29] Threni 1,1; 2,21f.; 5,1–18; Jes 49,8; Jer 44,2 u. ö.

teilungen über die Lage des Landes und seiner Bewohner. In ihnen überwiegt die generelle Klage über den Jammer, der Jerusalem und Juda betroffen hat; sie sind nicht so sehr Abbild als vielmehr Ausdruck der Zustände. Immerhin ist soviel zu erkennen oder doch zu vermuten, daß die Bewohner des ermatteten Landes auch noch indirekte Steuern zahlen mußten:

> „Unser Trinkwasser müssen wir kaufen, unser Holz kommt nur gegen Bezahlung.
> ‚Ein Joch' auf unserem Halse werden wir verfolgt; wir mühen uns ab, ‚und' man gönnt uns keine Ruhe" (Threni 5,4f.)[30].

V. 5 läßt auf Frondienstleistungen schließen, die der Bevölkerung abverlangt wurden, wie es auch aus Threni 5,13 hervorgeht:

> „Jünglinge müssen Handmühlen tragen, und Knaben straucheln unter Holzlasten."

Bei alledem fehlte es an wirksamem Schutz von seiten der babylonischen Staatsmacht; das Land war räuberischen Nomaden preisgegeben:

> „Unter Lebensgefahr bringen wir unsere Ernte ein, bedroht vom Schwerte der Wüste" (Threni 5,9).

Neben den Nomaden waren es vor allem die Edomiter[31], die in dieser Zeit ihr Schäfchen auf Kosten Judas ins Trockene brachten. Ihnen hatte vielleicht schon 598/7 Nebukadnezar II. den Südteil des Staates Juda überlassen[32]. Darüber hinaus aber verstanden sie es, auf nicht näher bekannte Weise aus der Katastrophe des Jahres 587/6 Kapital zu schlagen, und sie sind deshalb von den Judäern bis über das Exil hinaus mit erbittertem Haß bedacht worden[33]. Über das Schicksal der ostjordanischen Randstaaten in dieser Zeit ist sonst kaum etwas bekannt. Sie scheinen von den Ereignissen in Juda allenfalls am Rande betroffen worden zu sein und ihre Selbständigkeit zunächst behalten zu haben. Ob die Nachricht des Josephus, Ant. X,9,7 (§ 181f. Niese) über einen Unterjochungsfeldzug Nebukadnezars gegen Ammon und Moab im Jahre 583/2 zuverlässig ist, wollen wir offenlassen.

---

[30] V. 5: MT „auf unserem Halse werden wir verfolgt" ist sinnlos. Symmachos stellt ζυγός = *ʿōl* voran (Haplographie?). F. Nötscher konjiziert: *ʿōl ṣawwārẹnū hadāfānū* „das Joch unseres Halses drückt uns"; vgl. H.-J. Kraus, Klagelieder. BK XX (1983^4) 85. 88. Statt MT *lō* ist mit dem *Qerē* vielleicht *welō* zu lesen (Haplographie).

[31] Vgl. J. M. Myers, Edom and Judah in the 6th–5th Centuries B.C. Near Eastern Studies (1971) 377–392; J. Lindsay, The Babylonian Kings and Edom, 605–550 B.C. PEQ 108 (1976) 23–39; J. R. Bartlett, The Rise and Fall of the Kingdom of Edom. PEQ 104 (1972) 26–37; ders., From Edomites to Nabataeans. A Study in Continuity. PEQ 111 (1979) 53–66.

[32] S. o. S. 374f.

[33] Vgl. Threni 4,21f. und die Edom-Orakel in den Prophetenbüchern: Jes 34; Jer 49,7–22; Ez 25,12–14; Obadja; auch die sekundäre Edom-Strophe in Am 1,11f.

Daß in Palästina während der Zeit des babylonischen Exils erfreuliche Zustände geherrscht hätten, wird man nach alledem nicht sagen können. Aber es ist damit zu rechnen, daß nach dem Abklingen des unmittelbaren Eindrucks der Katastrophe eine gewisse Beruhigung eintrat: sozusagen eine Normalisierung der sicherlich nicht beneidenswerten Lage. Auch für Palästina ist die Exilszeit eine Phase der Besinnung und geistigen Erneuerung gewesen. Es ist zu beklagen, daß wir darüber so wenig wissen. Doch muß immerhin daran erinnert werden, daß in dieser Zeit – so gut wie sicher in Palästina[34] – die Urform und Erstgestalt des dtr Geschichtswerkes entstanden ist[35]. Zwar ist ihm nichts über die Verhältnisse im Mutterland zu entnehmen; es endet mit der Katastrophe von 587/6 und dem Nachtrag über die Rehabilitierung Jojachins im Jahre 562. Doch allein die Tatsache seiner Entstehung ist ein Zeichen für lebendige geistige Arbeit, für das Bemühen um Bewältigung der Vergangenheit auch auf dem Boden Palästinas.

Selbst die Stimme der Prophetie ist in Palästina nicht ganz verstummt[36]. Ungefähr zur selben Zeit, in der Deuterojesaja den Exulanten das nahe Ende der Gefangenschaft ankündigte, ist auch im Mutterland ein Prophet aufgetreten, von dem drei ekstatische Visionen anonym im Jesajabuch überliefert sind: Jes 21,1–10. 11–12. 13–17[37]. Gegenstand dieser Visionen ist der Fall von Babylon. Die Erschütterung, die das neubabylonische Reich in der letzten Phase seiner Existenz erlitten hat, ist im fernen Westen gewissermaßen seismographisch registriert worden:

> „Da hob einer an und sprach: Gefallen, gefallen ist Babel,
> und alle seine Götterbilder ‚sind' zu Boden geschmettert!"
> (V. 9)[38].

Das Ende der Bedrückung ist ganz nahe herbeigekommen. Es läßt sich mit den Kategorien von Tag und Nacht beschreiben, als die Morgendämmerung vor dem Aufgang der Sonne:

> „Aus Seïr ruft man mir zu:
> Wächter, wie spät ist's in der Nacht? Wächter, wie spät ist's in der Nacht?

---

[34] Anders A. Soggin, Der Entstehungsort des dtr Geschichtswerkes. ThLZ 100 (1975) 3–8.

[35] Die Diskussion über die Redaktionsgeschichte dieses Werkes ist nach wie vor im Gange; vgl. den Überblick bei R. Smend, Die Entstehung des AT. Theol. Wissenschaft 1 (1983³) 111–125 (Lit.). Ferner R. E. Friedman, The Exile and Biblical Narrative. The Formation of the Deuteronomistic and Priestly Works. Harvard Semitic Monographs 22 (1981); R. D. Nelson, The Double Redaction of the Deuteronomistic History. JSOT, Suppl. Series 18 (1981).

[36] Zu möglicherweise, wenn auch nicht sicher hierhergehörigen Stücken aus der prophetischen Literatur vgl. S. Herrmann, Die prophetischen Heilserwartungen im AT. Ursprung und Gestaltwandel. BWANT 85 (1965) *passim*; zu Jer 30–31 s. S. 215–222.

[37] Vgl. H. Wildberger, Jesaja. BK X (1978) 761–803 (Lit.).

[38] L. nach den alten Übersetzungen und mit I Q Is^a *šubbᵉrū* statt MT *šibbar*.

Sagt der Wächter:
Der Morgen kommt, aber noch ist es Nacht.
Wenn ihr fragen wollt, fragt! Kommt wieder!" (V. 11 f.).

Das babylonische Exil ist eine Epoche der Not und Bedrückung, aber auch des Umbruchs und der Besinnung gewesen. Wieviel von dem, was in nachexilischer Zeit geschichtlich wirksam wurde, in ihr bereits angelegt war, können wir höchstens ahnen. Ezechiel und Deuterojesaja, das dtr Geschichtswerk und die Klagelieder – der Gedanke daran sollte vor der Unterschätzung dieses Abschnittes der Geschichte Israels bewahren[39].

---

[39] Vgl. auch D. W. Thomas, The Sixth Century B. C.: A Creative Epoch in the History of Israel. Journal of Semitic Studies 6 (1961) 33–46.

TEIL VII

Das persische Zeitalter

KAPITEL 1

Völker und Staaten des Alten Orients in der 2. Hälfte des 1. Jt. v. Chr. bis zu Alexander dem Großen

Gesamt- und Überblicksdarstellungen: s. Teil 1, S. 29 und Teil 2, S. 287. 352 – Th. Nöldeke, Aufsätze zur persischen Geschichte (1887); J. V. Prašek, Geschichte der Meder und Perser, 2 Bde. (1906/10); P. Sykes, A History of Persia, 2 Bde. (1915, 1930³, Nachdruck 1951); E. Herzfeld, Archaeological History of Iran (1935); G. G. Cameron, History of Early Iran (1936); W. Hinz, Iran (1938); H. H. Schaeder, Das persische Weltreich (1941); H. S. Nyberg, Das Reich der Achämeniden. Historia Mundi 3 (1954) 56–115; R. Ghirshman, Iran (1955, 1964²); A. T. Olmstead, The History of the Persian Empire (1948, Nachdruck 1959); R. Ghirshman, Perse, Protoiraniens, Mèdes, Achémenides (1963); K. Galling, Studien zur Geschichte Israels im persischen Zeitalter (1964) [= K. Galling, Studien]; H. Bengtson (ed.), Griechen und Perser. Die Mittelmeerwelt im Altertum I. Fischer Weltgeschichte 5 (1965); A. Bausani, Die Perser, von den Anfängen bis zur Gegenwart. Urban Bücher 87 (1965); W. Culican, The Medes and Persians. Ancient Peoples and Places (1965); G. Wießner, Das Reich der Perser. Saeculum Weltgeschichte II (1966) 91–106; A. Dietrich – G. Widengren – F. M. Heichelheim, Orientalische Geschichte von Kyrus bis Mohammed. HdO I, 2, 4 (1966); G. Widengren, The Persians. Peoples of OT Times (1973) 312–357; CAH IV; R. Mayer, Das achämenidische Weltreich und seine Bedeutung in der politischen und religiösen Geschichte des antiken Orients. BZ.NF 12 (1968) 1–16; W. D. Davies – L. Finkelstein (ed.), The Cambridge History of Judaism. I. Introduction; The Persian Period (1984); P. Frei – K. Koch, Reichsidee und Reichsorganisation im Perserreich. OBO 55 (1984).

Quellen: J. N. Strassmaier, Babylonische Texte X–XII: Inschriften von Darius, König von Babylon (521–485 v. Chr.) (1897); F. H. Weissbach, Die Keilinschriften der Achämeniden. Vorderasiat. Bibliothek 3 (1911); E. Herzfeld, Altpersische Inschriften (1938); S. Graziani, I testi mesopotamici del regno di Ciro contenuti in BE VIII. AION 43 (1983) 1–31. – Die orientalischen Quellen fließen relativ spärlich. Hinzu kommt aber die reiche griechische Überlieferung: hauptsächlich Herodot, Thukydides, Xenophon, Ktesias, Diodor, Strabo, Isokrates, Plutarch und Fl. Josephus. Eine Sammlung, Übersetzung und Kommentierung der griechischen und lateinischen Texte über das Judentum bei M. Stern, Greek and Latin Authors on Jews and Judaism I: From Herodotus to Plutarch (1976).

Herrschaftsfolge und Regierungsdauer der achämenidischen Großkönige:

Kyros II.	559–530
Kambyses II.	530–522
Dareios I. Hystaspes	522–486
Xerxes I.	486–465/4
Artaxerxes I. Longimanus	465/4–425
Dareios II.	424–404
Artaxerxes II. Mnemon	404–359/8
Artaxerxes III. Ochos	359/8–338
Arses	338–336
Dareios III. Kodomannos	336–331

Als Kyros II. im Jahre 539 v.Chr. triumphal in Babylon eingezogen war und im Palast der chaldäischen Könige Wohnung genommen hatte, ließ er einen Tonzylinder anfertigen, auf dem in akkadischer Sprache folgendes zu lesen stand (Z. 20–35): „Ich, Kyros, der König des Weltreichs, der große und mächtige König, der König von Babel, der König von Sumer und Akkad ...., dessen Regierung *Bēl* und *Nabû* liebgewannen und dessen Königtum sie zur Erfreuung ihres Herzens wünschten – als ich friedlich in Babel eingezogen war, schlug ich unter Jubel und Freude im Palast des Herrschers den Herrschersitz auf .... Über meine [guten] Taten freute sich *Marduk*, der große Herr. Mich, Kyros, den König, der ihn verehrt, und Kambyses, meinen leiblichen Sohn, sowie alle meine Truppen segnete er gnädig. In Wohlergehen [wandeln] wir freudig vor ihm .... Die Götter von Sumer und Akkad, die Nabonid zum Zorn des Herrn der Götter nach Babel hineingebracht hatte, ließ ich auf Befehl *Marduks*, des großen Herrn, in Wohlergehen in ihren Heiligtümern einen Wohnsitz der Herzensfreude beziehen. Alle Götter, die ich in ihre Städte hineingebracht hatte, mögen Tag für Tag vor *Bēl* und *Nabû* Verlängerung meiner Lebenszeit befürworten, Worte zu meinen Gunsten äußern und zu meinem Herrn *Marduk* sprechen: Für Kyros, den König, der dich verehrt, und seinen Sohn Kambyses ..."[1]. Ungefähr zur selben Zeit verfaßte ein babylonischer Priester ein Schmähgedicht auf Nabonid, das leider schlecht erhalten ist und in dem es über Kyros heißt: „ .... von Babylon, er entbot ihnen den Friedensgruß .... zu den Göttern, er wirft sich nieder .... liegt ihm am Herzen .... die Götter, männlich und weiblich, brachte er zurück in ihre Ruhestätten .... (die) ihre Schreine verlassen hatten, brachte er zurück in ihre Gebäude ... versöhnte er, ihr Gemüt begütigte er ... Babylon herrscht Freude ... öffnen sich die Gefängnisse .... die von Mächtigen bedrückt waren .... blickt man auf sein Königtum ..."[2].

[1] Übersetzung im wesentlichen nach TUAT I, 4, 407–410; s. auch AOT², 368–370; ANET³, 315f.; TGI³, 82–84.

[2] Aus Kol. VI; Übersetzung nach TGI 66–70. S. auch ANET³, 315.

Das sind Töne, wie sie bis dahin weder aus dem Munde von Eroberern noch von Unterworfenen vernommen worden waren. Sie gesellen sich der Kühnheit Deuterojesajas, der den Perserkönig als „Gesalbten" Jahwes gefeiert hatte[3]. Sie zeigen auch, daß das Verhalten Kyros' II. in Babylon den Erwartungen und Hoffnungen tatsächlich entsprach, die man dort auf ihn gesetzt hatte. Für die unterworfenen Völker im persischen Weltreich war ein neues Zeitalter angebrochen[4].

Sie hatten Grund, die Sache so anzusehen. Denn die persischen Großkönige gingen wirklich eigene, neue Wege in der Behandlung der zu ihrem Reiche gehörigen Völker. Sie bieten das in der Weltgeschichte seltene Beispiel, daß man aus den Fehlern der Vorgänger lernen kann. Ihre Vorgänger waren in erster Linie die Assyrer gewesen, als diejenigen, die zum ersten Male in der Geschichte des Alten Orients riesige Landmassen beherrscht hatten. Das Ziel der Assyrer hatte darin bestanden, durch Plünderung und Zerstörung, durch rigorose Deportationen, hohe Kontributionen und hartes Regiment das Eigenleben der unterworfenen Völker so weit wie irgend möglich zu beseitigen. Sie hatten eine kosmopolitische, möglichst homogene Völkermasse unter assyrischer Führung angestrebt. Eigenart, Geschichte, kulturelles, religiöses und kultisches Leben der Untertanenvölker war ihnen zutiefst suspekt gewesen. Ihr Versuch, das Großreich zu befrieden, war auf Gewalt gegründet. Diese Politik war gescheitert: es hatte sich gezeigt, daß das Reichsgebilde zerbrochen war, sobald die Militärmacht Assyriens nachließ und der Druck geringer wurde. Die Achämeniden waren entschlossen, Fehler dieser Art nicht zu wiederholen. Sie versuchten, ihre Politik nicht auf Gewalt, sondern auf Toleranz zu gründen und haben an diesem Grundsatz über den Herrscherwechsel innerhalb der Dynastie hinweg mit beachtlicher Konsequenz festgehalten. Es ändert an der Sachlage nichts, daß das Prinzip seit Xerxes I. unter dem Druck der militärischen Auseinandersetzungen mit den Griechen mehr und mehr in den Hintergrund trat und theoretisch wurde: die Rücksicht auf die Untertanenvölker mußte angesichts der ungeheuren materiellen Lasten der Perserkriege erheblich eingeschränkt werden, und die Regionen des Reiches verkamen zunehmend zu bloßen Ressourcen imperialer Machtpolitik. Aber es gibt auch unter den späteren Achämeniden Beispiele dafür, daß der Grundsatz in Geltung blieb und daß man sich auf ihn besinnen konnte.

Bei alledem ist es notwendig, Fehleinschätzungen entgegenzuwirken. Natürlich ist der bei der Beschreibung der persischen Innenpolitik üblicherweise gebrauchte Begriff der „Toleranz" nicht besser als die „salomonische Aufklärung"[5] oder die „saitische Renaissance"[6]. Begriffe dieser Art

---

[3] S. o. S. 387.

[4] Vgl. A. Kuhrt, The Cyrus Cylinder and Achaemenid Imperial Policy. JSOT 25 (1983) 83–97.

[5] S. Teil 1, S. 221.

[6] S. o. S. 369.

wecken falsche geistesgeschichtliche Assoziationen. Es handelte sich bei den Persern selbstverständlich nicht um Toleranz im Sinne des philosophischen Relativismus oder aus Achtung vor dem Gewissen der anderen oder als soziale Tugend. Wir sind nicht im Zeitalter der europäischen Aufklärung, die diesen Begriff groß gemacht hat. Es handelte sich nicht um Toleranz aus Gesinnung, sondern aus Kalkül: aus der Einsicht, daß sich das Weltreich so würde besser und dauerhafter beherrschen lassen. Es bedeutete auch keineswegs ein laxes Regiment; es hieß nicht, daß die Zentralregierung die Zügel schleifen ließ[7]. Die Belange der Außenpolitik und das Abgabenwesen blieben fest in Pasargadai, Persai-Persepolis, Susa oder Ekbatana konzentriert, je nachdem, wo die Großkönige gerade residierten[8]. Eigenmächtigkeiten in den Reichsteilen kamen nicht in Frage und wurden, wo sie dennoch auftraten, mit harter Hand unterdrückt. Die verwaltungstechnische Durchgliederung des Reiches gewann mit den Jahren an Klarheit und Konsequenz: in den Provinzen amtierten persische oder einheimische Gouverneure, die den Chefs der Satrapien verantwortlich waren, und die Satrapen wiederum berichteten dem Großkönig. Es herrschte eine strenge, hierarchische Ordnung, und es wäre ganz falsch, sich die Achämeniden wegen der „Toleranz" als volksnahe Herrscher vorzustellen. Sie waren Despoten, denen gegenüber jedermann – vom Satrapen bis zum Lastenträger – als Sklave galt. Aber in den Fragen des geistigen und religiösen Lebens der unterworfenen Völker, ihrer Eigenart und Tradition, erwiesen sie sich eben doch als „tolerant". Sie versuchten nicht, regulierend und vereinheitlichend einzugreifen, sondern förderten Religion und Kultur der Untertanenvölker und griffen nicht selten sogar zum Mittel des großköniglichen Erlasses, um den Unterworfenen die Pflege ihrer Traditionen anzubefehlen. Die Wirkungen dieser politischen Grundsätze wurden z. B. in der Sprachenfrage sichtbar. Obwohl man nach Möglichkeit auf die verschiedenen Landessprachen Rücksicht nahm, bedurfte der persische Staatsapparat denn doch einer einheitlichen Verwaltungs- und Diplomatensprache. Die Achämeniden dachten nicht daran, dem Reiche das Persische aufzudrängen. Im ganzen Nahen Osten mit Einschluß Ägyptens hatte schon seit dem 7. Jahrhundert v. Chr. das Aramäische zunehmend an Verbreitung gewonnen; es hatte die einheimischen Sprachen und Dialekte zwar kaum irgendwo verdrängt, sich aber über, unter oder neben sie gelegt und wurde fast überall gesprochen oder wenigstens verstanden. Diesen Umstand machten sich die Perser zunutze, indem sie das Aramäische zur offiziellen Staatssprache erhoben. Man spricht deshalb von der Epoche des „Reichsaramäischen", das trotz seiner Unterteilung in verschiedene lo-

---

[7] Vgl. J. P. Weinberg, Zentral- und Partikulargewalt im achämenidischen Reich. Klio 59 (1977) 25–43.

[8] Die Mehrzahl persischer Residenzen ist wahrscheinlich im Sinne des Pfalzprinzips zu verstehen.

kale Dialekte ein Ferment der Einheit des Alten Orients bildete[9]. Waren die literarischen Zeugnisse des Altaramäischen verhältnismäßig selten gewesen, so beginnt von nun an der breite Strom reichsaramäischer Literatur aller Gattungen in nahezu allen Teilen des Reiches, bis hin zu den Randgebieten Kleinasiens und am Indus. In Kleinasien allerdings haben die Perser auch das Griechische als Amtssprache gelten lassen. Als ein Zweig des Reichsaramäischen ist das Biblisch-Aramäische anzusehen, das in Esra 4,8–6,18, 7,12–26 und Dan 2,4–7,28 vorliegt.

Noch deutlicher zeigte sich der neue Stil der persischen Politik in der Behandlung der Religionen und Kulte der Untertanenvölker. Von der Religionspolitik des Ausgleichs, die Kyros II. in Babylonien betrieb, war schon die Rede[10]: er gab sich nicht nur als eifriger Verehrer der babylonischen Götter, voran *Marduk* und *Nabû*, sondern suchte auch die Folgen der einseitigen Begünstigung des *Sîn* und des *Šamaš* durch Nabonid zu beseitigen, indem er Götterstatuen und Kultgeräte in die angestammten Tempel zurückbringen ließ. Sein Sohn und Nachfolger Kambyses, gefürchtet als ein brutaler und finsterer Despot, hielt es nach der Eroberung Ägyptens (525) nicht anders. Zwar lesen wir in der griechischen Überlieferung, er sei ein religiöser Wüterich gewesen, habe den Apisstier ermorden, die Mumie des Königs Amasis verbrennen lassen (Herodot III, 16. 27. 29) u.a.m.[11]. Aber das ist Greuelpropaganda, deren Ursachen sich noch erkennen lassen. Es existiert ein Erlaß des Kambyses, in dem er die Einkünfte der Priesterschaft an den Tempeln Ägyptens drastisch vermindert hat[12]. Das geschah sicherlich mit Rücksicht auf die persischen Staatseinkünfte, aber nicht nur deshalb: Kambyses hielt es, zweifellos unterstützt von ägyptischen Kreisen, für politisch notwendig, den viel zu reich und mächtig gewordenen Priestern einen kräftigen Dämpfer aufzusetzen – und antiklerikale Politik ist in Ägypten noch immer mit Haß und Verleumdung beantwortet worden. Es mag sein, daß die persischen Truppen bei der Eroberung Ägyptens hier und dort auch Tempel plünderten oder zerstörten[13], aber die offizielle Linie der persischen Politik war das nicht, und dem Jahwetempel der jüdischen Militärkolonie von Elephantine[14] ist nicht das Geringste geschehen. Die Wirklichkeit sah überhaupt anders aus als die Propaganda. Die Inschrift auf dem sog. „Naophoros des Vatikan“[15] des zu Kambyses übergegangenen saitischen Generals *Wḏꜣ-Ḥr-rś-*

[9] Vgl. F. Rosenthal, Die aramaistische Forschng seit Th. Nöldekes Veröffentlichungen (1939); C. Brockelmann – A. Baumstark, Aramäisch und Syrisch. HdO III,2 (1954).

[10] S. o. S. 392 f.

[11] Dieses negative Bild des Kambyses geht über Diodor I,46,4, Strabo XVII,1,27, Plutarch *de Iside et Osiride* 44 c bis zu Clemens Alexandrinus, Protreptikos IV. Vgl. I. Hoffmann – A. Vorbichler, Das Kambysesbild bei Herodot. AfO 27 (1980) 86–105.

[12] W. Spiegelberg, Die sog. demotische Chronik des Papyrus 215 der Bibliothèque Nationale zu Paris (1914) Nr. VI, S. 32 f.

[13] Vgl. Cowley Nr. 30, Z. 13 f.

[14] S. o. S. 382 f.

[15] G. Botti-Romanelli, Le sculture del Museo Gregoriano greco–egizio (1951) 33, Taf. 28.

nt (Udjahorresnet) teilt mit, daß sich Kambyses um die Wiederherstellung und Pflege des Kultes der Göttin Neith von Sais bemühte. Im 6. Jahr seiner Regierung wurde nach einer Stele aus dem Serapeum zu Memphis der Apisstier feierlich bestattet; der von Kambyses gestiftete prächtige Sarkophag des Apis ist gefunden worden[16]. In seinem 3. Regierungsjahr ordnete Dareios I. an, daß die alten Gesetze der Ägypter bis zum 44. Jahr des Amasis gesammelt werden sollten; eine Kommission hat 16 Jahre lang daran gearbeitet. Die Interpretation des Vorganges ist strittig: entweder handelte es sich um die Stiftungs- und Befreiungsurkunden für die Tempel – was bedeuten würde, daß Dareios auf priesterfreundliche Politik umschwenkte[17] – oder um wirkliche Gesetze und Verordnungen, die der König kodifizieren ließ, um die ägyptische Rechtsprechung zu ordnen und zugleich eine Art Rechtshandbuch in der Landessprache für die Regierungsbeamten zu schaffen[18]. Außerdem ist Dareios I. als Tempelbauherr in Ägypten bekannt (Hibis in der Oase Charge, *el-Kāb*, Memphis, Busiris). Aus Kleinasien existiert eine griechische Inschrift Dareios I., in der ein persischer Krongutbeamter namens Gadates getadelt wird, weil er die Privilegien der Priester des Gottes Apollon am Mäander verletzt und dadurch „die Gesinnung (*scil.* des Großkönigs) gegenüber den Göttern" außer Acht gelassen hatte[19]. Daß der seit Xerxes aufkommende „Iranismus", d.h. die Indifferenz der Herrscher und die zunehmende Rigorosität bei der Ausbeutung der Satrapien, die Grundzüge dieser Politik nicht in Frage stellte, zeigen spätere Belege. Im Jahre 419 v. Chr. erließ Dareios II. für die Juden der Militärkolonie von Elephantine eine Passahordnung an den Satrapen von Ägypten[20]; er kümmerte sich also selber um den Kultus dieser Minorität. Aus Verwaltungstexten ist zu erschließen, daß er sich stark für die babylonischen Götter und ihre Tempel engagierte: in Babylon, Borsippa, Uruk und anderswo. Von Interesse ist schließlich auch eine dreisprachige Inschrift (griechisch, lykisch, aramäisch) aus Xanthos in Lykien: sie stammt aus dem Jahre 358 (Regierung Artaxerxes' III. Ochos) und enthält das Dekret des Satrapen von Karien und Lykien, Pixodaros, über die Einrichtung eines Lokalkultes in der Festung Orna. Die dortigen Aristokraten hatten das beschlossen, der Satrap erteilte seine Zustimmung[21].

[16] Vgl. auch A. Klasens, Cambyses en Égypte. JEOL (1946) 339 ff.

[17] In der griechischen Überlieferung wird er denn auch positiv beurteilt; vgl. Herodot II, 110 und Diodor I, 95, 4 f.

[18] Vgl. N. Reich, The Codification of the Egyptian Laws by Darius and the Origins of the „Demotic Chronicle". Mizraim 1 (1933) 78 ff.; E. Seidl, Ägyptische Rechtsgeschichte der Saiten- und Perserzeit (1956) 60.

[19] Vgl. E. Meyer, Die Entstehung des Judenthums (1896) 19 f.

[20] Cowley Nr. 21; TUAT I, 3, 253. Vgl. dazu P. Grelot, Études sur le „Papyrus Pascal" d'Éléphantine. VT 4 (1954) 349–384; ders., Le Papyrus Pascal d'Éléphantine et le problème du Pentateuque. VT 5 (1955) 250–265; ders., Le Papyrus Pascal d'Éléphantine: Essai de Restauration. VT 17 (1967) 201–207.

[21] H. Metzger – E. Laroche – A. Dupont-Sommer, La stèle trilingue récemment découverte au Lêtôon de Xanthos. CRAI 1974, S. 82–149.

Selbstverständlich gehört in diesen Sachzusammenhang auch der Erlaß Kyros' II. über den Wiederaufbau des Jahwetempels zu Jerusalem[22].

Natürlich ist hier nicht der Ort, die Geschichte des persischen Großreiches darzustellen, zumal dieses Reich eine territoriale Ausdehnung hatte, die viele seiner Teile nahezu irrelevant für den Alten Orient und erst recht für Israel erscheinen läßt. Einige Hauptlinien müssen genügen, ergänzt durch eine regionale Umschau in den nahöstlichen Gebieten des Perserreiches.

In die Zeit Kyros' II. (559–530), des Reichsgründers[23], fällt der erste Kontakt der Perser mit der hellenischen Welt: nach der Eroberung von Sardes und dem Ende des lydischen Reiches unter Kroisos kamen die hellenischen Städte Kleinasiens unter persische Herrschaft, zunächst mit Ausnahme von Milet, das einen Freundschaftsvertrag erhielt. Die staatsrechtliche Konstruktion des Reiches war die der Personalunion zwischen den Großterritorien: Kyros war König der Meder und Perser, nach 539 dann auch König von Sumer und Akkad, von Babylon und von den „vier Weltgegenden". Die von ihm wahrscheinlich schon geplante Einbeziehung Ägyptens gelang noch nicht ihm selbst – er starb 530 im Kampfe gegen die Massageten an der Ostgrenze des Reiches –, sondern erst seinem Sohne Kambyses (530–522), der im Jahre 525 Ägypten zur Gänze eroberte und dem Großreich angliederte. Damit herrschten die Perser vom 1. Nilkatarakt bis Westkleinasien und bis zum Indus: eine Reichsausdehnung, wie sie die Alte Welt bis dahin nicht gesehen hatte. Ob Kambyses tatsächlich der Urheber des Mordes an seinem Bruder Bardya (griech. Smerdes) gewesen war, ist nicht ganz sicher. Jedenfalls erhob sich, auf die Priesterschaft gestützt, ein „Magier" namens Gaumāta, gab sich für Bardya aus und stürzte das Reich in eine schwere dynastische Krise. Kambyses brach 522 von Ägypten auf, um sich nach Mesopotamien und Persien zu begeben, starb aber unterwegs irgendwo auf der syropalästinischen Landbrücke. Den Thron bestieg Dareios I. (522–486)[24], der Sohn des Hystaspes, des Satrapen von Parthien, aus einer Nebenlinie des achämenidischen Geschlechts. Er heiratete, gewiß aus Legitimitätsgründen, die Kyrostochter Atossa, beendete die Gaumāta-Krise und unterdrückte 521 Aufstände in Medien, Elam und Babylonien: die „Lügenkönige" der *Behistūn*-Inschrift[25], die die Erschütterung des Reichsgebildes für sich auszunutzen versucht hatten. Nach der Stabilisierung der Verhältnisse ging Dareios etwa zwischen 518 und 514 an die Neuordnung und innere Durchgliederung des Reiches[26]. Er revidierte die Einteilung in Großraumverwaltungseinheiten, sog. Satrapien (von pers. *xšaṯrapavan* = Satrap, „Schirmer der

[22] S. u. S. 407.

[23] Vgl. H. Lamb, Cyrus the Great (1961).

[24] Vgl. P. Junge, Dareios I., König der Perser (1944).

[25] TUAT I, 4, 419–450.

[26] Quellen sind die persischen Königsinschriften von *Behistūn, Naqš-i-Rustam,* Persepolis, Susa und Herodot III, 89 ff.

Herrschaft"). Das Gesamtgebiet wurde in 23 Satrapien gegliedert; die Anzahl änderte sich bereits unter Dareios I. selbst und später öfter[27]. Für den Nahen Osten sind die folgenden vier Satrapien wichtig: 1. *Babairu* (= Babylonien, d. h. Mesopotamien); 2. *Aṯūrā* (= Assyrien, im Sinne von Syrien), akkad. *Eber Nāri*, reichsaram. *ᶜAbar Nahᵃrā* „Transeuphrat" (wörtl. „jenseits des Stromes", von Persien und Mesopotamien aus gesehen), d. h. die syrisch-palästinische Landbrücke[28]; 3. *Arabaya* (= Nordarabien); 4. *Mudraya* (= Ägypten). Die Satrapien hatten regelmäßige Abgaben zu entrichten und das Postwesen zu pflegen, das später über Alexander und die Diadochen vorbildlich für den römischen *cursus publicus* geworden ist. An der Spitze der Gesamtverwaltung stand der Großvezier (pers. *Hazarapatiš*, griech. *Chiliarchos*). Die wirtschaftlichen Schwierigkeiten, die sich durch den Gegensatz von Natural- und Geldwirtschaft in den verschiedenen Satrapien ergaben, suchte Dareios I. durch die Einführung einer Reichsmünze, des *Dareikos* zu 8,42 g Gold, in den Griff zu bekommen. Dareios war ein großer Bauherr: der glanzvolle Ausbau der Residenzen Persepolis[29] und Susa[30] geht wesentlich auf ihn zurück. In seine Zeit fiel der ionische Aufstand (500/499–494), das Präludium zu den Perserkriegen, und der Beginn der Perserkriege selbst mit der Schlacht bei Marathon (490). Die Regierung des Xerxes (486–465/4) ist ganz von den Auseinandersetzungen mit den Stadtstaaten des griechischen Festlandes bestimmt, die der Großkönig – letzten Endes vergeblich – zu unterwerfen suchte. Xerxes endete durch Mord in blutigen Thronwirren, aus denen sein jüngerer Sohn Artaxerxes I. Longimanus (465/4–425) als Sieger hervorging[31]. Ihm gelang es, den Bestand des Reiches gegen Aufstände – vor allem in Ägypten[32] – und gegen die Griechen zu erhalten. Sein Sohn Xerxes II. regierte nur anderthalb Monate, dann wurde er von seinem Bruder Sogdianus gestürzt, der wiederum dem Satrapen von Hyrkanien, Oxos, zum Opfer fiel: dieser bestieg den Thron als Dareios II. (424–404). Die Perserkriege gegen die Griechen traten in ein neues Stadium: anstelle der bisherigen Schaukelpolitik zwischen Athen und Sparta engagierte sich das persische Reich seit 412 auf der Seite Spartas gegen Athen, eine Politik, die hauptsächlich vom Satrapen von Sardes, Tissaphernes, getragen und befördert wurde. Dareios II. verlor im Jahre 404 Ägypten[33]. Unter Artaxerxes II. Mnemon (404–359/8) geriet das Reich auf einen Tiefpunkt seiner

[27] Vgl. O. Leutze, Die Satrapieneinteilung in Syrien und im Zweistromland von 520 bis 320. Schriften d. Königsberger Gelehrten Gesellschaft 11,4 (1935); A. Foucher, Les satrapies orientales de l'empire achéménide. CRAI 1938, S. 336 ff.

[28] Vgl. A. F. Rainey, The Satrapy „Beyond the River". AJBA 1,2 (1969) 51–78.

[29] Vgl. E. F. Schmidt, Persepolis, 2 Bde. (1953/57); K. Erdmann, Persepolis. Daten und Deutungen. MDOG 92 (1960) 21–47.

[30] Vgl. F. W. König, Der Burgbau zu Susa nach den Bauberichten des Königs Dareios I. MVAeG 35,1 (1930).

[31] Vgl. J. Neuffer, The Accession of Artaxerxes I. AUSS 6 (1968) 60–87.

[32] S. u. S. 400.

[33] S. u. S. 400.

Macht. Die Streitigkeiten des Großkönigs mit seinem Bruder, dem jüngeren Kyros, von denen Xenophon in der *Anabasis* berichtet, und die Aufstände und Bruderkriege der kleinasiatischen Satrapen erschütterten das Staatsgefüge. Danach folgte eine Phase der Restauration unter Artaxerxes III. Ochos (359/8–338): Ägypten wurde zurückgewonnen, die Satrapenaufstände beendet und das Reich noch einmal kraftvoll zusammengefaßt und dargestellt. Dareios III. Kodomannos (337–331) unterlag schließlich den Makedonen Alexanders zu Wasser und zu Lande nicht deshalb, weil das persische Großreich schwach gewesen wäre, sondern weil Alexander zu stark war.

In *Ägypten* amtierten die persischen Großkönige nach 525 v. Chr. als Pharaonen (27. Dynastie). Sie versuchten, als ägyptische Herrscher zu gelten und ägyptische Politik zu machen – was doch immer nur sehr unvollkommen gelingen konnte, weil sie eben viel mehr waren als Pharaonen und Interessen berücksichtigen mußten, die oft wenig oder nichts mit Ägypten zu tun hatten[34]. Es waren zwei Hauptprobleme, mit denen sich die Perser in Ägypten schwer taten: der Umgang mit der reichen und mächtigen Priesterschaft der Tempel und – in Verbindung damit – politische Konspirationen und Aufstände im konspirationsfreudigen Nilland. Kambyses, dem innerägyptische Kreise sicherlich entgegengearbeitet hatten, trieb eine im ganzen priesterfeindliche Politik[35]. Außenpolitisch versuchte er, Machtkonzentrationen an den ägyptischen Grenzen auszuschalten, allerdings vergeblich: Feldzüge gegen Nubien und gegen die Libyer in der Oase Siwa brachten keinen dauerhaften Erfolg. Als Kambyses 522 wegen der Gaumāta-Affäre Ägypten verließ, blieb der Satrap Aryandes zurück, der bis zu seiner Hinrichtung durch Dareios I. im Jahre 410 amtierte. Unter Dareios wurde Ägypten mit den Oasen des Westens und der Kyrenaika als 6. Satrapie organisiert[36]. Durch die Vollendung des von Necho II. begonnenen Kanals zwischen dem Nil und dem Roten Meer[37] schloß Dareios die ägyptische Wirtschaftskraft fester an die Wirtschaft der übrigen Reichsgebiete an. Er trieb eine priesterfreundliche Innenpolitik und hatte Ägypten, bis hinauf nach Elephantine, fest in der Hand. Ägyptische Matrosen und Soldaten kämpften auf persischer Seite in den Schlachten am Kap Artemision und bei Plataiai. Einen Aufstand im Delta, der 486 ausbrach[38], hat erst Xerxes 484 niedergeworfen. Xerxes selbst hatte mit Ägypten nicht viel im Sinn; er war ganz nach Westen orientiert und auf die Unterwerfung der griechischen Stadtstaaten fixiert. Er soll wiederum Priesterprivilegien beseitigt haben und galt der ägyptischen Überlieferung als „Verbrecher", seine Ermordung (464) als Strafe der

---

[34] Vgl. G. Posener, La première domination perse en Égypte (1936).
[35] S. o. S. 395.
[36] Vgl. E. Bresciani, La satrapia d'Egitto. Studi Classici e Orientali 7 (1958) 132 ff.
[37] S. o. S. 361.
[38] Herodot VII, 1. 3.

Götter. Unter Artaxerxes I. brach 460 im Delta der Aufstand des Inaros aus, der vielleicht ein Nachkomme der Saitenkönige der 26. Dynastie gewesen ist[39]. Inaros erhielt Hilfe von der athenischen Flotte, die bei Zypern lag, und schlug in der Schlacht von Papremis den persischen Satrapen Achaimenes, einen Bruder des Xerxes. Die Perser konzentrierten ihren Widerstand in Memphis, und 454 beendete der General Megabyzos das Abenteuer, schlug und vertrieb die Athener, befreite Memphis aus dem Belagerungsring und fing Inaros, der nach Persien gebracht und dort gekreuzigt wurde[40]. Als Herodot um 450 das Land bereiste, war es befriedet. Megabyzos, übrigens ein Enkel des Notabeln gleichen Namens, der Dareios I. gegen den Magier Gaumāta unterstützt hatte, wurde nach 454 Satrap von Transeuphrat und hielt es 448 für richtig, sich gegen die Zentralgewalt aufzulehnen. Wie weit diese von griechischen Söldnern gestützte Revolte gedieh, wissen wir nicht. Es kam jedenfalls zur Aussöhnung und zum Arrangement zwischen Megabyzos und Artaxerxes I. Unter Dareios II. entstanden 410 neue Unruhen, deren Gründe und Charakter nicht recht durchschaubar sind. Im Zusammenhang damit wurde der Jahwetempel der jüdischen Militärkolonie von Elephantine[41] zerstört. Kaum hatte Artaxerxes II. den Thron bestiegen, da ging „die erste Herrschaft der Perser" zu Ende: im Jahre 404 fiel das Nildelta unter der Führung des Amyrtaios, der nach der Zählung Manethos allein die 28. Dynastie bildet, vom persischen Reiche ab; 402 folgte Oberägypten nach. Amyrtaios wurde 399 durch Nepherites I. von Mendes beseitigt; mit ihm beginnt die 29. Dynastie (399–380), deren Königsfolge unsicher ist. Mit Nektanebos I. (380–363) trat Ägypten in die letzte Phase seiner selbständigen Existenz (30. Dynastie): es erlebte noch einmal einen Aufschwung, der Euphorie eines Kranken vor dem Tode vergleichbar. Nektanebos I. betrieb antipersische Bündnispolitik. Im Inneren machte er sich einen großen Namen durch die Begünstigung und den Bau ägyptischer Tempel (bes. Philae, Edfu, Hermopolis, Sais), stets orientiert an den Idealen der 26. Dynastie[42]. Im Jahre 360 wurde sein Sohn Tachos (Teos) sogar antipersisch offensiv: mit Unterstützung des Königs Agesilaos von Sparta und des Generals Chabrias von Athen unternahm er einen Feldzug nach Palästina, der freilich abgebrochen werden mußte, weil in Ägypten ein Aufstand begann, der Nektanebos II. (360–343) auf den Thron brachte. Nach vergeblichen persischen Rückeroberungsversuchen (385, 373 und 350) gelang es Artaxerxes III. im Jahre 343, Ägypten wiederzugewinnen und die „zweite Herrschaft der Perser" zu begründen (31. Dynastie, 343–332). Der Aufstand eines Mannes unklarer (nubischer?) Herkunft namens Hababasch (338) blieb Episode. Im Jahre 332 übergab der letzte persische Satrap Mazakes Ägypten kampflos Alexander dem Großen.

---

[39] Herodot III, 12; VII, 7; Thukydides I, 104, 1 f.
[40] Thukydides I, 109 f.; Diodor IX, 75. 77.
[41] S. o. S. 382.
[42] S. o. S. 369.

Über *Mesopotamien* ist weniger bekannt. Als Quellen stehen zwar nicht ausschließlich, aber überwiegend Wirtschafts- und Verwaltungstexte zur Verfügung. Mesopotamien, das hieß in persischer Zeit ganz wesentlich Babylon. Auf der Stadt lag alles Gewicht; sie galt als Residenz, theoretisch ranggleich mit Susa und Ekbatana, und die Großkönige haben oft und gerne dort residiert. Kambyses und Xerxes sind von ihren Vätern als Vizekönige von Babylon eingesetzt worden: sie hatten dort Gelegenheit, sich in etwas kleinerem Rahmen auf ihren zukünftigen Beruf vorzubereiten. Babylons Bedeutung wird auch darin sichtbar, daß mehrfach Aufstände aufflammten, die die Großkönige empfindlich trafen und zu unverhältnismäßig harten Reaktionen veranlaßten. Im Jahre 522 stand Babylonien auf der Seite des Gaumāta-Pseudosmerdes gegen Dareios I., und in der Stadt selbst griffen kurz nacheinander zwei „Könige" namens Nebukadnezar nach der Macht. Dareios antwortete mit scharfem Zugriff, richtete Zerstörungen in der Stadt an[43] und vermehrte die Zahl persischer Beamter statt der einheimischen babylonischen. Sehr viel schlimmer verlief die Krise unter Xerxes. Wahrscheinlich 484 und 482 erhoben sich die einheimischen Thronprätendenten *Bēl-šīmanni* und *Šamaš-erība* gegen die Perser. Der General Megabyzos schlug die Aufstände nieder, und Xerxes befahl die Zerstörung von *Esangila* und *Etemenanki* (Marduktempel und Stufenturm), das Einschmelzen der Statue des Marduk sowie die Verhaftung und Hinrichtung zahlreicher Priester[44]. Babylon verlor den Sonderstatus, den es bis dahin gehabt hatte, und wurde zur einfachen Satrapiehauptstadt degradiert – was die Großkönige allerdings nicht daran hinderte, auch fürderhin dort gerne zu wohnen. Herodot besuchte die Stadt um 450 und beschrieb sie als nach wie vor gewaltig und bedeutend[45]. Während der Perserzeit nahm die Belehnung von Beamten und Militärpersonen mit babylonischem Grund und Boden beträchtlich zu: die Belehnten waren zur Zahlung von Lehnszins und zur Dienstleistung für den König verpflichtet. Wirtschaftlich ist die Epoche durch eine sich kontinuierlich verstärkende Inflation gekennzeichnet, auch durch den Rückgang des wirtschaftlichen Einflusses der Tempelgüter zugunsten privater Bank- und Handelshäuser, wie z. B. *Murašû & Söhne* in Nippur[46]. Die Stadt Babylon selbst internationalisierte sich mehr und mehr: sie wurde ein Sammelbecken der Völker und Religionen und eine beachtliche Pflegestätte der Wissenschaften, vor allem Astronomie, Mathematik und Philologie. Nachdem Alexander im Jahre 331 das letzte Heer Dareios III. Kodomannos bei Gaugamela im Norden Assyriens geschlagen hatte, zog er ohne Widerstand und im

[43] Vgl. F. M. Th. de Liagre Böhl, De verwoestingen van Babylon door Darius I en Xerxes in het licht van babylonische en bijbelse bronnen. Hervormde Teologiese Studies 16 (1961) IV (Fs B. Gemser), S. 261–278.

[44] Vgl. F. M. Th. de Liagre Böhl, Die babylonischen Prätendenten zur Zeit des Xerxes. BiOr 19 (1962) 110–114.

[45] Vgl. F. Wetzel, Babylon z. Zt. Herodots. ZA.NF 14 (1944) 45–68.

[46] S. o. S. 384.

Triumph in Babylon ein. Er mag erwogen haben, Babylon zur Hauptstadt seines Weltreiches zu machen; stattdessen ereilte ihn dortselbst am 10. Juni 323 der Tod.

Über *Syrien und Palästina* ist gleichfalls nicht allzu viel bekannt[47]; auch soll der palästinische Südteil der Landbrücke erst in den folgenden Kapiteln zur Sprache kommen. Zunächst hatten die Perser unter Kyros II. die Landbrücke zusammen mit Mesopotamien als Großraumsatrapie *Bābilī u Eber Nāri* „Babylonien und Transeuphrat" behandelt. Spätestens z. Zt. Dareios I. wurde Transeuphrat (aram. *ᶜAbar Nahᵃrā* „jenseits des Stromes") abgetrennt und als 5. Satrapie des Gesamtreiches selbständig konstituiert. Die Satrapen, überwiegend aus der Familie des Belesys, residierten wahrscheinlich in Tripolis *(Ṭarāblus)* an der phönikischen Küste[48]. Die phönikischen Handelsmetropolen allerdings galten nicht als Untertanen, sondern als „Verbündete" der persischen Herrscher; diese brauchten dringend die phönikische Flotte und setzten deshalb die vorsichtige Politik der Assyrer gegenüber den Küstenstädten fort[49]. Die 5. Satrapie war in Provinzen (Hyparchien) untergliedert, von denen die folgenden bezeugt sind: Samarien *(Samerīna)*[50], vielleicht Idumäa mit der Metropole Lachisch[51], Ammon unter dem ammonitischen „Sklaven" Tobia[52], später auch Juda[53]. Was man sonst an Einzelheiten weiß, betrifft fast ausschließlich die phönikische Küste. Nach der phönikischen Inschrift auf dem Sarkophag des Eschmunazar aus Sidon (KAI 14) hat Xerxes den Sidoniern die Ebene Saron südlich des Karmelgebirges mit den Hafenstädten Dor und Japho verliehen, vielleicht aus Dank für die sidonische Flottenunterstützung im Kampf gegen die Griechen und sicherlich um Sidon gewissermaßen bei der Stange zu halten. Mehr als hundert Jahre später aber war es gerade Sidon, das 350/49 unter seinem König Tennes vom persischen Großreich abfiel[54]. Die Ereignisse sind durch den gescheiterten Rückeroberungsversuch Ägyptens, den Artaxerxes III. Ochos im Jahre 350 unternahm, ausgelöst oder doch befördert worden. Der Aufstand begann anscheinend in Tripolis – am Sitz des Satrapen? –, ergriff aber dann die ganze phönikische Küste und wurde von Pharao Nektanebos II. unterstützt. Es sieht jedoch so aus, als habe König Tennes die Sache nicht durchstehen können: er führte Geheimverhandlungen mit Artaxerxes III., und so geriet Sidon 344 oder 343 durch den Verrat seines eigenen Königs in persische Gewalt.

---

[47] Vgl. K. Galling, Politische Wandlungen in der Zeit zwischen Nabonid und Darius. Studien 1–60.

[48] So K. Galling, Studien 47 f. Als Alternative käme Damaskus in Betracht.

[49] S. o. S. 299 f.

[50] Esra 4,7 f.; Neh 2,19.

[51] Vgl. K. Galling, Denkmäler zur Geschichte Syriens und Palästinas unter der Herrschaft der Perser. PJB 34 (1938) 59–79, bes. 77 f.; ferner den sehr interessanten und kritischen Aufsatz von C. H. J. de Geus, Idumaea. JEOL 26 (1979/80) 53–74.

[52] Neh 2,19.

[53] S. u. S. 421 f.

[54] Diodor XVI, 41 ff.

Im Jahre 333 unterwarfen sich die phönikischen Küstenstädte Alexander dem Großen: mit Ausnahme von Tyrus, der Mutterstadt Karthagos, die er sieben Monate lang belagern mußte. Er ließ damals den Damm aufschütten, der bis heute, allerdings wesentlich verbreitert, die alte Inselstadt zu einer Halbinsel macht. Von einer förmlichen Übergabe der Satrapie Transeuphrat an Alexander ist nichts bekannt; die Satrapie war wohl schon zerfallen.

Die Völkerschaften *Arabiens* blieben trotz der wohl mehr theoretischen Existenz der Satrapie *Arabaya* frei. Im Jahre 525 ermöglichten sie Kambyses den Durchzug nach Ägypten[55], handelten also – ähnlich wie die phönikischen Küstenstädte – als persische Verbündete. Die Araber lebten überwiegend in seßhaften Gemeinschaften von Oasenbauern und Hirten. Die Beduinisierung Arabiens, als deren Ergebnis die klassischen „Stämme" wandernder Kamel- und Kleinviehzüchter anzusehen sind, kam in der Perserzeit erst langsam in Gang und war nicht vor dem 2. Jahrhundert v. Chr. abgeschlossen. Die Herrschaftsbildungen der Araber – *Mā'īn, Saba', Qatabān, Ḥaḍramaut* – waren an den großen geschichtlichen Bewegungen der persischen Zeit kaum beteiligt und führten eine eher periphere Existenz. Ihre Bedeutung lag hauptsächlich auf dem Gebiete des Karawanenhandels, der ihnen ihre Freiheit sicherte.

Das persische Großreich der Achämeniden ist nicht an innerer Schwäche zugrundegegangen, sondern an seiner Expansionspolitik gescheitert. Einen im großen und ganzen befriedeten und geeinten Orient hinter sich, griffen die Großkönige über das hellenisierte Westkleinasien auf europäisches Territorium über und stießen dort auf die Stadtstaaten Griechenlands, die sich keineswegs gutwillig in das Gefüge des persischen Reiches einbeziehen lassen wollten. Es entbrannten die wechselvollen, über anderthalb Jahrhunderte andauernden Perserkriege, die hier natürlich nicht dargestellt werden können[56]. Die Quellenlage bringt es übrigens mit sich, daß die Wirkungen der Perserkriege auf die griechischen Stadtherrschaften – allen voran Athen, Sparta und Theben – sehr viel besser bekannt sind als die Folgen für das persische Reich. Das Blatt wandte sich jedenfalls erst dann endgültig zugunsten Griechenlands, als es den Makedonen unter Philipp II. (359–336) gelang, die Rivalität der Stadtstaaten zu überwinden, die Griechen zu einigen und damit den Anfang zu einer griechischen Nation zu machen. Die Früchte dieser Politik erntete Alexander der Große,

---

[55] Herodot III, 88.

[56] Vgl. die Darstellungen der griechischen Geschichte, z. B.: H. Berve, Griechische Geschichte, 2 Bde. (1950/51²); H. Bengtson, Griechische Geschichte von den Anfängen bis in die römische Kaiserzeit (1960²); U. Wilcken, Griechische Geschichte im Rahmen der Altertumsgeschichte (1962⁹). Ferner noch: D. Mallet, Les rapports des Grecs avec l'Égypte de la conquête de Cambyses (525) à celle d'Alexandre (332) (1922); A. R. Burn, Persia and the Greeks. The Defense of the West, c. 546–478 B.C. (1962); C. Hignett, Xerxes' Invasion of Greece (1963); D. Auscher, Les relations entre la Grèce et la Palestine avant la conquête d'Alexandre. VT 17 (1967) 8–30.

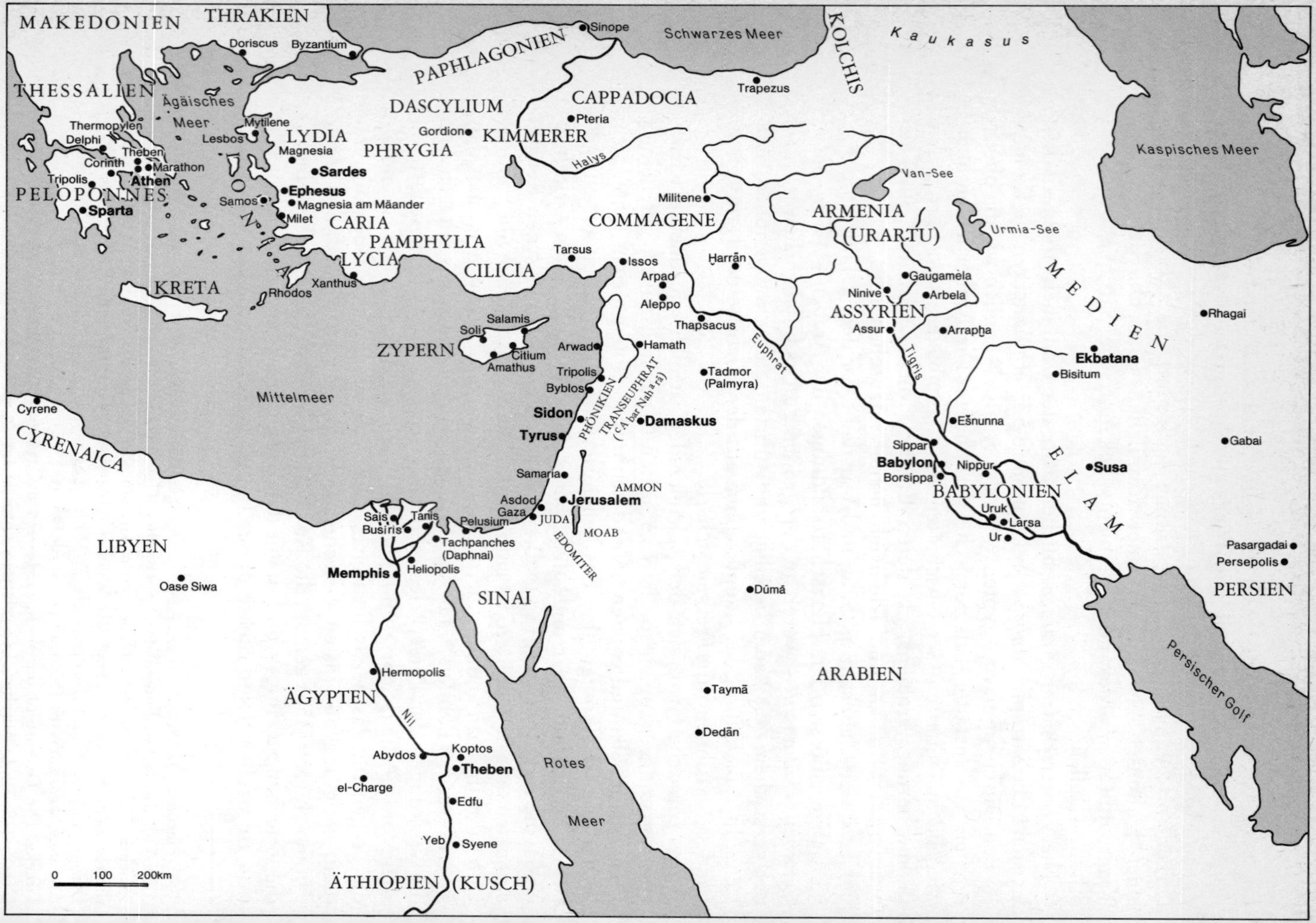
MAKEDONIEN
THRAKIEN
THESSALIEN
PELOPONNES
Ägäisches Meer
KRETA
LYDIA
PHRYGIA
DASCYLIUM
PAPHLAGONIEN
CAPPADOCIA
KIMMERER
CARIA
PAMPHYLIA
LYCIA
CILICIA
COMMAGENE
ZYPERN
Mittelmeer
CYRENAICA
LIBYEN
ÄGYPTEN
SINAI
ÄTHIOPIEN (KUSCH)
Rotes Meer
ARABIEN
PHÖNIKIEN
TRANSEUPHRAT
AMMON
MOAB
EDOMITER
JUDA
ARMENIA (URARTU)
ASSYRIEN
BABYLONIEN
MEDIEN
ELAM
PERSIEN
KOLCHIS
Kaukasus
Schwarzes Meer
Kaspisches Meer
Persischer Golf
Van-See
Urmia-See
Halys
Euphrat
Tigris
Nil
Doriscus
Byzantium
Sinope
Trapezus
Thermopylen
Delphi
Theben
Corinth
Marathon
Tripolis
Athen
Sparta
Mytilene
Lesbos
Magnesia
Sardes
Ephesus
Samos
Magnesia am Mäander
Milet
Xanthus
Rhodos
Gordion
Pteria
Militene
Tarsus
Issos
Arpad
Aleppo
Harrān
Thapsacus
Salamis
Soli
Citium
Amathus
Arwad
Hamath
Tripolis
Byblos
Sidon
Tyrus
Damaskus
Tadmor (Palmyra)
Samaria
Asdod
Gaza
Jerusalem
Sais
Busiris
Tanis
Pelusium
Tachpanches (Daphnai)
Heliopolis
Memphis
Oase Siwa
Cyrene
Hermopolis
Abydos
Koptos
Theben
el-Charge
Edfu
Yeb
Syene
Dūmā
Taymā
Dedān
Gaugamela
Ninive
Arbela
Assur
Arrapha
Ešnunna
Sippar
Babylon
Borsippa
Nippur
Uruk
Larsa
Ur
Ekbatana
Bisitum
Susa
Rhagai
Gabai
Pasargadai
Persepolis
0 100 200km

der im Jahre 333 in der Schlacht bei Issos Dareios III. Kodomannos überwand und danach das Erbe des persischen Großreiches antrat. Der durch die Achämeniden geeinte Orient fiel wie ein reifer Apfel in Alexanders Schoß (A. Alt). Damit begann für den Nahen Osten das Zeitalter des Hellenismus.

KAPITEL 2

Der Anfang der Restauration in Jerusalem und Juda

Die Einsicht in den neuen Stil und in die Grundsätze der persischen Religions- und Kultuspolitik gegenüber den Untertanenvölkern[1] erleichtert die Antwort auf die Frage, welche Folgen der Herrschaftsantritt der Perser für Jerusalem und Juda gehabt hat. Erfüllten sich die Hoffnungen, die man unter den Exulanten in Babylonien, aber auch in Palästina, auf Kyros II. gesetzt hatte? Konnte Jahwe auch nach 539 v. Chr. noch von Kyros sagen: „Mein Hirt, und alles, was ich will, führt er aus" (Jes 44,28)? Erfolgte auf seine Veranlassung die Heimkehr der Verbannten und die Wiederherstellung der Ordnung im palästinischen Mutterland[2]?

Das atl Quellenmaterial, das dem Historiker für die Beantwortung solcher Fragen zur Verfügung steht, ist nach Art und Wert verschieden. In erster Linie kommen die Bücher Esra und Nehemia in Betracht, die in engem Zusammenhang mit dem gegen Ende des 4. oder gar erst im 3. Jahrhundert v. Chr. entstandenen chronistischen Geschichtswerk stehen[3]. Die literarische Analyse dieser Bücher ist schwierig und ihr genaues Verhältnis zur Chronik umstritten[4]. Für gewöhnlich wird angenommen, daß Esra

---

[1] S. o. S. 395–397.

[2] Vgl. P. R. Ackroyd, Exile and Restoration. A Study of Hebrew Thought of the 6th Century BC (1968); ders., Israel under Babylonia and Persia (1970); J. M. Myers, The World of the Restoration (1968); M. Smith, Palestinian Parties and Politics that Shaped the OT (1971); S. S. Weinberg, Post-Exilic Palestine. An Archaeological Report. Israel Academy of Sciences and Humanities IV (1971) 78–97; E. Stern, The Material Culture of the Land of the Bible in the Persian Period, 538–332 BCE (1973) [hebr.]; W. St. McCullough, The History and Literature of the Palestinian Jews from Cyrus to Herod, 550 BC to 4 BC (1975).

[3] Anders S. Japhet, The Supposed Common Authorship of Chronicles and Ezra-Nehemiah Investigated Anew. VT 18 (1968) 330–371; dazu kritisch M. A. Throntveit, Linguistic Analysis and the Question of Authorship in Chronicles, Ezra and Nehemiah. VT 32 (1982) 201–216.

[4] Ausgewählte Literatur: E. Meyer, Die Entstehung des Judenthums (1896, Nachdruck 1965); M. Noth, Überlieferungsgeschichtliche Studien (1943, 1957²) 110–216; C. C. Torrey, The Chronicler's History of Israel. Chronicles – Ezra – Nehemiah Restored to its Original Form (1954); S. Mowinckel, Studien zu dem Buche Ezra-Nehemia I–III. Skrifter utgitt av Det Norske Videnskaps-Akademi i Oslo II NS 3,5,7 (1964/5); U. Kellermann, Nehemia. Quellen, Überlieferung und Geschichte. BZAW 102 (1967); W. Th. In der Smitten, Die

und Nehemia ursprünglich Bestandteile des chronistischen Werkes waren und erst sekundär aus nicht ganz klaren Gründen von ihm abgetrennt wurden. Sehr viel wahrscheinlicher ist jedoch die Annahme zweier verschiedener Werke ein und desselben Autors: die Chronik als Darstellung heiliger Geschichte aufgrund bereits als „kanonisch" geltender Quellen (des dtr Geschichtswerkes), Esra/Nehemia dagegen als Darstellung „nachkanonischer" Geschichte, fast möchte man sagen: der Zeitgeschichte[5]. Jedenfalls enthalten die Bücher Esra und Nehemia z.T. ganz vorzügliches zeitgenössisches Quellenmaterial, das vom Chronisten verhältnismäßig behutsam aufbereitet worden ist. Es handelt sich dabei um Stücke unterschiedlicher Gattungen: eine Sammlung aramäischer Dokumente über den Wiederaufbau Jerusalems und des Tempels (Esra 4,6–6,18); eine vom Chronisten aufgrund nicht mehr genau erkennbaren älteren Materials gestaltete Beschreibung der Mission Esras (Esra 7–10); die sog. Denkschrift Nehemias (Neh 1,1–7,5; 12,27–13,31)[6]; Listen verschiedenen Inhalts (Tempelgeräte: Esra 1,8–11a[7]; die heimgekehrten Exulanten: Esra 2,1–67 = Neh 7,6–68[8]; die Genossen Esras: Esra 8,1–14; die am Jerusalemer Mauerbau Beteiligten: Neh 3,1–32 u.a.m.). Hinzu kommen zwei oder allenfalls drei Prophetenschriften aus dem Zwölfprophetenbuch: 1. Haggai, ein Bericht über das Auftreten des Propheten im Jahre 520 v.Chr., beinahe eine „Bauchronik" des zweiten Tempels[9]; 2. Sacharja, d.h. hauptsächlich die sog. „Nachtgesichte" des Propheten aus den Jahren 520–518 v.Chr. (Sach 1–8); 3. Maleachi, eine anonyme Prophetenschrift, wahrscheinlich aus der 1. Hälfte des 5. Jahrhunderts, die freilich historisch nicht sehr ergiebig ist.

Nach der Darstellung des Esrabuches ist Kyros II. bereits in seinem 1. Regierungsjahre als König von Babylonien (538) daran gegangen, sich mit dem Problem des Tempels zu Jerusalem und der jüdischen Exulanten zu befassen. Daß er dabei eigene Initiative entwickelt hat, werden wir kaum

---

Gründe für die Aufnahme der Nehemiaschrift in das chronistische Geschichtswerk. BZ.NF 16 (1972) 207–221; ders., Esra. Quellen, Überlieferung und Geschichte. Studia Semitica Neerlandica 15 (1973); F.M.Cross, A Reconstruction of the Judean Restoration. JBL 94 (1975) 4–18; B.Porten, The Documents in the Book of Ezra and the Mission of Ezra. Shnaton 3 (1978/9) 175–196; A.H.J.Gunneweg, Zur Interpretation der Bücher Esra-Nehemia. Zugleich ein Beitrag zur Methode der Exegese. SVT 32 (1981) 146–161; ders., Die aramäische und die hebräische Erzählung über die nachexilische Restauration – ein Vergleich. ZAW 94 (1982) 299–302; H.G.M.Williamson, The Composition of Ezra I–VI. JThSt.NF 34 (1983) 1–30.

[5] Vgl. bes. Th.Willi, Die Chronik als Auslegung. Untersuchungen zur literarischen Gestaltung der historischen Überlieferung Israels. FRLANT 106 (1972) 176–184.

[6] Vgl. R.v.Rad, Die Nehemia-Denkschrift [1964]. GS 1,297–310.

[7] Vgl. K.Galling, Das Protokoll über die Rückgabe der Tempelgeräte. Studien zur Geschichte Israels im persischen Zeitalter (1964) 78–88.

[8] Vgl. K.Galling, Die Liste der aus dem Exil Heimgekehrten. Studien 89–108; R.Klein, Old Readings in I Esdras: The Lists of Returnees from Babylon (Ezra 2 = Nehemiah 7). HThR 62 (1969) 99–107.

[9] So K.Galling, Studien 135.

annehmen dürfen; denn bei der Großräumigkeit des von ihm beherrschten Territoriums kann sein Interesse am Schicksal des kleinen, peripheren, südpalästinischen Gebietes nicht allzu groß gewesen sein. Vielleicht wurde die Aufmerksamkeit der großköniglichen Kanzlei durch in Babylon wohnende Exulanten auf die Sache gelenkt: sie mögen deutlich gemacht haben, daß eine Wiedergutmachung des von Nebukadnezar II. angerichteten Schadens fällig sei, zumal Kyros die Rechtsnachfolge der Könige des neubabylonischen Großreiches angetreten hatte. Kyros II. ließ sich bewegen, ein großkönigliches Edikt zu erlassen, das in zwei voneinander stark abweichenden Fassungen vorliegt: der aramäischen Originalfassung (Esra 6,3–5) und einer anscheinend bearbeiteten hebräischen Ausgabe (Esra 1,1–4). Die Texte lauten folgendermaßen:

1. Esra 6,3–5: „(3) Im 1. Jahr des Königs Kyros ordnete König Kyros an: In Sachen des Gotteshauses zu Jerusalem: Das Haus ist als eine Stätte, wo man Opfer darbringt, wiederaufzubauen, und ‚die Fundamente' sollen beibehalten werden. Seine Höhe ‚30 Ellen, seine Länge 60 Ellen', seine Breite ‚20' Ellen. (4) Drei Lagen von Quadersteinen und ‚eine' Lage Holz. Und die Kosten hat der königliche Fiskus zu tragen. (5) Außerdem sind die goldenen und silbernen Geräte des Gotteshauses, die Nebukadnezar aus dem Tempel in Jerusalem fortnahm und nach Babel brachte, zurückzugeben, damit ‚alles' im Tempel zu Jerusalem an seinen Ort kommt und im Gotteshause ‚seine Stätte findet'"[10].

2. Esra 1,1–4: „(1) Im 1. Jahr des Kyros, Königs von Persien, – damit sich das Wort Jahwes ‚durch' Jeremia erfülle – erweckte Jahwe den Geist des Kyros, Königs von Persien, daß er in seinem ganzen Reiche folgendes ausrufen und auch durch Edikt (bekanntmachen) ließ: (2) Also hat Kyros, der König von Persien, gesprochen: Alle Reiche der Welt hat mir der Himmelsgott Jahwe gegeben, und er selbst hat mich beauftragt, ihm zu Jerusalem in Juda ein Haus zu bauen. (3) Wer immer von euch zu seinem Volke (gehört), mit dem sei sein Gott! Er ziehe nach Jerusalem in Juda hinauf und baue das Haus Jahwes, des Gottes Israels – das ist der Gott von Jerusalem. (4) Jeden Übriggebliebenen von jedem Ort, wo er sich als Schutzbürger aufhält, sollen die Leute seines Ortes mit Silber, Gold, Habe und Vieh unterstützen, ferner mit freiwilligen Gaben für das Gotteshaus in Jerusalem"[11].

Es liegt auf der Hand, daß die beiden Fassungen des Kyrosediktes nicht zusammenstimmen und daß die zweite gegenüber der ersten Widersprüche und Ungereimtheiten aufweist. Das Verhältnis beider zueinander ist ein vielverhandeltes Problem[12]. Das hebräische Edikt – man sollte es mit

---

[10] Übersetzung nach K. Galling, Studien 63f.; dort auch die Begründung für die Abweichungen vom MT.

[11] Der Text ist nicht zu beanstanden. Nur in V. 1 dürfte mit 2. Chron 36,22 *b^{e}fi* statt MT *mippī* zu lesen sein.

[12] Vgl. R. de Vaux, Les décrets de Cyrus et de Darius sur la reconstruction du Temple. RB 46 (1937) 29–57 = Bible et Orient (1967) 83–113 = The Decrees of Cyrus and Darius

K. Galling besser „Proklamation" nennen – ist in das erste Jahr des Kyros, Königs von Persien, datiert. Das klingt so, als sei an das 1. Regierungsjahr überhaupt gedacht – aber selbstverständlich ist 538 v. Chr. gemeint, das 1. Jahr des Kyros als König von Babylonien. Das aramäische Edikt spricht stattdessen einfach vom 1. Jahr des Königs Kyros *(Kōreš malkā)*. Die hebräische Proklamation verbindet die Anweisung zum Tempelbau mit der Erlaubnis zur Rückwanderung der Exulanten, über die das aramäische Edikt kein Wort verliert. Dieses regelt aber die Finanzierung des Tempelbaus, während die hebräische Proklamation diese keineswegs gleichgültige Frage auf merkwürdige Weise behandelt: Babylonier sollen die heimkehrenden Exulanten mit allem Nötigen versehen, sogar mit Spenden für den Jerusalemer Tempel – Babylonier im Lande, nicht die Staatskasse[13]! Nun unterliegt nicht dem geringsten Zweifel und wird auch von niemandem bestritten, daß das aramäische Edikt die Kopie eines authentischen Dokumentes aus dem Archiv der persischen Schatzverwaltung in Ekbatana ist. Das Dokument gehört in den Zusammenhang eines amtlichen Schriftwechsels, den der Satrap Tatnai (griech. Hystanes) von Transeuphrat im Jahre 518 oder etwas später mit der Kanzlei Dareios' I. in Susa geführt hat. In dieser Korrespondenz geht es um die vom Satrapen bezweifelte großkönigliche Genehmigung zum Wiederaufbau des Jerusalemer Tempels. Dareios I. ließ in den Archiven nachforschen, förderte das Kyrosedikt zutage und zitierte es in seiner Anwort an den Satrapen. Dieser Schriftwechsel (Esra 5,6–6,12) ist in Jerusalem kopiert und aufbewahrt worden; er wurde später mit anderen auf den Wiederaufbau Jerusalems bezüglichen Dokumenten zur Urkundensammlung von Esra 4,6–6,18, der „aramäischen Chronik von Jerusalem", vereinigt. Insoweit herrscht Einverständnis unter den Historikern. Strittig ist dagegen die Authentizität der hebräischen Proklamation von Esra 1. Man hat zu ihren Gunsten vielerlei ins Feld geführt, auch die auf den ersten Blick überzeugende Erwägung, daß Kyros II. 538 v. Chr. schwerlich den Wiederaufbau des Tempels erlaubt hätte, aber die Frage der Heimkehr der Exulanten mit Stillschweigen überging. Das sei umso weniger wahrscheinlich, als die Anregung zur Tempelbaugenehmigung doch wohl von Exulanten ausgegangen war – sollten sie gar nichts für ihre Rückkehr getan oder zumindest in diesem Punkte nichts erreicht haben? Aber es nützt alles nichts: die Argumente für die „Unechtheit" der hebräischen Kyrosproklamation sind so stark, daß sie sich durch nichts und niemanden aus der Welt schaffen lassen. Esra 1,1–4 ist vom Chronisten erfunden und formuliert, der Esra 6,3–5 vor sich hatte und im Lichte seiner Theologie interpretierte.

---

on the Rebuilding of the Temple. The Bible and the Ancient Near East (1971) 63–96; E.J. Bickerman, The Edict of Cyrus in Ezra 1. JBL 65 (1946) 249–275; L. Rost, Erwägungen zum Kyroserlaß. Verbannung und Heimkehr, Fs W. Rudolph (1961) 301–307; K. Galling, Die Proklamation des Kyros in Esra 1. Studien 61–77; W.Th. In der Smitten, Historische Probleme zum Kyrosedikt und zum Jerusalemer Tempelbau von 515. Persica 6 (1974) 167–178.

[13] So zweifellos richtig K. Galling, Studien 74–76.

Das ist an vielen Einzelheiten zu erweisen: V. 1 ist ganz und gar chronistisch; die Titulatur „König von Persien“ gibt es nicht vor Dareios I.; die Proklamation „in seinem ganzen Reiche“ stößt sich mit der Tatsache, daß der Text inhaltlich nur an die Exulanten – die übrigens aramäisch sprachen! – und an Babylonier gerichtet ist; hinter der auffällig genauen topographischen Formel „Jerusalem, das in Juda liegt“ (V. 2f.) steht die persische Provinzbezeichnung Juda *(Y^ehūd)*, die erst im 5. Jahrhundert v. Chr. aufkommt[14]; Formeln wie „sein (Jahwes) Volk“ (V. 3) und „Übriggebliebene“ (V. 4) sind eindeutig „biblisch-theologisch“ geprägt und können nicht in einem persischen Edikt gestanden haben; die Lösung des Finanzierungsproblems ist von Esra 7, 16 beeinflußt. Vor allem aber ist offenkundig, daß der Chronist die Rückkehr der Exulanten anachronistisch auf 538 v. Chr. datiert hat, obwohl sie erst später wirklich stattfand[15]. Er mußte das tun; denn er war der Meinung, es habe in Jerusalem und in Juda nicht genügend und nicht die geeigneten Leute gegeben, denen der Tempelbau hätte anvertraut werden können. Überdies stand er in der Tradition der Exulantenschaft und Deuterojesajas, nach der das rechte und eigentliche Israel im babylonischen Exil lebte und nicht in der alten Heimat. Daß ein Werk von der Bedeutung des Tempelbaus nicht ohne entscheidende Mitwirkung des wahren Israel zustandekommen konnte, war selbstverständlich. Mit einem Worte: von der Authentizität der hebräischen Kyrosproklamation in Esra 1, 1–4 ist Abschied zu nehmen. Sie ist ein Zeugnis für die Theologie des Chronisten.

Der Bau des zweiten Tempels begann erst im Jahre 520 v. Chr. Also ist das Kyrosedikt von 538 zunächst ohne Wirkung geblieben? Das ist nur teilweise richtig. Denn immerhin beauftragte Kyros einen Beamten mit dem Rücktransport der von Nebukadnezar II. nach Babylon verschleppten Tempelgeräte und Kostbarkeiten. Dieser Beamte trug den babylonischen Namen Scheschbazzar (hebr. *Šẹšbaṣṣar*) = *Šamaš-ab(a)-uṣur*[16]. Über seine Mission ist leider nur sehr wenig bekannt. Sein Name steht in einem Brief des Satrapen Tatnai an Dareios I. vom Jahre 518: der Satrap teilt mit, daß er eine Inspektionsreise nach Jerusalem unternommen habe, um sich an Ort und Stelle über den dortigen Tempelbau zu informieren. Die „Ältesten von Juda“ hätten sich dabei auf das Kyrosedikt von 538 und auf die Tätigkeit des Scheschbazzar berufen: „Auch die goldenen und silbernen Geräte des Gotteshauses, die Nebukadnezar aus dem Tempel zu Jerusalem genommen und in den Tempel von Babylon gebracht hatte, hat der König Kyros aus dem Tempel von Babylon genommen, und sie wurden einem namens Scheschbazzar, den er als *pēḥā* eingesetzt hatte, übergeben. Und dem hat er befohlen: Nimm diese Geräte, ziehe hin und lege sie im

---

[14] S. u. S. 422.

[15] S. u. S. 411.

[16] Vgl. P.-R. Berger, Zu den Namen ŠŠBṢR und ŠN'ṢR. ZAW 83 (1971) 98–100; P. E. Dion, ŠŠBṢR and SSNWRY. ZAW 95 (1983) 111f.

Tempel zu Jerusalem nieder; und das Gotteshaus soll an seiner Stätte wiederaufgebaut werden! Daraufhin ist jener Scheschbazzar gekommen und hat die Fundamente des Gotteshauses zu Jerusalem gelegt; und seitdem wird bis jetzt daran gebaut, aber noch ist es nicht vollendet." (Esra 5,14–16). In dieser Auskunft sind Wahrheit und diplomatische Verschleierung geschickt gemischt. Die Grundsteinlegung des zweiten Tempels erfolgte nicht durch Scheschbazzar, sondern erst 18 Jahre später unter Serubbabel[17]. Aber den Ältesten war daran gelegen, den Satrapen glauben zu machen, daß Kyros den inkriminierten Tempelbau nicht nur angeordnet hatte, sondern daß auch wirklich etwas geschehen war. Sonst hätte es ja so ausgesehen, als sei der Befehl des Großkönigs nicht befolgt worden. Nicht zu beanstanden dagegen ist die Angabe, Scheschbazzar sei für den Rücktransport der Tempelgeräte verantwortlich gewesen[18] und habe das Amt eines *pēḥā* bekleidet. Der Ausdruck *pēḥā* stammt aus dem Akkadischen *(bēl pāḫati)* und bezeichnet für gewöhnlich den Administrator, den Provinzstatthalter, den Gouverneur. Es ist aber ganz unwahrscheinlich, daß Juda 538 v. Chr. den Status einer persischen Provinz in der Satrapie Transeuphrat hatte[19]. Also wird *pēḥā* bei Scheschbazzar – wie später auch bei Serubbabel und Esra – etwas anderes bedeuten: den Sonderbeauftragten der persischen Zentralregierung, den Kommissar[20]. Mit Blick auf die in Esra 5,14–16 beschriebenen Aufgaben heißt das: Scheschbazzar ist als „Wiedergutmachungskommissar" nach Jerusalem gekommen. Die Vermutung liegt nahe, er sei trotz seines babylonischen Namens ein Judäer gewesen, wie später Serubbabel[21]. Vielleicht hat er sich tatsächlich um den Tempelneubau bemüht, ist aber an der Ungunst der Verhältnisse gescheitert. Der Chronist hat die Angaben von Esra 5,14–16 benutzt, freilich auf seine Weise. Er nennt Scheschbazzar mit dem unklaren und ohne jeden Zweifel unhistorischen Titel „der Fürst von Juda" (hebr. *hannāśī līhūdā*) und behauptet, die Rückwanderung der Exulanten sei schon damals erfolgt (Esra 1,7–11). Das trifft zwar nicht zu – aber soviel mag immerhin richtig sein, daß sich der Sonderbeauftragte der Regierung nicht allein von Babylonien nach Jerusalem begab, sondern natürlich mit Gefolge. Es ist möglich, daß sich in seiner Begleitung auch Exulanten befanden, damit er sachkundigen Rates nicht zu entbehren brauchte. So kann man, wenn man

---

[17] Zum Problem vgl. F. I. Andersen, Who Built the Second Temple? Australian Biblical Review 6 (1958) 1–35; A. Gelston, The Foundation of the Second Temple. VT 16 (1966) 232–235.

[18] Zur Bedeutung der Tempelgeräte für die Theologie des Chronisten vgl. P. R. Ackroyd, The Temple Vessels – A Continuity Theme. SVT 23 (1972) 166–181.

[19] S. u. S. 421 f. Etwas anders S. E. McEvenue, The Political Structure in Judah from Cyrus to Nehemiah. CBQ 43 (1981) 353–364.

[20] Vgl. A. Alt, Die Rolle Samarias bei der Entstehung des Judentums [1934]. KS 2, 316–337, bes. 333 f.

[21] Die beliebte Vermutung, er sei identisch mit Schenazzar (hebr. *Šen'aṣṣar*), einem Sohn Jojachins (1. Chron 3,18), ist aus der Luft gegriffen. M. W. vertrat sie zuletzt W. F. Albright, The Biblical Period from Abraham to Ezra (1963) 86.

will, am Ende doch von einer Art „Vorauskommando" der rückkehrwilligen Exulanten sprechen oder ein solches doch wenigstens vermuten.

Die Heimkehr der Exulantenschaft nach Jerusalem und Juda erfolgte nicht schon 538 v. Chr., sondern erst in den zwanziger Jahren des 6. Jahrhunderts, unter Kambyses oder gar erst unter Dareios I.[22]. Das ist vollkommen verständlich. Die Exulanten konnten nicht sozusagen über Nacht und Hals über Kopf aufbrechen. Die Loslösung von Babylonien, wo inzwischen bereits die dritte Generation aufwuchs, mußte behutsam ins Werk gesetzt werden. Geschäfte waren abzuwickeln, Bindungen zu lösen, Schwierigkeiten aus dem Wege zu räumen. Gewiß hielt sich die Rückkehrbegeisterung bei vielen, die sich eingelebt hatten, in Grenzen. Auf der anderen Seite mußten die Heimkehrerfamilien in Palästina in Anteile an Grund und Boden eingewiesen werden, nach Möglichkeit im Anschluß an vorexilische Verhältnisse. Das war zweifellos nicht ganz einfach; denn Palästina war während der Exilszeit ja keineswegs ein menschenleeres Brachland gewesen[23], das man ohne weiteres wieder in Besitz nehmen konnte. Alte und neue Rechte mußten gegeneinander abgewogen, alte und neue Ansprüche berücksichtigt werden. Damit dies sachgemäß und möglichst reibungslos geschehe, ernannte der persische Großkönig – Kambyses oder Dareios I. – einen Sonderbevollmächtigten: den Davididen Serubbabel (hebr. *Zᵉrubbābel*, akkad. *Zēr-Bābilī*?), nach 1. Chron 3, 19 ein Enkel Jojachins. Natürlich war von persischer Seite nicht beabsichtigt, die davidische Monarchie in Jerusalem und Juda wiederaufzurichten. Aber die Perser waren klug genug, mit der heiklen Mission keinen persischen oder babylonischen, d. h. land- und volksfremden Beamten zu beauftragen, sondern sich der moralischen Autorität der davidischen Familie zu bedienen. Serubbabel erhielt großkönigliche Vollmacht (Esra 6, 6–10): zu seinen Aufgaben gehörten der Tempelbau und die Wiedereingliederung der Exulanten (Esra 2, 2). Auch er trug den Titel *pēḥā* (Hag 1, 1)[24], der ebensowenig wie bei Scheschbazzar den „Provinzgouverneur", sondern den „Kommissar" bezeichnet, in diesem Falle den „Repatriierungskommissar"[25].

In Esra 2 = Neh 7 ist eine ausführliche und sorgsam gegliederte Rückwandererliste überliefert: ein amtliches Dokument als Ergebnis der Tätigkeit des Repatriierungskommissars[26]. Daraus geht hervor, daß 42 360 Menschen in die alte Heimat zurückkehrten; nicht mitgerechnet sind Kinder unter zwölf Jahren und Hö-

---

[22] Vgl. A. A. Akarya, The Chronology of the Return from the Babylonian Captivity. Tarbiz 37 (1967/8) 329–337.

[23] S. o. S. 387–390.

[24] In Esra 6, 7 ist *paḥat yᵉhūdāyē̩* wahrscheinlich sekundär.

[25] A. Alt, a. a. O., S. 335. Vgl. auch S. A. Cook, The Age of Zerubbabel. Studies in the OT, ed. by H. H. Rowley (1950) 19–36; S. Japhet, Sheshbazzar and Zerubbabel. Against the Background of the Historical and Religious Tendencies of Ezra-Nehemiah. ZAW 94 (1982) 66–98. Nicht in allen Stücken überzeugend ist J. Alloni, The Returning Exulants under Zerubbabel and their Relations with the Samaritans. Shnaton 4 (1980) 27–61.

[26] Literatur s. o. S. 406, Anm. 8.

rige (V. 64–67)[27]. Die Anzahl der Sklaven und Sklavinnen belief sich auf 7337, die der Sänger und Sängerinnen auf 245[28]. Es ist nicht ganz auszuschließen, daß dabei auch im Lande gebliebene Personen berücksichtigt sind, soweit sie im Zuge der Familienzusammenführung mit den Exulanten wieder in Familienverbänden *(bēt 'ābōt)*[29] vereinigt waren. Aufschlußreich ist die Gliederung des Personenstandsregisters der Liste: 1. Angehörige der Großfamilien, die als Vollbürger zu betrachten sind und Bodenanteile besitzen (V. 3–19 [20?]); 2. Angehörige von Familien ohne Grundbesitz („Männer/Söhne des Ortes X", V. 20 [?]–35) aus Orten des Gebirges und des Hügellandes, nicht aus der Küstenebene und der Bucht von Beerseba; 3. Priestergeschlechter (V. 36–39); 4. Leviten (V. 40); 5. Tempelsänger (V. 41); 6. Torhüter (V. 42); 7. Tempelhörige (und die sog. „Söhne [= Nachkommen] der Sklaven Salomos", V. 43–58)[30]. In einem Anhang (V. 59–63) werden Familien genannt, die nicht in der Lage waren, ihre israelitische Herkunft nachzuweisen, ferner Priester, deren Namen in den Geschlechtsregistern fehlten und die deshalb vom Priestertum ausgeschlossen wurden. Die beigefügte Dotationsliste (V. 68 f.) läßt einen bemerkenswerten Wohlstand der Heimkehrer erkennen: das waren keine Habenichtse. Die Liste vermittelt insgesamt einen ausgezeichneten Einblick in die Struktur der judäischen Gesellschaft nach dem Exil.

Unter Serubbabel wurde dann auch tatsächlich mit dem Wiederaufbau des Tempels begonnen[31]. Den weltpolitischen Hintergrund bildeten die dynastische Krise des Achämenidenreiches beim Übergang von Kambyses auf Dareios I. – verbunden mit dem Namen des Magiers Gaumāta-Pseudosmerdes – und die Aufstände im Zusammenhang des Regierungsantrittes Dareios' I.[32]. Zwar wurde Dareios Herr der Lage, und auf der syropalästinischen Landbrücke blieb äußerlich alles ruhig, aber die Erregung, die durch die Satrapien ging, war allerorten spürbar. Kurze Zeit danach (520) traten in Jerusalem zwei Propheten auf und riefen zum Tempelbau: Haggai und Sacharja. Aus den unter ihren Namen überlieferten Prophetenbüchern geht mit völliger Klarheit hervor, daß der Wiederaufbau des Tempels erst jetzt in Angriff genommen wurde – und nicht schon 538 unter Scheschbazzar begonnen hatte, wie Esra 5,14–16 behauptet. Hag 1,2–4 lautet: „(2) Also hat Jahwe der Heerscharen gesprochen: Diese Leute da sagen: die Zeit zum Tempelbau ist (noch) nicht gekommen. (3) Da erging das Wort Jahwes durch den Propheten Haggai folgendermaßen: (4) Ist es denn Zeit für euch, in ‚ ‘ getäfelten Häusern zu wohnen, während dieses Haus in Trümmern liegt"[33]? Hierzu ist Sach 4,9 zu stellen: „Die

[27] Die Verszahlen im folgenden nach der Fassung der Liste in Esra 2.

[28] Diese Zahl nach Neh 7,67.

[29] Vgl. J. P. Weinberg, Das *bēit 'ābōt* im 6.–4. Jh. v. u. Z. VT 23 (1973) 400–414.

[30] Literatur s. o. S. 385, Anm. 22.

[31] Vgl. K. Galling, Serubbabel und der Hohepriester beim Wiederaufbau des Tempels in Jerusalem, Studien 127–148.

[32] S. o. S. 397. Dareios hat die Ereignisse in der dreisprachigen Inschrift von *Behistūn* (persisch, elamitisch, babylonisch) festhalten lassen (TUAT I, 4, 419–450), von der eine aramäische Fassung unter den Texten von Elephantine zutage getreten ist; vgl. A. Cowley, Aramaic Papyri of the 5th Century B. C. (1923) 248–271.

[33] In V. 2 ist das Wort *'et* „Zeit" fälschlich doppelt geschrieben; l. *lō bā* statt MT *lō 'et-bō.* Die ungelenke Einleitungsformel des V. 3 ist vermutlich ein späterer Zusatz. In V. 4 ist *be*-

Hände Serubbabels haben den Grundstein zu diesem Hause gelegt, seine Hände werden (es) auch vollenden.“ Das ist alles ganz eindeutig. Die Prophetie des Haggai richtete sich an die repatriierte Oberschicht von Jerusalem. Diese begründete – so ist aus Hag 1,5–11 zu schließen – ihr Zögern beim Tempelneubau mit Hinweis auf die Armut der Gemeinde, den Mißwuchs auf den Feldern, die allgemeine wirtschaftliche Not, mit der jedermann zu kämpfen hatte[34]. Der Prophet dagegen interpretiert die Not als Folge des Zögerns beim Tempelneubau: Jahwe hält den Ertrag der Erde zurück, weil er seinen Tempel nicht bekommt! (1,5. 9–11; 2,15–19). Als dann Serubbabel den Grundstein gelegt hatte und der Bau im Jahre 520 in Gang kam, tröstete Haggai die Gemeinde über den langsamen Fortgang der Arbeit und über die bescheidenen Resultate. Es gab unter den alten Heimkehrern sicher noch einige, die sich an den salomonischen Tempel erinnern konnten. Sie verglichen den Neubau mit dem großen Vorbild und fanden ihn kläglich. Ihnen kündigte Haggai ein großes Eingreifen Jahwes an: Himmel und Erde würden bewegt werden und die Völker ihre Kostbarkeiten nach Jerusalem bringen (2,1–9). Es ist das prophetische Thema der „Völkerwallfahrt zum Zion“[35], das hier angeschlagen wird. Kein Zweifel, daß der neue Tempel herrlicher sein wird als der alte! Man wundert sich ein wenig darüber, daß Haggai in den Kanon gelangt ist; denn was er da ankündigte, geschah nun wirklich nicht, und jedermann konnte den bescheidenen zweiten Tempel sehen. Aber die Nachgeborenen werden die Herrlichkeit des Tempels und die Völkerwallfahrt zum Zion als eschatologische Ereignisse gedeutet haben. Haggai dagegen betrachtete den Tag Jahwes, an dem die Königreiche der Welt zerbrochen werden, als unmittelbar bevorstehend. Er hat in diesem Zusammenhang die Proklamation Serubbabels zum Messias vollzogen: „An jenem Tage – Spruch Jahwes der Heerscharen – nehme ich dich, Serubbabel ben Schealtiël, meinen Knecht – Spruch Jahwes –, und mache dich zum Siegelring, denn dich habe ich erwählt – Spruch Jahwes der Heerscharen!“ (Hag 2,23). Man begegnet hier zum ersten Male in der Geschichte des israelitischen Messianismus der Messiasproklamation einer bestimmten, konkreten, bereits vorhandenen und nicht erst für die Zukunft erwarteten Person[36]. Wie Serubbabel selbst darauf reagiert hat und was man am Sitz des Satrapen von Mesopotamien und Transeuphrat oder gar am Hofe des persischen Großkönigs darüber dachte, wissen wir nicht.

---

bāttīm statt MT *b^ebāttẹkem* zu lesen; das Suffix fehlt in einem Teil der LXX-Überlieferung, Vulgata und den Targumen.

34 Auf den Gedanken, die persische Staatskasse unter Berufung auf das Kyrosedikt anzuzapfen, ist anscheinend niemand gekommen. Aber vielleicht war der Text des Ediktes gar nicht genau bekannt; sein Wortlaut tauchte dann ja erst im Antwortschreiben Dareios' I. an den Satrapen Tatnai auf.

35 Vgl. Jes 2,1–5.

36 Vgl. K. M. Beyse, Serubbabel und die Königserwartungen der Propheten Haggai und Sacharja (1972).

Etwa gleichzeitig mit Haggai, im ganzen aber wohl ein wenig später, ist der Prophet Sacharja ben Iddo (Esra 5,1; 6,14) aufgetreten, ein Mann priesterlicher Herkunft (Neh 12,16), der vielleicht mit Serubbabel aus Babylonien gekommen war. Den Hauptteil seiner prophetischen Hinterlassenschaft bilden acht oder sieben[37] große Visionen, empfangen im Laufe einer Nacht: die sog. Nachtgesichte (Sach 1,7–6,15)[38]. Vom Tempelbau ist in 1,16f. und 4,6aβb–10a die Rede, wobei fraglich bleibt, ob diese Sprüche von Hause aus in den Zusammenhang der Nachtgesichte gehörten oder redaktionell in sie eingefügt wurden. Von großem Interesse ist Sacharjas Beitrag zum Messianismus: er hat den Repatriierungskommissar Serubbabel und den Priester Josua zu messianischen Herrschern ausgerufen, den einen als weltliches, den anderen als geistliches Oberhaupt der Gemeinde (4,1–6aα. 10b–14; 3.1–10[?]; 6,9–15[?]). Diese sonderbare Spaltung der Messiaswürde ist ein Symptom für den Bedeutungszuwachs des Priestertums in nachexilischer Zeit. Mit dem Ende der davidischen Monarchie hatten die Priester – seit der josianischen Reform die des Jerusalemer Tempels – ihren Status als königliche Beamte verloren. Die Spitze der Priesterschaft bildete nicht mehr der König, sondern der Hohepriester. Josua ist anscheinend der erste Träger dieses neuen Amtes gewesen, das dann in hellenistischer Zeit und in der ersten Phase der römischen Herrschaft zu großer Bedeutung aufsteigen sollte.

Als der Neubau des Tempels im Jahre 520 in Angriff genommen wurde, waren seit dem Erlaß des Kyrosediktes immerhin 18 Jahre vergangen. Der Tempelbau erfolgte also nicht mehr auf unmittelbare Veranlassung des persischen Großkönigs, sondern aufgrund der von Haggai und Sacharja geförderten Initiative der Gemeinde, unter tatkräftiger Mitwirkung Serubbabels. Es läßt sich denken, daß das Bauunternehmen Widerstände wachrief. Von solchen ist, wenn auch etwas undeutlich, in Esra 4,1–5 die Rede: es waren „die Feinde Judas und Benjamins" (hebr. *ṣārē Yehūdā ū Binyāmīn* V. 1), das „Volk des Landes" (*ʿamm hāʾāreṣ* V. 4)[39], Leute, welche erklärten, Asarhaddon habe sie angesiedelt (V. 2). Das deutet auf die Oberschicht der Provinzhauptstadt Samaria, die in der Tat ein Interesse daran haben konnte zu verhindern, daß neben dem politischen ein kultisches Zentrum der Provinz entstand. Die Provinz Samaria sollte ein Kreis mit einem Mittelpunkt sein, nicht aber eine Ellipse mit zwei Brennpunkten. Die historische Beurteilung der Dinge wird jedoch dadurch erschwert, daß Esra 4,6 mitteilt, der förmliche Einspruch der Samarier sei erst Jahrzehnte später, zu Anfang der Regierung des Xerxes, erfolgt. Da die Ereignisse bei der Inspektion durch den Satrapen von Transeuphrat, von der sogleich die Rede

---

[37] Bei Ausscheidung von Sach 3 als Zusatz zur Begründung der Institution des nachexilischen Priestertums; vgl. zuletzt H. Gese, Anfang und Ende der Apokalyptik, dargestellt am Sacharjabuch [1973]. Vom Sinai zum Zion (1974) 202–230.

[38] Vgl. L. G. Rignell, Die Nachtgesichte des Sacharja (1950); K. Galling, Die Exilswende in der Sicht des Propheten Sacharja. Studien 109–126.

[39] Vgl. J. P. Weinberg, Der *ʿam hāʾāreṣ* des 6.–4. Jh. v. u. Z. Klio 56 (1974) 325–335.

sein wird, unverständlich bleiben, wenn nicht Widerstand vorausgegangen war, wird man mit zwei Phasen des samarischen Widerstandes gegen Jerusalem rechnen müssen: 520–518 und 486/5 v. Chr. In der ersten Phase boten die Samarier zunächst an, sich am Tempelbau zu beteiligen. Wäre diese Offerte angenommen worden, dann hätte man hinterher den Jerusalemer Tempel als eine Art samarisches Provinzheiligtum ansehen und natürlich auch Mitwirkungsrechte bei seiner Verwaltung und Nutzung beanspruchen können. Doch Serubbabel und seine Umgebung lehnten ab, und zwar unter Berufung auf das Kyrosedikt, das ihnen den Tempelbau aus eigenem und ohne fremde Einmischung gestattete[40]. Da traf es sich gut, daß der Satrap Tatnai (Hystanes) von Transeuphrat, wahrscheinlich der erste Amtsträger dieser von Dareios I. eingerichteten Satrapie, die zu seinem Amtsbereich gehörige Provinz Samaria inspizieren kam. Das müßte zwischen 520 und 515 gewesen sein, am ehesten 518 oder 517, da die administrative Neugliederung des Reiches durch Dareios I. etwa 518 begonnen hatte[41]. Es steht zwar nirgendwo geschrieben, ist aber naheliegend, daß die Samarier die Gelegenheit beim Schopfe ergriffen, die Jerusalemer beim Satrapen zu denunzieren. Tatnai reiste tatsächlich nach Jerusalem, um die Angelegenheit zu untersuchen (Esra 5,3–6,12); es war ja nicht auszuschließen, daß in dieser Provinzstadt staatsfeindliche Umtriebe erstickt werden mußten. In Jerusalem hatte man anscheinend eine Abschrift des Kyrosediktes nicht zur Verfügung. Auf Treu und Glauben mochte und konnte der Satrap die Beteuerungen der Jerusalemer natürlich nicht annehmen; er war schließlich einer der höchsten Verwaltungsbeamten des Reiches und haftete dem Großkönig mit seinem Kopf. Niemand konnte es ihm verargen, wenn er nach dem Grundsatz verfuhr: *quod non est in actis, non est in mundo*[42]! Deshalb leitete er einen Schriftwechsel mit dem großköniglichen Hofe ein, und Dareios ließ in den Archiven der Schatzverwaltung zu Ekbatana nachforschen. Dabei kam die aramäische Fassung des Kyrosediktes zutage, und Dareios beeilte sich, sie ausdrücklich zu bestätigen und zu erneuern. Er trat in die Funktion des königlichen Bauherrn ein und entzog das Unternehmen der Kontrolle der Satrapieverwaltung (Esra 6,6–12). Damit war auch der Oberschicht von Samaria der Wind aus den Segeln genommen. Hier liegt wohl der Grund dafür, daß die zweite Phase des Widerstandes erst nach dem Tode Dareios' I. (486) begann (Esra 4,6), gewiß auch unter verändertem Vorzeichen: wahrscheinlich angesichts erster Verdachtsmomente auf eine mögliche Separation Judas von der Provinz Samaria[43].

---

[40] Esra 4,1–5; die Notiz von der Bestechung der Räte (V. 5) ist dunkel und historisch nicht einzuordnen.

[41] S. o. S. 397 f.

[42] Was nicht in den Akten ist, das gibt es überhaupt nicht.

[43] Nichts spricht für die Vermutung J. Morgensterns, es sei zu einem Aufstand gekommen, den Xerxes bei Gelegenheit seines Ägyptenzuges niedergeschlagen habe, wobei er den zweiten Tempel zerstörte; vgl. J. Morgenstern, Jerusalem – 485 B. C. HUCA 27 (1956) 101–

Im Jahre 515 v. Chr. war der Bau des zweiten Tempels vollendet; das Gebäude wurde feierlich eingeweiht (Esra 6,15–18). Sonderbarerweise ist weder in diesem Zusammenhang noch später von Serubbabel die Rede[44]; seine Spuren verlieren sich im Dunkel. Dieses lautlose Verschwinden hat Anlaß zur Erfindung von Romanen gegeben. Man erwog, Serubbabel habe sich womöglich zu weit auf die Messiasproklamation der Propheten Haggai und Sacharja eingelassen und sei der persischen Zentralregierung suspekt geworden; die Perser hätten ihn wegen politischer Umtriebe aus dem Verkehr gezogen. Aber dergleichen Erwägungen sind spekulativ. Wir werden einfach zugeben müssen, daß wir über den weiteren Lebensweg und den Lebensausgang Serubbabels nichts wissen. Und in solchem Falle ist es am besten, die Normalität anzunehmen: Serubbabel hatte seine Aufgaben als persischer Regierungsbevollmächtigter erfüllt und trat nun von der politischen Bühne ab. Vielleicht kehrte er nach Babylonien zurück – und dabei könnte natürlich die persische Zentralregierung nachgeholfen haben, indem sie den in aller Welt und zu allen Zeiten gültigen Grundsatz anwandte: „Der Mohr hat seine Arbeit getan, der Mohr kann gehen."

KAPITEL 3

Die Vollendung der Restauration in Jerusalem und Juda

Die Jahrzehnte zwischen der Einweihung des zweiten Tempels (515) und der Vollendung der Restauration in Jerusalem und Juda (nach 450) können mit demselben Rechte „dunkel" genannt werden wie das „dunkle Jahrhundert" vor dem Auftreten Alexanders des Großen[1]. Es gibt so gut wie keine unmittelbaren literarischen Quellen[2] für diesen Zeitraum[3]. Auch mit den mittelbaren ist es schlecht bestellt. In Betracht kommt eine anonyme, unter dem Namen Maleachi – „mein Bote" aus Mal 3,1 – überlieferte Prophetenschrift, die oben bereits genannt wurde[4]; die Wirksamkeit dieses Propheten fällt wahrscheinlich in die Zeit vor 450 v. Chr. Darüber hinaus ist damit zu rechnen, daß die einen oder anderen Stücke sonstiger nachexilischer Prophetie in diesen Zeitabschnitt fallen – nur daß sie sich eben in der Regel auch nicht annähernd genau datieren lassen. Der Ver-

179; 28 (1957) 15–47; 31 (1960) 1–29. Das sind Spekulationen. Es gibt auch keinerlei Hinweis auf einen nochmaligen Neubau des Tempels.

[44] Freilich auch nicht vom Hohenpriester Josua!

[1] S. u. S. 433–439.

[2] S. Teil 1, S. 19.

[3] Zu Esra 4,6–23 s. u. S. 422 f.

[4] S. o. S. 406.

dacht liegt nahe bei einigen – nicht allen – Passagen der sog. tritojesajanischen Sammlung (Jes 56–66), vor allem bei Jes 60–62. Aber sicher ist das alles nicht. Unter solchen Umständen steht der Historiker vor der undankbaren und eigentlich ja auch unlösbaren Aufgabe, sich wenigstens in den Umrissen vorstellen zu sollen, wie sich die Verhältnisse in Jerusalem und Juda nach 515 v. Chr. gestalteten. Da ist nun immerhin soviel deutlich, daß man mit der Wiederherstellung des Tempelkultes in Jerusalem noch keineswegs über den Berg war. Das soziale, wirtschaftliche, politische und in weitestem Sinne geistige Leben bedurfte dringend praktikabler Ordnungen und Grundsätze. Es spricht viel dafür, daß das Deuteronomium nach wie vor „in Geltung" stand, nicht so sehr weil König Josia es ein Jahrhundert früher verkündet und zur Grundlage einer Bundeserneuerung gemacht hatte, sondern weil es als heilige Schrift betrachtet wurde und als solche von Anfang an gegolten hatte[5]. Daß das Deuteronomium nicht sozusagen „unter den Tisch" gefallen war, zeigen die Existenz des dtr Geschichtswerkes und die Tatsache, daß es niemandem in den Sinn kam, die Kultuszentralisation rückgängig zu machen und womöglich hier und dort im Lande wieder Jahweheiligtümer einzurichten. Aber freilich, was heißt „in Geltung"? Gab es nach Serubbabels Ausscheiden überhaupt eine Instanz, die sich der Sache hätte annehmen und gegebene Ordnungen in die Wirklichkeit umsetzen können? Der Hohepriester am zweiten Tempel? Möglicherweise, aber seine Rolle scheint in den ersten nachexilischen Jahrhunderten auf den Tempel beschränkt geblieben zu sein. Jedenfalls herrschten in Jerusalem und Juda unerfreuliche Zustände, von denen man aus dem Buche Maleachi einige Einzelheiten erfährt: die Priester walteten nicht ordnungsgemäß ihres Amtes (1,6–14; 2,1–9), den Laien war Leichtfertigkeit in Religion und Leben vorzuwerfen (2,17; 3,6–10; 3,13–19), Ehebruch und Ehescheidung häuften sich (2,14–16; 3,5), die Praxis der Mischehen mit ausländischen Frauen gewann an Boden (2,11 [?]; Neh 13,23–27) und dergleichen mehr. Mit einem Wort: die Restauration hatte gerade erst begonnen und war noch keineswegs abgeschlossen. Vollendet wurde sie von den Nachkommen derer, die einst Verbannte im babylonischen Exil gewesen waren.

Die Gesamtlage im persischen Großreich um 450 v. Chr. begünstigte Restaurationsbestrebungen. Denn abgesehen von den Grundsätzen der persischen Innenpolitik, in deren Konsequenz geordnete Verhältnisse in möglichst allen Teilen des Reiches lagen[6], gab es unmittelbar wirksame politische Notwendigkeiten, die Ruhe und Ordnung auf der syropalästinischen Landbrücke dringend wünschenswert erscheinen ließen. Im Jahre 460 hatte der ägyptische Aufstand des Inaros gegen Artaxerxes I. begonnen, den der General Megabyzos erst sechs Jahre später (454) niederschlagen konnte. Megabyzos wurde danach zum Satrapen von Transeuphrat ernannt, und in dieser Funktion versuchte er selber 448 eine Revolte gegen

---

[5] S. o. S. 354 f.

[6] S. o. S. 393.

die persische Zentralgewalt. Zwar war die Hand des Longimanus lang genug, um dergleichen Schwierigkeiten relativ rasch in den Griff zu bekommen. Aber natürlich gewannen die Landbrücke und sonderlich ihr palästinischer Südteil unter diesen Umständen an Gewicht: als Durchgangszone zwischen Mesopotamien und Ägypten und als Hinterland der Satrapie Transeuphrat. Diese zeitweiligen Beunruhigungen der inneren Stabilität des persischen Großreiches bilden den politischen Hintergrund, auf dem die Entsendung jener beiden Männer gesehen werden muß, die die Restauration in Jerusalem und Juda vollendeten: Esra und Nehemia.

Oder Nehemia und Esra? Das eben ist die Frage. Das zeitliche Verhältnis der beiden zueinander ist ebenso problematisch wie die Chronologie dieser Epoche überhaupt. Die Ursachen liegen in der ungünstigen Quellenlage[7] und in der Anordnung und Aufbereitung des Quellenmaterials durch den Chronisten[8]. Zunächst besteht kein Anlaß, die chronologischen Angaben der Denkschrift Nehemias zu bezweifeln. Nach Neh 1,1 und 2,1 kam Nehemia im 20. Jahre des Artaxerxes nach Jerusalem; nach Neh 5,14 und 13,6 hielt er sich dort zwölf Jahre lang auf. Welcher Artaxerxes gemeint ist, ergibt sich aus einer der Urkunden von Elephantine[9] aus dem Jahre 408 v. Chr., in der die „Söhne des Sanballat, Gouverneurs von Samaria" *(Sn'blṭ pḥt Šmryn)* genannt werden. Dieser Sanballat (= akkad. *Sînuballiṭ*) ist doch wohl identisch mit dem samarischen Gouverneur gleichen Namens, der in der Denkschrift Nehemias mehrfach und stets sehr unfreundlich als Gegner Nehemias genannt wird[10]. Also fällt Nehemias Mission in die Regierungszeit Artaxerxes' I. Longimanus (465/4–425), genauer in die Jahre 445/4–433/2 v. Chr. Nehemia kehrte dann an den persischen Hof zurück, kam jedoch „nach einiger Zeit" (Neh 13,6) ein zweites Mal nach Jerusalem – niemand weiß, wann und für wie lange, jedenfalls aber vor Artaxerxes' I. Tode (425). Sehr viel schwieriger liegen die Dinge im Falle Esras. Das reichsaramäische Dokument seiner Beauftragung

---

[7] S. o. S. 416.

[8] Literatur mit kontroversen Standpunkten: A. van Hoonacker, Néhémie et Esdras. Une nouvelle hypothèse sur la chronologie de l'époque de la restauration. Le Muséon 9 (1890) 151–184. 317–351. 389–401; H. M. Wiener, The Relative Dates of Ezra and Nehemiah. JPOS 7 (1927) 145–158; H. H. Rowley, The Chronological Order of Ezra and Nehemiah [1948]. The Servant of the Lord (1965) 135–168; J. Bright, The Date of Ezra's Mission to Jerusalem. Y. Kaufmann Jubilee Volume (1960) 70–87; F. Mazzacasa, Esdras, Nehemias y el Año Sabático. Revista Biblica 23 (1961) 1–8; J. Morgenstern, The Dates of Ezra and Nehemiah. Journal of Semitic Studies 7 (1962) 1–11; M. W. Leeseberg, Ezra and Nehemiah: A Review of the Return and Reform. Concordia Theol. Monthly 33 (1962) 79–90; G. da Deliceto, Epoca della partenza di Hanani per Gerusalemme e anno della Petizione di Neemia ad Artaserse. Neem. 1,1 e 2,1. Laurentianum 4 (1963) 431–468; K. Galling, Bagoas und Esra. Studien 149–184, bes. 158–161; J. A. Emerton, Did Ezra Go to Jerusalem in 428 B. C.? JThSt.NS 17 (1966) 1–19; U. Kellermann, Erwägungen zum Problem der Esradatierung. ZAW 80 (1968) 55–87; R. Zadok, Remarks on Ezra and Nehemiah. ZAW 94 (1982) 296–298; E. Cortese, I problemi di Esdra – Neemia (e Cronache) oggi. BeO 25 (1983) 11–19.

[9] Cowley Nr. 30, Z. 29.

[10] Neh 2,10. 19; 3,33; 4,1; 6,1 f. 5. 12. 14; 13,28.

(Esra 7,12–26) ist nicht datiert, nennt aber ebenfalls „Artaxerxes, den König der Könige“ (V. 12). Daß es sich dabei auch um Artaxerxes I. handelt, ist die Meinung des Chronisten, der Esra vor Nehemia in Jerusalem ankommen und dort tätig sein läßt. Beide haben – nach der Anordnung und Bearbeitung des Materials durch den Chronisten – schließlich noch eine Weile nebeneinander gewirkt. Dem scheint die Angabe in Esra 7,7–9 zu entsprechen: Esra kam im 7. Jahre des Artaxerxes nach Jerusalem. War das tatsächlich Artaxerxes I., dann traf er 458 v. Chr. dort ein. Gegen diese Chronologie erheben sich jedoch Bedenken. Nehemia ist es gewesen, der die Umfassungsmauer Jerusalems gebaut hat[11]. Nach Esra 9,9 aber scheint Esra eine „Umwallung“ *(gāḏẹr)* in Juda und Jerusalem vorgefunden zu haben – oder ist das, vor allem wegen der Nennung Judas, metaphorische Redeweise für Jahwes Schutz und Schirm? Ferner fällt auf, daß Esra und Nehemia im ursprünglichen Text der gleichnamigen Bücher niemals zusammen genannt werden; die wenigen Ausnahmen gehen auf das Konto des Chronisten oder nachchronistischer Bearbeiter[12]. Des weiteren kann man geltend machen, daß Nehemia bei seinen bevölkerungspolitischen Maßnahmen (Neh 7,4–73) anscheinend keinerlei Rücksicht auf die zusammen mit Esra Heimgekehrten (Esra 8,1–14) genommen hat. Das alles spricht dafür, die Tätigkeit Esras nach der Nehemias anzusetzen. Und diese Reihenfolge fügt sich auch am besten in das allgemeine Bild der Lage. Die Mission Nehemias war, unter dem Gesichtswinkel der persischen Politik und nicht unter dem des Chronisten betrachtet, gewiß wichtiger als die des Esra. Als Nehemia 445/4 v. Chr. in Jerusalem eintraf, fand er dort anarchische Verhältnisse vor, die unverständlich sind, wenn Esra schon vorher „das Gesetz des Himmelsgottes“ (Esra 7,12) in Kraft gesetzt hatte, dessen Funktion doch gerade in einer durchgreifenden Neuordnung der Verhältnisse bestehen sollte. Der Chronist entgeht dieser Schwierigkeit dadurch, daß er Esra mit der Verkündigung des Gesetzes 13–14 Jahre bis zum Auftreten Nehemias warten läßt (Neh 8/9) – so als habe Esra untätig in Jerusalem herumgesessen, das Gesetz des Himmelsgottes unter dem Arm. Das ist ganz unglaubhaft. Wenn aber Esra dem Nehemia nachfolgte, dann gibt es zwei Möglichkeiten: entweder fiel seine Tätigkeit in die letzten Jahre Artaxerxes' I. vor 425 – das Ende des zweiten Aufenthaltes Nehemias in Jerusalem kennen wir nicht – oder in die Regierungszeit Artaxerxes' II. Mnemon (404–359/8). Im zweiten Falle könnte Esra 7,7–9 ernstgenommen werden: das 7. Jahr Artaxerxes' II. ist 398/7. Im ersten Falle hat die Chronologie von Esra 7,7–9 als wertlos auszuscheiden. Das ist alles, was sich sagen und verantworten läßt. Eine wirklich sichere Chronologie der Folge Nehemia – Esra gibt es nicht. Auch der interessante Versuch, auf dem Wege über die Zeitgenossenschaft der beiden mit den

---

[11] S. u. S. 423–425.

[12] In Neh 8/9 ist Nehemia sicher sekundär. In Neh 12,26 dürfte einer der beiden zu streichen sein, und im griechischen 1. Esdras 9,49 ist Nehemia hinzugefügt.

amtierenden Hohenpriestern (Neh 3,1; Esra 10,6) weiterzukommen, führt leider zu nichts, da wir die Genealogie und Amtsnachfolge der Jerusalemer Hohenpriester nicht genau genug kennen[13]. Es bleibt dabei: der Chronist hat aus naheliegenden theologischen Gründen Esra vor Nehemia auftreten lassen, aber die umgekehrte Reihenfolge ist historisch nach aller Wahrscheinlichkeit vorzuziehen[14].

1. Nehemia

Nehemia ben Chakalja[15] stammte von Exulanten ab, die nicht nach Palästina heimgekehrt, sondern in Babylonien geblieben waren. Man hat erwogen, ob er nicht – wie Serubbabel – Davidide gewesen sein könnte[16]; doch ist das ganz unsicher und jedenfalls nicht zu erweisen. Er hatte Karriere gemacht und es bis zum Mundschenken des persischen Großkönigs (*mašqē lammelek* Neh 1,11) in Susa gebracht. Er war also, so wenig sonst von seiner Vorgeschichte bekannt ist, ein arrivierter Mann mit persönlichen Beziehungen zum Großkönig – zugleich ein Beispiel dafür, wie weit es exilierte Judäer bringen konnten. Von seinem Bruder Hanani und einigen Judäern, die nach Susa gekommen waren, erfuhr er Näheres über die trostlosen Zustände in der alten Heimat (Neh 1,2f.): die Stadtmauer von Jerusalem lag, fast anderthalb Jahrhunderte nach der Katastrophe von 587/6 v.Chr., noch immer in Trümmern, und Stadttore gab es nicht mehr. Das rührte Nehemias Herz und sprach wohl auch seinen Sinn für Realitäten und für das Machbare an. Er benutzte sein Amt und erwirkte von Artaxerxes I. die offzielle großkönigliche Beauftragung als persischer Wiederaufbaukommissar (Neh 2,1–8). Vermutlich wies er darauf hin, daß ein mauerloses, zerstörtes Jerusalem sowohl optisch ein Schandfleck wie auch militärisch eine Gefahr für den Bestand der persischen Herrschaft auf der syropalästinischen Landbrücke war. Wohlversehen reiste er nach Jerusalem ab: mit einem Empfehlungsschreiben an die Provinzgouverneure der Satrapie Transeuphrat (*paḥᵃwōt ʿẹber hannāhār* Neh 2,7. 9) – nicht an den Satrapen selbst! – und mit einer Anweisung an einen königlichen Domänenverwalter wegen Holzlieferungen. Außerdem hatte Artaxerxes I. für militärisches Geleit Sorge getragen.

---

[13] F. M. Cross, s. o. S. 406, Anm. 4. Zur Kritik vgl. G. Widengren, in: J. H. Hayes – J. M. Miller (ed.), Israelite and Judaean History (1977) 505–509.

[14] Die traditionelle Reihenfolge findet freilich immer wieder ihre Verteidiger, mit Scharfsinn und mit Gründen; vgl. bes. U. Kellermann, ZAW 80 (1968) 55–87. Wir scheitern an der Unzulänglichkeit unseres Quellenmaterials.

[15] Vgl. H. H. Rowley, Nehemiah's Mission and its Background [1954/5]. Men of God, Studies in OT History and Prophecy (1963) 211–245; U. Kellermann, Nehemia. Quellen, Überlieferung und Geschichte. BZAW 102 (1967).

[16] Vgl. W. Th. In der Smitten, Erwägungen zu Nehemias Davidizität. Journal of the Study of Judaism in the Persian, Hellenistic and Roman Period 5 (1974) 41–48.

Als Nehemia 445/4 v. Chr. in Jerusalem eintraf, war er persischer Wiederaufbaukommissar. Es fragt sich freilich, ob es dabei blieb. A. Alt hat die Auffassung vertreten, daß er noch weit mehr von Artaxerxes I. erwirkte: nämlich die Einrichtung von Juda als einer selbständigen Provinz neben Samaria innerhalb der Satrapie Transeuphrat[17]. Das wird zwar nirgendwo ausdrücklich gesagt, hat aber in der Tat eine gewisse Wahrscheinlichkeit für sich. Dabei sollte man nicht von den Titeln ausgehen. Der persische Titel *Tiršātā* z. B. bedeutet „Exzellenz" und wird von Serubbabel (Esra 2,63 = Neh 7,65. 70) und Nehemia (Neh 8,9; 10,2) getragen; er besagt nichts über die Funktion seines Trägers[18]. Auch die Bezeichnung *pēḥā* (< akkad. *bēl pāḫati*) ist vieldeutig: sie meint den Satrapen (Esra 5,3. 6; 6,6. 13; Neh 3,7), den Provinzgouverneur (Esra 8,36; Neh 2,7. 9) oder den Regierungskommissar (Esra 5,14: Scheschbazzar; Hag 1,1. 14; 2,2. 21: Serubbabel). Ebensowenig eindeutig ist der Begriff *m^edīnā* (Esra 2,1 = Neh 7,6; Neh 1,3; 11,3): er kann die Satrapie, die Provinz oder auch nur den Verwaltungsunterbezirk bezeichnen. Wesentlich und schließlich entscheidend sind vielmehr historische Sacherwägungen. Als der Satrap von Transeuphrat 518/7 v. Chr. zur Inspektion nach Jerusalem kam, verhandelte er dort nicht mit einem Gouverneur, nicht mit Serubbabel, sondern mit den „Ältesten der Juden" (Esra 5,3 ff.). Könnte man hier allenfalls noch sagen, der Tempelbau habe als religiöse Angelegenheit gegolten und außerhalb der Zuständigkeit des Gouverneurs gelegen – wobei freilich doch merkwürdig bliebe, daß der Gouverneur als Untergebener des Satrapen nicht auch dessen Gesprächspartner gewesen sein sollte –, so liegen die Dinge in der zweiten Phase des Widerstandes der Samarier gegen Jerusalem (vor 450) ganz eindeutig: der Gouverneur von Samaria und seine Beamten appellierten beschwerdeführend an den Großkönig (Esra 4,8 ff), und der Befehl, den Mauerbau in Jerusalem zu verhindern, erging nicht an den Gouverneur einer Provinz Juda, sondern an die samarischen Beschwerdeführer (Esra 4,17–26). Auch bei der Beauftragung Nehemias, der in politischer Mission nach Jerusalem kam, ist zwar von Empfehlungsschreiben an die „Gouverneure von Transeuphrat" (Neh 2,7. 9) die Rede – im Zusammenhang der Reise Nehemias! –, nicht aber von einer Empfehlung an den Gouverneur von Juda, der in erster Linie zuständig gewesen sein müßte, wenn es ihn gegeben hätte. Aus alledem ist der Schluß zu ziehen, daß die Perser nach 539 die von Nebukadnezar II. geschaffene Territorialordnung in Juda[19] zunächst nicht veränderten, d. h. Jerusalem und

---

[17] A. Alt, Die Rolle Samarias bei der Entstehung des Judentums [1934]. KS 2,316–337, bes. 331 ff.; vgl. auch E. Stern, Seal-Impressions in the Achaemenid Style in the Province of Judah. BASOR 202 (1971) 6–16; ders., The Province of Yehūd: the Vision and Reality. The Jerusalem Cathedra 1 (1981) 9–21. Kritisch z. B. R. North, Civil Authority in Ezra. Studi in onore E. Volterra 6 (1969) 377–404; M. Smith, Palestinian Parties and Politics That Shaped the OT (1971) 193–201.

[18] Vgl. W. Th. In der Smitten, Der Tirschātā' in Esra-Nehemia. VT 21 (1971) 618–620.

[19] S. o. S. 374 f. 379 f.

Juda als Südannex der Autorität des Gouverneurs von Samaria unterstellten. Das scheint nun unter Nehemia anders geworden zu sein, vermutlich nicht sogleich zu Beginn seiner Tätigkeit, sondern im Verlaufe derselben. Dafür sprechen folgende Argumente:

1. Die Konflikte zwischen Samaria und Jerusalem, die ihre Ursache hauptsächlich in der alten Territorialordnung hatten, wurden zu Anfang der Tätigkeit Nehemias noch einmal virulent[20] und hörten danach auf.

2. Nehemia bezeichnet sich selbst zum ersten Male als „Gouverneur im Lande Juda" (*pēḥā bᵉʾereṣ Yᵉhūdā* Neh 5,14f.; 12,26)[21]; ihm stand als solchem ein Gehalt zu (*leḥem happēḥā* Neh 5,18), das er allerdings nicht in Anspruch nahm[22].

3. Die Maßnahmen Nehemias in Jerusalem und Juda[23] gingen weit über die Vollmachten eines Wiedergutmachungskommissars hinaus.

4. Um 408 v.Chr. ist das Amt eines „Gouverneurs von Juda" (*pḥt Yhwd*) eindeutig in den Texten von Elephantine bezeugt[24].

5. Etwa zur Zeit Nehemias beginnen Krughenkelaufschriften und Siegelabdrücke, etwas später auch Münzen, mit dem Namen *Yᵉhūd* als offizieller Bezeichnung der persischen Provinz[25].

Nimmt man das alles zusammen, dann ist folgende Konsequenz naheliegend: zu einem nicht näher bestimmbaren Zeitpunkt während des ersten oder zweiten Aufenthaltes Nehemias in Jerusalem haben die Perser Juda von der Provinz Samaria gelöst und als selbständige Provinz konstituiert. Nehemia war ihr erster Gouverneur.

Zunächst aber war es noch nicht soweit. Nehemia war kaum in Jerusalem eingetroffen, als er auch schon Ärger bekam. Er geriet in Konflikt mit Sanballat, dem Provinzialgouverneur von Samaria, und mit dem „ammonitischen Sklaven Tobia", d.h. dem Gouverneur der ostjordanischen Nachbarprovinz (Neh 2,10)[26]. Das hatte seine Gründe. Der Jerusalemer Mauerbau hatte nämlich eine Vorgeschichte gehabt. Schon zu Anfang der Regierung des Xerxes, also um 485 v.Chr., hatten die Samarier beim Großkönig gegen Jerusalem geklagt (Esra 4,6); anscheinend war damals keine Reaktion erfolgt. In der Zeit Artaxerxes' I. wiederholte sich die Klage. Beamte der Provinzialverwaltung zu Samaria beobachteten argwöhnisch die Bestrebungen zum Wiederaufbau der Jerusalemer Stadt-

---

[20] S.u. S.423.

[21] Die Form *pēḥām* in Neh 5,14 gibt es nicht; l. *pēḥā*.

[22] Neh 5,15 macht freilich Schwierigkeiten: Nehemia spricht dort von den „ersten *paḥōt*, die vor mir waren", aber er kann damit natürlich auch persische Staatskommissare meinen oder allenfalls die Gouverneure von Samaria als Chefs der Verwaltung des Unterbezirks Juda.

[23] S.u. S.425f.

[24] Cowley Nr.30, Z.1; 31, Z.1.

[25] Vgl. B.Kanael, Ancient Jewish Coins and their Historical Importance. BA 26 (1963) 38–62; L.Y.Rahmani, Silver Coins of the 4th Century BC from Tel Gamma. IEJ 21 (1971) 158–160; N.Avigad, Bullae and Seals from a Post-Exilic Judean Archive. Qedem 4 (1976).

[26] Vgl. B.Mazar, The Tobiads. IEJ 7 (1957) 137–156. 229–238.

mauer. Sie berichteten dem Großkönig darüber auf dem Dienstwege über die Kanzlei des Satrapen von Transeuphrat. Der Bericht liegt in reichsaramäischer Sprache in Esra 4,8–16 vor[27]; er ist unter die aramäischen Dokumente geraten, die den Bau des zweiten Tempels betreffen[28]. Die Beamten glaubten warnen zu müssen: Jerusalem sei schon immer eine aufrührerische Stadt gewesen und werde jetzt womöglich zu einer Gefahr für die Satrapie Transeuphrat und damit für das Reichsganze werden. Wir würden das eine ziemliche Übertreibung nennen; aber natürlich stand hinter dieser Denunziation die alte Rivalität zwischen Samaria und Jerusalem. Artaxerxes I. ließ sich tatsächlich bewegen, die Fortsetzung der Bauarbeiten durch Reskript zu verbieten (Esra 4,17–26). Susa lag weit von Jerusalem und Samaria entfernt; man konnte dort nur schwer beurteilen, wie die Dinge wirklich lagen. Mit der Entsendung Nehemias als Wiederaufbaukommissar war das großkönigliche Reskript dann allerdings überholt. Ob es förmlich außer Kraft gesetzt wurde, wissen wir nicht.

Auf diesem Hintergrunde wird nun deutlich und verständlich, daß Nehemia vorsichtig zu Werke gehen mußte, um das Unternehmen möglichst störungsfrei zu machen. Nach drei Tagen unternahm er zunächst einmal seinen berühmten nächtlichen Erkundungsritt, in aller Heimlichkeit und von nur wenigen Getreuen begleitet (Neh 2,11–15)[29]. Dann überredete er die Vorsteher *(s^eg̱ānīm)* der Jerusalemer Gemeinde zum Mauerbau, teilte die Mauer in Abschnitte ein und ließ die Arbeit an allen Stellen zugleich beginnen[30]. Die nötigen Arbeitskräfte rekrutierte er in Jerusalem und in den Ortschaften von Juda (Neh 3,1–32). Es lag ihm ganz offensichtlich daran, die Arbeit so rasch wie möglich abzuschließen. Dennoch konnte er Reaktionen von seiten der Gegner nicht ganz vermeiden. Die hatten natürlich von der Sache erfahren, beschränkten sich aber fürs erste darauf, das Bauunternehmen und damit auch Nehemia selbst zu verhöhnen (Neh 2,19f.; 3,33–38). Der Ammoniter Tobia ließ es sich nicht nehmen, nach Samaria zu eilen und in der Beratung mit Sanballat zu sagen: „Mögen sie nur ruhig bauen – wenn ein Fuchs hinaufspringt, legt er eine Bresche in ihre Steinmauer“ (Neh 3,35). Aber es blieb nicht bei solchem Geplänkel. Sanballat und Tobia brachten eine antijerusalemische Koalition der Grenznachbarn Judas zustande (Neh 4,1–9): Samaria im Norden, Ammon im Osten, die Araber – deren Häuptling Geschem anderwärts (Neh 2,19;

---

[27] Federführend waren zwei hohe Beamte: Rechum, der *b^eʿẹl-ṭ^eʿẹm* (< akkad *bēl ṭēmi*) „Herr des Befehls“ o.ä., wahrscheinlich eine Art vortragender Rat; Schimschai, *sāf^erā* „der Schreiber“, der oberste Sekretär der Satrapie.

[28] S.o. S.408.

[29] Vgl. A.Alt, Das Taltor von Jerusalem [1928]. KS 3,326–347; J.Simons, Jerusalem in the OT (1952) 437–458.

[30] Zur nehemianischen Mauer vgl. M.Avi-Yonah, The Walls of Nehemiah – A Minimalist View. IEJ 4 (1954) 239–248; R.Grafman, Nehemiah's „Broad Wall“. IEJ 24 (1974) 50f.; E.-M.Laperrousaz, Quelques remarques sur le rempart de Jérusalem à l'époque de Néhémie. Folia Orientalia 21 (1980) 179–185.

6,1 ff.) namentlich genannt wird[31] – im Süden auf dem Territorium des späteren Idumäa und die Asdoditer, d.h. die Philister, im Westen[32]. Man plante einen Überfall, der bedenkliche Folgen hätte haben können, wenn Nehemia nichts davon erfahren hätte. Er erfuhr aber davon und konnte Abwehrmaßnahmen einleiten – und da der Angriff auf Überraschung berechnet gewesen war, verzichteten die Gegner darauf. Nehemia zog daraus die Konsequenzen und organisierte einen Wach- und Bereitschaftsdienst, um dergleichen für die Zukunft unmöglich zu machen (Neh 4,10–17). Die Gegner beschränkten sich hinfort auf Drohungen und Einschüchterungsversuche (Neh 6,1–14). So konnte das Werk in der erstaunlich kurzen Frist von 52 Tagen vollendet werden (Neh 6,15). Nehemia setzte zwei Militärkommandanten ein, seinen Bruder Hanani und den Festungsbefehlshaber *(śar habbīrā)* Hananja[33], und erließ Anordnungen für das Öffnen und Schließen der Stadttore (Neh 7,1–3). Sodann verordnete er einen sog. *Synoikismos*, um die Einwohnerschaft von Jerusalem aufzufüllen: Freiwillige wurden angeworben, ferner ein Zehntel der Bewohner der Ortschaften im Lande Juda durch das Los ermittelt und nach Jerusalem umgesiedelt (Neh 7,4 f.; 11,1 f.). Damit überschritt Nehemia die Kompetenzen eines Wiederaufbaukommissars; man kann fragen, ob er zu diesem Zeitpunkt bereits zum Statthalter der von Samaria unabhängigen Provinz Juda ernannt worden war. Schließlich erfolgte die feierliche Einweihung der neuen Stadtmauer (Neh 12,27–47).

Man darf sich von der Größe und Ausdehnung der nehemianischen Stadtmauer keine übertriebenen Vorstellungen machen. Nicht einmal davon kann man ausgehen, daß sie überall dem Laufe der von Nebukadnezar II. 587/6 v.Chr. zerstörten eisenzeitlichen Mauer folgte. Denn diese verlief auf der Ostseite des Südosthügels ziemlich tief unten am Hang, meist nicht mehr als etwa 20 m oberhalb der heutigen Sohle des Kidrontales. Dort unten sind bislang weder Mauerreste noch Scherben des 5.Jahrhunderts v.Chr. gefunden worden. Eindeutige Reste der Mauer Nehemias hat noch niemand archäologisch nachweisen können. Immerhin sind auf der Ostseite der Hügelkrone, wenig unterhalb der späteren hellenistischen Mauerbefestigungen, die man früher für jebusitisch und davidisch hielt, Keramikscherben des 5.Jahrhunderts zutage getreten. Das legt den Schluß nahe, daß Nehemias Mauer oben am Rande der Hügelkrone verlief und der ehemals terrassierte Abhang unbesiedelt blieb. In Verbindung mit älteren Grabungsergebnissen kann der Mauerverlauf in großen Zügen ungefähr rekonstruiert werden. Die Mauer um-

---

[31] Er ist als Scheich einer Untergruppe der Stämmeföderation Qedar aus altnordarabischen Inschriften bekannt: *Gušam b. Šahr*, im Süden Palästinas und im nördlichen *Ḥeǧāz*. Vgl. I. Rabinowitz, Aramaic Inscriptions of the 5th Century BCE from a North-Arab Shrine in Egypt. JNES 15 (1956) 1–9; W.J. Dumbrell, The Tell el-Maskhuṭa Bowls and the „Kingdom" of Qedar in the Persian Period. BASOR 203 (1971) 33–44. Zur Geschichte der Qedar in persischer und hellenistischer Zeit vgl. insgesamt E.A. Knauf, Untersuchungen zur Geschichte der Ismaeliter (Diss. Kiel 1981) 55–57.

[32] Vgl. A. Alt, Judas Nachbarn zur Zeit Nehemias [1931]. KS 2, 338–345.

[33] Vgl. W.Th. In der Smitten, Nehemias Parteigänger. BiOr 29 (1972) 155–157.

schloß ein wesentlich kleineres Areal als die der 2. Eisenzeit. Ob und inwieweit Stadtgebiete nordwestlich des Südosthügels einbezogen waren, bleibt unsicher[34].

Nach der Vollendung des Mauerbaus widmete sich Nehemia der Stabilisierung der inneren Ordnung in Jerusalem und Juda. Er fand Juda in Bezirke (hebr. *pelek* < akkad. *pilku*) eingeteilt vor, von denen einige – sicher nicht alle – in der Liste der am Mauerbau Beteiligten genannt sind (Neh 3,1–32): Jerusalem (V. 9. 12), Beth-Hakkerem (*ʿĒn Kārim* V. 14), Mizpa (*Tell en-Naṣbe* V. 15. 19), Bethsur (*Ḫirbet eṭ-Ṭubēqa* V. 16), Kegila (*Ḫirbet Qīla* V. 17 f.). Nimmt man das zusammen mit den in derselben Liste genannten einzelnen Ortschaften, dann ergibt sich, daß das Territorium von Juda die Ausdehnung hatte, die ihm anscheinend bereits Nebukadnezar II. im Jahre 598/7 v. Chr. gegeben hatte[35]. Die alte Kalibbiterstadt Hebron *(el-Ḫalīl)* gehörte nicht dazu, wohl aber Jericho (*Tell es-Sulṭān* bei *Erīḥā*) (Neh 3,2. 22) – was auffällt, denn Jericho hatte vor 722 v. Chr. zum Gebiet des Nordstaates Israel gehört. Sollte hier ein Restbestand der josianischen Expansion[36] vorliegen, den rückgängig zu machen man unterlassen oder einfach vergessen hatte[37]?

In diesem Gebiet verordnete Nehemia, nach Beratung in einer Volksversammlung, einen allgemeinen Schuldenerlaß und die Rückgabe verpfändeten oder verkauften Grundbesitzes (Neh 5,1–13). Das waren sicherlich keine sehr populären Maßnahmen. Ihr Sinn dürfte darin bestanden haben, die krassen sozialen Gegensätze zu beseitigen oder doch zu mildern, die sich allerorts ergeben hatten – gewiß nicht zuletzt durch die Ansprüche der heimgekehrten Exulanten und ihrer Nachkommen auf den Grundbesitz ihrer Väter[38]. Nehemia selbst ging mit gutem Beispiel voran: nicht nur hatte oder erwarb er selbst keinerlei Grundbesitz in Juda, er verzichtete auch auf Besoldung und begnügte sich mit Naturalabgaben, soweit sie nötig waren, ihn am Leben zu erhalten (Neh 5,14–19).

Weitere Maßnahmen, von denen einige in den zweiten Aufenthalt Nehemias in Jerusalem gehören[39], werden in Neh 13 berichtet:

---

[34] Einzelheiten bei K. M. Kenyon, Jerusalem. Die heilige Stadt von David bis zu den Kreuzzügen (1968) 137–144; E. Otto, Jerusalem – die Geschichte der Heiligen Stadt. Urban-Taschenbücher 308 (1980) 100–109.

[35] S. o. S. 374 f.

[36] S. o. S. 348.

[37] Die Ortsliste der Provinz *(mᵉdīnā)* Juda in Neh 11,25–35 scheint ein späteres Stadium der Territorialgeschichte Judas widerzuspiegeln. Zu Einzelheiten vgl. M. Avi-Yonah, The Holy Land from the Persian to the Arab Conquest (1966) 11–22.

[38] Vgl. J. P. Weinberg, Demographische Notizen zur Geschichte der nachexilischen Gemeinde in Juda. Klio 54 (1972) 45–58; ders., Die Agrarverhältnisse in der Bürger-Tempel-Gemeinde der Achämenidenzeit. Acta Antiqua Academiae Scientiarum Hungaricae 22 (1974) 473–486; W. Schottroff, Zur Sozialgeschichte Israels in der Perserzeit. Verkündigung und Forschung 27,1 (1982) 46–68.

[39] Neh 13,6 f. Es ist fraglich, ob man überhaupt von zwei „Aufenthalten" reden soll. Der Text läßt sich auch so interpretieren, daß Nehemia zur Berichterstattung beim Großkönig zitiert wurde und nach Erledigung dieser Pflicht wieder nach Jerusalem zurückkehrte. Stand die Reise im Zusammenhang mit seiner Investitur als Gouverneur der Provinz Juda?

1. Der Hohepriester Eljaschib hatte dem Statthalter der Ammonitis, Tobia, das Nutzungsrecht an einem „Gemach“ *(liškā)* auf dem Jerusalemer Tempelplatz eingeräumt. Ob die Tatsache seiner Verwandtschaft mit Tobia der einzige Grund dafür war oder ob sich dahinter eine Politik der Öffnung nach außen verbarg, wissen wir nicht. Nehemia jedenfalls hob dieses Nutzungsrecht rigoros auf; er setzte Tobia sozusagen auf die Straße (Neh 13,4–9). Schließlich war Tobia einer seiner alten Gegner. Allerdings wäre möglich, daß das nicht das einzige Motiv Nehemias gewesen ist; ihm war vielleicht auch an der Abschließung, der Exklusivität der Gemeinde nach außen gelegen. Dafür könnte ferner Neh 13,28–31 sprechen.

2. Auf derselben Linie lag Nehemias Vorgehen gegen das Mischehenwesen (Neh 13,23–27). Mischehen mit ausländischen Frauen – solche aus Asdod, d.h. aus dem Philisterland, aus Ammon und Moab werden genannt – waren üblich und häufig geworden. Nehemia erzwang mit Fluch und Prügeln einen feierlichen Schwur, solche Mischehen in Zukunft zu unterlassen. Davon, daß bestehende Mischehen geschieden worden wären, verlautet nichts[40].

3. Nehemia traf Maßnahmen, um die Versorgung der Leviten sicherzustellen. Die Ablieferung der Abgaben für sie war ziemlich lässig gehandhabt worden. Er bildete ein Aufsichtsgremium aus Gemeindevorstehern (*s^e^gānīm*), Priestern und Leviten (Neh 13,10–14).

4. Nehemia kümmerte sich auch um die strenge Einhaltung der Sabbathruhe in Jerusalem und setzte damit die Auffassung der Exulanten gegen die laxe Praxis in der alten Heimat durch. Er erließ seine sog. Marktordnung: judäische und tyrische Händler, die am Sabbath Waren feilhalten wollten, wurden ausgesperrt und eine Levitenwache an den Stadttoren eingerichtet (Neh 13,15–22).

Man sieht: die Maßnahmen Nehemias, die der Stabilisierung der äußeren und inneren Ordnung galten, erstreckten sich bis auf das Gebiet der Religionsausübung. Das geschah freilich etwas zögernd und war keineswegs zentral. Der Kultusgemeinde selber eine neue Ordnung zu geben, hat Nehemia anscheinend nicht als seine Aufgabe angesehen. Eben dies war der Gegenstand der Mission des Esra.

2. *Esra*

Die Quellenlage zur Mission Esras ist leider sehr viel ungünstiger als im Falle Nehemias. Das einzige authentische Dokument, das wir besitzen, ist die reichsaramäisch abgefaßte Amtsanweisung für Esra in Esra 7,12–26. Alles übrige ist stark chronistisch überarbeitet, was freilich nicht ausschließt, daß der Chronist seiner Darstellung gutes und zuverlässiges Material zugrundegelegt hat. Aber es ist durch seine Theologie hindurchge-

[40] S.u. S.431.

gangen und von seiner Auffassung über Hergang und Bedeutung der Dinge geprägt worden. Der esranische Teil der Überlieferung ist „chronistischer" als der nehemianische, und das hat zur Folge, daß sich über Esra weniger historisch Sicheres ermitteln läßt als über Nehemia. Versucht man, Esras Mission zunächst ganz allgemein zu beschreiben, dann kann man sich auf die Amtsanweisung stützen, die angibt, er habe „das Gesetz des Himmelsgottes" in der Hand gehabt und sei vom Großkönig autorisiert gewesen, dieses Gesetz in Jerusalem und Juda in Kraft zu setzen (Esra 7,12. 14. 21. 23. 25f.). Diese Aufgabe, die Inauguration einer neuen, fundierten, schriftlich festgelegten Ordnung für die Gemeinde, paßt sowohl in die letzten Jahre Artaxerxes' I. Longimanus wie auch in die Zeit Artaxerxes' II. Mnemon, jedenfalls aber in die Epoche nach der Wirksamkeit Nehemias[41].

Esra ben Seraja war ein Priester (Esra 7,12). Er stammte aus einer Jerusalemer zadokidischen Familie[42], die 598/7 oder 587/6 v.Chr. nach Babylonien deportiert worden war. Wiederum sind es die Kreise der babylonischen Exulanten, von denen die Impulse zur Neuordnung der Verhältnisse in der alten Heimat ausgingen. Wir wissen nicht, ob Esra selbst dem Großkönig seine Amtsbeauftragung und Entsendung nahegelegt hat oder ob die Anregung von Diasporakreisen ausging, die womöglich von Jerusalem dazu veranlaßt worden waren. Jedenfalls erhielt Esra einen Sonderauftrag, der ihn berechtigte, den Titel „Schreiber des Gesetzes des Himmelsgottes" (aram. *sāfar dātā dī-'ᵉlāh šᵉmayyā*) zu führen (Esra 7,12. 21). Der Chronist hat diese Amtsbezeichnung seinen Lesern folgendermaßen gedolmetscht: „Schreiber, wohlbewandert in der Thora des Mose, die Jahwe, der Gott Israels, gegeben hat" (hebr. *sōfēr māhīr bᵉtōrat Mōšē 'ᵃšer nātan Yhwh 'ᵉlōhē Yiśra'ēl* Esra 7,6). Er hat ferner auch die Abkürzung „der Schreiber Esra" (hebr. *ʿEzrā hassōfēr*) benutzt (Esra 7,11; Neh 8,1. 4f. 9. 13; 12,26. 36). Das hat zu der unsachgemäßen Vorstellung geführt, Esra sei ein Vorläufer der späteren jüdischen Schriftgelehrten gewesen, ein Mann nach Art der ἱερογραμματεῖς des Neuen Testaments. Es hat auch die Wirkungsgeschichte der Gestalt Esras nachhaltig beeinflußt, ganz besonders die ihm zugeschriebene Rolle beim Zustandekommen des atl Kanons[43]. Das alles ist geistes- und theologiegeschichtlich hochbedeutsam, aber historisch unzutreffend. Das Wort *sāfar* ist eine reichsaramäische Beamtenbezeichung; das Ressort wird durch den abhängigen Genetiv angegeben. Esra war also „Beamter des Gesetzes des Himmelsgottes" oder besser – da wir bei Beam-

---

[41] S.o. S.419.

[42] In Esra 7,1–5 wird seine Genealogie über Zadok gar bis Aaron hinaufgeführt.

[43] Vgl. 4.Esra 14,18–48: die Grundlegung einer Vorstellung, die über das Mittelalter bis in die Zeiten der Reformation, der protestantischen Orthodoxie und der Aufklärung wirksam gewesen ist, später zumeist in der Gestalt, daß Esra als Sammler und Ordner des kanonischen Schrifttums betrachtet wurde; vgl. Elias Levita, Massoreth hammassoreth (1538, deutsche Übersetzung von J.S.Semler 1772) und Spinozas Theologisch-politischen Traktat von 1670.

ten an Inhaber von Lebensstellungen denken, Esra aber nur einen Sonderauftrag hatte – „Staatskommissar für das Gesetz des Himmelsgottes". Seine Mission war auf die Satrapie Transeuphrat beschränkt (Esra 7,25 f.). Die Inauguration des Gesetzes des Himmelsgottes war so gedacht, daß sich ihm alle Juden der Satrapie, sofern sie sich der Jerusalemer Kultusgemeinde zugehörig fühlten, unterwerfen sollten. Esra war autorisiert, Richter (aram. *šāfᵉṭīn wᵉdayyānīn*) einzusetzen, die nach diesem Gesetz Recht zu sprechen und Prozesse zu entscheiden hatten[44].

Leider ist die Frage, um welches Gesetz es sich handelte und woher es stammte, nicht befriedigend zu beantworten. Der Chronist hat gewiß den Pentateuch darunter verstanden, der zu seiner Zeit längst kanonisches Ansehen genoß. Aber das muß ja nicht historisch zutreffend sein. Die Angaben, die die Amtsanweisung Esras über das Gesetz enthält, sind dürftig. Wir erfahren eigentlich nur, daß es sich „in seiner Hand" (Esra 7,14) befand – und können daraus gar nichts schließen: nicht, daß das Gesetz in den Kreisen der babylonischen Diaspora entstanden war oder zusammengestellt wurde, auch nicht, daß Esra es aus Babylonien nach Jerusalem mitbrachte, und nicht einmal, daß es ein neues, bisher nicht bekanntes und gültiges Gesetz war. Das letztere ist sogar eher unwahrscheinlich. Denn Esra 7,25 geht davon aus, daß dieses Gesetz einem Teile der Diasporajuden in der Satrapie Transeuphrat bereits bekannt war. Charakter und Herkunft des esranischen Gesetzes bleiben also ganz im Dunkeln. Nur soviel läßt sich allenfalls sagen, daß das Gesetz mit hoher Wahrscheinlichkeit in den atl Kanon eingegangen ist und daß wir es mithin noch besitzen. Denn es ist schwer vorstellbar, daß ein Gesetz, durch welches „Israel" nach dem Zusammenbruch der staatlichen Ordnung und der Übergangszeit gewissermaßen neu konstituiert wurde, nicht kanonisch geworden wäre – zumal es eben „das Gesetz des Himmelsgottes", d.h. Jahwes war, also im Sinne einer der Hauptbedingungen der Kanonisation von Jahwe stammte, um nicht zu sagen: von ihm verfaßt war. Überdies war der Prozeß der Kanonisierung bedeutender Teile des atl Schrifttums zur Zeit Esras längst im Gang und kam nicht lange danach zu einem ersten Abschluß. Aber welche atl Schrift kommt in Betracht? Die Unsicherheit darüber hat sehr verschiedene Lösungsversuche hervorgerufen, von denen keiner beanspruchen kann, das letzte Wort zur Sache zu sein[45]:

1. Esras Gesetz war der ganze, fertige oder doch nahezu abgeschlossene Pentateuch (z.B. J. Wellhausen, H.H. Schaeder, O. Eißfeldt, A. Weiser, K. Galling, S. Mowinckel, W.F. Albright). Das ist die Meinung des

---

[44] Literatur in Auswahl: C.C. Torrey, Ezra Studies (1910); H.H. Schaeder, Esra der Schreiber. Beiträge z. historischen Theologie 5 (1930); H. Cazelles, La mission d'Esdras. VT 4 (1954) 113–140; W.Th. In der Smitten, Esra. Quellen, Überlieferung und Geschichte. Studia Semitica Neerlandica 15 (1973); K. Koch, Ezra and the Origins of Judaism. Journal of Semitic Studies 19 (1974) 173–194.

[45] Eine sehr gute Übersicht mit Namen, Meinungen und Kritik bei U. Kellermann, Erwägungen zum Esragesetz. ZAW 80 (1968) 373–385.

Chronisten, und sie würde in der Tat sachlich ausgezeichnet passen. Denn man könnte dann sagen, daß sich die Neuordnung der Gemeinde auf jenes Textcorpus gründete, das in der Folgezeit die mit Abstand höchste religiöse Bedeutung im Judentum gewann und überhaupt „Herz und Zunge"[46] des atl Kanons ist. Diese These, zu der ich mich gerne bekennen will, ist freilich weder zu beweisen noch zu widerlegen.

2. Esras Gesetz war die sog. Priesterschrift im Pentateuch (z.B. A. Kuenen, B. Stade, E. Meyer, A. Bertholet, C. Steuernagel, A. Lods, H.-J. Kraus). Auch das ist nicht auszuschließen, und man sollte dagegen nicht geltend machen, die Priesterschrift sei wesentlich Geschichtserzählung und nicht Gesetz[47]. Sie enthält genug „Gesetz", um den Begriff zu rechtfertigen. Man müßte dann annehmen, daß die priesterliche Redaktion des Gesamtpentateuch (R^P), d.h. die Einarbeitung der älteren Materialien in die Priesterschrift, in der Zeit zwischen Esra und dem samaritanischen Schisma[48] erfolgt ist.

3. Esras Gesetz war eine Zusammenstellung von Gesetzesmaterialien, die in die Pentateucherzählung eingearbeitet worden sind (z.B. R. Kittel, M. Noth, G. v. Rad): also Stücke wie das Heiligkeitsgesetz (Lev 17–26), aber auch Lev 1–7, 11–15 u.a.m. – nur daß wir nicht wissen, welche es waren. Denkt man dabei vorwiegend an die Sakralgesetzgebung, so wäre zu fragen, ob diese für die Neuordnung der Gemeinde unter Esra ausgereicht hätte. Denkt man darüber hinaus, z.B. an das Bundesbuch (Ex 20,22–23,33) und ähnliche Passagen, dann ist auch das möglich und weder zu beweisen noch zu widerlegen.

4. Esras Gesetz war eine Form des Deuteronomiums (z.B. L.E. Browne, R.A. Bowman, W.M.F. Scott, U. Kellermann). Auch das würde sehr gut passen; denn wie die Thora das kanonische Herzstück des AT ist, so ist das Deuteronomium das kanonische Zentrum der Thora. Außerdem ist das Deuteronomium eine Volksordnung und als solche für ein Volk, welches sich als Kultusgemeinde darzustellen beginnt, bei etwas Auslegung hervorragend geeignet. Es ist möglich, daß Esras Amtsanweisung (Esra 7,12–26) geradezu Anklänge an das Deuteronomium enthält[49]. Weitere Argumente aus Esra 8–10 und Neh 8–12 zu gewinnen, ist wegen der chronistischen Prägung dieser Kapitel problematisch und nicht anzuraten. Schließlich sollte man auch nicht einwenden, das Deuteronomium sei längst in Kraft gewesen, habe also durch Esra nicht erst in Kraft gesetzt werden können. Gewiß war es längst in Kraft und galt als heilige Schrift. Aber man kann den Inaugurationsakt Esras auch so verstehen, daß er eine bereits gültige Religionsurkunde aufgriff, erneuerte und zur Grundlage ei-

---

[46] *Sit venia verbo*, aus der ägyptischen Götterlehre von Memphis; s.o. S.369.

[47] Vgl. K. Elliger, Sinn und Ursprung der priesterlichen Geschichtserzählung [1952]. KS 174–198.

[48] S.u. S.435f.

[49] Vgl. Esra 7,25 mit Dtn 31,12f.; 16,18; 4,6. So U. Kellermann, a.a.O., S.380.

ner Neuordnung der Gemeinde machte – analog der Bundeserneuerung unter König Josia (2. Kön 23, 1–3)[50]. Beweisbar oder widerlegbar ist jedoch auch diese These nicht.

5. Esra hat keinerlei Religionsurkunde in Kraft gesetzt oder erneuert. Das Gesetz (aram. *dāt*), von dem die Amtsanweisung spricht, ist königlich persisches Recht, nach welchem Esra seine Inspektionsaufgaben zu erfüllen hatte. Neh 8/9 sind von Esra 7–10 getrennt zu halten. In Neh 8/9 fungiert Esra am Neujahrsfest als Thora-Vorleser im Rahmen eines Gottesdienstes, der die Synagoge späterer Zeiten vorausahnen läßt. Das esranische „Gesetz" *(dāt)* und die Thora sind erst durch den chronistischen Redaktor von Esra 7,6 miteinander verbunden, d.h. identifiziert worden[51]. Auch diese Auffassung kann nicht ausgeschlossen werden. Sie belastet freilich den Chronisten stark, der die Ereignisse dann nicht nur gedeutet und erhöht, sondern gründlich mißverstanden hätte. Esra, wie wir ihn kennen, als Produkt der chronistischen Theologie und fast ohne Fundament in der historischen Realität, soweit es die Neuordnung der Gemeinde betrifft: das ist die Konsequenz aus dieser These.

Mit einem Wort: wir wissen es nicht. Wir wissen auch sonst nicht viel über Einzelheiten der Mission Esras. Er hat Sorge dafür getragen, daß der Einfluß der babylonischen Exulanten noch stärker wurde als vordem. Der Großkönig gestattete die freiwillige Rückwanderung derer, die sich Esra anschließen wollten (Esra 7, 13): 1771 Personen, Frauen und Kinder nicht gerechnet (Esra 8, 1–20) – wie immer es mit der Zuverlässigkeit dieser Zahl bestellt sein mag. Man muß sich vorstellen, daß immerhin mindestens anderthalb Jahrhunderte, wahrscheinlich mehr, seit dem Beginn des babylonischen Exils vergangen waren – und noch immer zogen Heimkehrergruppen zurück nach Palästina! Ferner bemühte sich Esra, Geld zu beschaffen. Er erwirkte vom Großkönig eine einmalige Weihgabe für den „Gott Israels, dessen Wohnung in Jerusalem ist" (7, 15), d.h. er verstand es, sich zum Nutznießer der toleranten persischen Religionspolitik zu machen. Außerdem erhielt er die Erlaubnis, in der Provinz Babylonien eine Art Haussammlung zugunsten des Jerusalemer Tempels zu veranstalten (7, 16. 19). Was an Bedarf des Tempels darüber hinausgehen würde, das Laufende also, sollte innerhalb festgesetzter Grenzen aus öffentlichen Mitteln bestritten werden (7, 20–22): eine Erneuerung der schon von Dareios I. gewährten Privilegien[52]. Schließlich erreichte Esra Steuerfreiheit für das gesamte Kultpersonal des Tempels zu Jerusalem (7, 24).

Für alles weitere steht leider nur die Darstellung des Chronisten zur Verfügung. Nach dessen Ansicht widmete sich Esra in Jerusalem zunächst

---

[50] Wenn hinter Neh 13, 4–31 deuteronomische Bestimmungen stehen – wie U. Kellermann, a.a.O., S. 381–383 m.E. überzeugend dargetan hat –, dann ist das angesichts der Bedeutung des Deuteronomiums noch kein Beweis für die von Kellermann vertretene Reihenfolge Esra – Nehemia.

[51] R. Rendtorff, Esra und das „Gesetz". ZAW 96 (1984) 165–184.

[52] S.o. S. 415.

der Lösung des Mischehenproblems (Esra 9,1–10,44), und zwar rigoros, bis hin zur Scheidung bestehender Mischehen (10,11f.). Danach wartete er längere Zeit untätig bis zur Ankunft Nehemias. Erst dann schritt er zur feierlichen Verlesung der Thora (Neh 8–9). Das ist historisch sicher nicht zutreffend. Aber soviel wird man für wahrscheinlich halten dürfen, daß das Gesetz in einem feierlichen Bundeserneuerungsakt – vielleicht an einem Laubhüttenfest – promulgiert wurde[53]. Dadurch wurde die Fiktion aufrechterhalten und erneuert, das klassische Bundesverhältnis zwischen Jahwe und Israel bestehe nach wie vor, und Bundespartner Jahwes sei unverändert die gleiche Größe „Israel"[54].

So wenig immer bekannt sein mag: die Restaurationsepoche Nehemias und Esras kann in ihrer Bedeutung nicht leicht überschätzt werden. Denn in ihr vollzog sich eine Neubestimmung der schon längst undeutlich und unübersichtlich gewordenen Größe „Israel". Wir sind im Zeitalter der heiligen Schriften, in dem sich „Israel" als theokratische Gemeinde unter dem Gesetz formierte. Diese Gemeinde verstand sich als eine Blutsgemeinschaft, obwohl sie das faktisch schon lange nicht mehr war und genau genommen weder je gewesen war noch hatte sein können. Sie schied alle „Fremden" aus und „reinigte" sich unter ausdrücklicher Berufung auf das Gemeindegesetz des Deuteronomiums (Dtn 23,2–9)[55]. Aber das war Theorie und jedenfalls nicht das Entscheidende. Das wesentliche Merkmal der Zugehörigkeit zu „Israel" war nicht mehr der Beweis oder die Behauptung der Abstammung von Menschengruppen, die das alte Israel gebildet hatten, sondern die Unterwerfung unter das „Gesetz" als Willenskundgebung Jahwes. Israel fand eine neue Ordnung als eine Gemeinschaft, für die ein bestimmtes „kanonisches" Gesetz verpflichtend war und die – jedenfalls in der Perserzeit – einen staatlich garantierten Anspruch darauf hatte, nach diesem Gesetz beurteilt und gerichtet zu werden. Dieses neue Israel kann bei aller Kontinuität mit dem vorexilischen mit alten Maßstäben nicht mehr gemessen werden. Es ist mit dem ethnischen oder staatlichen oder religiösen Israel der 1. Hälfte des 1. Jahrtausends v. Chr. nur noch bedingt vergleichbar. Die Epoche der Restauration unter Nehemia und Esra war die Geburtsstunde des Judentums[56].

---

[53] Ob die unterzeichnete Urkunde von Neh 10 in diesen Zusammenhang gehört, ist ganz unsicher und eher zweifelhaft.

[54] Vgl. D.J. McCarthy, Covenant and Law in Chronicles-Nehemiah. CBQ 44 (1982) 25–44.

[55] Vgl. Esra 9,1f.; 10,11; Neh 9,1f.; 10,29–32; 13,1–3. Zu den dadurch entstehenden Problemen und Konflikten vgl. H. Donner, Jesaja LVI 1–7: Ein Abrogationsfall innerhalb des Kanons – Implikationen und Konsequenzen. SVT 36 (1985) 81–95.

[56] Vgl. bes. R. Hanhart, Zur geistesgeschichtlichen Bedeutung des Judentums. Theol. Existenz heute 140 (1967).

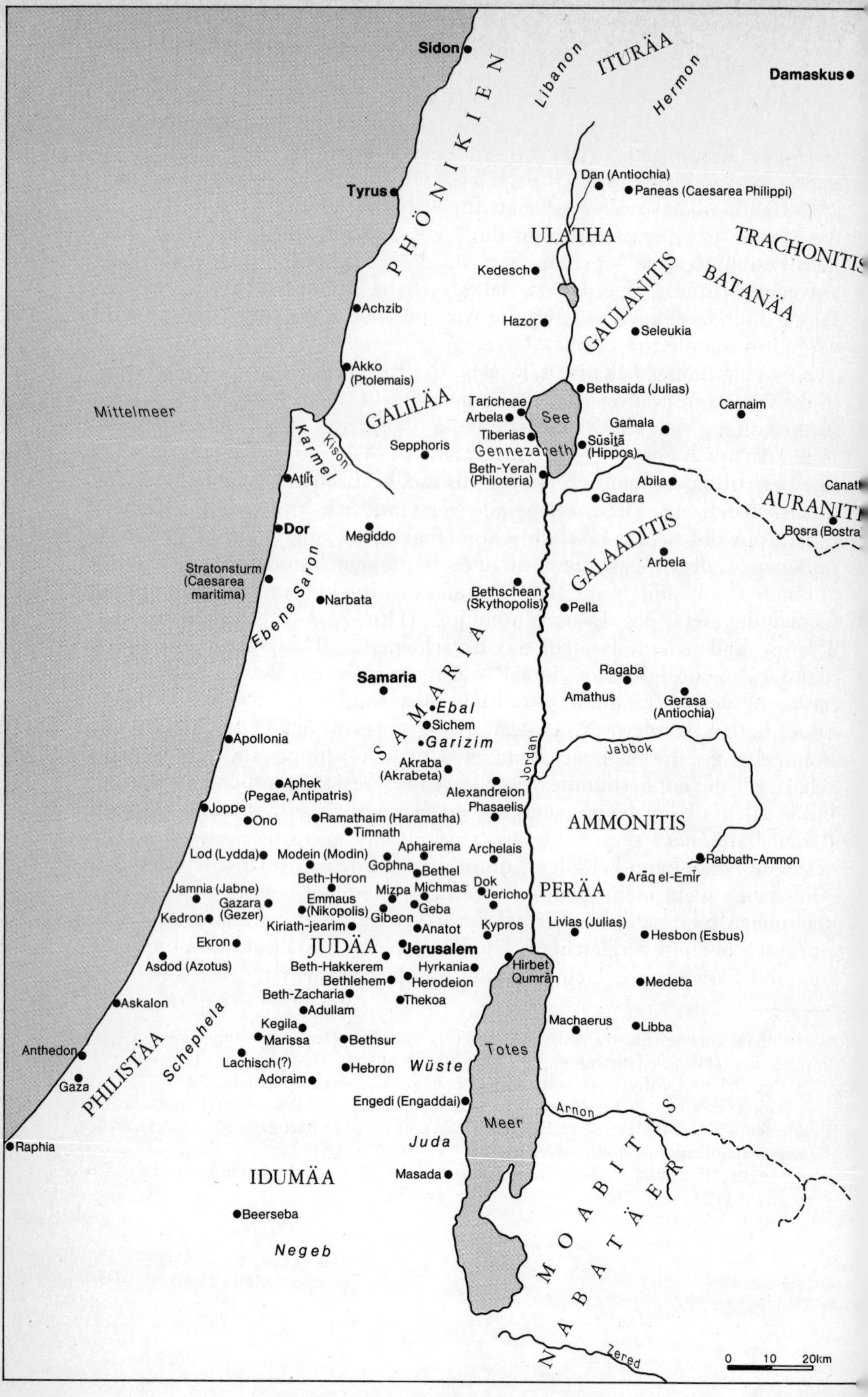

Karte 7: Palästina in nachexilischer Zeit

KAPITEL 4

Das dunkle Jahrhundert

Für das dunkle Jahrhundert zwischen Nehemia und Esra einerseits und Alexander dem Großen andererseits stehen keinerlei unmittelbare literarische Quellen aus dem AT zur Verfügung. Die Dunkelheit reicht über Alexander hinaus bis ins 3. und 2. Jahrhundert v. Chr. Erst für die Zeit des Seleukidenherrschers Antiochos IV. Epiphanes (175–164) sind wir durch das gegen Ende des 2. oder in der 1. Hälfte des 1. Jahrhunderts v. Chr. entstandene 1. Makkabäerbuch wieder etwas besser unterrichtet[1]. Natürlich ist damit zu rechnen, daß Stücke anonymer Prophetie in das dunkle Jahrhundert und in die Zeit nach Alexander dem Großen fallen: z. B. Deuterosacharja (Sach 9–14)[2], Jes 23, vielleicht auch Jes 24–27 und 33, Joel und Jona[3]. Aber diese Stücke sind in der Regel nicht präzise zu datieren, mit Ausnahme von Sach 9,1–8: einem Spruch oder einer Spruchkombination, hinter der Alexanders Zug entlang der phönikischen Küste im Jahre 332 v. Chr. stehen dürfte[4]. Und selbst wenn genauere Datierungen möglich wären, würden diese Stücke wegen des Charakters dieser späten Prophetie[5] kaum einmal in den Rang unmittelbarer historischer Quellen aufrükken. Nicht anders steht es mit einzelnen Psalmen, die im dunklen Jahrhundert entstanden sein mögen. Als Quellen ersten Ranges haben die Elephantine-Papyri[6] zu gelten, aber sie enden bereits 399 v. Chr. In Betracht kommen auch die 1962 entdeckten, noch immer nicht ausreichend publizierten Papyri aus einer Höhle im *Wādī ed-Dālīye*, etwa 14 km nördlich von Jericho[7]. Sie stammen aus der Mitte des 4. Jahrhunderts v. Chr. und enthalten Rechts- und Verwaltungsurkunden mit interessanten Angaben über die Familie der Sanballatiden. Ihre Veröffentlichung ist abzuwarten. Der Blick in die griechische Überlieferung ist enttäuschend. Während der Perserzeit konzentriert sie sich auf die Auseinandersetzung zwischen Hel-

---

[1] S. u. S. 441.

[2] Vgl. I. Willi-Plein, Prophetie am Ende. Untersuchungen zu Sacharja 9–14. BBB 42 (1974).

[3] Früher datierte man das Buch Habakkuk gerne in die Zeit um oder nach 332 v. Chr.; vgl. B. Duhm, Israels Propheten (1922) 399–404. Das ist jedoch nicht aufrecht zu erhalten; vgl. J. Jeremias, Kultprophetie und Gerichtsverkündigung in der späten Königszeit. WMANT 35 (1970) 55–110.

[4] Vgl. K. Elliger, Ein Zeugnis aus der jüdischen Gemeinde im Alexanderjahr 332 v. Chr. Eine territorialgeschichtliche Studie zu Sach 9,1–8. ZAW 62 (1950) 63–115; M. Delcor, Les allusions à Alexandre le Grand dans Zach 9,1–8. VT 1 (1951) 110–124; I. Willi-Plein, a. a. O., S. 105–108.

[5] S. u. S. 437 f.

[6] S. o. S. 382 f.

[7] Vgl. F. M. Cross, Papyri of the 4th Century BC from Dâliyeh: A Preliminary Report on their Discovery and Significance. New Directions in Biblical Archaeology, ed. by D. N. Freedman and J. C. Greenfield (1969) 45–69; P. W. and N. Lapp (ed.), Discoveries in Wadi ed-Daliyeh. AASOR 41 (1976).

lenen und Persern, von der Mitte des 4. Jahrhunderts an besonders auf das Emporkommen der Makedonen. Und wenn sie tatsächlich einmal Mitteilungen über den Südteil der syropalästinischen Landbrücke macht – wie etwa Fl. Josephus im 11. Buch seiner „Altertümer“ [8] –, dann erweisen sich diese „Mitteilungen“ bei näherem Zusehen überwiegend als schwer oder gar nicht nachprüfbare Anekdoten, dazu bestimmt, das dunkle Jahrhundert etwas heller erscheinen zu lassen.

Unter diesen Umständen ist es völlig aussichtslos, den Verlauf der Geschichte des palästinischen Judentums auch nur in den Hauptlinien nachzeichnen zu wollen. Der Historiker, der gar keine unmittelbaren literarischen Quellen zur Verfügung hat, kann nicht Geschichte schreiben. Mehr als die Erwähnung weniger undeutlicher Streiflichter ist nicht möglich. Eins davon betrifft das Verhältnis der Jerusalemer Zentrale zur Militärkolonie von Elephantine, jenem „fossile(n) Überrest des unreformierten Judentums in fernem Lande“ [9]. Die jüdischen Kolonen wandten sich im Jahre 408 v. Chr. zugleich an Bagoas, den Gouverneur der Provinz Juda, und an die Söhne des weiland samarischen Gouverneurs Sanballat, Delaja und Schelemja, die ihrem Vater in der Herrschaft gefolgt waren, ohne daß wir genau wüßten, in welchen Funktionen und mit welchen Kompetenzen [10]. Es ging um die Genehmigung und Unterstützung des Wiederaufbaus des im Jahre 410 bei lokalen Wirren zerstörten Jahwetempels [11] und um die Wiederaufnahme des Kultus. Dabei ist bemerkenswert, daß sich die Diasporajuden Jerusalem unterordneten, wenn auch mit gewissen Einschränkungen. Über die Zuständigkeiten waren sie sich freilich nicht ganz klar, sonst hätten sie ihre Petition schwerlich an die Söhne des Sanballat gesandt – sie wußten anscheinend nichts über die Spannungen zwischen Jerusalem und Samaria. Immerhin trafen Bagoas und Delaja ein Übereinkommen und handelten gemeinsam [12]. Daran ist nicht nur interessant, daß dergleichen aus gegebenem Anlaß möglich war, sondern auch, daß man überhaupt die Erlaubnis zur Ausübung des Jahwekultes außerhalb Jerusalems erteilte [13], wozu der Satrap von Ägypten offenbar nicht ausreichte und wohl auch nicht in der Lage war: ein ziemlich kompliziertes und gewiß sehr sensibles Beziehungsgefüge. Mehr ist darüber leider nicht bekannt. Ob ferner die Revolte des Königs Tennes von Sidon gegen Artaxerxes III. Ochos 350/49 v. Chr. [14]. Folgen für Samaria und Juda hatte, wissen wir nicht. Solche Folgen aus Zerstörungshorizonten der Perserzeit

---

[8] Doch wohl etwas zu optimistisch urteilt C. G. Tuland, Josephus, Antiquities, Book XI. Correction or Confirmation of Biblical Post-Exilic Records? AUSS 4 (1966) 176–192.

[9] J. Wellhausen, Israelitische und jüdische Geschichte (1914^7) 178.

[10] Cowley Nr. 30.

[11] S. o. S. 400.

[12] Cowley Nr. 32.

[13] Cowley Nr. 32, Z. 9 spricht von Speise- und Rauchopfern *(mnḥt' lbwnt')*; wahrscheinlich waren die blutigen Opfer für Jerusalem reserviert.

[14] Diodor XVI, 41–46. S. o. S. 402.

in einigen palästinischen Städten (Hazor, Megiddo, *ʿAṯlīṯ, Tell ed-Duwēr*, Jericho) erschließen zu wollen[15], geht über das hinaus, was methodisch erlaubt ist und was man wissen kann – und nicht besser steht es mit weiteren Vermutungen, die am besten auf sich beruhen bleiben[16].

Schließlich erfolgte in der letzten Phase der persischen Hegemonie die religiöse Ablösung der Samarier vom Jerusalemer Judentum – oder, wenn sie nicht geradezu erfolgte, so machte sie doch Fortschritte. Man spricht vom „samaritanischen Schisma" und von der Bildung einer unabhängigen samaritanischen Gemeinde, die sich ihr eigenes Heiligtum auf dem Garizim *(Ǧebel eṭ Ṭōr)* bei Sichem errichtete: es ist in 2. Makk 6, 2 zum ersten Male erwähnt, aber doch wohl älter, wenn auch vielleicht nicht schon in persischer Zeit erbaut. Allerdings liegt die Dunkelheit des Zeitalters auch über diesen Ereignissen[17]. Was Fl. Josephus, Ant. XI, 8, 3–7 (§§ 313–347 Niese) darüber berichtet, gehört in das Reich der Legende[18]. Niemand ist in der Lage, ein genaues Datum anzugeben, mehr noch: präzise zu sagen, ob das Schisma durch einen datierbaren dramatischen Bruch erzeugt wurde oder ob es das Ergebnis eines langen Entfremdungsprozesses war, der über Jahrhunderte reichte und erst im 1. Jahrhundert v. Chr. gewissermaßen zur Ruhe kam. Das letztere ist am Ende doch wahrscheinlicher. Beide Größen, der samarische Norden und der judäische Süden, waren politisch seit langem getrennte Wege gegangen, man kann auch sagen: sie waren von allem Anfang an politisch getrennt gewesen und geblieben. Seit die Assyrer 722 v. Chr. den letzten Rest des Nordstaates Israel liquidiert hatten, war zur politischen Trennung der Beginn einer religiösen Entfremdung gekommen (2. Kön 17), verbunden mit und befördert durch die kontinuierliche Vermischung der einheimischen Bauernbevölkerung mit fremden Zuzüglern, besonders natürlich in der Stadt Samaria selbst und in den anderen größeren Ortschaften des Gebiets. Die nachexilische Restauration hatte eindeutig Jerusalem als Zentrum und verursachte eine Verschärfung der Rivalität, namentlich durch die Reformen Nehemias und Esras. Es ist gewiß kein Zufall, daß die samaritanische Tradition das Schisma

---

[15] So D. Barag, The Effect of the Tennes Rebellion on Palestine. BASOR 183 (1966) 6–12.

[16] Vgl. G. Widengren, in: J. H. Hayes–J. M. Miller (ed.), Israelite and Judaean History (1977) 499–503.

[17] Ausgewählte Literatur: H. H. Rowley, Sanballat and the Samaritan Temple [1955/6]. Men of God (1963) 246–276; ders., The Samaritan Schism in Legend and History. Israel's Prophetic Heritage, ed. G. W. Anderson and W. Harrelson (1962) 208–222; J. D. Purvis, The Samaritan Pentateuch and the Origin of the Samaritan Sect. Harvard Semitic Monographs 2 (1968); J. R. Coggins, The OT and Samaritan Origins. Annual of the Swedish Theological Institute in Jerusalem 6 (1968) 35–48; J. Macdonald, The Samaritan Chronicle No II (or Sepher Ha-Yamim). From Joshua to Nebuchadnezzar. BZAW 107 (1969); J. R. Coggins, Samaritans and Jews: The Origins of Samaritanism Reconsidered (1975); R. Pummer, Antisamaritanische Polemik in jüdischen Schriften der intertestamentarischen Zeit. BZ.NF 26 (1982) 224–242.

[18] Vgl. R. Marcus, Josephus on the Samaritan Schism. Josephus VI, Loeb Classical Library (1937) 498–511.

stets mit der Person des Esra in Zusammenhang gebracht hat, Fl. Josephus dagegen mit Nehemia und den Sanballatiden: so ergänzen sich die Blickwinkel. In der Tat ist klar, daß die durch Nehemia organisatorisch restaurierte, gefestigte und durch Esra religiös stabilisierte Gemeinde mit dem *mixtum samaritanum* nichts anfangen konnte, wie umgekehrt die strenge Exklusivität der Jerusalemer Gemeinde mögliche Annäherungen von seiten der Samarier sozusagen schon im Vorfeld ausschloß. Es ist nach alledem durchaus gerechtfertigt, das samaritanische Schisma in diesem Kapitel zu behandeln, auch wenn es sich erst in hellenistischer oder gar erst zu Beginn der römischen Zeit vollendet haben sollte. Den Samaritanern galt der Pentateuch als einzige heilige Schrift: sie haben ihn, wenn man so sagen darf, mit ins Schisma genommen und selbständig tradiert[19]. Aus diesem Faktum sollen und können keine weiteren historischen Schlüsse gezogen werden. Es ist falsch, aus der Textgestalt des samaritanischen Pentateuch, die der Textgesamtentwicklung des 1. Jahrhunderts v. Chr. entspricht, zu schließen, das Schisma könne nicht vor dem 1. Jahrhundert eingetreten sein. Ebenso falsch ist es, das Schisma möglichst hoch hinaufzudatieren und aus der Exklusivität des Pentateuch bei den Samaritanern zu folgern, die prophetische Literatur habe zu dieser Zeit noch keine kanonische Geltung besessen. Das Geflecht politischer und religiöser Entfremdung, das schließlich zum samaritanischen Schisma führte, ist zu alt und zu kompliziert, um dergleichen Vermutungen auch nur in die Nähe der Wahrscheinlichkeit zu bringen.

Die Dunkelheit des Jahrhunderts und sein Charakter als Zwischenphase vor Beginn des hellenistischen Zeitalters könnten dazu verführen, es zu unterschätzen. Das wäre ein gefährliches historisches Fehlurteil. Das dunkle Jahrhundert muß vielmehr, so wenig wir auch von ihm wissen, ein geistig und religiös außerordentlich lebendiges Jahrhundert gewesen sein – „Jahrhundert" immer in jenem unbestimmten Sinne genommen, der es erlaubt, auch noch die erste Phase der hellenistischen Epoche hinzuzunehmen. In dieses Jahrhundert fällt die Formation beträchtlicher Teile der atl Literatur. Wenn die um die Priesterschrift erweiterte Grundform des Pentateuch nicht schon zur Zeit Esras existierte[20], dann bildete sie sich jetzt. Ebenso entstand – wahrscheinlich nicht schon im 4., sondern erst im 3. Jahrhundert – das chronistische Geschichtswerk (1. und 2. Chronik, Esra, Nehemia). Hinzu kommt das Buch Hiob, ferner auch die redaktionellen Zusammenstellungen prophetischer und weisheitlicher Literatur, Vorformen des Psalters nicht zu vergessen. Damit ist keineswegs alles genannt, und in nicht wenigen Fällen kann man die Entstehung im 4.–3. Jahrhundert v. Chr. zwar annehmen, aber nicht beweisen. Allein schon diese

---

[19] Im Jahre 1961 brachte der Hohepriester der Samaritaner in *Nāblus* den Sachverhalt gesprächsweise auf folgende zwar naive, aber einprägsame Formel: „We don't believe in the temple of Solomon!"

[20] S. o. S. 428 f.

Andeutungen lassen erkennen, daß das Zeitalter der heiligen Schriften angebrochen war. Es war, genau genommen, schon früher angebrochen, und seine Charakteristik erschöpft sich nicht darin, daß in ihm Schriften produziert und gesammelt wurden, die Aufnahme in den jüdischen und christlichen Kanon gefunden haben. Vielmehr geht es um eine neue Qualität von Literatur, genauer: darum, daß man bestimmten Schriften die Qualität der Heiligkeit, der unmittelbaren oder mittelbaren Herkunft von Gott, zuschrieb. Die Signatur des Zeitalters ist „die Verbindung von Religion und Literatur"[21], d.h. das Aufkommen des Phänomens der Buchreligion zunächst neben und schließlich anstelle der Kultreligion[22]. Bereits das Deuteronomium war als heilige Schrift aufgetreten[23]. Von ihm in Gang gesetzt und gefördert, wuchs in nachexilischer Zeit die Überzeugung, daß Gottes Wort und Wille die Menschen nicht mehr auf dem Wege mündlicher Überlieferung oder direkter Anrede – etwa durch prophetische Gottesboten – erreiche, sondern in Gestalt schriftlicher heiliger Texte. Es heißt nicht mehr „Hört das Wort Jahwes!" (Jes 1,10 u.ö.), sondern „Forscht in der Schrift Jahwes und lest!" (Jes 34,16). Daß es sich hier nur um eine die tatsächliche Vielfalt vereinfachende Darstellung der Grundzüge handeln kann, liegt auf der Hand. Im Zeitalter der heiligen Schriften kommt es jedenfalls – durch die Wirksamkeit Esras gewiß noch einmal verstärkt – zur Ausbildung der Merkmale der qualitativen Kanonizität heiliger Texte, wie sie dann um 90 n.Chr. in klassischer Gestalt von Fl.Josephus, *contra Apionem I, 8* (§§ 38–42 Niese) beschrieben werden. Die Texte treten mehr und mehr in den Mittelpunkt der Religion. Man beginnt, sie im Gottesdienst zu verlesen[24], und das wiederum ist der Anfang der sich langsam vollziehenden Ablösung des Opferkultus durch den Wortgottesdienst, die Voraussetzung zur Entstehung der Synagoge.

Es ist hier natürlich nicht möglich, das im einzelnen zu entfalten und mit Beispielen zu belegen. Wenige Hinweise müssen genügen. Der priesterliche Redaktor (R^P), dem wir die Einarbeitung älterer Literatur in die Priesterschrift – also den Grundbestand des Pentateuch – verdanken, hat alle seine Vorlagen als heilige Texte betrachtet und entsprechend behandelt[25]. Ähnliches gilt für den Verfasser des chronistischen Geschichtswerkes[26] und für große Teile der spätnachexilischen Prophetie. Gerade an der Prophetie lassen sich die Grundlinien der Entwicklung deutlich machen. Waren die Propheten Israels dereinst charismatische Gottesboten gewesen, so vermindern sich jetzt Unverfügbarkeit und Situationsbezogenheit

---

[21] J.Wellhausen, a.a.O., S.188.

[22] Vgl. S.Herrmann, Kultreligion und Buchreligion. Das ferne und das nahe Wort, Fs L. Rost (1967) 95–105.

[23] S.o. S.354f.

[24] Vgl. Neh 8/9!

[25] Vgl. H.Donner, Der Redaktor. Überlegungen zum vorkritischen Umgang mit der Heiligen Schrift. Henoch 2,1 (1980) 1–30.

[26] Vgl. Th.Willi, Die Chronik als Auslegung. FRLANT 106 (1972).

des prophetischen Wortes und hören schließlich ganz auf. Stattdessen gewinnt ein Zug zunehmend an Bedeutung, der im klassischen Zeitalter der Prophetie zwar schon vorgebildet, aber noch nicht voll ausgebildet gewesen war: die Propheten erscheinen als Ausleger ihnen vorgegebener heiliger Tradition, einer Tradition, die sich längst und in wachsendem Maße in Texten niedergeschlagen hatte. Die Auslegung steht unvermindert unter dem Anspruch göttlicher Vollmacht. Die Autorität Jahwes, von Hause aus unmittelbar im Prophetenwort lokalisiert, verlagert sich auf heilige Texte. Tritojesaja (Jes 56–66) und Deuterosacharja (Sach 9–14) liefern eindrucksvolle Beispiele solcher schriftgelehrter Prophetie. Zugleich damit wandelt sich auch der Prophetenbegriff selbst. Denn heilige, von der Autorität Gottes getragene Texte müssen von heiligen, die Autorität Gottes vermittelnden Männern niedergeschrieben worden sein. „Prophet" wird zunehmend gleichbedeutend mit „heiliger Schriftsteller". Da nun nicht nur die im engeren Sinne prophetischen Schriften als heilig galten, sondern auch andere – der Pentateuch, die Geschichtsbücher –, wurden deren angenommene Verfasser „Propheten". So hat z.B. schon der Chronist die Sache angesehen, und diese Auffassung wirkt weiter, bis in den Sprachgebrauch der Christenheit hinein, die das AT insgesamt als „prophetische Schrift" und AT und NT zusammen als „prophetische und apostolische Schriften" qualifiziert[27]. Unter der Wirkung des Prophetengesetzes im Deuteronomium (Dtn 18,9–22) hat sich im Zeitalter der heiligen Schriften der vorkritische Begriff des „Schriftpropheten" gebildet[28].

Das dunkle Jahrhundert hatte insgesamt große Bedeutung für die Entstehung und erste Ausbildung des Judentums. Zwar wissen wir das nur durch Rückschlüsse, aber doch durch Rückschlüsse einleuchtender Art. In der Zeit Nehemias und Esras war auf den Fundamenten des vorexilischen Israel das Gebäude des Judentums begonnen worden. In den literarischen Quellen der 2. Hälfte der hellenistischen Epoche tritt das Frühjudentum als vollendete Größe ans Licht. Also muß es sich in der dazwischen liegenden Zeit gebildet haben – und eben das wird durch die heiligen Schriften und die mit ihnen verbundene Auslegungsliteratur innerhalb des AT indirekt bestätigt. Das Judentum formierte sich als sich selbst leitende religiöse Gemeinde: die Tempelgemeinde von Jerusalem. In ihr herrschte bei strenger Ausschließlichkeit das Prinzip der Theokratie, organisatorisch dargestellt als Hierokratie der Priester und ergänzt durch die Nomokratie der Thora. Gott selbst galt als Regent der Gemeinde, in geistlicher und weltlicher Hinsicht. Ihn vertraten in Jerusalem der Hohepriester, der langsam in die Funktion des Ethnarchen einzurücken begann, und die Thora als der schriftgewordene Wille Gottes. Der Hohepriester wiederum bedurfte eines sorgsam gegliederten, wohlorganisierten Kultpersonals, und

---

[27] Vgl. Eph 2,20; 2. Petr 1,19 u.ö.

[28] Vgl. zur Problematik H. Donner, Prophetie und Propheten in Spinozas Theologisch-politischem Traktat. Theologie und Wirklichkeit, Fs W. Trillhaas (1974) 31–50.

die Thora bedurfte der beständigen Auslegung durch den sich von nun an entwickelnden Stand der Schriftgelehrten. Bestimmt und geschützt durch diese Rahmenbedingungen entstand das faszinierende Phänomen der jüdischen Frömmigkeit: mit strenger Gesetzesobservanz, phantasiereicher eschatologischer Erwartung, geregeltem Gemeinschaftsleben auf der Basis der heiligen Schriften und weisheitlichen Lebensordnungen, die schließlich auch heilige Schriften wurden. Als Alexander der Große im Jahre 332 v.Chr. an der Mittelmeerküste entlang in Richtung Ägypten zog und sein General Parmenio das palästinische Hinterland aufrollte, werden beide nicht gewußt haben, welche Frucht sie im Vorbeigehen vom Baume pflückten.

AUSBLICK

Die Hauptlinien der Geschichte des palästinischen Judentums im hellenistisch-römischen Zeitalter bis zum zweiten jüdischen Aufstand

Mit der Eroberung des Nahen Ostens durch Alexander den Großen in den Jahren 333–331 v.Chr. begann das hellenistische Zeitalter des Orients wie der ganzen antiken Mittelmeerwelt[1]. Das palästinische Judentum kam unter hellenistische, dann römische Herrschaft und unter den Einfluß der hellenistischen Weltkultur, die auch für das *Imperium Romanum* bestimmend war und blieb[2]. Hier soll nun die Auffassung vertreten werden, daß dies alles nicht mehr zur Thematik einer Geschichte des Volkes Israel gehört. Denn der in den beiden ersten nachexilischen Jahrhunderten vollzogene Gestaltwandel Israels zum Judentum, des Staates zur Gemeinde, der

---

[1] Vgl. M.Cary, A History of the Greek World, 323 to 146 BC (1951², Nachdruck 1977); P.Grimal (ed.), Der Hellenismus und der Aufstieg Roms. Die Mittelmeerwelt im Altertum. Fischer Weltgeschichte 6 (1965); W.Tarn, Die Kultur der hellenistischen Welt (1966³); M.Rostovzeff, Gesellschafts- und Wirtschaftsgeschichte der hellenistischen Welt, 3 Bde. (1955/6).

[2] Vgl. V.Tscherikover, Hellenistic Civilization and the Jews (1959); S.K.Eddy, The King is Dead. Studies in the Near Eastern Resistance to Hellenism (1961); E.Bickermann, From Ezra to the Last of Maccabees. Foundations of Post-Biblical Judaism (1962); D.S.Russel, The Jews from Alexander to Herod (1967); M.Hengel, Judentum und Hellenismus. Studien zu ihrer Begegnung unter besonderer Berücksichtigung Palästinas bis zur Mitte des 2. Jh.s v. Chr. Wissenschaftl. Untersuchungen z. NT 10 (1969, 1973²); H.G.Kippenberg, Religion und Klassenbildung im antiken Judäa. Studien z. Umwelt des NT 14 (1982); P.Schäfer, Geschichte der Juden in der Antike. Die Juden Palästinas von Alexander dem Großen bis zur arabischen Eroberung (1983). Vgl. ferner auch B.Z.Wacholder, Biblical Chronology in the Hellenistic World Chronicles. HThR 61 (1968) 451–481.

Kultreligion zur Buchreligion, ist grundsätzlicher, tiefer gehend und weiter reichend als alle Wandlungen, die das Judentum in seiner langen und großen Geschichte später erlebt hat. Es ist gewiß nicht sinnvoll, sich an der wenig fruchtbaren Debatte über das Ende der Geschichte des Volkes Israel zu beteiligen. Die Geschichte hat für die Menschen, die in ihr stehen, vor dem Anbruch des Jüngsten Tages kein Ende. Es geht um nicht mehr als um einen vernünftigen Darstellungsabschluß, und der sollte dort liegen, wo die deutlichste und historisch gewichtigste Zäsur zu erkennen ist: bei Alexander dem Großen, nach der Geschichte des alten Israel und der Formationsepoche des Judentums. Daß darüber verschiedene Ansichten möglich sind und vertreten werden, hängt mit der Mehrdeutigkeit des Begriffes „Israel" zusammen. Dieser Begriff war schon in vorexilischer Zeit nicht eindeutig gewesen. Er bezeichnete die vorstaatliche Stämmeföderation, den Nordstaat unter Saul, David, Salomo und von der sog. Reichsteilung bis 722 v. Chr., schließlich auch die ideelle Größe der Gemeinschaft aller Jahweverehrer, das erwählte Volk, das Eigentumsvolk Gottes. In dieser ideellen, religiösen Gestalt lebte er weiter. Die Gemeinde des zweiten Tempels, das Judentum überhaupt, bezeichnete und bezeichnet sich als Israel, und zwar aus klaren, verstehbaren, religiösen Gründen. Daß sich dem Begriff von Zeit zu Zeit auch wieder politische Inhalte assoziiert haben, ist ebenso wahr wie historisch nachgeordnet. Vorgeordnet bleibt die religiös begründete Identität des neuen mit dem alten Israel. Wer sich als Historiker darauf einläßt, muß wissen, was er tut und die Konsequenzen bedenken. Seine Darstellung der „Geschichte Israels" kann nirgendwo aufhören; denn die Geschichte des Judentums reicht bis zur Gegenwart und in die Zukunft. Das ist eine durchaus vertretbare Position[3], vertretbar freilich nur mit geschärftem historischen Problembewußtsein. Denn unter solchen Voraussetzungen ist die Geschichte des Judentums zu schreiben, und dabei rückt die Geschichte des alten Israel in die Funktion einer Vorgeschichte des Judentums ein: sie wird ein sozusagen präliminarischer Abschnitt, ganz ähnlich wie man die römische Geschichte als Vorgeschichte der italienischen behandeln kann.

Die hier vorgelegte „Geschichte des Volkes Israel" folgt diesem Modell nicht. Sie endet erklärtermaßen mit Alexander dem Großen und dem Eintritt des Judentums ins hellenistische Zeitalter. Der Hauptgrund dafür liegt in der oben bezeichneten historischen Zäsur. Diesem Hauptgrunde gesellen sich pragmatische Nebengründe, die zugleich auch die Ursache dafür sind, daß die Darstellung dennoch in einem „Ausblick" bis zum zweiten jüdischen Aufstand weitergeführt wird, allerdings nur in den Hauptlinien. Erstens ist es nützlich und für das geschichtliche Verständnis auch des Vorausgegangenen wichtig, die Geschichte des „neuen Israel" noch eine Weile zu verfolgen, um deren erste Verläufe, Entwicklungen und Tendenzen in Beziehung zur Geschichte des „alten Israel" setzen zu

[3] In neuerer Zeit und im deutschsprachigen Raum vertreten von G. Fohrer, Geschichte Israels. Von den Anfängen bis zur Gegenwart. Uni-Taschenbücher 708 (1977, 1982[3]).

können. Zweitens ist das AT eine Dokumentensammlung nicht nur „Israels", sondern auch – in seiner kanonischen Gestalt sogar ausschließlich – des Judentums. Drittens mag es vorteilhaft erscheinen, die Darstellung bis in die Formationsperiode des frühen Christentums zu führen, um den Zeitraum des NT nicht ganz unberücksichtigt zu lassen. Aber mehr als ein „Ausblick" soll und kann das nicht sein. Der Stab ist an den Historiker des Frühjudentums und der sog. neutestamentlichen Zeitgeschichte weiterzugeben.

1. Alexander und die Diadochen

Das Quellenmaterial für die Geschichte des palästinischen Judentums im hellenistischen Zeitalter von Alexander dem Großen bis zur Eroberung des Orients durch die Römer entstammt nur zum geringsten Teile dem AT. Abgesehen von schwer oder gar nicht datierbaren Stücken spätester Prophetie[4] kommen vor allem das zwischen 167 und 165 v. Chr. entstandene Danielbuch und die beiden griechischen Makkabäerbücher in Betracht: 1. Makk für den Zeitraum von 175–135/4 v. Chr., entstanden um oder nach 100 v. Chr.; 2. Makk für den Zeitraum von 180–161 v. Chr., entstanden vielleicht um 125 v. Chr. und z. T. fußend auf dem verlorengegangenen Werke des Jason von Kyrene. Hauptquelle ist Flavius Josephus mit den Büchern XII–XIV der „Jüdischen Altertümer" und dem ersten Buch des „Jüdischen Krieges". Hinzu kommen Streiflichter aus der griechischen und lateinischen Literatur: hauptsächlich aus Appian von Alexandria, Curtius Rufus, Diodorus Siculus, Eupolemos, Nikolaus von Damaskus, Polybios und Strabo. Für die Territorialgeschichte unter der ptolemäischen Herrschaft ist auf die Zenon-Papyri hinzuweisen[5]. Beachtung verdienen schließlich verstreute Inschriften und die Resultate archäologischer Grabungen[6].

Im Jahre 332 v. Chr. zog Alexander von Norden her entlang der phönikischen Küste nach Ägypten. Der Widerstand der Handelsmetropole und Inselfestung Tyrus zwang ihn zu einer siebenmonatigen Belagerung: während dieser Zeit ließ er den noch heute vorhandenen, inzwischen mächtig verbreiterten Damm bauen, der die Insel zur Halbinsel gemacht hat. Zwei weitere Monate verlor Alexander mit der Belagerung und Eroberung von Gaza. Dann aber eilte er nach Ägypten und überließ das syrisch-palästinische Hinterland dem General Parmenio, der kaum irgendwo auf nennenswerten Widerstand traf. Nur Samaria *(Sebasṭye)* mußte militärisch eingenommen werden, und als sich die Samarier auch noch gegen den neuen

---

[4] S. o. S. 433.

[5] M. Rostovzeff, A Large Estate in Egypt in the 3rd Century B. C. University of Wisconsin Studies in the Social Sciences and History 6 (1922); V. Tscherikover – A. Fuks, Corpus Papyrorum Judaicarum I (1957).

[6] Eine übersichtliche Zusammenstellung mit Literaturangaben bei P. Schäfer, in: J. H. Hayes – J. M. Miller (ed.), Israelite and Judaean History (1977) 549–559.

Gouverneur Andromachos empörten, machte der Veteranengeneral Perdikkas die Stadt strafweise zu einer makedonischen Kolonie[7]. Territorialpolitische Folgen traten fürs erste nicht ein: Alexander übernahm die Satrapie Transeuphrat von den Persern und machte Parmenio zu ihrem Regenten[8]. Von Jerusalem hören wir nichts. Der berühmte Besuch Alexanders dortselbst[9] gehört in das Reich der Legende[10]. Nach dem Tode Alexanders (323) in Babylon entbrannten die Machtkämpfe der Diadochen, auch um den Besitz der syropalästinischen Landbrücke. Gegner waren Ptolemaios I. Soter, Seleukos I. Nikator und Antigonos Monophtalmos mit seinem Sohne Demetrios Poliorketes. Bis zur Schlacht bei Ipsos in Phrygien (301) zwischen Antigonos und einer Koalition der anderen Diadochen unter Führung des Generals Lysimachos wechselte die Herrschaft über Palästina mehrfach – solange also, bis sich die beiden großen orientalischen Diadochenreiche konsolidiert hatten: das ägyptische Ptolemäerreich mit Zentrum im neugegründeten Alexandria *(Iskenderīye)* und das mesopotamisch-syrische Seleukidenreich mit der Hauptstadt Antiochia *(Antākya)* unweit der Mündung des Orontes. Bei dieser vorläufigen Teilung des Alexanderreiches fielen Palästina und die phönikische Küste zunächst an die Ptolemäer (301–200/198).

Die vorderasiatische Provinz hieß offiziell „*Syria und Phoinikē*", wurde aber auch „*Koile Syria*" (Coelesyrien) genannt[11]. Sie erhielt allem Anschein nach keinen den persischen Satrapen vergleichbaren Oberbeamten, sondern wurde zentral von Alexandria aus verwaltet, wahrscheinlich von der Kanzlei des *Dioiketes*, des Wirtschafts- und Finanzministers, des zweiten Mannes nach dem König. Im übrigen war die ptolemäische Territorialpolitik durch die Tendenz zur Kleinräumigkeit der Territorialeinheiten gekennzeichnet. Man übernahm oder bildete relativ kleine Hyparchien (auch Eparchien genannt, entsprechend den persischen Provinzen, hebr. *m^edīnōt*) und darunter noch kleinere Toparchien (entsprechend den persischen Distrikten, hebr. *p^elākīm*). Dazu kamen griechische Kolonien, gewöhnlich in Städten, die entweder den genannten territorialen Einheiten integriert oder durch die Verleihung des Stadtrechtes *(Polis)* selbständig wurden, das letztere unter den Ptolemäern noch zögernd, später unter den Seleukiden häufiger. Hier liegen die Wurzeln der Urbanisation der syropalästinischen Landbrücke, die unter römischer Herrschaft vollendet worden ist. Schließlich gab es königliche Domänen, wie sie sicherlich hinter dem west- und ostjordanischen Grundbesitz des *Dioiketes* Apollonios

---

[7] Möglicherweise gehören die Papyri aus dem *Wādī ed-Dālīye* in diesen Zusammenhang; s.o. S. 433.

[8] Einzelheiten bei F.-M. Abel, Alexandre le Grand en Syrie et en Palestine. RB 43 (1934) 528–545; 44 (1935) 42–61.

[9] Fl. Josephus, Ant. XI, 8, 4–6 (§§ 321–345 Niese).

[10] Vgl. G. Delling, Alexander der Große als Bekenner des jüdischen Gottesglaubens. Journal for the Study of Judaism 12 (1981) 1–51.

[11] Zu diesem Namen vgl. Galling, Studien 201–203.

(261–246) z. Zt. Ptolemaios' II. Philadelphos (285–246) stehen und in den Zenon-Papyri genannt werden[12]. Folgende palästinische Hyparchien sind bekannt:

1. Judäa, unter den Hohenpriestern zu Jerusalem. Es gibt Gründe für die Annahme, daß Judäa eine Teilautonomie innerhalb der ptolemäischen Verwaltung und des Steuersystems genoß.

2. Samaria, d.h. die makedonische Kolonie in der Stadt und die Bevölkerung (ἔθνος) auf dem Lande mit dem Tempel der schismatischen Samaritaner auf dem Garizim *(Ǧebel eṭ-Ṭōr)*.

3. Galiläa, mit der autonomen griechischen Kolonie Skythopolis (Bethschean, *Bēsān*), vermutlich als Vorort der Hyparchie.

4. Idumäa, aus zwei Teilen, Ost-Idumäa mit dem Vorort Adoraim *(Dūra)* und West-Idumäa mit der Metropole Marissa (Marescha, *Tell Sandaḥanne*), die hauptsächlich von hellenisierten Sidoniern bewohnt war.

5. Asdod, d.h. das Philistergebiet, mit dem Hauptort Jamnia *(Yabne)*.

In der Küstenebene entstand eine Anzahl autonomer Städte (Joppe, Askalon, Gaza[13]) und eine kleine Hyparchie in der Ebene Saron südlich des Karmel. Die letztere entsprach etwa der alten assyrischen Provinz *Dū'ru*[14]; ihr Vorort scheint „Stratonsturm", das spätere *Caesarea maritima (Qēṣārye)* gewesen zu sein. Dor (*el-Burǧ* bei *eṭ-Ṭanṭūra*) war als königliche Festung aus diesem komplizierten System ausgenommen. Im Ostjordanland war die ptolemäische Politik der Verkleinerung größerer Territorialeinheiten besonders deutlich sichtbar. Dort kam es zur Gründung zahlreicher hellenistischer Städte und zur Teilung von Provinzen und Distrikten. Die Einzelheiten müssen hier auf sich beruhen bleiben. Anzumerken ist, daß die Nabatäer auf dem Territorium des alten Edom, dort seit dem 5./4. Jahrhundert v. Chr. ansässig, ihre Unabhängigkeit behielten[15].

Die Herrschaft der Ptolemäer über „*Syria und Phoinikē*" war nichts weniger als unangefochten. Die mesopotamisch-syrischen Seleukiden waren lüstern nach der Landbrücke und ließen nichts unversucht, sie zu gewinnen. Während des 3. Jahrhunderts v. Chr. kam es zu nicht weniger als fünf „Syrischen Kriegen", in deren Verlauf es den Ptolemäern zunächst gelang, ihre vorderasiatischen Besitzungen festzuhalten: 1. Syrischer Krieg (274–

---

[12] Einzelheiten zur Territorialpolitik bei V. Tscherikover, Palestine under the Ptolemies. A Contribution to the Study of the Zenon Papyri. Mizraim 4–5 (1937) 9–90; M. Avi-Yonah, The Holy Land from the Persian to the Arab Conquest (1966) 32–41; S. Mittmann, Zenon im Ostjordanland. Archäologie and AT, Fs K. Galling (1970) 199–210.

[13] Vgl. A. Kasher, Gaza during the Greco-Roman Period. The Jerusalem Cathedra 2 (1982) 63–78.

[14] S. o. S. 308.

[15] Zur Geschichte und Kultur der Nabatäer vgl. N. Glueck, Deities and Dolphins. The Story of the Nabataeans (1965); M. Lindner, Petra und das Königreich der Nabatäer (1970); Ph. C. Hammond, The Nabataeans – their History, Culture and Archaeology. Studies in Mediterranean Archaeology 37 (1973).

271) zwischen Ptolemaios II. Philadelphos (285–246) und Antiochos I. Soter (281–261); 2. Syrischer Krieg (260–253), auf seleukidischer Seite unter Antiochos II. Theos (261–246); 3. Syrischer Krieg (246–241) zwischen Ptolemaios III. Euergetes (246–221) und Seleukos II. Kallinikos (246–226); 4. Syrischer Krieg (221–217) zwischen Ptolemaios IV. Philopator (221–204) und Antiochos III. dem Großen (223–187). Die wechselvollen Ereignisse dieser ersten vier Kriege[16] konnten auf Jerusalem nicht ohne Wirkung bleiben. Wir wissen zwar nicht allzuviel davon, aber soviel ist immerhin erkennbar, daß sich in Jerusalem langsam eine proseleukidische Partei zu bilden begann. Der Hohepriester Onias II. stellte im 3. Syrischen Krieg die Tributzahlungen ein. Ungefähr gleichzeitig aber erfolgte der Aufstieg der Tobiaden. Die Angehörigen dieser ehrgeizigen Familie beschränkten sich hinfort nicht mehr auf ihr ostjordanisches Gebiet um *ʿArāq el-Emīr*, sondern griffen entschlossen – und zwar zugunsten der Ptolemäer – in die Jerusalemer Politik ein. Joseph ben Tobia wurde das Haupt der ptolemäischen Partei in Jerusalem; er amtierte aufgrund seiner Loyalität zwischen ca. 240 und 218 sogar als oberster Steuereinnehmer der Gesamtprovinz Coelesyrien. In dieser Funktion machte er sich und den Seinen die Wirtschaftskraft Judäas rigoros zunutze und verschärfte die sozialen Gegensätze im Lande; denn die Ptolemäerfreunde waren die Reichen. Als Machtverlust und Niedergang des ptolemäischen Reiches nach dem 4. Syrischen Krieg nicht mehr zu übersehen waren, kam es zur Spaltung innerhalb der Tobiadenfamilie: Joseph schwenkte zur seleukidischen Seite um, während sein Sohn Hyrkanos loyal blieb und sich nach *ʿArāq el-Emīr* zurückziehen mußte. Die Hohenpriester, seit Onias II. proseleukidisch gesinnt, machten während der 2. Hälfte des 3. Jahrhunderts v. Chr. nicht eben durch politisches Format auf sich aufmerksam.

Im 5. Syrischen Krieg (201–200/198) gelang es schließlich Antiochos III., den ptolemäischen General Skopas in der Schlacht bei Paneion (Paneas, *Bānyās*) vernichtend zu schlagen; das war im Jahre 200, nach anderen 198 v. Chr. Damit fiel „*Syria und Phoinikē*“ an die Seleukiden, und dieser Herrschaftswechsel wurde durch den Friedensschluß mit Ptolemaios V. Epiphanes (204–181) im Jahre 194/3 verbrieft. Die Seleukidenherrschaft[17] dauerte von 200/198 bis 135 v. Chr. In Jerusalem stützte sich Antiochos III.[18] auf die proseleukidischen Kräfte, die dem Herrschaftswechsel längst vorgearbeitet hatten: die Angehörigen der hohepriesterlichen Familie der Oniaden, unter denen besonders Simon II. der Gerechte gerühmt wird (Sir 50,1–24), und die Tobiaden, die das politische Heft in der

---

[16] Die Auseinandersetzungen der Diadochen um die Interessen- und Herrschaftsgebiete im Nahen Osten sind in Dan 11,2–45 abgebildet und apokalyptisch gedeutet.

[17] Vgl. A. Bouché-Leclercq, Histoire des Séleucides (323–64 avant J. C.), 2 Bde. (1913/4); Th. Fischer, Seleukiden und Makkabäer. Beiträge zur Seleukidengeschichte und zu den politischen Ereignissen in Judäa während der 1. Hälfte des 2. Jh. v. Chr. (1980).

[18] Vgl. H. H. Schmitt, Untersuchungen zur Geschichte Antiochos' des Großen und seiner Zeit. Historia Einzelschriften 6 (1964).

Hand hatten. Antiochos III. kam ihnen weit entgegen. Fl. Josephus, Ant. XII, 3, 3 (§§ 138–144 Niese), hat einen Erlaß überliefert, in dem der Jerusalemer Tempelgemeinde und Judäa beachtliche Privilegien gewährt werden: Freilassung von Gefangenen, Steuerfreiheit und Verminderung der Naturalabgaben auf drei Jahre, grundsätzliche Steuerfreiheit für das Kultpersonal, den Ältestenrat (γερουσία) und die Schriftgelehrten (γραμματεῖς)[19]. Die Politik des seleukidischen Wohlwollens gegenüber Jerusalem hielt freilich nicht lange vor, zumal Antiochos III. alsbald empfindliche Machteinbußen hinnehmen mußte. Der Aufstieg Roms im 2. Makedonischen Krieg führte zur Schlacht bei Magnesia (190) und zum folgenden Frieden von Apamea (188), bei dem die Seleukiden sämtliche europäischen und viele kleinasiatische Gebiete ihres Reiches an die Römer verloren. Der seleukidische Machtverlust setzte sich durch Mißerfolge unter Seleukos IV. Philopator (187–175) fort – und die Jerusalemer Begleitmusik dazu war ein wilder Machtkampf zwischen den Oniaden und den Tobiaden, mit raschem, beklagenswertem und oft unwürdigem Wechsel im Hohenpriesteramt. Jerusalem wurde mehr und mehr eine hellenistische Stadt *(Polis)* mit Gymnasion, Ephebeion, hellenistischer Verfassung und völlig oder doch weitgehend hellenisierten Aristokratenfamilien. Die Stadt steuerte zielstrebig auf die Krise zu, befördert durch den Widerstand der gesetzestreuen Kreise, die die Konstitutionsreform – keineswegs ganz zu Unrecht – als Verachtung der Thora interpretierten. Die Krise erreichte ihren Höhepunkt, als Antiochos IV. Epiphanes (175–164)[20] im Zusammenhang des 6. Syrischen Krieges gegen Ptolemaios VI. Philometor (181–145) in Jerusalem erschien, um den dortigen Wirren ein Ende zu machen. Er eroberte die Stadt zweimal, 169 und 168 v. Chr., nachdem ihn die Römer ultimativ an der Fortsetzung des Krieges gegen Ägypten gehindert hatten. Jerusalem wurde eine hellenistische Militärkolonie, Verfolgungen der thoratreuen Juden setzten ein, und um dem Ganzen die Krone aufzusetzen, ließ Antiochos IV. am 6. Dezember 167 v. Chr. einen Altar des olympischen Zeus auf dem großen Brandopferaltar des Tempels errichten: den „Greuel der Verwüstung" des Danielbuches (Dan 11,31; 12,11). Das war das Signal zum Ausbruch des Makkabäeraufstandes.

Die Territorialpolitik der Seleukiden war der ptolemäischen gerade entgegengesetzt: die Herrscher bevorzugten große Territorialeinheiten nach Art der persischen Satrapien, aufgeteilt in zahlreiche und oft wechselnde Provinzen und Distrikte. Gleichzeitig schritt der Prozeß der Hellenisierung des Orients kräftig voran, getragen von der wachsenden Zahl griechischer Städte mit einem hohen Grade von Autonomie. Die Einzelheiten sind nicht immer leicht durchschaubar[21]. Nach dem Tode Antiochos' III. (187) wurde das Gesamtgebiet Transeuphrat einem „Vizekönig"

---

[19] Der Text des Erlasses griechisch in TGI 76f.; Übersetzung TGI³, 89f.
[20] Vgl. O. Mørkholm, Antiochus IV of Syria. Classica et Mediaevalia 8 (1966).
[21] Vgl. M. Avi-Yonah, a.a.O., S. 42–51.

(στρατηγὸς πρωτάρχης) unterstellt und in zwei Großprovinzen gegliedert: „*Seleukis*" (Syrien) und „*Koile Syria und Phoinikē*" (die ehemaligen asiatischen Besitzungen der Ptolemäer). Die Großprovinz Coelesyrien wiederum war in mehrere Eparchien (auch μέρεις genannt) unterteilt, deren Anzahl nicht genau bekannt ist und wohl auch gewechselt hat. Jedenfalls erkennt man deutlich die Tendenz zur Großräumigkeit: öfter erscheinen mehrere ptolemäische Hyparchien zu einer seleukidischen Eparchie vereinigt. Auf dem Boden Palästinas gab es vier Eparchien:

1. Samaria (Samaritis): Ganz wie zu Beginn des persischen Zeitalters[22] gehörte Judäa zur Eparchie Samaria (1. Makk 3, 10). Im Verlaufe des Makkabäeraufstandes jedoch wurde es zur Entlastung des samarischen Eparchen in den Rang einer Eparchie erhoben. Die ersten judäischen Eparchen waren Nikanor und Bakchides; im Jahre 150 v. Chr. trat dann der hasmonäische Hohepriester Jonathan in dieses Amt ein. Die Eparchie Samaria umfaßte auch Galiläa (1. Makk 10, 30), ferner nach Josephus (Ant. XIII, 2, 3 [§ 50 Niese]) das ostjordanische Peräa und vielleicht die Hafenstadt Joppe.

2. Idumäa: vergrößert durch die ptolemäische Hyparchie Asdod-Jamnia. Gezer *(Tell Ǧezer)* wurde königliche Festung zur Sicherung der Straße nach Jerusalem.

3. Paralia: die Küstenebene vom *Rās en-Naqūra* bis zum *Wādī'l-'Arīš* (1. Makk 11, 59; Josephus, Ant. XIII, 5, 4 [§ 146 Niese]), in mehrere kleinere Einheiten unterteilt. Da die Eparchie zuerst unter Antiochos V. Eupator (164–162) erwähnt wird, ist sie vielleicht während oder kurz nach dem Makkabäeraufstand gegründet worden. Ihr Gebiet war zweigeteilt: ungefähr in der Mitte, auf der Höhe von Jamnia *(Yabne)*, Asdod *(Esdūd)* und Joppe *(Yaffā)*, verlief ein Korridor der Eparchien Samaria und Idumäa zum Mittelmeer. Dor stand, wie unter den Ptolemäern, im Rang einer königlichen Festung.

4. Galaaditis: das Ostjordanland einschließlich der Distrikte Gaulanitis, Batanäa, Trachonitis, Auranitis, Ammonitis und Moabitis – aber ohne Peräa (das Tobiadengebiet), das zur Eparchie Samaria gehörte.

Bei alledem begünstigten die Seleukiden die Hellenisierung der Städte: entweder dadurch, daß sie besondere griechisch-hellenistische Gemeinden mit politischen Rechten innerhalb der Kommunen einrichteten (so in Jerusalem, Akko/Ptolemais, Hippo, Skythopolis, Gaza u. a.), oder durch Neuhellenisierung von Städten, die vordem noch kaum von hellenistischer Kultur und Gesittung berührt gewesen waren. Im letzteren Falle erhielten die Ortschaften nicht selten neue Namen, gelegentlich mehrere hintereinander: Dan/Antiochia *(Tell el-Qāḍī)*, mehrere Städte namens Seleukia im Ostjordanland, Gadara/Antiochia/Seleukia *(Umm Qēs)* u. a. m. Daß im Zuge der fortschreitenden Urbanisation die griechische Sprache zunehmend an Boden gewann, versteht sich von selbst. Auch die materielle Kul-

---

[22] S. o. S. 410. 421 f.

tur, die Art der Stadtanlage, die Ausstattung mit Tempeln und öffentlichen Gebäuden entsprechen dem, was man im Mittelmeerraum allerorten finden kann.

Welche Wirkungen die Hellenisierung auf die Jerusalemer Kultusgemeinde und überhaupt auf das palästinische Judentum hatte, ist nicht ganz leicht zu sagen[23]. Sie müssen aber doch erheblich gewesen sein, vor allem natürlich auf die begüterten und gebildeten Kreise. Der Hellenismus war eine Bildungsmacht, die selbst in einer so geprägten und exklusiven Religion wie der jüdischen nicht ohne Einfluß bleiben konnte, und zwar in Anziehung und Abstoßung. Vielfältige Spuren davon finden sich in der Literatur: in der Geschichtsschreibung, der Weisheitsliteratur, der beginnenden Apokalyptik und anderwärts. Daß eine Kultusgemeinde, deren Hohepriester offizielle Namen wie Jason[24] und Menelaos trugen, von hellenistischem Geiste unberührt geblieben sei, werden wir nicht annehmen dürfen. Und was für das palästinische Judentum gilt, das gilt erst recht und in noch höherem Grade für das Diasporajudentum in den Mittelmeerländern. Die große jüdische Gemeinde in Alexandria ist das eindrucksvollste Beispiel dafür. In ihrem Kreise ist seit dem 3. Jahrhundert v. Chr. allmählich die griechische Übersetzung des AT entstanden: die Septuaginta, ohne Zweifel der bedeutendste Beitrag des hellenistischen Judentums zur Religions- und Geistesgeschichte des Gesamtjudentums[25].

2. *Der Aufstand der Makkabäer und die hasmonäische Dynastie*

In den Jahren 169–167 v. Chr.[26] griff Antiochos IV. Epiphanes tief und nachhaltig in das Leben der Stadt Jerusalem, der Gemeinde des zweiten Tempels und des ganzen Landes Judäa ein: 169 plünderte er den Tempel und betrat das Allerheiligste – in den Augen der gesetzestreuen Juden ein gräßliches Sakrileg (1. Makk 1,16–28; 2. Makk 5,15 f.); 168 ließ er Jerusalem durch den Mysarchen Apollonios überfallen und verwüsten (1. Makk 1,29–35; 2. Makk 5,24–26), richtete in der befestigten Akra[27]

---

[23] Vgl. zu dieser Frage die grundlegende Monographie von M. Hengel, Judentum und Hellenismus. Wissenschaftl. Untersuchungen zum NT 10 (1973²).

[24] Über die Inschriften in seinem Grabe: N. Avigad – P. Benoit, IEJ 17 (1967) 101–113.

[25] Der pseudepigraphische Aristeasbrief, der die Übersetzung der Thora ins Griechische auf Veranlassung Ptolemaios' II. Philadelphos (285–246) erzählt, ist legendarisch. Seine Absicht besteht darin, die göttliche Mitwirkung bei der Übersetzung zu behaupten, der Septuaginta also kanonische Würde zu sichern. Der Brief stammt aus dem Ende des 2. Jahrhunderts v. Chr. oder dem Anfang des 1. Jahrhunderts v. Chr. Übersetzung bei E. Kautzsch (ed.), Die Apokryphen und Pseudepigraphen des AT 2 (1900) 1–31.

[26] Die seleukidische Chronologie ist nicht zuletzt aufgrund der „Seleukidenliste" des Britischen Museums sehr gut bekannt; vgl. A. J. Sachs – D. J. Wiseman, A Babylonian King List of the Hellenistic Period. Iraq 16 (1954) 202–211; J. Schaumberger, Die neue Seleukidenliste BM 35603 und die makkabäische Chronologie. Biblica 36 (1955) 423–435. Übersetzung auch in ANET³, 566 f.

[27] Die Lage der Akra ist ein Dauerproblem der Topographie Jerusalems. In nahezu jedem der Jahrgänge aus der Anfangszeit der ZDPV (seit 1878) finden sich Äußerungen dazu, und

eine hellenistische Kolonie ein, verbot – bei Todesstrafe – den gesamten jüdischen Gottesdienst (1. Makk 1,41–51) und begründete im Dezember 167 auf dem heiligen Platze des Tempels den Kultus des Zeus Olympios und auf dem Garizim den des Zeus Xenios (1. Makk 1,54; 2. Makk 6,2). Damit war über den zweiten Tempel der „Greuel der Verwüstung" (Dan 11,31; 12,11) hereingebrochen[28]. Das Maß war voll, der Glaubenskrieg brach aus. Das Signal kam aus der kleinen Ortschaft Modeïn *(el-Midye)*, etwa 10 km östlich von Lydda *(Ludd)*. Dort lebte der Priester Mattathias aus dem Geschlechte des Hasmon[29] mit seinen fünf Söhnen Johannes, Simon, Judas, Eleasar und Jonathan. Dieser Mann weigerte sich nicht nur, heidnische Opfer darzubringen, sondern tötete einen Juden, der das tat, und den seleukidischen Beamten, der es verlangt hatte (1. Makk 2,1–26). Da seines Bleibens in Modeïn nicht länger war, ging er 166 v. Chr. mit seinen Söhnen und einem beständig wachsenden Anhang aufs Gebirge und in die Wüste Juda. Von dort aus begann er den Guerillakrieg gegen seleukidische Truppen und abtrünnige Juden (1. Makk 2,27–48): ein Krieg, in dem sich sein Sohn Judas mit dem Beinamen „Makkabaios" (< aram. *maqqābāy*) „der Hammermann" von Anfang an besonders auszeichnete. Als Mattathias noch im Jahre 166 starb, wurde Judas Makkabaios das Haupt der Bewegung, die nach ihm „Makkabäerbewegung, makkabäischer Aufstand" genannt wird. Judas war ein rauher Krieger, ein Mann „ähnlich einem Löwen in seinen Taten und wie ein junger Löwe, der sich brüllend auf seine Beute stürzt" (1. Makk 3,4), zugleich aber auch ein Politiker von Rang, der die von ihm geleitete Bewegung zum Siege führte und den Religionsfrevel Antiochos' IV. beendete[30].

Judas Makkabaios schlug in den Jahren 166/5 v. Chr. drei siegreiche Schlachten gegen die aufgeschreckte seleukidische Militärmacht[31]: beim

---

dasselbe gilt von zahlreichen ausländischen palästinawissenschaftlichen Publikationen. Die Frage ist bis heute nicht befriedigend beantwortet. Es konkurrieren hauptsächlich drei Lokalisationen miteinander: auf dem Gelände der Zitadelle *(el-Qalʿa)*, in der Nähe des Hasmonäerpalastes an der Nordwestseite des alten jüdischen Viertels, an der Südostseite des Tempelplatzes. Vgl. in der Reihenfolge dieser Vorschläge: K. Kenyon, Jerusalem. Die hl. Stadt von David bis zu den Kreuzzügen (1968) 146; M. Avi-Yonah, Encyclopedia of Archaeological Excavations in the Holy Land II (1976) 603; Y. Tsafrir, The Location of the Seleucid Akra in Jerusalem. Jerusalem Revealed, Archaeology in the Holy City, 1968–1974 (1975) 85 f. M. E. ist auch die ältere Auffassung, die Akra habe auf dem Südosthügel gelegen, noch nicht völlig ausgeschieden.

[28] Zu den Gründen für diese der seleukidischen Religionspolitik eigentlich nicht entsprechenden Maßnahmen vgl. auch H. L. Jansen, Die Politik Antiochos' IV. (1943).

[29] Vgl. Josephus, Ant. XII, 6, 1 (§ 265 Niese); Bell. Jud. I, 3 (§ 36 Niese) – daher die Bezeichnung „Hasmonäer".

[30] Vgl. B. Niese, Kritik der beiden Makkabäerbücher. Nebst Beiträgen zur Geschichte der makkabäischen Erhebung (1900); E. Bickermann, Der Gott der Makkabäer. Untersuchungen über Sinn und Ursprung der makkabäischen Erhebung (1937); J. G. Bunge, Zur Geschichte und Chronologie des Untergangs der Oniaden und des Aufstiegs der Hasmonäer. Journal for the Study of Judaism in the Persian, Hellenistic and Roman Period 6 (1975) 1–46.

[31] Vgl. F.-M. Abel, Topographie des campagnes machabéennes. RB 32 (1923) 495–521; 33 (1924) 201–217. 371–387; 34 (1925) 194–216; 35 (1926) 206–222. 510–533.

oberen Beth-Horon *(Bēt ʿŪr el-fōqa)* gegen den General Seron (1. Makk 3,13–26), bei Emmaus *(ʿAmwās)* gegen die Generäle des Vizekönigs Lysias, Ptolemaios Nikanor und Gorgias (1. Makk 3,27–4,25) und bei Bethsur *(Ḫirbet eṭ-Ṭubēqa)* gegen Lysias selbst (1. Makk 4,26–35). In der zweiten Hälfte des Jahres 164 v. Chr. zog er dann nach Jerusalem, schloß die Akra ein, um seine Aktionen störungsfrei zu machen, und beseitigte Zug für Zug die Folgen der Religionspolitik Antiochos' IV., bis hin zur feierlichen Wiedereinweihung des geschändeten Tempels am 14. Dezember 164 – deren Erinnerung bis heute am jüdischen Chanukka-Fest gefeiert wird (1. Makk 4,36–59; 2. Makk 10,5–8; Josephus, Ant.XII, 8,6–7 [§§ 316–327 Niese]). Zur Befreiung der bedrängten jüdischen Glaubensbrüder, aber wohl auch zur Erweiterung ihres Machtbereiches, unternahmen die Makkabäer sodann erfolgreiche Feldzüge nach Galiläa und ins Ostjordanland[32], nach Idumäa und in die Küstenebene (163). Als sich Judas aber nach dem Tode Antiochos' IV. anschickte, die seleukidische Garnison in der Akra zu Jerusalem zu belagern, rückte Lysias, der die Regentschaft für den noch minderjährigen Antiochos V. Eupator (164–162) führte, mit starker Heeresmacht und Kriegselefanten heran, schlug die Makkabäer bei Beth-Zacharia *(Bēt Iskārye)* und begann seinerseits, Jerusalem zu belagern (1. Makk 6,17–54). Innerseleukidische Streitigkeiten führten freilich nach kurzer Zeit zu einem Friedensangebot Antiochos' V., das Judas akzeptierte. Es hob die Anordnungen Antiochos' IV. vom Jahre 167 v. Chr., die der unmittelbare Kriegsanlaß gewesen waren, praktisch auf. Die Makkabäerbewegung war am Ziel.

Dabei hätte es nun bleiben können und nach Meinung vieler auch bleiben sollen, zumal sich die seleukidische Seite friedenswillig zeigte. Im Jahre 162 v. Chr. bestieg Demetrios I. Soter (162–150), Sohn Seleukos' IV. Philopator, den Thron und ließ Antiochos V. und Lysias beseitigen. Ihm lag an Ruhe auf der Landbrücke, die in Judäa auch dadurch begünstigt schien, daß mit Alkimos wieder ein legitimer Angehöriger der zadokidischen Familie das Hohepriesteramt bekleidete (1. Makk 7,1–25). Aber nun zeigte sich, daß in der makkabäischen Bewegung mehr steckte als man zunächst hatte erkennen können. Sie begann, aggressive Eigendynamik zu entfalten, mit dem Ziele, die Fesseln der seleukidischen Herrschaft ganz abzuschütteln und politische Unabhängigkeit zu erlangen. Nicht alle begrüßten die politische Ausweitung des Konflikts. Die Partei der „Frommen" *(Chasidim)*, die vermutlich älter ist als die Makkabäerbewegung, begnügte sich mit dem Erreichten und wünschte nichts als ungestörte Religionsausübung. Aus ihr gingen später die Pharisäer hervor. Auf der anderen Seite versuchten Judas Makkabaios und sein Anhang den Konflikt durch einen Beistandspakt mit Rom (1. Makk 8,17) zu

---

[32] Vgl. K. Galling, Judäa, Galiläa und der Osten im Jahre 164/3 v. Chr. PJB 36 (1940) 43–77.

internationalisieren[33]. Beiden Gruppierungen standen die hellenisierenden Kreise der Sadduzäer gegenüber, vorwiegend Angehörige der aristokratischen Priesterfamilien, die wahrscheinlich die Unterstützung des Hohenpriesters Alkimos besaßen. Dieser allerdings geriet in Jerusalem in eine derart bedrängte Lage, daß er Demetrios I. um Hilfe bitten mußte. Im Jahre 161 (oder 160) v. Chr. begannen die Kriegshandlungen erneut: zunächst schlug Judas Makkabaios den seleukidischen General Nikanor bei Adasa (*Ḫirbet ʿAdase*) südlich von Mizpa (*Tell en-Naṣbe*) vernichtend (1. Makk 7,26–50), dann aber erlitten die Makkabäer im April 160 v. Chr. eine schwere Niederlage bei der nicht lokalisierten Ortschaft Elasa unweit Jerusalem (1. Makk 9,1–22). In dieser Schlacht verlor Judas Makkabaios sein Leben. Seine Anhänger retteten sich, soweit der seleukidische Heerführer Bakchides sie nicht fing, in die Wüste Juda, wählten Judas' Bruder Jonathan zum Anführer und kehrten wie am Anfang der makkabäischen Erhebung zum Guerillakrieg zurück.

In der Folgezeit ermöglichten schwere, komplizierte und lang andauernde Thronwirren im Seleukidenreiche dem Jonathan (160–142) einen langsamen stetigen Aufstieg (1. Makk 9,23 – 12,53). Die Einzelheiten sind hier nicht zu beschreiben. Jedenfalls verstand es Jonathan, sich die wechselnde Gunst der rivalisierenden seleukidischen Thronprätendenten geschickt zunutze zu machen. Er residierte zunächst in Michmas (*Muḫmās*), siedelte jedoch 152 v. Chr. nach Jerusalem über und wurde dort Hoherpriester – der erste einer langen Reihe hasmonäischer Hoherpriester, die bis hinab in herodianische Zeiten reicht. Alsbald erhielt er auch die Insignien politischer Macht (1. Makk 10,15–21) und legte sozusagen den Grundstein zum hasmonäischen Königtum. Ihm folgte sein älterer Bruder Simon (142–135/4), dem es gelang, die Herrschaft über Judäa beachtlich auszubauen. Er eroberte 141 v. Chr. die Akra in Jerusalem und ließ sich 140 als Ethnarch (auch ἡγούμενος, hebr. *nāśī*), Hoherpriester (ἀρχιερεύς) und Feldherr (στρατηγός) einsetzen (1. Makk 13,42; 14,25–49): eine Ämterkumulation, die „königliche" Höchstbefugnisse im zivilen, religiösen und militärischen Bereich anzeigt, auch wenn der Titel βασιλεύς „König" vermieden wird[34]. Simon pflegte Verbindungen mit Rom und Sparta und erreichte auf mehreren, von den schwachen Seleukiden nicht gestörten Feldzügen beträchtliche Gebietserweiterungen für Judäa nach Norden und Westen. Seine Regierungszeit galt als Periode des Friedens und der Wohlfahrt (1. Makk 14,4). In der Historiographie des 1. Makkabäerbuches klingen salomonische, nahezu messianische Töne an. Simon wurde

---

[33] Vgl. T. Liebmann-Frankfort, Rome et le conflict judéo-syrien (164–161 av.n.ère). L'Antiquité Classique 38 (1969) 101–120; D. Timpe, Der römische Vertrag mit den Juden 161 v. Chr. Chiron 4 (1974) 133–152.

[34] Mit der Investitur des Hasmonäers Simon pflegte man früher Ps 110 zusammenzubringen; vgl. B. Duhm, Die Psalmen. KHC XIV (1899) 254–256. Diese Auffassung wird heute von niemandem mehr geteilt und ist völlig obsolet geworden. Ich frage mich, ob sie wirklich so abwegig war und hoffe, an anderer Stelle darauf zurückzukommen.

mit zweien seiner Söhne bei einem Bankett in Dok bei Jericho *(ʿAyn Dūq)* von seinem Schwiegersohn Ptolemaios ermordet. Der strebte zwar nach der Herrschaft, konnte sie aber nicht gewinnen, da Simons Sohn Johannes gewarnt worden war und sich als Nachfolger seines Vaters durchsetzte.

Mit diesem Sohne, der unter dem Namen Johannes Hyrkanos I. (135/4–104) in die Ämter seines Vaters eintrat, begann die Königsherrschaft der Hasmonäerdynastie[35], obwohl Johannes Hyrkan selbst den Königstitel noch nicht annahm. Alsbald nach seinem Regierungsantritt besetzte Antiochos VII. Sidetes (138–129) Judäa und belagerte Jerusalem. Aber er konnte die Früchte dieser zunächst erfolgreichen Aktionen wegen der labilen Gesamtlage des seleukidischen Reiches nicht ernten. Nachdem er im Partherkrieg (130–129) den Tod gefunden hatte, war Judäa faktisch unabhängig und Johannes Hyrkan souveräner Herrscher unter nur noch nomineller seleukidischer Oberhoheit. In den Jahren nach 129 v.Chr. erweiterte er sein Gebiet nach verschiedenen Seiten: er eroberte im Ostjordanland Medaba *(Mādebā)* und die umliegenden Ortschaften – also die Landschaft *el-Belqā* –, im Norden Sichem und das samaritanische Heiligtum auf dem Garizim, im Süden die Orte Adora *(Dūra)* und Marissa (Marescha, *Tell Sandaḥanne*). Die Idumäer ließ er zwangsweise beschneiden und gliederte sie der Jerusalemer Kultgemeinde ein (Josephus, Ant. XIII, 9, 1 [§§ 254–258 Niese]). Im Jahre 108/7 v.Chr. eroberte er schließlich auch Samaria *(Sebasṭye)* und Skythopolis-Bethschean *(Bēsān)*. Trotz oder vielleicht gerade wegen aller dieser politischen und militärischen Erfolge war seine Herrschaft nicht unangefochten. Der Widerstand kam vor allem aus den Kreisen der Pharisäer, die aus den ursprünglich makkabäerfreundlichen „Frommen" *(Chasidim)* hervorgegangen waren[36] und denen die Hasmonäerherrschaft längst viel zu weltlich-politisch und zu wenig religiös geworden war (Josephus, Ant. XIII, 10, 5 f. [§§ 288–298 Niese]). Um ihnen die Waage zu halten, stützte sich Johannes Hyrkanos I. auf die hellenistisch gesinnte Partei der Sadduzäer, d.h. auf den reichen Priesteradel. Man begreift, daß der hasmonäische Staat weder volkstümlich noch innerlich gefestigt war. Beständige innere Konflikte haben der ganzen Hasmonäerzeit das Gepräge gegeben.

Unter Aristobulos I. (104–103) zeigten sich zum ersten Male die Züge finsterer Entartung in der Hasmonäerfamilie: Aristobul setzte seine Mutter, die Johannes Hyrkan zu seiner Nachfolge bestimmt hatte, ins Gefängnis und ließ sie dort verhungern, sperrte auch drei seiner Brüder ein und

---

[35] Vgl. S. Zeitlin, The Rise and Fall of the Judaean State I (1962).

[36] Vgl. J. Wellhausen, Die Pharisäer und die Sadducäer. Eine Untersuchung zur inneren jüdischen Geschichte (1874, 1967³); L. Finkelstein, The Pharisees. The Sociological Background of their Faith (1938, 1946³); R. Meyer, Tradition und Neuschöpfung im antiken Judentum, dargestellt an der Geschichte des Pharisäertums. Sitzungsberichte d. Sächs. Akad. d. Wiss., phil.-hist. Kl. 110, 12 (1965); J. Neusner, From Politics to Piety. The Emergence of Pharisaic Judaism (1973); C. Thoma, Der Pharisäismus, in: J. Maier–J. Schreiner (ed.), Literatur und Religion des Frühjudentums (1973) 254–272.

ermordete einen vierten. Er nahm den Königstitel an und zwang die Ituräer zur Beschneidung (Josephus, Ant. XIII, 11, 3 [§§ 318 f. Niese]), erweiterte sein Gebiet also bis zur Nordgrenze Galiläas. Alexander Jannaios (103–76), der dritte Sohn Johannes Hyrkans I., heiratete Salome Alexandra, die Witwe seines Bruders Aristobul. Seine höchst wechselvollen Kriege[37] brachten ihn trotz vieler Rückschläge schließlich in den Besitz ganz Palästinas einschließlich weiter Teile des Ostjordanlandes und der Küstenebene bis hinab nach Rhinokorura *(el-ʿArīš)*. Er geriet in wiederholte kriegerische Konflikte mit den Nabatäern, die unter den Königen Obodas I. (ca. 93–85) und Aretas III. (ca. 85–62)[38] von ihrem Stammlande im alten Edomitergebiet aus mächtig nach Norden – bis Damaskus – ausgriffen und auch westwärts Zugang zum Mittelmeer suchten. Im Inneren gelangte der Gegensatz zu den Pharisäern auf den Höhepunkt. Zeitweilig herrschten bürgerkriegsähnliche Zustände, denen der skrupellose Alexander Jannaios mit einem blutigen Terrorregime begegnete. Als er während der Belagerung von Ragaba *(er-Rāǧib)* im Ostjordanland starb, bemächtigte sich Salome Alexandra (76–67) des Thrones und verschaffte dem Hasmonäerstaat durch ein friedliches, auf Ausgleich mit den Pharisäern bedachtes Regiment eine Atempause. Ihren ältesten Sohn, den entschlußlosen Kronprinzen Hyrkanos (II.), machte sie zum Hohenpriester, den jüngeren, den entschlußfreudigen Aristobulos (II.), hielt sie zu ihren Lebzeiten in Schach. Nach ihrem Tode stritten beide Brüder um ihre Nachfolge (Josephus, Ant. XIV, 1, 2–4 [§§ 4–18 Niese]). Aristobul II. schlug Hyrkan bei Jericho; dann belagerte er ihn in der Burg Baris auf der Nordseite des Tempelplatzes zu Jerusalem, zwang ihn zur Kapitulation und versetzte ihn gewissermaßen in den Ruhestand. Das allerdings nur für kurze Zeit. Denn inzwischen hatte Antipatros, wahrscheinlich Gouverneur von Idumäa, den Süden unter seine Kontrolle gebracht und damit begonnen, Hyrkan zu unterstützen. Er überredete ihn, nach Petra zum Nabatäerkönig Aretas III. zu fliehen, der versprach, ihn gegen die Abtretung ostjordanischer Gebiete auf den Jerusalemer Thron zu bringen. Es kam zum Unikum einer nabatäischen Belagerung Jerusalems und des Tempelplatzes, die Aristobul II. in schwere Bedrängnis brachte. In Damaskus aber wartete bereits Pompeius, um sich den Bruderzwist zunutze zu machen. Das war das unrühmliche Ende der hasmonäischen Dynastie.

3. *Palästina unter der Herrschaft der Römer*

Die Legionen der römischen Republik, die sich bereits seit etwa 200 v. Chr. im Orient politisch zu engagieren begonnen hatte, gingen in den sechziger Jahren des 1. Jahrhunderts v. Chr. wie eine Walze über die Län-

[37] Vgl. M. Stern, The Political Background of the Wars of Alexander Jannai. Tarbiz 33 (1963/4) 325–336 (hebr.); E. Stern, Judea and her Neighbors in the Days of Alexander Jannaeus. The Jerusalem Cathedra 1 (1981) 22–46.

[38] Vgl. A. Negev, The Chronology of the Middle Nabatean Period. Yediot 31 (1966/7) 189–202.

der des Nahen Ostens und beseitigten die Reste des Seleukidenreiches sowie die Kleinstaaten, auch den Hasmonäerstaat in Palästina. Im Jahre 64/3 v. Chr. erschien C. Pompeius Magnus in Syrien; 63 zog er in Jerusalem ein, belagerte und eroberte den Tempelbezirk, richtete ein Blutbad an, betrat und entweihte das Allerheiligste und übernahm Judäa als römischen Vasallenstaat unter der schwachen Autorität des Hohenpriesters Hyrkanos II., dem er den Königstitel entzog[39]. Die Einzelheiten des unwürdigen Schauspiels, wie die Notabeln von Jerusalem um die Gunst der Römer buhlten und wie sie sich zugleich untereinander befehdeten, sind hier nicht auszubreiten. Man kann das alles im 14. Buche der „Jüdischen Altertümer" des Fl. Josephus nachlesen (Ant. XIV, 3–16), auch die wechselvollen Herrschaftsverhältnisse und die blutigen Familiendramen in Jerusalem. Wichtiger ist ein Blick auf die territorialpolitischen Ergebnisse der römischen Neuordnung des Orients, besonders Palästinas[40]. Die Römer bildeten aus den westlichen Teilen des Seleukidenreiches die Provinz *Syria*, zu der Palästina gehörte. Ihre ersten Statthalter, die an der Neugestaltung der palästinischen Verhältnisse großen Anteil hatten, waren M. Aemilius Scaurus (63–57) und A. Gabinius (57–55). Den Römern lag daran, den Hasmonäerstaat aufzulösen und die meisten seiner Eroberungen rückgängig zu machen. Sie verkleinerten den jüdischen Tributärstaat, nahmen ihm den Zugang zum Mittelmeer und lösten die hellenistischen Städte, an denen sie als gelehrige Schüler der griechisch-hellenistischen Zivilisation sehr interessiert waren, aus dem Verbande heraus[41]. Folgende Städte sind vor allem zu nennen:

a) in der Küstenebene: Dor (*el Burǧ* bei *eṭ-Ṭanṭūra*), Stratonsturm (später *Caesarea maris*, *Qēṣārye*), Arethusa (wahrscheinlich das biblische Aphek, hellenist. *Pegae*, seit Herodes *Antipatris*, *Rās el-ʿAyn*), Apollonia *(Arsūf)*, Joppe *(Yaffā)*, Jamnia *(Yabne)*, Azotus (Asdod, *Esdūd*), Gaza *(Ġazze)*;

b) im westjordanischen Binnenland: Samaria *(Sebasṭye)* und Marissa (Marescha, *Tell Sandaḥanne*);

c) im nördlichen Ostjordanland: der vermutlich zwischen 64 und 61 v. Chr. begründete Städtebund der Dekapolis[42]. Nach Plinius, nat. hist. V, 74

---

[39] Vgl. F.-M. Abel, Le siège de Jérusalem par Pompée. RB 54 (1947) 243–255.

[40] Vgl. E. Bammel, Die Neuordnung des Pompeius und das römisch-jüdische Bündnis. ZDPV 75 (1959) 76–82; ders., The Organization of Palestine by Gabinius. Journal of Jewish Studies 12 (1961) 159–162; E. M. Smallwood, Gabinius' Organisation of Palestine. Journal of Jewish Studies 18 (1967) 89–82; A. D. Momigliano, Ricerche sull'organizzazione della Giudea sotto il dominio romano (63 a. C. – 70 d. C.) (1967).

[41] Über die Urbanisationspolitik der Römer im Osten s. A. H. M. Jones, The Cities of the Eastern Roman Provinces (1937, 1971[2]).

[42] Vgl. H. Bietenhard, Die Dekapolis von Pompeius bis Traian. Ein Kapitel aus der ntl Zeitgeschichte. ZDPV 79 (1963) 24–58; S. T. Parker, The Decapolis Reviewed. JBL 94 (1975) 437–441; ferner: W. H. Mare u. a., The Decapolis Survey Project: Abila, 1980. ADAJ 26 (1982) 37–65.

gehörten dazu: Damaskus, Philadelphia (*ʿAmmān*), Raphana (*er-Rāfe* nördl. von *Šēḫ Meskīn*), Skythopolis (*Bēsān*), Gadara (*Umm Qēs*), Hippos (aram. *Sūsīṯā*, arab. *Qalʿat el-Ḥōṣn* am Ostufer des Sees Gennezareth), Dium (*Tell el-Ašʿārī*?), Pella (*Ṭabaqāt Faḥil*), Gerasa (*Ǧeraš*) und Canatha (*el-Qanawāt* im *Ḥaurān*). Anzahl und Anordnung dieser Städte wechselten später oft und erheblich: Damaskus und Raphana schieden aus, Abila (*Tell Ābil* ca. 20 km östl. von Gadara) kam hinzu u. a. m.

Das abzüglich dieser Stadtterritorien verbleibende jüdische Gebiet umfaßte: Judäa mit Einschluß der Toparchien Lydda (*Ludd*), Haramatha (*Rentīs*), Aphairema (*eṭ-Ṭayyibe*) und Akraba (*ʿAqrabe*); das Gebiet von Gezer (*Tell Ǧezer*); Ost-Idumäa; Galiläa (ohne die Ebene von Megiddo); Peräa als schmaler Landstreifen zwischen Amathus (*ʿAmmāta* am Ausgang des *Wādī Rāǧib*) im Norden und Machaerus (*Ḫirbet el-Mukāwer*) im Süden. Gabinius gliederte dieses Gebiet in fünf Distrikte mit den Hauptorten Jerusalem, Gazara (Gezer), Jericho, Amathus und Sepphoris (*Ṣaffūrye*). Julius Caesar machte diese Gliederung 47 v. Chr. wieder rückgängig und fügte Joppe und die Ebene von Megiddo hinzu. Man erkennt am raschen Wechsel territorialpolitischer Maßnahmen, daß die Römer in der ersten Phase ihrer palästinischen Hegemonie durch subjektive Unsicherheit und objektive Schwierigkeiten daran gehindert waren, die Zügel fest in ihre Hände zu nehmen. Es zeigte sich, daß Palästina nicht mit derselben römischen Elle gemessen werden konnte wie etwa Gallien, Britannien oder Dalmatien.

Deshalb kam es den Römern vermutlich nicht ungelegen, daß einer ihrer eifrigsten und skrupellosesten Bewunderer, der judaisierte Idumäer Herodes, Sohn des Antipatros, ihnen einen Teil der Sorge um Palästina abnahm. Herodes war schon in den vierziger Jahren des 1. Jahrhunderts v. Chr. zusammen mit seinem Bruder Phasael zu einem der mächtigsten Männer in Judäa aufgestiegen. Beide Brüder waren Militärführer und Distriktsgouverneure (στρατηγοί), dazu verschworene Gegner des von den Parthern eingesetzten Hasmonäers Antigonos (40–37). Die parthische Invasion Palästinas zwang Herodes, nach Rom zu fliehen, wo ihn der Senat im Jahre 40 v. Chr. formell zum König von Judäa ernannte. Seine Herrschaft mußte im Lande freilich erst durchgesetzt werden, wozu die Römer nach anfänglichem Zögern wirksame Militärhilfe leisteten, und zwar unter dem Oberbefehl des Statthalters der Provinz Syrien, C. Sosius. Im Jahre 37 v. Chr. eroberten Sosius und Herodes Jerusalem, und danach ging Herodes zielstrebig daran, ein von den Römern zwar abhängiges, aber dennoch relativ selbständiges Staatsgebilde aufzubauen[43]. Er bekleidete innerhalb

---

[43] Vgl. St. Perowne, The Life and Times of Herod the Great (1956); I. Sandmel, Herod. Profile of a Tyrant (1967); A. Schalit, König Herodes. Der Mann und sein Werk. Studia Judaica 4 (1969); M. Stern, The Reign of Herod and the Herodian Dynasty. Compendia Rerum Judaicarum ad Novum Testamentum I, 1 (1974) 216–308. – Zu allen Fragen der Zeit- und Kulturgeschichte vgl. natürlich auch E. Schürer, Geschichte des jüdischen Volkes im

des *Imperium Romanum* die Stellung eines „verbündeten Königs" *(rex socius)*, d.h. er war dem *princeps* und dem Senate unmittelbar unterstellt und dem Statthalter der Provinz *Syria* nicht verantwortlich. Er hatte Hilfstruppen zu stellen und die Reichsgrenze gegen die Nabatäer im Osten und Süden zu sichern. Für seine außerordentlich lange Regierungszeit (37–4) ist Fl. Josephus wiederum die Hauptquelle: Ant. XV, 1–XVII, 8 und Bell. Jud. I, 18–33. Es gelang Herodes nahezu mühelos, sich die Römer geneigt zu machen, auch nachdem sein Gönner Marcus Antonius in der Schlacht bei Actium (31) dem Octavianus unterlegen war. Er gewann durch Schenkung, administrative Überstellung und gelegentlich auch durch Eroberung nach und nach Gebiete hinzu, die sein Territorium mindestens ebenso groß machten wie das der Hasmonäer, als deren Erbe er sich fühlte. Kurz nach 31 v. Chr. erhielt er von Octavianus Augustus die fruchtbaren Ländereien im südlichen Jordangraben, vor allem die Oase von Jericho, die Marcus Antonius der ägyptischen Königin Kleopatra VII. als Domäne geschenkt hatte. Zwischen 30 und 23 v. Chr. kamen zahlreiche hellenistische Städte hinzu: Gaza *(Ġazze)*, Anthedon (*Tēdā* bei *Ġazze*), Apollonia *(Arsūf)*, Stratonsturm (zu Ehren des Augustus in *Caesarea maris* oder *maritima* umbenannt, *Qēṣārye*), Gadara *(Umm Qēs)*, Hippos *(Qalʿat el-Ḥōṣn)*, Paneas *(Bānyās)* u. a. m. Herodes baute Samaria glanzvoll aus und nannte es zu Ehren des Augustus *Sebaste* „Kaiserstadt" (lat. *Augusta*). Um 23 v. Chr. und später gewann er auch die Gebiete Trachonitis, Auranitis und Batanäa im nördlichen Ostjordanland hinzu. Bei alledem bemühte er sich trotz kräftiger Förderung der hellenistischen Kultur um die innerjüdische Kolonisation der neuerworbenen Gebiete, auch hierin ein Nachfolger der Hasmonäer. Außerhalb seines Herrschaftsbereiches blieben Dor und der Westteil des Karmelgebirges, die Bucht von Akko, Teile der Dekapolis, Ammonitis und Moabitis. Den Unterschieden zwischen Städten und ländlichen Gegenden trug Herodes nicht ungeschickt Rechnung: die hellenistischen Städte waren zwar *de iure* autonom, standen aber unter der Aufsicht königlicher Beamter, und im überwiegend von Juden bewohnten „Königsland" galten die Autorität des Jerusalemer Synhedriums und die herodianische Staatsverwaltung nebeneinander[44]. In nahezu allen Landesteilen entfaltete Herodes eine kolossale und rastlose Bautätigkeit. Er ließ völlig neue Städte aus dem Boden stampfen (z. B. Phasaelis = *Ḫirbet Faṣāyil* nördl. von Jericho), alte erneuern (z. B. *Caesarea maris*, Antipatris, Samaria) und überall Paläste, Tempel für den Kaiserkult und Festungen errichten. Besonders die Festungen sind in eindrucksvollen Resten als Zeugen der Pracht, aber auch der Angst und des Schreckens bis heute im Lande sichtbar: die Zitadelle von Jerusalem *(el-Qalʿa)* mit den drei mächtigen

---

Zeitalter Jesu Christi, 3 Bde. (1901–1907, Nachdruck 1964); J. Leipoldt – W. Grundmann, Umwelt des Urchristentums, 3 Bde. (1965–1967).

[44] Zu den territorialpolitischen und administrativen Fragen vgl. M. Avi-Yonah, a. a. O., S. 86–101.

Türmen Phasael, Hippikos und Mariamne; Hyrkania (*Ḫirbet Mird* in der Ebene *el-Buqēᵃʿ*); Herodeion mit dem Herodesgrab (*Ǧebel Ferdēs* oder *Furēdīs* bei Bethlehem); Masada (*es-Sebbe* am Westufer des Toten Meeres); Kypros (*ʿAqbe Ǧabr)* oberhalb des herodianischen Winterpalastes bei Jericho *(Tilāl Abū'l-ʿAlāyik)*; Alexandreion (*Qarn Ṣarṭabe* am Ausgang des *Wādī Fārʿa* in den Jordangraben); Machaerus auf der Ostseite des Toten Meeres (*el-Mešneqe* bei *Ḫirbet el-Mukāwer*). Einige davon hatten schon unter den Hasmonäern bestanden, erhielten aber durch Herodes ihre endgültige Gestalt[45]. Seit 20/19. v. Chr. widmete sich Herodes dem Ausbau Jerusalems, vor allem des Tempels und des zugehörigen heiligen Areals *(Ḥaram eš-Šerīf)*. Die Pracht und Herrlichkeit dieses sakralen Baukomplexes wird von Fl. Josephus, Ant. XV, 11 und Bell. Jud. V, 5 ausführlich und voller Staunen beschrieben[46].

Daß dies alles nicht ohne gewaltige und gewaltsame Anspannung aller Kräfte geleistet werden konnte, liegt auf der Hand. Herodes ist denn auch, obwohl er seinem Lande innerhalb der *pax Romana* eine Friedensperiode verschaffte, nichts anderes als ein Gewaltherrscher gewesen. Er verbreitete Schrecken und vergoß Blut – dem Bilde ganz entsprechend, das die Legende vom Kindermord zu Bethlehem (Mt 2) von ihm zeichnet[47]. Tatsächliche oder vermutete Gegner ließ er reihenweise ermorden. Er schonte dabei weder seine eigene Familie noch die der Hasmonäer, mit der er durch seine zweite Frau Mariamne, die Großnichte des Hohenpriesters Hyrkanos II., verwandt war. Seinem Haß und Mißtrauen fielen zum Opfer: seine Schwiegermutter Alexandra, seine Frau Mariamne, seine Söhne Alexander, Aristobulos und Antipatros – der dritte wenige Tage vor des Herodes Tod –, der achtzigjährige ehemalige Hohepriester Hyrkanos (II.), der Hohepriester Aristobulos und viele andere. Der skrupellose Umgang mit dem Hohepriesteramt, das er aus politischen Gründen hin und her schob, machte ihn in den Kreisen der Jerusalemer Kultusgemeinde noch verhaßter als er es als Fremdling und Römerfreund ohnehin schon war[48]. Alle Bemühungen, sich als Jude zu verhalten, und nicht einmal der Bau des Tempels konnten daran etwas ändern. Die sadduzäische Partei war schwach und wurde von Herodes mühelos überspielt. Den Pharisäern

---

[45] Vgl. O. Plöger, Die makkabäischen Burgen [1955]. Aus der Spätzeit des AT (1971) 102–133; G. Harder, Herodes-Burgen und Herodes-Städte im Jordangraben. ZDPV 78 (1962) 49–63; Y. Tsafrir, The Desert Fortresses of Judaea in the Second Temple Period. The Jerusalem Cathedra 2 (1982) 120–145.

[46] Über Jerusalem in herodianischer und nachherodianischer Zeit s. das Standardwerk von J. Jeremias, Jerusalem zur Zeit Jesu (1963³).

[47] Der Haß, der in jüdischen und später in christlichen Kreisen auf ihn geworfen wurde, ist beispiellos. Vgl. z. B. A. Schalit. Die frühchristliche Überlieferung über die Herkunft der Familie des Herodes. Ein Beitrag zur Geschichte der politischen Invektive in Judäa. Annual of the Swedish Theological Institute 1 (1962) 109–160.

[48] Vgl. E. M. Smallwood, High Priests and Politics in Roman Palestine. JThSt.NS 13 (1962) 14–34.

und erst recht den einfachen Frommen im Lande galt er als Verkörperung des Bösen und Verachtenswerten. Als er im Jahre 4 v.Chr. nach schmerzhafter Krankheit in Jericho gestorben und auf dem Herodeion prunkvoll beigesetzt worden war, ging ein Aufatmen durch das Land.

Aber dazu bestand wenig Grund, zumal es Herodes zu Lebzeiten nicht gelungen war, das Problem seiner Nachfolge befriedigend zu lösen. Er hatte niemanden gefunden, dem er das Reich in seinem ganzen Umfang hätte hinterlassen mögen, und hatte es deshalb testamentarisch unter seine jüngeren Söhne aufgeteilt. Da das Testament vom Kaiser Augustus bestätigt werden mußte, gaben sich die Herodessöhne in Rom die Klinke in die Hand; jeder wollte so viel wie möglich für sich herausschlagen. Augustus folgte im wesentlichen dem Testament des Herodes und begründete damit die vier herodianischen Nachfolgestaaten:

1. Judäa, Idumäa[49], Samaria und das Küstengebiet von *Caesarea maris* unter dem Ethnarchen Archelaos. Die Städte Gaza, Gadara und Hippos wurden herausgenommen und dem Statthalter der Provinz *Syria* direkt unterstellt.
2. Galiläa und Peräa unter dem Tetrarchen[50] Herodes Antipas.
3. Batanäa, Trachonitis, Auranitis, Gaulanitis, Paneas und Ulatha (die *Ḥūle*-Region) unter dem Tetrarchen Philippus.
4. Azotus (Asdod), Jamnia und Phasaelis als Besitz der Salome, der Schwester des Herodes, unter der Aufsicht des Ethnarchen Archelaos.

Die Nachfolger des Herodes setzten den Auf- und Ausbau hellenistischer Städte in ihren jeweiligen Territorien fort: Archelaos gründete Archelais im westlichen Jordangraben *(Ḫirbet el-ʿŌǧa et-taḥta)*; Herodes Antipas vollendete um 18 n.Chr. Tiberias *(Ṭabarīye)* und Livias/Julias im östlichen Jordangraben (*Tell Iktanū* mit *Tell er-Rāme*); Philippus erweiterte Paneas *(Bānyās)* und nannte es *Caesarea Philippi*, ferner Bethsaida am Nordende des Sees Gennezareth mit dem neuen Namen Julias[51].

Das Experiment der herodianischen Nachfolgestaaten war freilich zum Scheitern verurteilt[52]. Keiner der Herodessöhne besaß das Format des Vaters. Hauptquelle ist wiederum Fl.Josephus: Ant. XVII,13–XIX,9 und Bell. Jud. II,7–12. Die Folge der alsbald beginnenden Wirren waren häufige, von den Römern herbeigeführte oder doch sanktionierte Territorialveränderungen. Bereits im Jahre 6 n.Chr. verbannte Augustus den Archelaos nach Vienna in Gallien (Vienne südl. von Lyon) und machte den ersten und größten der herodianischen Nachfolgestaaten zum prokuratorischen Verwaltungsbezirk *Judaea* unter dem Regiment von „Landpflegern"

---

[49] Vgl. M.Gihon, Idumea and the Herodian Limes. IEJ 17 (1967) 27–42.

[50] Luther: „Vierfürst" – ein griechischer Titel kleinasiatischer und vorderorientalischer Kleinfürsten, ursprünglich unter der Voraussetzung der nach den vier Himmelsrichtungen (Weltgegenden) geordneten Gestalt eines zusammenhängenden Territoriums.

[51] Vgl. M.Avi-Yonah, a.a.O., S.102–107.

[52] Vgl. A.H.M.Jones, The Herods of Judaea (1938, 1967²); St.Perowne, The Later Herods. The Political Background of the NT (1958).

(Prokuratoren) mit dem Sitz in *Caesarea maris*, von denen Pontius Pilatus (26–36) der bekannteste ist. Judäa wurde in elf Toparchien aufgeteilt: Jerusalem, Gophna *(Ǧifna)*, Akrabeta *(ʿAqrabe)*, Thamna *(Tibne)*, Lydda *(Ludd)*, Emmaus *(ʿAmwās)*, Beth(o)letepha *(Bēt Nettīf)*, Idumäa, Engaddai *(ʿĒn Ǧidī)*, Herodeion *(Ǧebel Ferdēs)* und Jericho *(Erīḥā)*. Die Verwaltung und das Militär der Römer respektierten, soweit möglich, den besonderen Charakter der Jerusalemer Kultusgemeinde: man verlangte zwar den Eid auf den Kaiser, nicht jedoch die Teilnahme am Kaiserkult. Um 10 n. Chr. starb Salome; der südliche Jordangraben fiel als Domäne an die Kaiserin Livia, später an Kaiser Tiberius. Verhältnismäßig lange hielt sich der Tetrarch Herodes Antipas, der Landesherr Jesu (4 v. Chr. – 39 n. Chr.)[53]. Er residierte zunächst in Sepphoris *(Ṣaffūrye)*, später in Tiberias *(Ṭabarīye)*. Seine Skrupellosigkeit, mehr noch der Ehrgeiz seiner Gemahlin Herodias, einer Herodesenkelin, brachten ihn schließlich zu Fall. Nachdem er 36 n. Chr. eine Niederlage gegen die Nabatäer hatte hinnehmen müssen und sich dann auch noch um den Königstitel bewarb, wurde er den Römern suspekt. Kaiser Caligula setzte ihn 39 n. Chr. ab und verbannte ihn nach Lugdunum in Gallien (Lyon). Sein Gebiet fiel an den von Caligula begünstigten Agrippa I., einen Enkel des Herodes. Die Tetrarchie des Philippus (4 v. Chr. – 34 n. Chr.) kam nach dem Tode des Tetrarchen zunächst an den Prokonsul von Syrien, 37 n. Chr. ebenfalls an Agrippa I.

Dieser Herodesenkel, der sich häufiger in Rom als in Palästina aufhielt und die Gunst der Kaiser Caligula[54] und Claudius gewann, konnte zwischen 41 und 44 n. Chr. noch einmal fast das gesamte Territorium seines Großvaters unter seinem Szepter vereinigen[55]. Caligula machte ihn zum König, und Claudius überwies ihm 41 n. Chr. den prokuratorischen Verwaltungsbezirk *Judaea*, das Gebiet seines verbannten Onkels Archelaos. Die Wirren im Reiche, die durch Caligulas Versuch, den Kaiserkult von allen Untertanen zu erzwingen, entstanden, überstand Agrippa I. leidlich. Er hielt sich, soweit irgend möglich, heraus – auch dann, als sich die Lage in Alexandria[56] und Jerusalem wegen der Kaiserkultforderung gefährlich zuspitzte. Als Claudius nach Caligulas Ermordung auf die Durchsetzung des Kaiserkultes unter den Juden verzichtete, hatte Agrippa I. sein Fähnchen bereits in den Wind gehängt. Er gab sich in Jerusalem als frommer Jude und in den hellenistischen Städten seines Reiches als ein Mann griechisch-römischer Kultur und Gesittung. Als er 44 n. Chr. in *Caesarea maris* plötzlich starb[57], überließ Kaiser Claudius das Gebiet nicht seinem siebzehnjährigen Sohne Agrippa (II.), sondern restituierte den prokuratorischen Ver-

---

[53] Vgl. F. F. Bruce, Herod Antipas, Tetrarch of Galilee and Peraea. Annual of the Leeds University Oriental Society 5 (1963–65) 6–23; H. W. Hoehner, Herod Antipas. Society for NT Studies, Mon. Ser. 17 (1972).

[54] Vgl. J. P. V. D. Balsdon, The Emperor Gaius (Caligula) (1934).

[55] Vgl. J. Meyshan, The Coinage of Agrippa the First. IEJ 4 (1954) 186–200.

[56] Vgl. E. M. Smallwood, Philonis Alexandrini Legatio ad Gaium (1961, 1970²).

[57] Vgl. Apg 12,21–23.

waltungsbezirk *Judaea*, jetzt um alle Territorien vermehrt, die Agrippa I. hinzugewonnen hatte. Als Entschädigung erhielt Agrippa II. das kleine Königreich Chalkis *(el-ʿAnǧar)* in der *Biqāʿ* zwischen Libanon und Antilibanos (50 n. Chr.), das er wenig später mit einem größeren Gebiet aus Teilen der ehemaligen Tetrarchien des Herodes Antipas und des Philippus vertauschte. Seine Herrschaft endete faktisch mit dem ersten jüdischen Aufstand (66–70/74). Zwar ließen ihn die Römer bis zu seinem Tode im Jahre 100 n.Chr. formell im Amt, aber ohne den geringsten Einfluß auf die Geschicke Palästinas. Nach 100 wurden dann die Territorien der herodianischen Nachfolgestaaten den römischen Provinzen *Syria* und *Judaea* endgültig zugewiesen.

4. *Die beiden jüdischen Aufstände*

Die Vorgeschichte der beiden jüdischen Aufstände (66–70/74 und 132–135) reicht weit zurück, mindestens bis in die Zeit nach der Begründung der prokuratorischen Provinz *Judaea* (6 n. Chr.). Sie hängt mit dem religiösen und politischen Widerstand gegen die römische Fremdherrschaft zusammen, mit dem Konflikt, der sich notwendig zwischen den politischen Realitäten und dem besonderen religiösen Charakter des Judentums ergeben mußte.

Gehören Jesus von Nazareth und seine zwölf Jünger in die Vorgeschichte der jüdischen Aufstände[58]? Diese Frage ist nicht nur deswegen zu verneinen, weil die Wirksamkeit Jesu kaum Spuren in der zeitgenössischen säkularen Geschichtsschreibung hinterlassen hat[59]. Sie ist vor allem zu verneinen, weil der Charakter der von Jesus ins Leben gerufenen Bewegung zwar dezidiert religiös, aber gerade nicht politisch antirömisch war. Jesus verkündete den Anbruch des Gottesreiches so, daß man höchstens vorübergehend und irrtümlich meinen konnte, er verkünde die politische Befreiung von römischer Fremdherrschaft und schicke sich an, sie als Messias zu verwirklichen. Wenn er in der Geschichte vom Zinsgroschen (Mk 12, 13–17 par.) erklärt „Gebt dem Kaiser, was des Kaisers ist, und Gott, was Gottes ist!", und wenn ihn das Johannesevangelium vor Pilatus sagen läßt „Mein Reich ist nicht von dieser Welt" (Joh 18, 36) – dann ist damit das Eigentliche und Wesentliche seiner Botschaft getroffen und zugleich begründet, warum die älteste Christenheit in den jüdischen Aufständen passiv blieb. In der Tat ist nicht erkennbar, daß sich die Jerusalemer Urgemeinde in die Vorbereitungen zum ersten jüdischen Aufstand hätte hineinziehen lassen, ganz abgesehen davon, daß sie den religiösen Autoritäten und den religiös-politischen Parteien doch wohl als eine kleine, etwas obskure Sekte erschien, wie es deren viele gab. Das durch die Mission des Apostels Paulus und anderer Missionare in die Länder der Mittelmeerwelt ausgebreitete Frühchristentum stand den jüdischen Problemen in Palästina vollends fern und befand sich auf einem Wege, der zur schließlichen Trennung der christlichen Religion vom Judentum führen mußte und geführt hat.

---

[58] Vgl. G. Aulén, Jesus in Contemporary Historical Research (1976).

[59] Fl. Josephus, Ant. XVIII, 3, 3 (§§ 63 f. Niese) ist eine christliche Interpolation. Es bleiben drei beiläufige Erwähnungen: Fl. Josephus, Ant. XX, 9, 1 (§ 200 Niese); Suetonius, Vita Caesarum, Claudius Kap. 25; Tacitus, Ann. XV, 44.

Der Konflikt kam nach der Restitution des prokuratorischen Verwaltungsbezirkes *Judaea* im Jahre 44 n. Chr. zum Ausbruch. Nicht von politischer Vernunft, wohl aber von handfesten politischen Interessen geleitet, von religiöser Leidenschaft getrieben und vom großen Vorbild der Makkabäer beflügelt, agierten extreme religiös-politische Gruppierungen in Palästina gegen die römische Herrschaft: die Zeloten („Eiferer") und die Sikarier mit dem Dolch *(sica)* im Gewande[60]. Sie waren zum Äußersten entschlossen und sorgten dafür, daß das Land nicht zur Ruhe kam. Dafür sorgten freilich auf ihre Weise auch die römischen Prokuratoren: Ventidius Cumanus (48–52), Antonius Felix (52–60), Porcius Festus (60–62), Albinus (62–64) und Gessius Florus (64–66). Sie ließen das nötige Geschick im Umgang mit der in Glaubensdingen sensiblen jüdischen Gemeinde oft vermissen und betrachteten *Judaea* hauptsächlich als Quelle ihrer persönlichen Bereicherung. Die Spannungen wuchsen und trieben auf eine gewaltsame Lösung zu: auf den Krieg, den Fl. Josephus in Bell. Jud. II–VII ausführlich, in allen Einzelheiten, als Zeitgenosse, Teilnehmer und Augenzeuge geschildert hat.

Ausgelöst durch Übergriffe und Zumutungen von seiten des Prokurators Gessius Florus, kam es im Jahre 66 n. Chr. zunächst in *Caesarea maris*, dann aber auch in Jerusalem zu schweren Unruhen und zum Ausbruch des Krieges[61]. Die Aufständischen unter der Führung des Eleasar, eines Sohnes des Hohenpriesters, eroberten den Tempelplatz, bald danach auch die Burg Antonia und zwangen die römische Besatzung, sich in die drei Türme der Herodes-Zitadelle zurückzuziehen. Versuche zur Abwiegelung durch König Agrippa II. und die Pharisäer, schließlich der Versuch einer militärischen Intervention des Hohenpriesters scheiterten. Der Hohepriester wurde umgebracht, sein Palast wie auch die Hasmonäerresidenz und Teile der Zitadelle des Herodes in Brand gesteckt. Der Aufstand griff auf das Land über und machte dort rasche Fortschritte. Die Burg Masada fiel in die Hände der Aufständischen. Der zum Entsatz der bedrängten Jerusalemer Garnison herbeigeeilte Statthalter von Syrien, C. Cestius Gallus, gelangte zwar bis Jerusalem, mußte aber unverrichteter Dinge wieder abziehen und wurde auf der Steige von Beth-Horon *(Bēt ʿŪr)* überfallen und geschlagen. In der darauf folgenden kurzen Ruhepause versuchten die Anführer der Aufständischen, das ganze Land militärisch zu organisieren. Sie

[60] Vgl. M. Hengel, Die Zeloten. Untersuchungen zur jüdischen Freiheitsbewegung in der Zeit von Herodes I bis 70 n. Chr. Arbeiten z. Geschichte des Spätjudentums und Urchristentums 1 (1961); ders., Zeloten und Sikarier. Zur Frage nach der Einheit und Vielfalt der jüdischen Befreiungsbewegung 6–74 n. Chr. Josephus-Studien, Fs O. Michel (1974) 175–196; S. A. Appelbaum, The Zealots. The Case for Revaluation. Journal of Roman Studies 61 (1971) 155–170; D. M. Rhoads, Israel in Revolution 6–74 C. E. A Political History Based on the Writings of Josephus (1976).

[61] Vgl. C. Roth, The Zealots in the War of 66–73. Journal of Semitic Studies 4 (1959) 332–355; ders., The Pharisees in the Jewish Revolution of 66–73. Journal of Semitic Studies 9 (1964) 295–319; ferner auch ders., The Historical Implications of the Jewish Coinage of the First Jewish Revolt. IEJ 12 (1962) 33–46.

bildeten Bezirke mit Militärführern: einer von ihnen, in Galiläa, war der spätere Historiker Josephus, ein anderer der extreme Zelotenführer Johannes von Gischala *(el-Ğīš)*. Es wurde immer deutlicher: Rom mußte sich stärker engagieren als es zunächst wohl in seiner Absicht gelegen hatte. So entsandte denn Kaiser Nero den General T. Flavius Vespasianus nach Palästina, der nach gründlichen Vorbereitungen zusammen mit seinem Sohne Titus im Frühling des Jahres 67 n. Chr. in Akko/Ptolemais eintraf. Nun erhob sich ein zähes Ringen um Galiläa und das nördliche Ostjordanland; es war keineswegs so, daß die Römer den Widerstand der Juden rasch hätten brechen können. Sepphoris *(Ṣaffūrye)* wurde zwar kampflos übergeben, aber andere Orte mußten belagert oder mit militärischen Parforce-Aktionen überrannt werden: Jotapata *(Ḫirbet Ğefāt)* am Nordrande der Ebene *Sahl el-Baṭṭōf*, Tiberias und Magdala/Taricheae *(el-Meğdel)*, Gamala im Ostjordanland *(Tell el-Ehdēb)*, der Berg Tabor *(Ğebel eṭ-Ṭōr)* und Gischala *(el-Ğīš)*. Den Winter 67/68 n. Chr. verbrachten die Legionen in *Caesarea maris* und Skythopolis *(Bēsān)*, während unter dem Eindruck der römischen Siege in Jerusalem schwere Mißhelligkeiten zwischen der Bevölkerung und den radikalen Zeloten ausbrachen, die die Verteidigungskraft lähmten und dem Aufstand großen Schaden zufügten. Entweder jetzt oder ein wenig später verließ die christliche Urgemeinde die Stadt des Todes und der Auferstehung ihres Herrn und zog nach Pella *(Ṭabaqāt Faḥil)* in eine von den Ereignissen kaum berührte Region[62].

Im Frühjahr 68 n. Chr. zog Vespasian den Ring um Jerusalem immer enger: er eroberte Peräa – ohne die Festung Machaerus –, die Küstenebene, das Hügelland, Idumäa, Samarien, Jericho, bis Jerusalem wie eine Insel im römischen Meere übrig war. Der Tod Neros im Juni 68 und das anschließende Dreikaiserjahr 68/69 – mit den kurzen Regierungen der Galba, Otho und Vitellius – erzwangen eine längere Pause, während der die Streitigkeiten in Jerusalem den Höhepunkt erreichten. Simon bar Giora, ein antizelotischer Räuberhauptmann, bemächtigte sich der Stadt und zwang den Zelotenführer Johannes von Gischala, sich mit seinen Getreuen im Tempelbezirk zu verschanzen: ein Bild der Anarchie und der Auflösung. Als Vespasian Mitte 69 zur Belagerung Jerusalems ansetzte, riefen ihn die orientalischen Legionen zum Kaiser aus. Er begab sich sofort nach Rom und überließ die Beendigung des Feldzuges seinem Sohne Titus. Dieser begann zu Anfang des Jahres 70 n. Chr., die Stadt zu berennen – und nun ereignete sich etwas, das man angesichts der Zerstrittenheit der Verteidiger nicht hätte erwarten sollen: die Stadt leistete monatelang erbitterten Widerstand, und den Römern gelang es nur ganz langsam, sie Stück für Stück in ihre Gewalt zu bringen. Im August 70 schließlich geriet der Tempel in Brand, die Eroberung der westlichen Oberstadt und der Zitadelle folgte, und im September 70 war alles zu Ende. Titus ließ ein schreckliches Blutbad anrichten, die Stadt plündern und so zerstören, daß in weiten Tei-

---

[62] Vgl. S. G. F. Brandon, The Fall of Jerusalem and the Christian Church (1957²).

len kein Stein auf dem andern blieb. Johannes von Gischala und Simon bar Giora wurden gefangengenommen und nach Rom gebracht, wo sie den Triumphzug, den Titus im Jahre 71 veranstaltete, zu zieren hatten. Die Reliefs auf dem Titusbogen des *Forum Romanum* geben bis heute eindrucksvoll Zeugnis vom Ende des Jüdischen Krieges.

Er hatte freilich noch ein dramatisches Nachspiel. Als Titus das Land verließ, waren die Herodianerburgen Herodeion *(Ğebel Ferdēs)*, Machaerus (*el-Mešneqe* bei *Ḫirbet el-Mukāwer*) und Masada *(es-Sebbe)* noch immer in den Händen der Aufständischen. Es gelang dem Prokurator von *Judaea*, Lucilius Bassus, und den Streitkräften der X. Fretensischen Legion ohne große Mühe, die Besatzungen der beiden erstgenannten zur Aufgabe zu bewegen. Nicht so Masada! Dort saß seit dem Jahre 66 eine Abteilung von Zeloten (Sikariern) unter der Führung eines Galiläers namens Eleasar. Lucilius Bassus kam nicht mehr dazu, sich mit ihnen einzulassen. Sein Nachfolger aber, L. Flavius Silva, mußte die Festung vom Sommer 73 bis zum Frühjahr 74 nach allen Regeln der Kunst belagern und die Verteidiger langsam aushungern[63]. Diesen außerordentlichen Kampf, der damit endete, daß sich die Verteidiger alle – bis auf zwei Frauen mit fünf Kindern – selbst den Tod gaben, hat Fl. Josephus in Bell. Jud. VII, 8–9 (§§ 252–406 Niese) großartig beschrieben, und die Ausgrabungen haben seine Beschreibung ergänzt und bestätigt[64]. Erst mit dem Fall von Masada war der Jüdische Krieg wirklich beendet.

Vespasian zog alsbald die territorialpolitischen Konsequenzen. *Judaea*, bis dahin prokuratorischer Verwaltungsbezirk unter der formellen Autorität des syrischen Legaten, wurde nun unabhängige Provinz unter der Leitung eines *legatus Augusti pro praetore* von senatorischem Rang. Der Legat residierte in *Caesarea maris*. Die *Legio X Fretensis* allerdings, mit der Titus Jerusalem erobert hatte, wurde nicht am Sitz des Legaten, sondern beim zerstörten Jerusalem stationiert. Die Provinz umfaßte die Küstenebene vom Karmel bis Raphia *(Refaḥ)*, Idumäa, Judäa, Samaria, Teile von Galiläa und Peräa sowie einige Städte der Dekapolis. Nach dem Tode Agrippas II. kamen noch hinzu: Tiberias, Taricheae, die Gaulanitis und jene Teile von Peräa, die bisher dem „König" Agrippa II. untertan gewesen waren. Um die inneren Angelegenheiten der jüdischen Religionsgemeinschaft kümmerten sich die Römer nach 70/74 ebensowenig wie sie das – wenigstens theoretisch – vorher getan hatten. Die jüdische Religion war „erlaubte Religion" *(religio licita)* im *Imperium Romanum*. Das oberste Gremium (Synhedrium) konstituierte sich außerhalb Jerusalems neu und in neuer Zusammensetzung: in Jamnia südlich von Japho (Joppe) unter wesentlicher

---

[63] Früher nahm man das Jahr 73 n. Chr. als Jahr des Falles von Masada an. Es ergibt sich jedoch aus zwei inzwischen aufgefundenen Inschriften, daß L. Flavius Silva erst 73 Statthalter von Judäa wurde. Also verschiebt sich die Chronologie um ein Jahr nach unten. Vgl. W. Eck, Die Eroberung von Masada und eine neue Inschrift des L. Flavius Silva Nonius Bassus. ZNW 60 (1969) 282–289.

[64] Vgl. Y. Yadin, Masada. Herod's Fortress and the Zealot's Last Stand (1966).

Beteiligung der pharisäischen Schriftgelehrten (ἱερογραμματεῖς). Dieser Rat aus 72 „Ältesten" hatte im Gegensatz zum alten Jerusalemer Synhedrium keinerlei politische Bedeutung mehr. Seine Hauptaufgabe bestand in der Pflege und Auslegung der heiligen Schrift und in ihrer Anwendung auf das tägliche jüdische Leben. Jamnia wurde die Pflanzstätte des schriftgelehrten Rabbinismus, schon bald berühmt durch Namen wie Rabbi Jochanan ben Sakkai[65] und Rabbi Gamaliel II. Diese Entwicklung war – so könnte man sagen – die Konsequenz aus der Entwicklung des Judentums überhaupt: dieses war längst Buchreligion geworden, und das mit der Zerstörung des Tempels gegebene Ende des Opferkultes war nichts anderes als ein Schlußstrich unter eine von langer Hand vorbereitete Entwicklung. Das Judentum hatte mit dem Jerusalemer Tempel ein zentrales Symbol verloren – ein Symbol freilich, dessen Entsprechung in der Wirklichkeit schon länger randständig geworden war.

In die Periode zwischen den beiden Aufständen fallen Territorialveränderungen, die die Peripherie Palästinas stärker betrafen als das westjordanische Kerngebiet. Die Urbanisation schritt fort, neue hellenistische Städte entstanden, z.B. Capitolias (*Bēt Rās*, ca. 5 km nördl. von *Irbid*) unter Kaiser Nerva (96–98). Vor allem aber gehört in diesen Zeitraum die Unterwerfung des Nabatäerreiches und die Errichtung der römischen Provinz *Arabia* unter Traian im Jahre 106 n.Chr. Provinzhauptstadt war Petra, Standort der *Legio III Cyrenaica* jedoch Bostra im *Ḫaurān (Boṣra eski Šām)*. Diese Konstruktion ähnelt dem Verhältnis von Zivil- und Militärverwaltung in der benachbarten Provinz *Judaea* (*Caesarea maris* – Jerusalem). Noch zu Lebzeiten Traians (98–117) wurde die große Verbindungsstraße zwischen Damaskus (und Bostra) und Aila (Elath) am Golf von *ʿAqaba* – die *Via Nova Traiana* – in Angriff genommen und teilweise fertiggestellt. Sie verlief, wie römische Straßen oft, auf der Trasse eines seit alters benutzten nordsüdlichen Verkehrsweges und erhielt Anschluß an das immer dichter werdende Straßennetz der Nachbarprovinzen.

Mit dem Fall von Masada endet die Geschichtsschreibung des Fl.Josephus. Für die Folgezeit stehen nur ganz wenige und unzureichende Quellen zur Verfügung, so daß sich über die Geschichte des palästinischen Judentums zwischen den beiden Aufständen so gut wie nichts sagen läßt[66]. Das ist um so mehr zu beklagen, als es unter Kaiser Hadrian (117–138) noch einmal zu einem Versuche der Wiederherstellung der politischen Existenz „Israels" gekommen ist: im zweiten jüdischen Aufstand (132–135). Auch über ihn und seine Vorgeschichte sind wir schlecht unterrichtet. In Betracht kommen karge Nachrichten bei Cassius Dio LXIX, 12–14 und Eusebius von Caesarea, hist. eccl. IV, 6.8 – ferner auch Münzen und verstreute literarische Detailbemerkungen[67]. Außerdem befanden sich un-

[65] Vgl. J. Neusner, A Life of Yohanan ben Zakkai. Studia Post-Biblica 6 (1970²).

[66] B. Isaac, Judea after AD 70. Journal of Jewish Studies 35 (1984) 44–50.

[67] Vgl. H. Bietenhard, Die Freiheitskriege der Juden unter den Kaisern Trajan und Hadrian und der messianische Tempelbau. Judaica 4 (1948) 57–77. 81–108. 161–185; A. Reifen-

ter den Textfunden im *Wādī Murabbaʿāt* und im *Naḥal Ḥever* in der Wüste Juda Briefe des Führers des zweiten Aufstandes[68]. Gleichwohl sind die Gründe und der Verlauf des Aufstandes nicht mehr sicher zu rekonstruieren. Cassius Dio teilt mit, die Rebellion sei ausgebrochen, als Hadrian bei Gelegenheit seiner großen Orientreise (129–131) den Wiederaufbau Jerusalems und die Umwandlung der Stadt in die römische *Colonia Aelia Hadriana Capitolina* anordnete. Bei Aelius Spartianus in der *Historia Augusta* (Hadrian Kap. 14) lesen wir dagegen, das von den Römern erlassene Beschneidungsverbot habe die Revolte ausgelöst. Der Angabe des Cassius Dio dürfte höhere historische Wahrscheinlichkeit zukommen, auch wenn die Gründe gewiß vielfältiger und komplexer waren, als wir wissen.

Der Führer des Aufstandes war ein Mann namens Simeon ben *Kōsᵉbā*. Sein Vaters- oder Herkunftsname hat Anlaß zu verändernden Deutungen gegeben. Christliche Autoren überliefern, daß ihm Rabbi Akiba aufgrund von Num 24, 17 den messianischen Würdetitel Bar Kochba *(Bar Kōḵᵉbā)* „Sternensohn, Stern" zugesprochen habe, und unter diesem Namen ist er in die Geschichte eingegangen, obwohl er sich – jedenfalls in den Texten vom *Wādī Murabbaʿāt* und *Naḥal Ḥever* – selber nicht so genannt hat. In der talmudischen Überlieferung heißt er dagegen *Bar Kōzibā* „Lügensohn, Lügner": ein deutlicher Hinweis auf das Scheitern der Bewegung und den Verlust der Messiaswürde. Was genau geschah und wie es geschah, wissen wir nicht. Jedenfalls erhob sich „Israel" unter der Führung des Simeon Bar Kochba und befreite Jerusalem. Dort hat Simeon tatsächlich eine kurze Zeit geherrscht und eine neue Ära beginnen lassen: die Aufstandsmünzen bezeugen die Jahre 1 und 2. Wo war und was tat die *Legio X Fretensis*? Wie weit reichten Einfluß und Herrschaft Simeons über Jerusalem hinaus? Was ereignete sich in Jerusalem? Das alles ist unbekannt. Immerhin lassen Münzen mit der Aufschrift „der Priester Eleasar" den Schluß zu, daß man den Opferkultus an der Stätte des Tempels restituierte und vielleicht sogar mit dem Tempelwiederaufbau begann: ein anachronistisches Unternehmen und ein tragischer Irrtum. Und ferner ist deutlich, daß Simeons Herrschaft nicht auf Jerusalem beschränkt gewesen sein kann; denn er verwikkelte sich auf dem Gebirge und in der Wüste Juda in einen zunächst keineswegs erfolglosen Kleinkrieg mit den Römern. Die Dauer dieser Auseinandersetzungen ist nicht präzise bestimmbar. Der Statthalter der Provinz *Judaea*, Tineius Rufus, und der zu Hilfe geeilte Legat von Syrien, Publicius Marcellus, vermochten jedenfalls nicht, die Rebellion zu ersticken. Da entschloß sich Hadrian, den Statthalter von Britannien, Sextus Julius

---

berg, Ancient Jewish Coins (1947²) 33 ff., Pl. XII–XV; S. Applebaum, The Second Jewish Revolt (A. D. 131–135). PEQ 116 (1984) 35–41.

[68] *Wādī Murabbaʿāt*: J. T. Milik – R. de Vaux, Discoveries in the Judaean Desert II (1961) 7–168; *Naḥal Ḥever*: Y. Yadin, IEJ 11 (1961) 40–50 und 12 (1962) 235–257. Eine Auflistung aller Texte bei J. A. Fitzmyer, The Dead Sea Scrolls. Major Publications and Tools for Study. Sources for Biblical Study (1977²) 41–49. Vgl. Y. Yadin, Bar Kochba. Archäologen auf den Spuren des letzten Fürsten von Israel (1971).

Severus, nach Palästina zu schicken. Der kalkulierte den religiösen Widerstandswillen der Aufständischen ein, vermied offene Feldschlachten mit ihnen und machte sich daran, ihre Stützpunkte und Schlupfwinkel zu belagern und auszuhungern. Auf diese Weise wird er auch Jerusalem zurückgewonnen haben. Zuletzt verteidigte sich Bar Kochba auf *Ḫirbet el-Yehūd* („Judenruine") unweit von *Bittīr*, etwa 10 km westlich von Jerusalem. Die Reste der römischen *circumvallatio* sind dort noch heute zu sehen. In diesem Kampfe verlor der Sternensohn sein Leben; niemand weiß, auf welche Art. Der zweite jüdische Aufstand war zu Ende. Die Römer nahmen blutige Rache. Die Anhänger des Bar Kochba wurden erbarmungslos niedergemetzelt, auf den Märkten von Mamre *(Rāmet el-Ḫalīl)* und Gaza als Sklaven verkauft oder nach Ägypten verschleppt.

Nach 135 n. Chr. ist Jerusalem dann tatsächlich zur *Colonia Aelia Capitolina* gemacht und in hellenistisch-römischem Stile ausgebaut worden. Auf dem Tempelplatz wurde eine Reiterstatue Hadrians aufgestellt und der Kultus für die kapitolinische Göttertrias – Iuppiter, Iuno und Minerva – eröffnet. Die Juden, die in den Trümmern Jerusalems überlebt hatten, wurden vertrieben. Darüber hinaus wurde allen Juden das Betreten der Stadt bei Todesstrafe verboten – ein Verbot, das alsbald gewisse Lockerungen erfuhr und in der Folgezeit nachweislich nicht ganz streng beachtet worden ist. In Ceparcotnei (*el-Leǧǧūn* bei Megiddo) stationierten die Römer die *Legio VI Ferrata*; seitdem hieß die Ebene von Megiddo *campus maximus legionis.* Vor allem aber erlebte das Westjordanland mit den dazugehörigen ostjordanischen Landesteilen, soweit sie nicht der Provinz *Arabia* zugeschlagen worden waren, noch einmal eine Rangerhöhung im römischen Provinzialsystem: es wurde konsularische Provinz mit dem neuen Namen *Syria Palaestina.*

Der Ausblick auf die Geschichte des palästinischen Judentums im hellenistisch-römischen Zeitalter ist hier abzubrechen. Es handelt sich tatsächlich um nichts anderes als um einen Abbruch. Denn die Ereignisse des zweiten jüdischen Aufstandes bilden keine wirklich bedeutende Zäsur, die ein in der Sache begründetes Darstellungsende rechtfertigen würde. Es war ein letzter, unzeitgemäßer und tragischer Versuch zur Wiederherstellung der politischen Existenz des Judentums. Mit seinem Scheitern scheiterte nicht zugleich auch das Judentum. Die großen Gaben des Judentums an die Welt sind davon unabhängig gewesen und unberührt geblieben. Dazu gehört auch das aus jüdischen Wurzeln historisch erwachsene Christentum. Die zeitliche Gestalt des „Sternes aus Jakob" (Num 24,17) war versunken, und seine ewige Bedeutung begann.

Zeittafel

ÄGYPTEN

ca. 1730 – ca. 1580 Hyksos
1552–1527 Ahmose
(18. Dyn.)
1527–1506 Amenophis I.
1506–1494 Thutmoses I.
1494–1490 Thutmoses II.
1490–1468 Hatschepsut
1490–1436 Thutmoses III.
1436–1412 Amenophis II.
1412–1402 Thutmoses IV.
1402–1364 Amenophis III.

1364–1347 Amenophis IV. Echnaton
1334–1306 Haremhab
(19. Dyn.)
1306–1304 Ramses I.
1304–1290 Sethos I.
1290–1224 Ramses II.

1224–1204 Merenptah

1186–1184 Sethnacht
(20. Dyn.)
1184–1153 Ramses III.
1153–1070 Ramses IV.–XI.
ca. 1069–945 21. Dynastie

945–730 22./23. Dynastie
945–924 Schoschenk I.

HETTITER

1370–1336 Šuppiluliuma I.

ca. 1250 – ca. 1220 Tutḫaliya IV.
ca. 1220 – ca. 1205 Arnuwanda III.
ca. 1205 – ca. 1200 Šuppiluliyama

* * *

PALÄSTINA

1004/3–965/4 David (?)
965/4–926/5 Salomo (?)

Juda

926–910 Rehabeam
910–908 Abia
908–868 Asa

Israel

927–907 Jerobeam I.
907–906 Nadab
906–883 Baësa

883–882 Ela
882 Simri
882/78–871 Omri

1468 Schlacht bei Megiddo

ASSYRER

1364–1328
Aššur-uballiṭ I.

1285 Schlacht bei Kadesch
1270 Friedensschluß zwischen Ägypten und Ḫatti

1117–1077 Tiglatpileser I.
1010–970 Aššur-rabi II.

935–912 Aššur-dān II.

891–884 Tukulti-Ninurta II.
884–858 Aššurnāṣirpal II.

ÄGYPTEN	PALÄSTINA	
	Juda	**Israel**
	868–847 Josaphat	871–852 Ahab
	852/47–845 Jehoram	852–851 Ahasja
		851–845 Joram
	845 Ahasja	845–818 Jehu
	845–840 Athalja	
	840–801 Joas	
		818–802 Joahas
	801–773 Amasja	802–787 Joas
		787–747 Jerobeam II.
	773–736 (?) Asarja/Ussia	
ca. 751–664 25. Dynastie	756–741 (759–744) Jotham	747 Sacharja
		747–738 Menachem
	741–725 (744–729) Ahas	
		Fr. 737–736 Pekachja
		Fr. 735–732 Pekach
		Fr. 731–723 Hosea
		* * *
	725–697 (728–700) Hiskia	
716–701 Schabaka		
701–690 Schabataka		
690–664 Taharka	696–642 Manasse	
671–655 Assyrer		
664–525 26. Dynastie	641–640 Amon	
664–610 Psammetich I.	639–609 Josia	**BABYLONIER**
		625–605 Nabopolassar
610–595 Necho II.	609 Joahas	
	608–598 Jojakim	
	598/7 Jojachin	605–562 Nebukadnezar II.
	598/7–587/6 Zedekia	
	* * *	
595–589 Psammetich II.		
589–570 Apries		
570–526 Amasis		
		562–560 Amēl-Marduk
		560–556 Neriglissar
		556–539 Nabonid
		* * *

ASSYRER

858–824 Salmanassar III.	853 Schlacht bei Qarqar
824–811 Šamši-Adad V.	
811–781 Adadnarāri III.	
745–727 Tiglatpileser III.	
	734–732 Syrisch-ephraimitischer Krieg
727–722 Salmanassar V.	722 Eroberung von Samaria und Ende des Nordstaates Israel
722–705 Sargon II.	
705–681 Sanherib	701 Sanherib vor Jerusalem
681–669 Asarhaddon	
669–um 630 Assurbanipal	652–648 Bruderkrieg zwischen Assurbanipal und Šamaššumukīn
um 630–612 Aššur-etel-ilāni	622 Reform Josias
Sîn-šar(ra)-iškun	
612–605 (?) Aššur-uballiṭ II.	612 Fall von Ninive
* * *	605 Schlacht bei Karkemisch
	598/7 1. Eroberung Jerusalems
	587/6 2. Eroberung Jerusalems
	539 Fall von Babylon

ÄGYPTEN		PERSER
		559–530 Kyros II. 530–522 Kambyses II.
526–525 Psammetich III. 525–404 1. Herrschaft der Perser (27. Dyn.)		
		522–486 Dareios I. Hystasp
		486–465/4 Xerxes I.
	PALÄSTINA	465/4–425 Artaxerxes I. Longimanus
	445/4–433/2 Nehemia	
	um 425 (oder um 398/7) Esra	424–404 Dareios II.
		404–359/8 Artaxerxes II. Mnemon
399–380 Nepherites I. (29. Dyn.)		
380–343 30. Dynastie		
380–363 Nektanebos I.		
363–360 Tachos		
360–343 Nektanebos II.		359/8–338 Artaxerxes III. Ochos
343–332 2. Herrschaft der Perser (31. Dyn.)		
* * *		338–336 Arses
		336–331 Dareios III. Kodomannos
		* * *
Ptolemäer		**Seleukiden**
323–285 Ptolemaios I. Soter		
	301–200/198 Ptolemäer	312–281 Seleukos I. Nikato
285–246 Ptolemaios II. Philadelphos		
		281–261 Antiochos I. Soter
		261–246 Antiochos II. The
246–221 Ptolemaios III. Euergetes		246–226 Seleukos II. Kallinikos
		246–226 Seleukos III. Keraunos
221–204 Ptolemaios IV. Philopator		223–187 Antiochos III. der Große
204–181 Ptolemaios V. Epiphanes	200/198–135 Seleukiden	
		187–175 Seleukos IV. Philopator
181–145 Ptolemaios VI. Philometor		
		175–164 Antiochos IV. Epiphanes
* * *		

538 Kyrosedikt

525 persische Eroberung Ägyptens

520 Baubeginn des 2. Tempels
515 Weihe des 2. Tempels
460 Aufstand des Inaros
um 450 Herodots Reisen

359–336 Philipp II. von Makedonien

350/49 Revolte des Tennes von Sidon

336–323 Alexander der Große

333 Schlacht bei Issos
331 Schlacht bei Gaugamela

301 Schlacht bei Ipsos

200/198 Schlacht bei Paneas

		Seleukiden
	Hasmonäer	164–162 Antiochos V. Eupa 162–150 Demetrios I. Soter
	160–142 Jonathan	
		153–145 Alexander I. Balas 145–139/8 + 129–125 Demetrios II. Nikator
	142–135/4 Simon	
		138–129 Antiochos VII. Sidetes
	135/4–104 Johannes Hyrkanos I.	
		* * *
	104–103 Aristobulos I. 103–76 Alexander Jannaios 76–67 Salome Alexandra 67–63 Aristobulos II. 63–40 Hyrkanos II. 40–37 Antigonos	
RÖMER		
29 v. Chr.–14 n. Chr. Octavianus Agustus	40/37–4 v. Chr. Herodes	
	4 v. Chr.–6 n. Chr. Archelaos 4 v. Chr.–39 n. Chr. Herodes Antipas	
14–37 Tiberius	4 v. Chr.–34 n. Chr. Philippus	
37–41 Caligula		
41–54 Claudius	41–44 Agrippa I.	
	nach 50–100 Agrippa II.	
54–68 Nero		
	66–70/74 1. jüdischer Aufstand	
68/69 Galba, Otho, Vitellius		
69–79 Vespasian		
79–81 Titus 81–96 Domitian 96–98 Nerva 98–117 Traian 117–138 Hadrian		
	132–135 2. jüdischer Aufstand	

169–167 Antiochos IV. in Jerusalem
166–164 Makkabäeraufstand

130/29 Partherkrieg

63 Pompeius in Jerusalem

6 nach Chr. prokuratorischer Verwaltungsbezirk Judaea

26–36 Pontius Pilatus

48–52 Ventidius Cumanus

52–60 Antonius Felix
60–62 Porcius Festus
62–64 Albinus
64–66 Gessius Florus

70 Fall von Jerusalem
74 Fall von Masada

106 Begründung der Provinz Arabia

Register

I. Stellen

a) biblische

c. Apion. I, 8 (38–42) 437
I, 18 (112 f. 116) 268[45]
I, 21 364[29]

Ovid
Fasti 5, 494–535 75[8]

Plinius
nat. hist. V, 74 453

Plutarch
de Iside et Osiride 44 c 395[11]

Strabo
XVII, 1, 27 395[11]

Suetonius
Vita Caesarum VIII, 5 271[55]
25 459[59]

Tacitus
Ann. XV, 44 459[59]
Hist. II, 78, 3 101[20]. 271[55]

Thukydides
I, 104, 1 f. 400[39]
I, 109 f. 400[40]

Xenophon
Anabasis II, 4, 12 364[30]

II. Namen

a) geographische Namen

(nicht aufgenommen: Israel, Juda, Palästina, Ostjordanland; arabische Namen kursiv)

ʿAbar Nah^{a}rā 398. 402
el-ʿAbēdīye 120
Abel-Beth-Maacha 213. 248
Ābēl-Haššiṭṭīm 117
Abila 454
Abū Ġōš → *Dēr el-Azhar*
Abydos 32
Achor (Ebene) 117
Achzib 120
Actium 455
Adasa 450
Adora 451
Adoraim 244. 443
Adullam 131. 195. 244
Aelia Capitolina 197[8]. 464. 465
Ägypten (Ägypter, ägyptisch) 19. 23. 24. 30. 32–43. 44. 45. 53. 71. 84–97. 101. 102. 109 f. 113. 125. 145. 173. 191. 201. 202. 204. 205. 218. 220. 224. 230. 239. 245. 246. 288–293. 300. 301. 305. 306. 309. 310. 313–315. 318–321. 323–326. 329. 331. 333. 340. 341. 356. 357. 360–364. 367. 368. 370–372. 377–380. 382. 383. 387. 394–400. 402. 403. 415[43]. 417. 418. 434. 441. 442. 445. 465
ʿAǧlūn 137. 142
Aḥlāb 120[8]
Ai 117. 119
Aila 463
Ajjalon 120. 120[9]. 121. 226. 244. 249
Ajjalon (in Sebulon) 149
ʿAkkā 45
Akkad 366. 368. 392. 397
Akko 45. 51. 120. 135. 140. 159. 225. 227. 257. 325. 446. 455. 461
Akra (Jerusalem) 447. 447[27]. 448[27]. 449. 450
Akraba 454
Akrabeta 458
Akšak 364
Alalaḫ 20. 50. 51
Alašia 41
Aleppo 35. 294
Alexandreion 456
Alexandria 441. 442. 447. 458
Altaqū 258[8]. 325. 326
Amanusgebirge 240[26]. 305
ʿAmāra 101
Amathus 454
ʿAmmān 135. 200. 454
ʿAmmāta 454
Ammon (Ammoniter, ammonitisch) 43. 56. 58. 68. 145. 158[11]. 165. 169. 169[1]. 178. 200 f. 206. 218. 225. 239. 240. 240[26]. 256. 281. 300. 313. 323. 325. 372[18]. 379. 380. 380[50]. 388. 402. 422. 423. 426
Ammonitis 426. 446. 455
Amurru 172. 325
ʿAmwās 449. 458
ʿAnāta → *Rās el-Ḫarrūbe*
Anatolien 366
Anatot 215
el-ʿAnǧar 459
Antākya 442
Anthedon 455
Antilibanos 283. 370. 459
Antiochia (am Orontes) 442
Antiochia (= Dan) 446
Antiochia (= Gadara) 446
Antipatris 453. 455
Antonia (Jerusalem) 460

ʿĒn Kārim 425
ʿĒn Mišpāṭ 83[32]
ʿĒn Qdēs 83[32]. 100. 102
ʿĒn Qudērāt 83[32]. 100. 102
ʿĒn Silwān 328
ʿĒn Sittī Maryam 197. 214. 328
ʿĒn Šems → *er-Rumēle*
Endor 183. 185
Endūr 185
Engaddai 458
Erīḥā 425. 458
Esdūd 43. 446. 453
Etam 244
Etham 93
Euphrat 20. 33. 33[6]. 35. 48. 56. 58. 201. 202. 293. 299. 341. 356. 357. 363. 368
Ezion-Geber 219. 250

Faqūs 89[16]
Forum Romanum 462

Gadara 446. 454. 455. 457
Galaaditis 446
Gal'az(a) 308
Galiläa (Galiläer, galiläisch) 45. 59. 60. 62. 74. 138. 140–142. 160. 161. 174. 181. 184. 184[39]. 187. 199. 219. 248. 258. 308. 443. 446. 449. 452. 454. 457. 461. 462
Gallien 454
Gamala 461
Garizim 435. 443. 448. 451
Gath 43. 190. 197. 244. 245. 254. 255. 281. 321
Gath-hachefer 282
Gaugamela 401
Gaulanitis 446. 457. 462
Gaza 33. 35. 42. 163. 166. 305. 306. 309. 310. 313. 317–319. 327. 328. 331. 441. 443. 446. 453. 455. 457. 465
Gazara 454.
Geba 174. 179. 248. 312. 347. 349
Gebel Barkal 292
Gennezareth (See) 45. 141. 454. 457
Gerar 74. 77
Gerasa 454
Gezer 36. 91. 92. 120. 121. 134. 196. 218. 225. 258. 315[57]. 446. 454
Gibbethon 258. 258[8]. 259
Gibea 166. 174. 177. 179. 241
Gibeon 51. 117. 118. 121. 128. 128[3]. 180[29]. 196. 198. 216. 220. 236. 375[32]
Gihon-Quelle 197. 214. 328
Gilboa 184. 185. 187. 189. 193
Gilead (Gileaditer, gileaditisch) 74. 137. 142. 161. 165–167. 178. 181. 185. 187. 226. 227. 308. 308[30]
Gilgal 64. 117. 134. 147. 176. 177[20]. 179. 183
Gimtu 321
Gischala 461. 462
Goliathsfluß 164
Gomorrha 327
Gophna 458
Gosen 118. 118[6]
Gosen (Ort) 89. 93
Gurgum 296. 298. 313. 320
Guzana 293f.

Ǧbēl 322
Ǧebaʿ 174. 179. 248. 312. 347
Ǧebel ʿArāʾif 100
Ǧebel Fārān 100
Ǧebel Ferdēs oder *Furēdīs* 456. 458. 462
Ǧebel Fuqūʿa 184
Ǧebel el-Munāǧa 99
Ǧebel Mūsā 98
Ǧebel el-Qalʿa (ʿAmmān) 239[25]
Ǧebel Qāṭerīn 99
Ǧebel Serbāl 99
Ǧebel eṭ-Ṭōr (Garizim) 435. 443
Ǧebel eṭ-Ṭōr (Tabor) 138. 160. 461
Ǧenīn 120
Ǧerāblus 35. 319. 361
Ǧeraš 454
Ǧezīret Firāʿūn 219. 250
el-Ǧīb 117. 121. 180[29]. 196. 198
Ǧifna 458
Ǧisr el-Ḥāriṯīye 159
el-Ǧīš 461
Ǧōlān 135. 310[37]

Ġazze 35. 42. 453. 455
el-Ġūṭa 281. 310

Haderwasser 104
Ham 83[32]
Hamath (am Orontes) 201. 202. 224. 262. 263. 283. 283[95]. 296. 304. 304[2]. 308[29]. 313. 317–319. 361. 364
Hamath 39
Har Cheres 120. 121
Haramatha 454
Harod-Quelle 164
Haroseth 159. 160
Haṣaṣon Thamar 83[32]
Hazor 118. 119. 159. 225. 435
Hebron 74. 78. 102. 117. 118. 131. 132. 157. 158. 166. 181. 188. 191–196. 210. 212. 214. 231. 244. 327. 375. 425
Heliopolis 37. 90[20]
Herakleopolis 291

b) Menschen und Menschengruppen (transkribierte Namen kursiv)

c) Götter

III. Sachen

Mischehen 417. 426. 431
Mission 459
Mitregent(schaft), Mitregierung 215. 363
Monarchie, monarchisch 51. 67. 68. 70. 169. 171. 181. 208. 245. 411. 414
Monolatrie 264
Monotheismus 110. 111
Mosegrab 112. 113
Mythos, mythisch 24. 110. 202

Nachtgesichte Sacharjas 406. 414
Nasiräer 138. 165
negatives Besitzverzeichnis 120. 121. 129. 130. 138. 198
Neujahrsfest 367. 368. 372. 430
Neutralität, neutral 318. 323f.
Nomaden, nomadisch (Beduinen) 43. 46–49. 56. 57. 60. 61. 64. 66–68. 71. 73. 75. 77. 78. 80. 81. 85. 86. 88–92. 101. 104. 112. 114. 115. 122–127. 130. 132. 139. 140. 143. 149. 151. 173. 190. 191. 225. 278. 388. 403
Nomokratie 438
Novelle, novellistisch 87. 208. 221. 235. 250. 252. 257. 275

Oberflächenforschung 27–29
Orakel(wesen) 106. 185. 272. 290. 345. 346. 350. 351[41]
Ostraka v. Lachisch 378f.
Ostraka v. Samaria 283f.

Pap. Anastasi VI 86. 89
Pap. Westcar 96[34]
Passah 345. 351. 396
Patriarchen → Erzväter
pax Romana 456
Pentapolis 42. 173. 196. 198. 300
Pentateuch 353. 428. 429. 436–438
Perserkriege 398. 403
Personalgötter 80. 81
Personalunion 171. 194. 195. 197. 198. 201. 206. 213. 225. 233–236. 238–240. 244. 267. 275. 297. 349. 397
Plagenerzählungen 89. 96
politisches Asyl 224. 239. 321
politische Literatur 19
Polytheismus, polytheistisch 75. 76. 79. 80
Post 398
Priester (-schaft, -tum), priesterlich 87. 106. 111. 130. 131. 147. 150. 183. 204. 214. 215. 227. 243. 252–254. 279. 316. 317. 348–350. 350[38]. 352. 353. 373. 379. 385. 386. 412. 414. 414[37]. 417. 426. 427. 438. 448. 450. 451. 464
Priester, Priesterschaft (ägypt.) 35. 36. 395. 396. 399
Priester(schaft), priesterlich (babylon.) 365–367. 372. 392. 397. 401
Priesterschrift 429. 436. 437
Prokonsul 458
Prokurator(en) 458. 460. 462
prokuratorischer Verwaltungsbezirk 457–459. 460. 462
Prophet, Prophetie, prophetisch 104. 111. 131. 156[5]. 160. 177. 209. 214. 228. 231. 233–235. 238. 250. 257. 261. 270. 271. 273. 273[59]. 275. 276. 279–282. 284. 289. 306. 306[20]. 307. 308. 311. 312[42]. 318. 321–325. 331[7]. 336–338. 342. 345. 349. 350. 353–355. 370. 371. 373–376. 378–381. 383. 385–387. 389. 389[36]. 406. 412–414. 416. 433. 436–438. 441
Provinz(en), Provinzialsystem 225–227. 236. 249. 294–300. 304[2]. 305. 306. 308. 308[30]. 315. 317–321. 325. 327. 330–332. 342. 348. 353. 362. 366. 371. 379. 380. 394. 402. 409. 410. 414. 415. 421. 422. 424. 425[37,39]. 430. 434. 442–446. 453. 459. 462. 463. 465
Provinzialgouverneur(e) 198. 206. 227. 228. 331. 380. 382. 394. 410. 411. 418. 420–422. 422[22]. 425[39]. 434. 442. 452
Pseudepigraphie, pseudepigraphisch 221. 355. 447[25]
Ptahhotepformel 355
Pufferstaat(en) 300. 328. 341

Quelle(n) 17–29. 129f. 145f. 153. 155. 157. 174. 176. 181. 186. 200. 207. 208. 233. 235. 235[10]. 241. 246. 251[19]. 254. 256. 257. 268. 274. 275. 290. 306. 307. 321. 322. 330–333. 342. 343. 345. 349[33]. 359. 360. 371. 372. 383. 391. 397[26]. 401. 403. 405. 406. 416. 418. 420[14]. 426. 433. 434. 438. 441. 457. 463

Rahelstämme (-gruppe) 59. 61. 64. 78. 87. 88. 92. 102. 112. 113. 128. 134. 137. 167
Rechtssammlung(en) 20. 100. 149
Rechtspflege (-wesen), Rechtsprechung 150. 154. 156. 284. 396
Redaktion(en), Redaktor(en) 235. 246. 331. 338. 344. 389[35]. 414. 429. 430. 436. 437
Reform(en) 221. 223. 330. 331. 331[7]. 332–334. 339. 343–346. 348. 348[31]. 349. 350. 353. 354. 356. 357. 370. 376. 385. 414. 435
Reichsteilung 133. 238. 440
Reiterei 294